極速報表製作術

Excel

樞紐分析應用全攻略

在現代社會，Excel 無疑是現代化辦公中使用率最高的軟體之一，不過大多數的使用者只利用了少部分的 Excel 功能，甚至對這少部分功能也處於一知半解的狀態。對此，為了發揮 Excel 強大的資料處理和分析能力，掌握樞紐分析表功能就很有必要了。

有了樞紐分析表，不僅可以在數秒內處理好上百萬行的交易資料，還可以從不同角度靈活地對複雜的記錄資料進行排序、篩選、加總或者是計算，最後還可將這些處理後的資料以報表的形式有規律地展現出來，從而說明使用者建立資料處理和分析模型，以便化解工作中的許多棘手問題。簡而言之，使用 Excel 中的樞紐分析表，可以在不破壞來源資料的情況下輕鬆取得各種需要的資料結果。

本書主要內容

本書內容共 8 章，根據內容結構可分為三個部分。

第一部分為第 1 章，介紹樞紐分析表的基礎知識，如什麼是樞紐分析表、樞紐分析表的常用術語等。

第二部分為第 2 ～ 7 章，主要介紹在實際工作中，如何讓樞紐分析表更美觀；如何將目標資料從大到小地排序；如何只顯示我們想要的結果並隱藏不需要的資料；如何匯總出需要的資料；如何將相同城市的資料組合到一起；以及如何統計出某一年或者是某一月每個員工的銷售額；或者是直接以圖表的方式展現多個資料的對比情況等。

第三部分為第 8 章，該章介紹如何使用 Power Pivot 建立樞紐分析表和資料透視圖。

本書顯著特色

1. 循序漸進，環環相扣

本書從樞紐分析表的基礎知識講解開始，慢慢為讀者揭開 Excel 樞紐分析表應用的神秘面紗。本書透過三個部分共 8 個章節，由淺入深介紹了樞紐分析表，讓讀者可以一步步的從初學者成為高手。

2. 內容豐富，知識全面

本書依 Excel 樞紐分析表的應用功能分類，不僅講解樞紐分析表的基礎知識，還包含許多容易被忽略的樞紐分析表功能。所以，無論是初學者還是經常使用 Excel 的行家，本書都可以成為讀者活學活用 Excel 樞紐分析表應用的絕佳書籍，能夠解決讀者在學習 Excel 樞紐分析表中遇到的各種問題。

3. 生動活潑，引人入勝

本書以一個即將開始進行與樞紐分析表相關的辦公人員角度，對實際工作中出現的各種問題進行了提問，並透過與公司前輩的各種對話，得到這些問題的處理方法，為讀者營造學習實境以引起共鳴，學習更易上手，並引導讀者自我思考和繼續閱讀。

範例檔案下載

本書範例練習檔可至以下連結下載：

http://books.gotop.com.tw/download/ACI029900

本書目標讀者

本書適用於各類需要用到樞紐分析表的職場人士，如：

- 從事人力資源、會計與財務、市場銷售等專業人員；
- 經常需要使用 Excel 製作各類報表的使用者；
- 經常使用 Excel 進行大資料的處理與分析的使用者；
- 希望掌握 Excel 樞紐分析表或者是資料透視圖操作和技巧的使用者；
- 在校大學生或者是即將進入社會的求職者。

總而言之，本書既可以作為樞紐分析表初學者的入門教材，又可作為進階使用者的參考手冊。此外，從軟體的掌握程度而言，讀者應具有一定的電腦操作水準和基礎的 Excel 知識。

本書編寫的過程中難免有疏漏與不足之處，懇請廣大讀者指正批評。

編者

1 基礎知識篇

2 樞紐分析表的建立與欄位管理

3 樞紐分析表的外觀美化

4 排序與篩選

5 資料群組與多重彙總

6 樞紐分析表的圖表化

7 匯入外部資料

8 可處理大數據的 Power Pivot

1 基礎知識篇

經過多輪面試的小言終於被 HS 有限公司錄取了！雖然該公司自創業以來才不過兩年的時間，但這是小言的第一份工作，他還是懷著緊張而期待的心情踏進了這個想要為之努力和奮鬥的公司大門。

1.1 初識樞紐分析表

老譚：你好！我是老譚，在你實習期的三個月內，我將對你的工作進行相關的指導。透過你的簡歷，我看的出你對 Office 軟體中的 Word、Excel、PPT 操作還蠻熟練，且能夠運用 Access 資料庫進行資料的儲存。那你對 Excel 中的樞紐分析表有什麼看法？

小言：您好！前輩。雖然對於樞紐分析表的瞭解不算多，但會讓我聯想到病人在醫院檢查時要做的超音波、核磁共振等。就算病人穿了各種顏色，或者是厚度不一的衣服，透過這些儀器，醫生還是能夠看到病人的五臟六腑，進而診斷出病人有哪些症狀。所以個人對樞紐分析表的理解是：能夠透過表面資料深入分析，從而發現關鍵資料。

老譚：嗯！很好。雖然解釋得通俗簡單，但也大致說出了樞紐分析表的基本含義。其實樞紐分析表的功能主要有如下幾點：

- 可以方便快捷地將資料排序、篩選和小計。
- 可以隨意群組資料形成有用的資訊。
- 可以在很短的時間內對各種資料進行計算。
- 在樞紐分析表中可以拖曳欄位，動態地改變資料呈現的方式，以及重新計算總數以便於適應當前的視圖方式。
- 可以深入分析數字資料，幫助使用者發現關鍵資料，並對企業中的關鍵資料做出決策。

1.2 為什麼要使用樞紐分析表？

老譚：你可能會覺得奇怪，為什麼我要特別問你對樞紐分析表的看法。那曾經作為一名學生，你是否想過老師如何將全班或者是全年級的學生成績進行小計和求平均值的呢？

小言：當然想過！高中的時候還沒接觸到 Excel，以為老師靠的是計算機一個一個算出來的，那時候還覺得老師真厲害，能夠幾天就把全年級 2000 多個學生的總分進行排名或是將全年級的平均分數算出來！後來接觸到 Excel，才知道有函數這個概念，所以也就理所當然地以為老師應該是利用 Excel 中的函數。但是你現在又問我對樞紐分析表的看法，難道老師其實靠的是這個工具？

老譚：相較於函數，樞紐分析表工具的靈活性當然更大。至於你的高中老師使用什麼工具來計算學生的平均分和年級排名，那我就不清楚了！不過，我們公司作為一個銷售公司，其實公司所屬的產品就和學校的學生個體是類似的。而且你以後的工作會需要處理各種資料，所以這段時間掌握好 Excel 中的樞紐分析表工具是很有必要的。

圖 1-1 中為我們公司的「產品銷售記錄表」，該表格記錄了公司各個銷售員在 2016 年 1 月的銷售訂單情況，其包括了訂單編號、訂單日期、銷售城市、產品名稱、銷售數量等主要資料資訊。

	A	B	C	D	E	F	G	H
1	訂單編號	訂單日期	產品名稱	銷售城市	銷售員工	銷售單價（元）	銷售數量（台）	銷售金額（元）
2	A-10256	2016/1/5	產品A	高雄	肖星星	$ 15,000.00	24	$360,000.00
3	A-10257	2016/1/6	產品B	高雄	程志成	$ 25,600.00	26	$665,600.00
4	A-10258	2016/1/6	產品C	台中	狄安明	$ 22,000.00	12	$264,000.00
5	A-10259	2016/1/7	產品D	台中	程志成	$ 30,000.00	28	$840,000.00
6	A-10260	2016/1/7	產品B	台南	狄安明	$ 25,600.00	35	$896,000.00
7	A-10261	2016/1/11	產品A	台南	肖星星	$ 15,000.00	15	$225,000.00
8	A-10262	2016/1/11	產品B	台北	李珍珍	$ 25,600.00	27	$691,200.00
9	A-10263	2016/1/12	產品A	台北	趙鳳元	$ 15,000.00	20	$300,000.00
10	A-10264	2016/1/12	產品C	新竹	肖星星	$ 22,000.00	19	$418,000.00
11	A-10265	2016/1/12	產品D	嘉義	趙鳳元	$ 30,000.00	26	$780,000.00
12	A-10266	2016/1/13	產品A	台北	程志成	$ 15,000.00	11	$165,000.00
13	A-10267	2016/1/13	產品B	新竹	肖星星	$ 25,600.00	18	$460,800.00
14	A-10268	2016/1/13	產品C	嘉義	狄安明	$ 22,000.00	13	$286,000.00
15	A-10269	2016/1/14	產品B	嘉義	趙鳳元	$ 25,600.00	10	$256,000.00
16	A-10270	2016/1/14	產品A	台南	李珍珍	$ 15,000.00	26	$390,000.00
17	A-10271	2016/1/14	產品D	高雄	程志成	$ 30,000.00	25	$750,000.00
18	A-10272	2016/1/15	產品D	新竹	趙鳳元	$ 30,000.00	36	$1,080,000.00
19	A-10273	2016/1/15	產品A	新竹	肖星星	$ 15,000.00	40	$600,000.00
20	A-10274	2016/1/16	產品D	台北	趙鳳元	$ 30,000.00	42	$1,260,000.00
21	A-10275	2016/1/16	產品A	台中	狄安明	$ 15,000.00	15	$225,000.00
22	A-10276	2016/1/18	產品D	高雄	李珍珍	$ 30,000.00	40	$1,200,000.00
23	A-10277	2016/1/18	產品C	嘉義	肖星星	$ 22,000.00	30	$660,000.00
24	A-10278	2016/1/20	產品A	台南	程志成	$ 15,000.00	20	$300,000.00
25	A-10279	2016/1/21	產品D	台南	肖星星	$ 30,000.00	25	$750,000.00
26	A-10280	2016/1/22	產品D	高雄	狄安明	$ 30,000.00	22	$660,000.00
27	A-10281	2016/1/25	產品A	台中	肖星星	$ 15,000.00	21	$315,000.00
28	A-10282	2016/1/25	產品C	台中	李珍珍	$ 22,000.00	20	$440,000.00
29	A-10283	2016/1/28	產品B	台北	程志成	$ 25,600.00	15	$384,000.00
30	A-10284	2016/1/28	產品A	台南	趙鳳元	$ 15,000.00	22	$330,000.00
31	A-10285	2016/1/30	產品A	嘉義	肖星星	$ 15,000.00	26	$390,000.00

圖 1-1 產品銷售記錄表

如果我希望你能夠根據此表快速統計出如下的小計資訊：

1. 統計各個員工的各項產品銷售金額。
2. 查看「李珍珍」的銷售產品明細，及其對應的銷售金額。
3. 對比各個員工的銷售金額。
4. 統計「產品 A」在各個城市的銷售金額。

……

等等諸多問題，你可以在一分鐘內解決以上所有問題嗎？

小言：如果是以前，我會一個一個地計算，在計算完以後，由於怕出錯可能還會再檢查一遍。在掌握了 Excel 後，我會應用加總函數和圖表工具進行計算和小計。但是無論是哪種方法都不能在一分鐘內完成，前一種方法快的話可能半天，而後一種方法也至少得需半個小時。

老譚：沒錯，如果一個個計算，你肯定要加班到深夜。雖然使用 Excel 函數和圖表能夠比前面的方法更快，但是當我提供的資料不止是一個月而是一整年時，計算起來不僅麻煩，也會沒有效率，而且還有可能會出錯。此時就可以使用樞紐分析表快速將需要的資料進行篩選、小計了。如圖 1-2 所示，其列出以上四個問題的小計結果，這全都是以樞紐分析表工具在一分鐘內完成的。

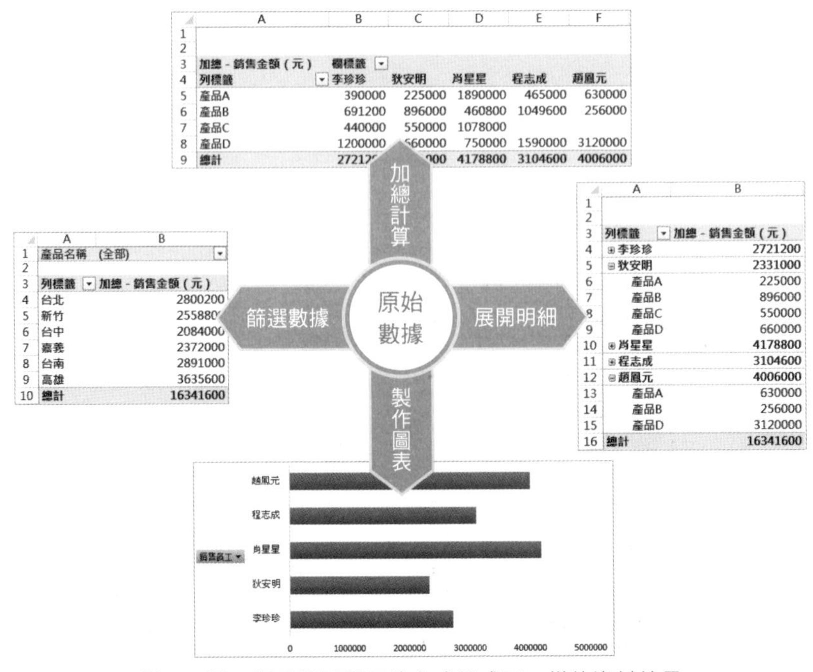

圖 1-2 同一個工具以不同的方式組成不一樣的資料效果

以上案例說明使用樞紐分析表不但可以計算出資料的篩選、小計和對比效果，還可以提高工作效率。當然，還有其他很多使用樞紐分析表的原因，綜合分析後，主要有以下幾方面的因素：

- 樞紐分析表綜合了資料排序、篩選和小計等常用資料分析方法的優點，可以方便地調整小計的方式。
- 可以根據不同的需要，進行欄位變化，達到各種不同的分析要求。
- 可以展開或折疊要關注結果的資料級別，只查看感興趣的區域小計資料明細。
- 可以快速做行和列的資料互換，以便於查看來源資料的不同小計結果。
- 可以快速查詢資料中的特定值，並對特定值進行計數。
- 可以作為樞紐分析圖的資料來源，建立即時更新的圖表。
- 有助於提高工作效率，並減少出錯率，是解決函數公式計算資料局限性的方法之一。

1.3 何時可以使用樞紐分析表分析資料？

小言：前輩，能夠請教一個問題嗎？

老譚：嗯，說吧！

小言：是不是任何時候都必須使用樞紐分析表呢？我覺得在資料不算多的情況下，使用函數也可以很快地解決問題。

老譚：不錯，這證明你還是很認真在聽的。前面說了這麼多有關於樞紐分析表的知識，可以發現一般是在資料量大、操作繁瑣的基礎上，使用樞紐分析表才能夠展示它的優點。也就是說，並不是任何時候都適合使用樞紐分析表的。通常，有以下四種情況比較適合使用樞紐分析表。

1. 有大量的資料，使用函數計算慢、繁瑣

在實際工作中，經常會碰到有大量資料的表格，最常見的情況是長時間積累下來的資料，或者是從某個資料庫裡面匯出來的資料。而當需要對這些大量資料進行分析和製作報表時就會很頭痛，因為資料量實在是太大了。當然對於大量的資料還有一個要求，那就是資料來源必須是比較規則的資料，即表格的第一行是欄位名稱，且欄位名稱不能為空；資料記錄中也最好不要有空白儲存格或者合併儲存格；此外，每個欄位中的資料類型必須一致，如「訂單日期」欄位的值就不能既有日期型資料又有文字型資料，否則無法按照「訂單日期」欄位進行群組。也就是說，只有資料來源越規則，樞紐分析表的使用才會更方便。

此外，在計算分析時，一般情況下可能會用到函數。也許函數對於少量的資料運算來說是比較快的，但是對於成千上萬的資料統計而言就比較慢了，此時就可以考慮使用樞紐分析表來解決這個問題。

2. 希望快速製作、整理、分析各類報表

在實際工作中，往往要對同一份資料從不同的角度去製作各種報表，或者是從不同的角度去分析這些資料背後的意義。大部分的人也許會透過複製或篩選需要的資料到其他工作表或活頁簿裡，然後做成報表，但是這種方式在資料量大的情況下是非常慢的。此外，當需要對報表進行格式設定時，如果用手工設定也是非常慢的，這時候就要考慮使用樞紐分析表了。透過樞紐分析表拖曳欄位資料就可以快速構建你所需要的報表，並且設定報表格式也是非常快的。

3. 資料來源經常變化，並且要經常分析和處理最新的資料

如果已製作了報表，但資料來源經常更新時，就很可能要一步步重新在報表裡更新資料。而這樣的操作不僅繁瑣，也很可能會出錯。這時候你就要考慮使用樞紐分析表，因為樞紐分析表可以自動更新資料，不用手動更正。

4. 想快速洞察資料背後隱藏的意義

在有大量資料的情況下，我們很難快速找到自己或是企業想要的資訊。但利用樞紐分析表，就可以快速找出資料內部的關係，並對資料進行分組，在各種時間週期找出資料變化和趨勢，並且能夠快速搭配樞紐分析圖表進行立體分析。

以上這四種僅僅只是一個樞紐分析大概的情境，還有很多其他情況下也都可以使用樞紐分析表高效完成工作。等你學完樞紐分析表之後，就會對樞紐分析表有一個更深的認識了。

1.4 為何樞紐分析表具有靈活性？

小言：前輩，對樞紐分析表我已經有一個大概的認識了，那我是不是就可以開始建立樞紐分析表了呢？

老譚：當然還不行！如果你想要真正理解樞紐分析表，瞭解樞紐分析表的基本結構是一個必不可少的環節。因為正是這些基本結構才賦予了樞紐分析表的靈活性。樞紐分析表的結構一般由欄位清單、欄位設定區域和樞紐分析表顯示區域三個部分組成，而結構中的樞紐分析表顯示區域又由報表篩選區域、欄區域、列區域和值區域四個部分組成，如圖 1-3 所示。

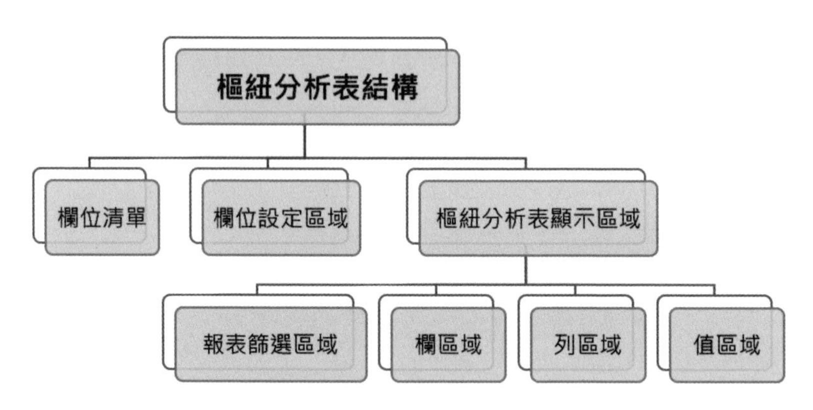

圖 1-3 樞紐分析表的組成結構

1. 欄位清單

在建立一個樞紐分析表後，工作表的右側會出現一個「樞紐分析表欄位」任務窗格，而該窗格的上半部分就是結構中的「欄位清單」，如圖 1-4 所示。一般情況下，資料來源表格中的所有第一行列標題都會顯示在欄位清單中，該清單相當於樞紐分析表的原材料基地。在欄位清單中勾選出需要的欄位後，可在樞紐分析表顯示區域中看到已勾選欄位在樞紐分析表中呈現的效果，如圖 1-5 所示。

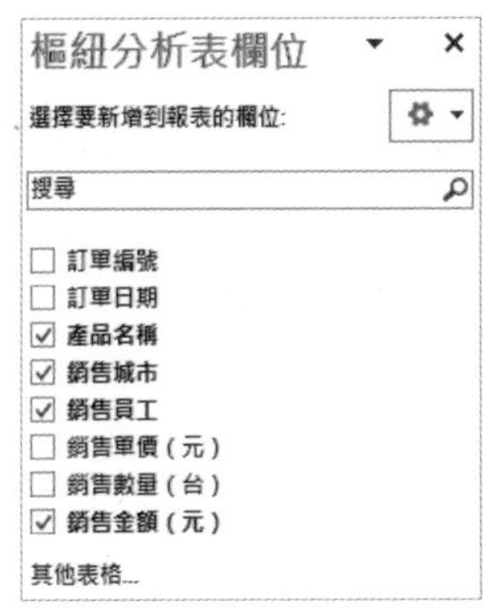

圖 1-4 欄位清單

列標籤	加總 - 銷售金額（元）
⊟產品A	3600000
⊟台北	465000
程志成	165000
趙鳳元	300000
⊟新竹	600000
肖星星	600000
⊟台中	540000
狄安明	225000
肖星星	315000
⊟嘉義	390000
肖星星	390000
⊟台南	1245000
李珍珍	390000
肖星星	225000

圖 1-5 勾選欄位後的樞紐分析表效果

2. 欄位設定區域

在前一小節中提到「樞紐分析表欄位」任務窗格的上半部分為結構中的「欄位清單」，而下半部分就為欄位設定區域，如圖 1-6 所示。在欄位清單中勾選出要顯示的欄位後，勾選的欄位都會自動放置在相應的欄位設定區域中。在預設情況下，系統會自動將非數值欄位加到欄位設定區域中的「列」標籤，數值型欄位加到「值」區域，圖 1-5 所示的結果為預設欄位下的樞紐分析表效果。

如果對欄位的原始放置位置不滿意，還可以對這些欄位進行加工，加工的方式就是把相應的欄位拖入想要放置的位置。如將預設欄位設定區域中的「產品名稱」移動到「篩選」中，交換「銷售員工」和「銷售城市」的上下位置，即可得到如圖 1-7 所示的樞紐分析表效果。因此，欄位設定區域可稱之為樞紐分析表的加工廠。

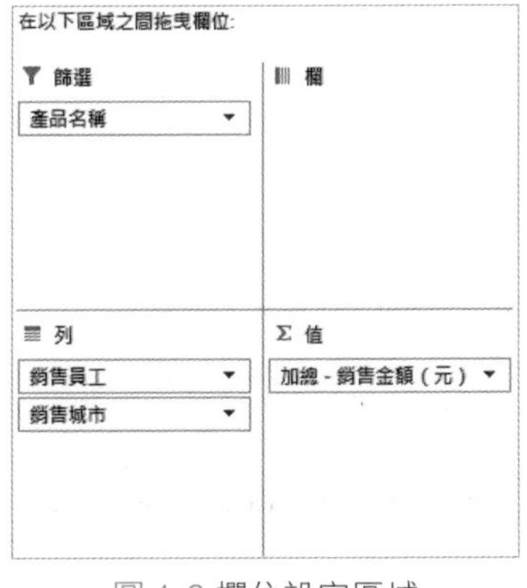

圖 1-6 欄位設定區域

產品名稱	(全部)
列標籤	加總 - 銷售金額（元）
⊞李珍珍	2721200
⊞狄安明	2331000
⊟肖星星	4178800
新竹	1478800
台中	315000
嘉義	1050000
台南	975000
高雄	360000
⊞程志成	3104600
⊞趙鳳元	4006000
總計	16341600

圖 1-7 加工欄位後的樞紐分析表效果

3. 樞紐分析表顯示區域

在欄位清單中勾選出要顯示的欄位，並且在欄位設定區域中設定各個欄位的放置位置後，群組成的樞紐分析表就會在工作表中顯示，而該顯示的區域就稱為樞紐分析表顯示區域。根據結構，該區域可分為報表篩選區域、欄區域、列區域和值區域。

- 報表篩選區域

報表篩選區域一般位於樞紐分析表的頂部，是一個或多個下拉式功能表的可選集，它對應欄位設定區域中的「篩選」。圖 1-8 中的儲存格區域 A1:B2 即為該樞紐分析表的報表篩選區域。由圖中可以發現，可以用「產品名稱」和「訂單日期」篩選樞紐分析表要顯示的內容。

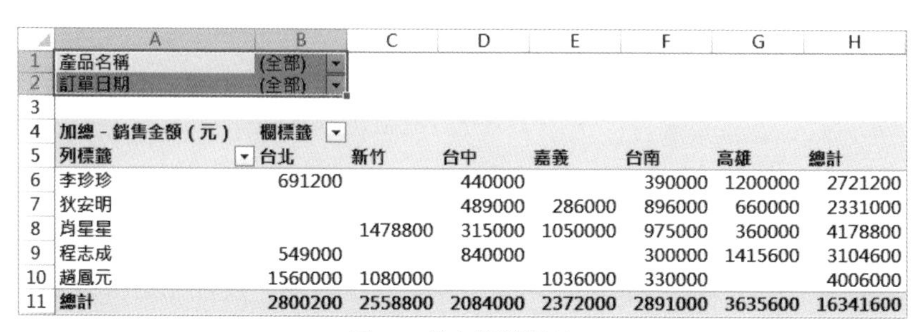

	A	B	C	D	E	F	G	H
1	產品名稱	(全部)						
2	訂單日期	(全部)						
3								
4	加總 - 銷售金額（元）	欄標籤						
5	列標籤	台北	新竹	台中	嘉義	台南	高雄	總計
6	李珍珍	691200		440000		390000	1200000	2721200
7	狄安明			489000	286000	896000	660000	2331000
8	肖星星		1478800	315000	1050000	975000	360000	4178800
9	程志成	549000		840000		300000	1415600	3104600
10	趙鳳元	1560000	1080000		1036000	330000		4006000
11	總計	2800200	2558800	2084000	2372000	2891000	3635600	16341600

圖 1-8 報表篩選區域

- 列區域

列區域位於樞紐分析表的左邊，該區域的欄位會上下排列顯示，如圖 1-9 的儲存格區域 A5:A10，即為樞紐分析表的列區域。通常情況下，列區域對應欄位設定區域中的「列」標籤。在圖中，「銷售員工」的姓名組成了列區域。

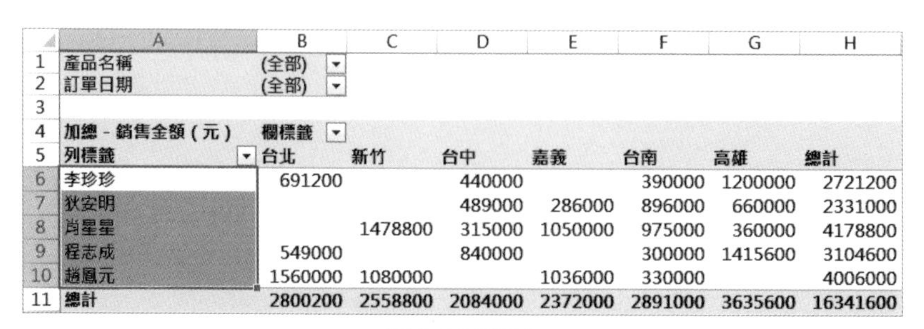

	A	B	C	D	E	F	G	H
1	產品名稱	(全部)						
2	訂單日期	(全部)						
3								
4	加總 - 銷售金額（元）	欄標籤						
5	列標籤	台北	新竹	台中	嘉義	台南	高雄	總計
6	李珍珍	691200		440000		390000	1200000	2721200
7	狄安明			489000	286000	896000	660000	2331000
8	肖星星		1478800	315000	1050000	975000	360000	4178800
9	程志成	549000		840000		300000	1415600	3104600
10	趙鳳元	1560000	1080000		1036000	330000		4006000
11	總計	2800200	2558800	2084000	2372000	2891000	3635600	16341600

圖 1-9 列區域

● 欄區域

欄區域位於樞紐分析表的中部，對應欄位設定區域中的「欄」標籤區。如圖 1-10 的儲存格區域 B4:G5，在本樞紐分析表中，「銷售城市」欄位組成了欄區域。

	A	B	C	D	E	F	G	H
1	產品名稱	(全部)						
2	訂單日期	(全部)						
3								
4	加總 - 銷售金額（元）	欄標籤						
5	列標籤	台北	新竹	台中	嘉義	台南	高雄	總計
6	李珍珍	691200		440000		390000	1200000	2721200
7	狄安明			489000	286000	896000	660000	2331000
8	肖星星		1478800	315000	1050000	975000	360000	4178800
9	程志成	549000		840000		300000	1415600	3104600
10	趙鳳元	1560000	1080000		1036000	330000		4006000
11	總計	2800200	2558800	2084000	2372000	2891000	3635600	16341600

圖 1-10 欄區域

● 值區域

如果想要對資料進行加總等計算，就必須將資料欄位放在該欄內。如圖 1-11 的儲存格區域 B6:H11，為「銷售金額」的加總統計。該區域對應欄位設定區域中的「值」區域。

在該區域中，可以將同一個欄位放兩次，但是必須進行不同的計算。例如加入兩次銷售金額欄位，一個如果為「加總：銷售金額」，另一個就必須為「計數：銷售金額」或者是「平均值：銷售金額」等其他計算類型，不能同時為加總項。

	A	B	C	D	E	F	G	H
1	產品名稱	(全部)						
2	訂單日期	(全部)						
3								
4	加總 - 銷售金額（元）	欄標籤						
5	列標籤	台北	新竹	台中	嘉義	台南	高雄	總計
6	李珍珍	691200		440000		390000	1200000	2721200
7	狄安明			489000	286000	896000	660000	2331000
8	肖星星		1478800	315000	1050000	975000	360000	4178800
9	程志成	549000		840000		300000	1415600	3104600
10	趙鳳元	1560000	1080000		1036000	330000		4006000
11	總計	2800200	2558800	2084000	2372000	2891000	3635600	16341600

圖 1-11 值區域

欄位清單、欄位設定區域和樞紐分析表顯示區域這三個部分對樞紐分析表來說缺一不可。當我們在欄位清單中勾選出需要的欄位後，欄位設定列表會自動分配這些欄位到相應的標籤，隨後又會在樞紐分析表的顯示區域中，顯示相應欄位的明細資料。而且，當增加或減少欄位清單中的顯示欄位，以及改變欄位設定區域中的欄位位置時，樞紐分析表的顯示區域也會發生相應的改變。

1.5 你必須瞭解的樞紐分析表術語

小言：前輩，我發現您經常性地提到「欄位」這個詞，到底什麼是欄位，你為什麼將其稱為欄位？

老譚：好問題！其實要理解樞紐分析表，僅僅靠以上介紹的內容還是不夠的，了解樞紐分析表的相關術語也是必要的。如你提出的「欄位」就是樞紐分析表的術語之一。其實上文中提到的列區域、欄區域、報表篩選區域和值區域也可以說是樞紐分析表的術語，因為它們都是對樞紐分析表中一些特定事物的統一稱謂。

在此，我將介紹一些常用的樞紐分析表術語。

- 來源資料：指用來建立樞紐分析表的資料，該資料可以位於工作表中，也可位於一個外部的資料庫。如圖 1-12 中的「產品銷售記錄表」即為來源資料。

	A	B	C	D	E	F	G	H
1	訂單編號	訂單日期	產品名稱	銷售城市	銷售員工	銷售單價（元）	銷售數量（台）	銷售金額（元）
2	A-10256	2016/1/5	產品A	高雄	肖星星	$ 15,000.00	24	$360,000.00
3	A-10257	2016/1/6	產品B	高雄	程志成	$ 25,600.00	26	$665,600.00
4	A-10258	2016/1/6	產品C	台中	狄安明	$ 22,000.00	12	$264,000.00
5	A-10259	2016/1/7	產品D	台中	程志成	$ 30,000.00	28	$840,000.00
6	A-10260	2016/1/7	產品B	台南	狄安明	$ 25,600.00	35	$896,000.00
7	A-10261	2016/1/11	產品A	台南	肖星星	$ 15,000.00	15	$225,000.00
8	A-10262	2016/1/11	產品B	台北	李珍珍	$ 25,600.00	27	$691,200.00
9	A-10263	2016/1/12	產品A	台北	趙鳳元	$ 15,000.00	20	$300,000.00
10	A-10264	2016/1/12	產品C	新竹	肖星星	$ 22,000.00	19	$418,000.00
11	A-10265	2016/1/12	產品D	嘉義	趙鳳元	$ 30,000.00	26	$780,000.00
12	A-10266	2016/1/13	產品A	台北	程志成	$ 15,000.00	11	$165,000.00
13	A-10267	2016/1/13	產品B	新竹	肖星星	$ 25,600.00	18	$460,800.00
14	A-10268	2016/1/13	產品C	嘉義	狄安明	$ 22,000.00	13	$286,000.00
15	A-10269	2016/1/14	產品B	嘉義	趙鳳元	$ 25,600.00	10	$256,000.00

產品銷售記錄表 工作表1

圖 1-12 來源資料

- 欄位：為來源清單或資料庫中欄位衍生之資料的分類。例如，「產品名稱」欄位可來自來源資料清單中標記為「產品名稱」的欄位，「加總項:銷售金額（元）」欄位來自於來源資料列表中的「銷售金額」欄。

- 小計函數：是用來對資料欄位中的值進行合併的計算類型。樞紐分析表通常為包含數值的資料欄位使用「加總」函數，為包含文字的資料欄位使用「計數」函數，此外，還可以選擇平均值、最大值、最小值等函數，如圖 1-13 所示。

- 重新整理：是使用最新的來源資料更新樞紐分析表的操作。對於以工作表為資料來源的樞紐分析表，當更改工作表資料時，開啟「樞紐分析表工具 - 選項」頁籤，在「資料」群組中按一下「重新整理」按鈕，在彈出的功能表中選擇「重新整理」選項或「全部重新整理」選項，即可更新樞紐分析表中的資料，如圖 1-14 所示。

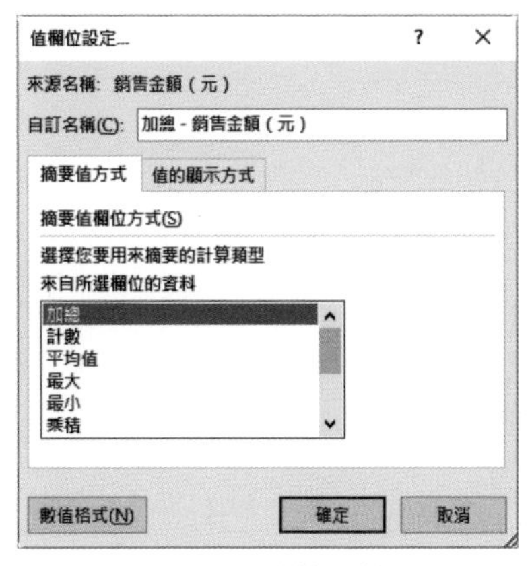

圖 1-13 小計函數

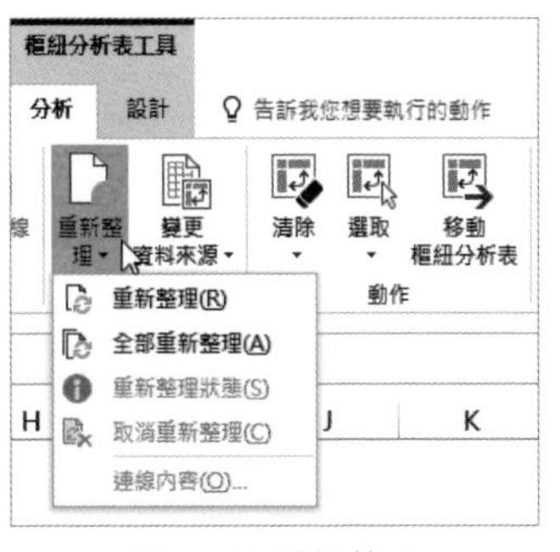

圖 1-14 重新整理

- 欄位下拉清單：是指可在欄位中顯示的項目清單。按一下欄位清單中任意欄位右側的下三角按鈕，如圖 1-15 所示，展開的清單即為欄位下拉清單，如圖 1-16 所示。

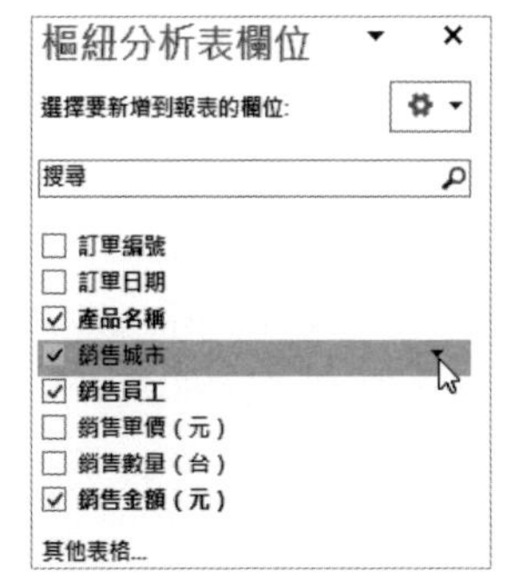

圖 1-15 欄位右側之下三角按鈕

圖 1-16 欄位下拉清單

2 樞紐分析表的建立與欄位管理

進入公司已經一週了，在這段時間裡，小言對公司的行政流程已有了大概的瞭解。小言發現無論是財務部還是行政部的同事，都能夠熟練運用樞紐分析表工具統計出各自需要的表格資料。讓小言在羨慕的同時，也進一步認識到樞紐分析表的靈活和強大之處。所以一有空，小言就會看一些關於樞紐分析表的資料，以期望自己能夠快速使用樞紐分析表分析資料。

2.1 改變，從樞紐分析表的建立開始

老譚：上一週，我講解了一些關於樞紐分析表的基礎知識，看你平時也在看相關的資料，我想你已經掌握樞紐分析表的基礎資訊了。

小言：掌握可能還說不上，只能說已有了比較粗淺的瞭解。因為我發現還有很多地方還需要前輩您的指導。

老譚：嗯，的確是這樣，我用了這麼多年的樞紐分析表，都不敢說自己已掌握樞紐分析表工具，只能說熟練應用該工具去分析一些常用的表格資料。但是不用擔心，以下我將從各個方面介紹樞紐分析表工具在工作中的應用。

2.1.1 建立基本的樞紐分析表

老譚：在瞭解樞紐分析表結構後，就可以用公司的資料為基礎來建立樞紐分析表。接下來，讓我們一步步示範，如何以「產品銷售記錄表」建立基本的樞紐分析表。

01 STEP 建立樞紐分析表。❶在資料來源「產品銷售記錄表」工作表中選取任意儲存格，如儲存格 C3，❷切換至「插入」頁籤，❸在「表格」群組中按一下「樞紐分析表」按鈕，如圖 2-1 所示。

	A	B	C	D	E	F
		訂單日期	產品名稱	銷售城市	銷售員工	銷售單價（元）
		2016/1/5	產品A	高雄	肖星星	$ 15,000.00
		2016/1/6	產品B	高雄	程志成	$ 25,600.00
		2016/1/6	產品C	台中	狄安明	$ 22,000.00
		2016/1/7	產品D	台中	程志成	$ 30,000.00
6	A-10260	2016/1/7	產品B	台南	狄安明	$ 25,600.00
7	A-10261	2016/1/11	產品A	台南	肖星星	$ 15,000.00
8	A-10262	2016/1/11	產品B	台北	李珍珍	$ 25,600.00
9	A-10263	2016/1/12	產品A	台北	趙風元	$ 15,000.00
10	A-10264	2016/1/12	產品C	新竹	肖星星	$ 22,000.00
11	A-10265	2016/1/12	產品D	嘉義	趙風元	$ 30,000.00
12	A-10266	2016/1/13	產品A	台北	程志成	$ 15,000.00
13	A-10267	2016/1/13	產品B	新竹	肖星星	$ 25,600.00
14	A-10268	2016/1/13	產品C	嘉義	狄安明	$ 22,000.00
15	A-10269	2016/1/14	產品B	嘉義	趙風元	$ 25,600.00
16	A-10270	2016/1/14	產品A	台南	李珍珍	$ 15,000.00

圖 2-1 建立樞紐分析表

02 STEP 設定資料區域和放置位置。彈出「建立樞紐分析表」對話方塊，❶在「選擇您要分析的資料」選項群組中，系統自動選取「選取表格或範圍」選項按鈕，❷且「表格 / 範圍」後的文字方塊中預設了要建立樞紐分析表的資料來源；如果對該資料來源不滿意，可以按一下文字方塊後的儲存格參照按鈕，重新在資料表格中選擇需要的資料來源，或直接輸入資料來源。❸隨後，若要將樞紐分析表放置在新工作表，並以儲存格 A1 為起始位置，則在「選擇您要放置樞紐分析表的位置」選項群組中按一下「新工作表」選項按鈕；若要將樞紐分析表放置在已經存在的工作表中，則選擇「已經存在的工作表」選項按鈕，然後在「位置」後的文字方塊中指定放置樞紐分析表的第一個儲存格。❹最後，按一下「確定」按鈕，如圖 2-2 所示。Excel 會將空的樞紐分析表加入至指定位置並顯示樞紐分析表欄位清單，以便您可以加入欄位、建立版面配置以及自訂樞紐分析表。

03 STEP 顯示建立的基本樞紐分析表。回到工作表中，❶可看到「產品銷售記錄表」工作表的前面會加入一個含有一張空樞紐分析表的新工作表，❷且在該工作表的右側會同時出現一個名為「樞紐分析表欄位」的任務窗格，如圖 2-3 所示。此時，基本的樞紐分析表就建立完成了。

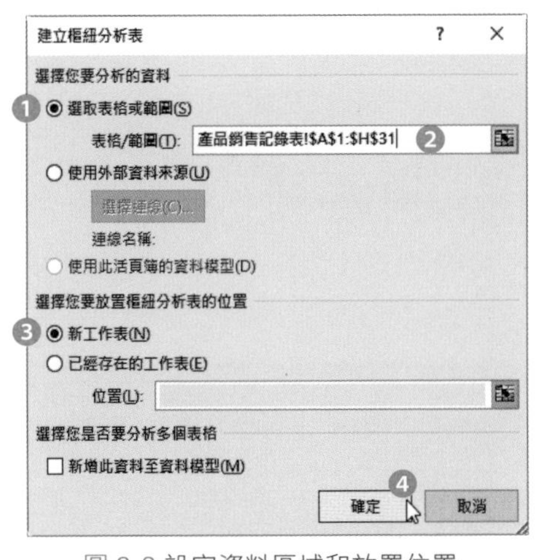

圖 2-2 設定資料區域和放置位置

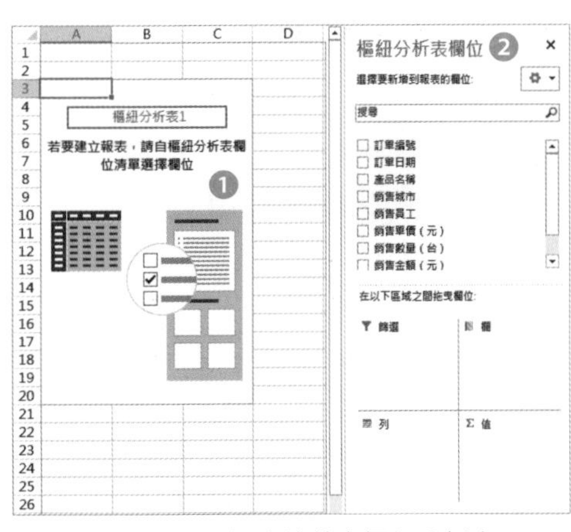

圖 2-3 顯示新建的基本樞紐分析表

2.1.2 加入欄位到報表中

老譚：在建立基本的樞紐分析表後可以發現，展現在我們眼前的只是一個空白的報表而已。要想查看某個資料內容，還需加入對應的欄位。

小言：前輩！這個我知道怎麼加入，直接在右側出現的那個窗格中勾選欄位就可以了，對吧！

老譚：嗯！的確是這樣，但是要瞭解的又不僅僅只是這樣。在開始加入欄位前，我們最需要詢問自己的是：我們要查看什麼資料？在此，假設是要查看公司產品主要在哪些城市銷售，銷售數量和銷售金額又為多少。

01 STEP 在欄位清單中勾選第一個欄位。要查看銷售城市中的銷售數量和銷售金額，則「銷售城市」欄位是首先要加入的。所以，在「樞紐分析表欄位」任務窗格的欄位清單中首先勾選「銷售城市」核取方塊，如圖 2-4 所示。

02 STEP 查看欄位在欄位設定區域中的位置。可看到該欄位自動放置在欄位設定區域中的「列」標籤下，如圖 2-5 所示。

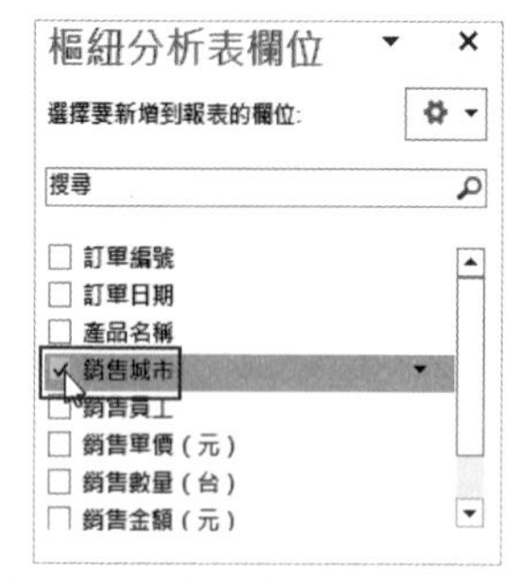

圖 2-4 勾選「銷售城市」欄位

圖 2-5 顯示欄位設定區域中的欄位位置

STEP 03 顯示單一欄位在樞紐分析表中的效果。勾選該欄位後，可在圖 2-6 的樞紐分析表顯示區域中看到該欄位下的城市有台北、高雄、嘉義、台南、台中和新竹。也就是說，在欄位清單中勾選欄位的同時，該欄位不僅會自動加到欄位設定區域的「列」標籤，還會在樞紐分析表顯示區域中顯示「銷售城市」欄位的不同城市名。

	A	B
1		
2		
3	列標籤	
4	台北	
5	新竹	
6	台中	
7	嘉義	
8	台南	
9	高雄	
10	總計	

圖 2-6 欄位在資料區域的顯示效果

STEP 04 勾選數字型欄位。在加入「銷售城市」欄位後，就可以繼續加入「銷售數量」和「銷售金額」欄位。在此，我們只需在欄位清單中找到這兩個欄位並勾選對應的核取方塊即可，如圖 2-7 所示。

STEP 05 顯示數字型欄位的放置位置。由於這兩個欄位都為數字型，所以，系統會自動將其放置在欄位設定區域中的「值」區域，如圖 2-8 所示。

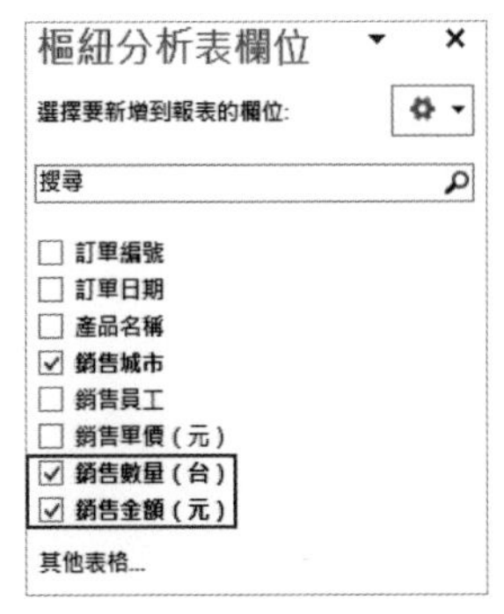

圖 2-7 勾選需要的數字型欄位

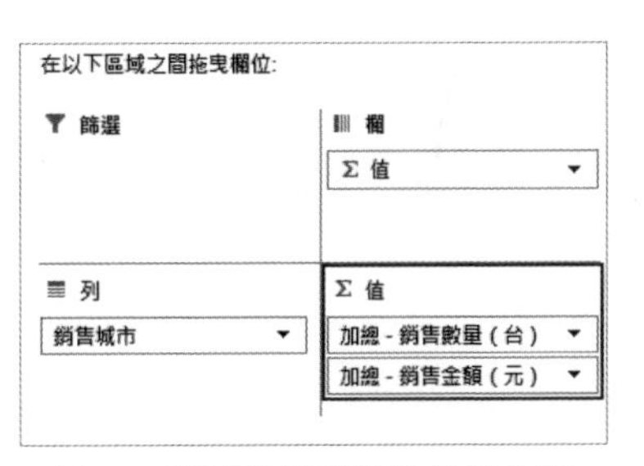

圖 2-8 顯示數值欄位的放置位置

06 STEP 查看加入其他欄位的樞紐分析表效果。此時，可以看到加入「銷售數量」和「銷售金額」欄位後的樞紐分析表效果，如圖 2-9 所示。

	A	B	C
1			
2			
3	列標籤	加總 - 銷售數量（台）	加總 - 銷售金額（元）
4	台北	115	2800200
5	新竹	113	2558800
6	台中	96	2084000
7	嘉義	105	2372000
8	台南	143	2891000
9	高雄	137	3635600
10	總計	709	16341600

圖 2-9 樞紐分析表加入欄位後的效果

小言：前輩，我昨天也試著用這個工作表中的資料進行操作，我和您選擇了一樣的欄位，但為什麼在樞紐分析表顯示區域中的「加總 - 銷售數量（台）」欄位卻位於「加總 - 銷售金額（元）」的後方呢？

老譚：你說的是不是如圖 2-10 所示的情況？

	A	B	C
1			
2			
3	列標籤	加總 - 銷售金額（元）	加總 - 銷售數量（台）
4	台北	2800200	115
5	新竹	2558800	113
6	台中	2084000	96
7	嘉義	2372000	105
8	台南	2891000	143
9	高雄	3635600	137
10	總計	16341600	709

圖 2-10 不同的勾選順序產生不同的樞紐分析表效果

小言：對對！就是這樣，雖然感覺對結果的影響不大，但是一直沒弄明白為什麼勾選相同的欄位會出現不一樣的顯示結果？

老譚：其實很簡單，這是因為勾選欄位的順序會影響樞紐分析表的顯示結果。如圖 2-9，勾選欄位的順序為「銷售城市」、「銷售數量」和「銷售金額」欄位，樞紐分析表顯示結果中，同為數值型的文字會按照勾選的順序進行顯示，即「加總 - 銷售數量（台）」欄位位於「加總 - 銷售金額（元）」前面。而在圖 2-10 中，你在勾選欄位時，勾選的順序為「銷售城市」、「銷售金額」和「銷售數量」欄位，所以樞紐分析表顯示結果中，「加總 - 銷售數量（台）」欄位就列於「加總 - 銷售金額（元）」後面。此外還有可能是你在欄位設定區域中移動了欄位，這種方式在後面會做詳細的講解。

2.1.3 樞紐分析表的移動和複製

小言：前輩，如果我想在同一個工作表中同時查看不同的樞紐分析表效果，是不是必須重新建立一個樞紐分析表，我覺得這種方法很麻煩，有沒有其他方法可以快速實現我的需求呢？

老譚：當然有囉，樞紐分析表的複製就能很快實現你的需求。

小言：如果我對樞紐分析表的建立位置不滿意，想要在其他位置建立，那是不是必須先刪除原來的樞紐分析表，再在新的位置重新建立呢？

老譚：不不不，當然也不用，那樣太麻煩了。要知道，樞紐分析表功能是很強大的，直接移動樞紐分析表就能實現你的要求。接下來將介紹樞紐分析表的移動和複製功能。

1. 移動樞紐分析表

在樞紐分析表建立完成後，使用者可以將已經建立好的樞紐分析表在同一個活頁簿的不同工作表中任意移動，或者是在同一工作表中的不同儲存格之間進行移動，以便於滿足資料分析的需要。

01 STEP 移動樞紐分析表。❶在樞紐分析表工作表中選擇任意儲存格，❷切換到「樞紐分析表工具 - 分析」頁籤下，❸在「動作」群組中按一下「移動樞紐分析表」按鈕，如圖 2-11 所示。

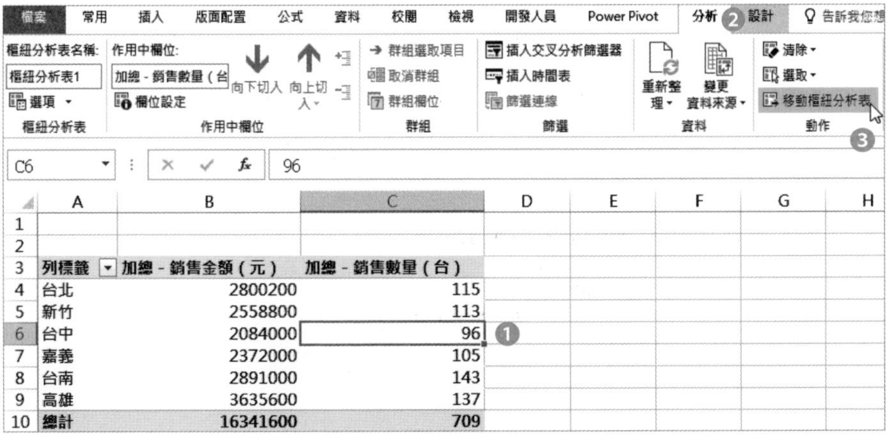

	A	B	C
3	列標籤	加總 - 銷售金額（元）	加總 - 銷售數量（台）
4	台北	2800200	115
5	新竹	2558800	113
6	台中	2084000	96
7	嘉義	2372000	105
8	台南	2891000	143
9	高雄	3635600	137
10	總計	16341600	709

圖 2-11 移動樞紐分析表

02 STEP 在現有的工作表中移動。彈出「移動樞紐分析表」對話方塊，❶按一下「已經存在的工作表」選項，❷然後按一下「位置」文字方塊後的儲存格參照按鈕，如圖 2-12 所示。

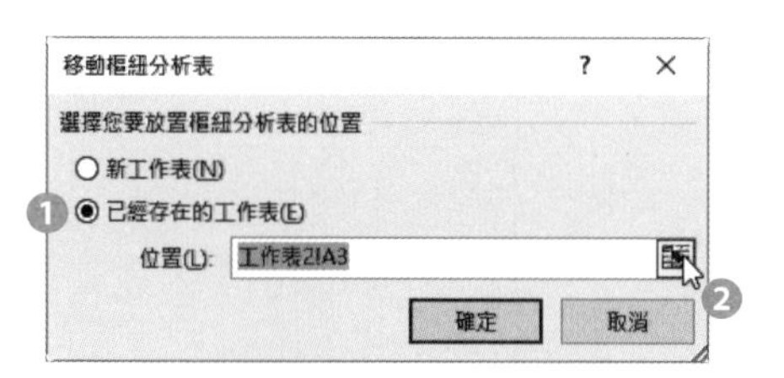

圖 2-12 在已經存在的工作表中移動

03 STEP 選擇要放置的工作表位置。❶按一下「產品銷售記錄表」工作表標籤，❷在該工作表中按一下儲存格 J1，❸即可看到文字方塊中顯示出樞紐分析表要放置的位置，❹按一下儲存格參照按鈕，如圖 2-13 所示。

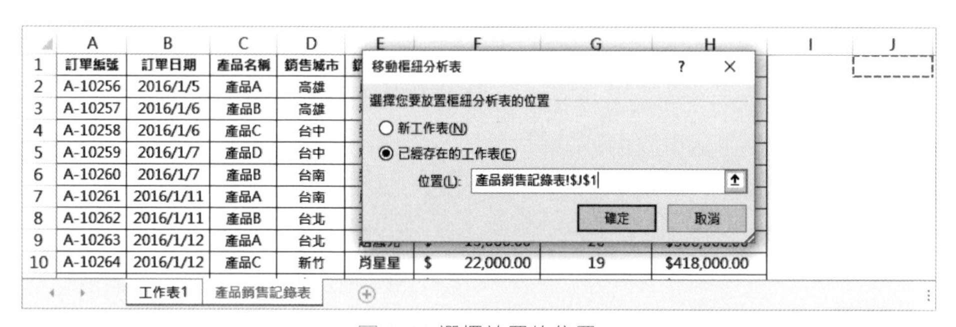

圖 2-13 選擇放置的位置

04 STEP 確認移動樞紐分析表。設定好樞紐分析表的放置位置後，直接在對話方塊中按一下「確定」按鈕即可，如圖 2-14 所示。如果想要將樞紐分析表移動到新的工作表中，則可在「移動樞紐分析表」對話方塊中選擇「新工作表」選項。

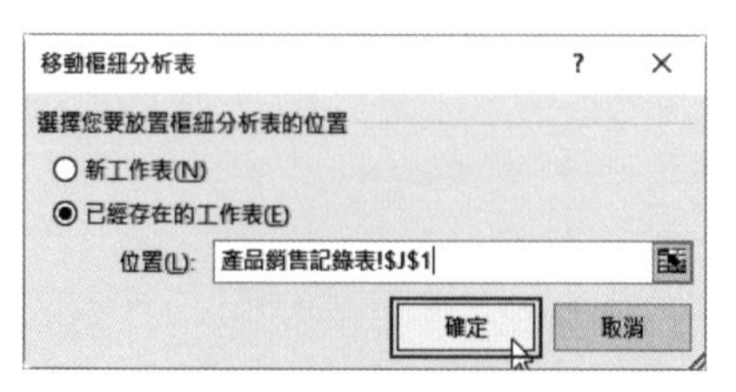

圖 2-14 確認移動

STEP 05 顯示移動樞紐分析表後的效果。設定完成後回到工作表，即可在「產品銷售記錄表」中看到移動到儲存格 J1 中的樞紐分析表效果，如圖 2-15 所示。

	H	I	J	K	L
1	銷售金額（元）		列標籤	加總 - 銷售金額（元）	加總 - 銷售數量（台）
2	$ 360,000.00		台北	2800200	115
3	$ 665,600.00		新竹	2558800	113
4	$ 264,000.00		台中	2084000	96
5	$ 840,000.00		嘉義	2372000	105
6	$ 896,000.00		台南	2891000	143
7	$ 225,000.00		高雄	3635600	137
8	$ 691,200.00		總計	16341600	709
9	$ 300,000.00				
10	$ 418,000.00				

工作表2　產品銷售記錄表

圖 2-15 顯示移動後的樞紐分析表效果

2. 複製樞紐分析表

在樞紐分析表建立完成後，如果需要對同一個資料來源再建立另外一個樞紐分析表用於特定的資料分析，只需對原有的樞紐分析表進行複製，免去從頭建立樞紐分析表的一系列操作，同時也能提高工作效率。

STEP 01 複製樞紐分析表。❶選取樞紐分析表所在的儲存格區域 A1:C10，並按滑鼠右鍵，❷在彈出的快顯功能表中點選「複製」命令，如圖 2-16 所示。

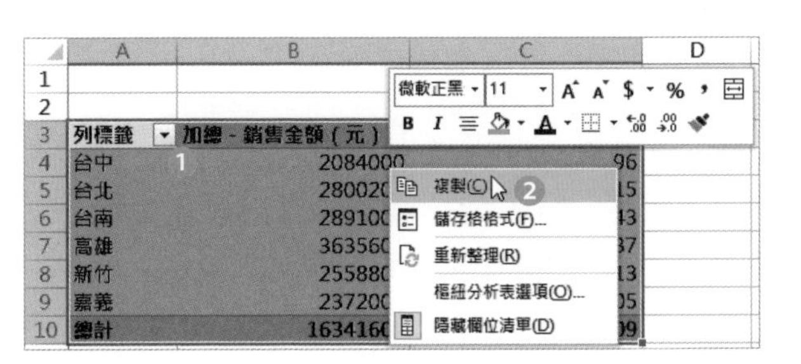

圖 2-16 複製樞紐分析表

STEP 02 貼上樞紐分析表。在樞紐分析表區域以外的任意儲存格，❶如儲存格 A13 中按一下滑鼠右鍵，❷在彈出的快顯功能表中點選「貼上」命令，如圖 2-17 所示。

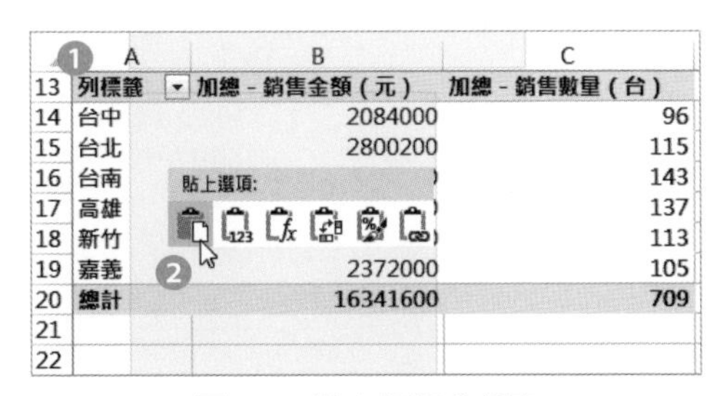

圖 2-17 貼上樞紐分析表

03 STEP 顯示複製樞紐分析表後的效果。即可得到一個複製的樞紐分析表，如圖 2-18 所示，可看到兩個相同的樞紐分析表。

	A	B	C
1			
2			
3	列標籤	加總 - 銷售金額（元）	加總 - 銷售數量（台）
4	台中	2084000	96
5	台北	2800200	115
6	台南	2891000	143
7	高雄	3635600	137
8	新竹	2558800	113
9	嘉義	2372000	105
10	總計	16341600	709
11			
12			
13	列標籤	加總 - 銷售金額（元）	加總 - 銷售數量（台）
14	台中	2084000	96
15	台北	2800200	115
16	台南	2891000	143
17	高雄	3635600	137
18	新竹	2558800	113
19	嘉義	2372000	105
20	總計	16341600	709

圖 2-18 顯示複製後的效果

04 STEP 為複製後的樞紐分析表選擇新的欄位。為了想同時查看不同的樞紐分析表效果，所以要改變任意一個樞紐分析表的顯示欄位。選取複製後的樞紐分析表中任意儲存格，在「樞紐分析表欄位」任務窗格中取消勾選不需要的欄位，然後勾選需要的欄位。如在此取消勾選「銷售城市」核取方塊，勾選「產品名稱」核取方塊，其他欄位不變，如圖 2-19 所示。

圖 2-19 為複製的樞紐分析表選擇欄位

05 STEP 在同一工作表中查看不同的樞紐分析表效果。隨後即可看到下方的樞紐分析表顯示出公司所有產品的銷售金額和銷售數量資料，而上方的樞紐分析表未做改變，如圖 2-20 所示。如果想要展示其他的樞紐分析表效果，繼續選擇不同的欄位就能實現。

	A	B	C
1			
2			
3	列標籤	加總 - 銷售金額 (元)	加總 - 銷售數量 (台)
4	台中	2084000	96
5	台北	2800200	115
6	台南	2891000	143
7	高雄	3635600	137
8	新竹	2558800	113
9	嘉義	2372000	105
10	總計	16341600	709
11			
12			
13	列標籤	加總 - 銷售金額 (元)	加總 - 銷售數量 (台)
14	產品A	3600000	240
15	產品B	3353600	131
16	產品C	2068000	94
17	產品D	7320000	244
18	總計	16341600	709
19			
20			

圖 2-20 同時查看兩個樞紐分析表

複製樞紐分析表的第一步需要選取樞紐分析的全部資料，而要選取全部資料除了可以直接拖曳選擇以外，還可以使用另外一種方法。這種方法一般適用於樞紐分析表中的資料較多、不易拖曳選擇的時候，即為「整個樞紐分析表」工具。

❶選取樞紐分析表中的任意儲存格，❷切換至「樞紐分析表工具 - 分析」頁籤下，❸在「動作」群組中點選「選取」下三角按鈕，❹在展開的清單中選擇「整個樞紐分析表」選項，如圖 2-21 所示。隨後即可選取整個樞紐分析表，然後繼續複製貼上動作即可。

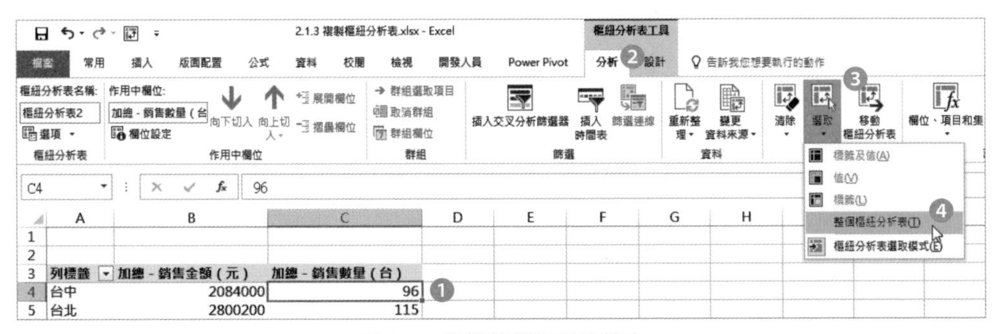

圖 2-21 選擇整個樞紐分析表

2.2 巧妙設定欄位，呈現不同效果

老譚：從前面的內容中，我想你已經發現欄位對於樞紐分析表的重要性，其掌管著樞紐分析表的顯示效果。所以，巧妙的設定欄位位置，對於掌握樞紐分析表功能也具有重要的作用。

小言：嗯，這幾天我試著實際操作了一下，發現樞紐分析表中的欄位好靈活，感覺可以隨便移動和刪除。

老譚：移動和刪除還只是欄位的一小部分功能，你要學習的還很多呢！

2.2.1 移動欄位

老譚：透過前面的內容，我們發現：在欄位清單中勾選欄位的同時，欄位會自動顯示在欄位設定區域中，但是我們卻不清楚它顯示在哪個區域。其實 Excel 也並不真正地知道欄位會顯示在哪個區域，但是一般情況下，它會根據欄位的資料類型來判斷。如前面介紹的欄位類型如果為文字，則一般會顯示在欄位設定區域中的「欄」標籤中，如果是資料類型，則一般會顯示在「值」區域中。這樣的放置雖然可以明顯地強調各個欄位指定正確的資料類型之重要性，但是顯示的樞紐分析效果卻並不一定符合上級的查看要求。

小言：嗯嗯，前幾天偶然聽到總經理對財務人員說，想直接看到各產品出現在報表的頂部，而不是在某一欄下出現，隨後我也在想，如何可以實現總經理的要求。

老譚：其實很簡單，動動滑鼠就行啦！

STEP 01 勾選欄位。開啟「產品銷售記錄表」，根據該資料工作表建立樞紐分析表後，❶在「樞紐分析表欄位」任務窗格中勾選需要的欄位，❷可在任務窗格下方看到勾選欄位自動顯示位置，如圖 2-22 所示。

STEP 02 顯示樞紐分析表效果。隨後可在工作表中看到勾選欄位的樞紐分析表效果，如圖 2-23 所示。

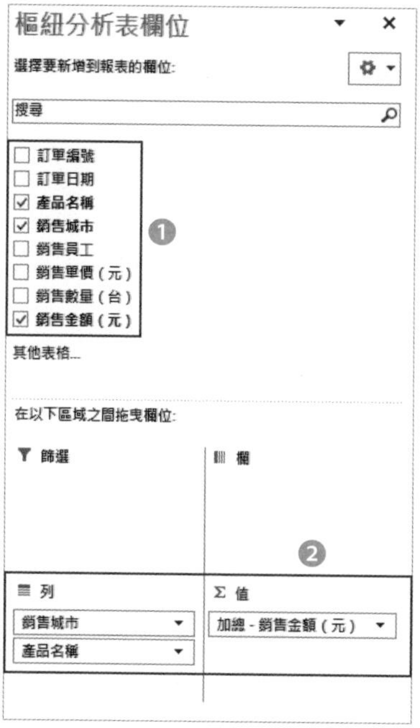

樞紐分析表欄位

選擇要新增到報表的欄位:

搜尋

- ☐ 訂單編號
- ☐ 訂單日期
- ☑ 產品名稱
- ☑ 銷售城市
- ☐ 銷售員工
- ☐ 銷售單價（元）
- ☐ 銷售數量（台）
- ☑ 銷售金額（元）

❶

其他表格...

在以下區域之間拖曳欄位:

▼ 篩選　　‖‖ 欄

❷

≡ 列：銷售城市、產品名稱　　Σ 值：加總 - 銷售金額（元）

圖 2-22 勾選欄位

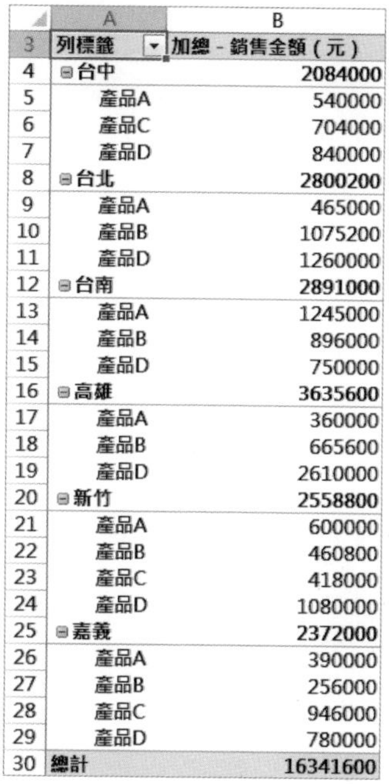

	A	B
3	列標籤	加總 - 銷售金額（元）
4	⊟台中	2084000
5	產品A	540000
6	產品C	704000
7	產品D	840000
8	⊟台北	2800200
9	產品A	465000
10	產品B	1075200
11	產品D	1260000
12	⊟台南	2891000
13	產品A	1245000
14	產品B	896000
15	產品D	750000
16	⊟高雄	3635600
17	產品A	360000
18	產品B	665600
19	產品D	2610000
20	⊟新竹	2558800
21	產品A	600000
22	產品B	460800
23	產品C	418000
24	產品D	1080000
25	⊟嘉義	2372000
26	產品A	390000
27	產品B	256000
28	產品C	946000
29	產品D	780000
30	總計	16341600

圖 2-23 顯示樞紐分析表效果

03 STEP 移動欄位。假設總經理對這個樞紐分析表不滿意，因為他想看到產品名稱出現在樞紐分析表的頂部，此時就可以靠移動欄位來實現。❶按一下要移動欄位右側的下三角按鈕，如「產品名稱」欄位右側的下三角按鈕，❷在展開的清單中按一下「移到欄標籤」選項，如圖 2-24 所示。

04 STEP 顯示移動後的位置。隨後可看到產品名稱欄位移動到「欄」標籤，而其他欄位的位置不變，如圖 2-25 所示。

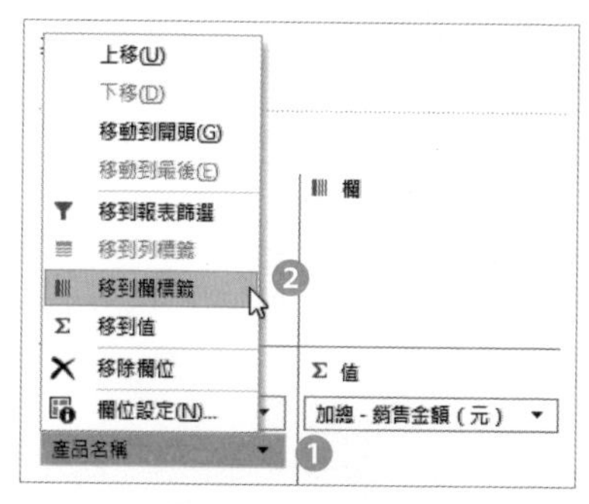

圖 2-24 移動欄位

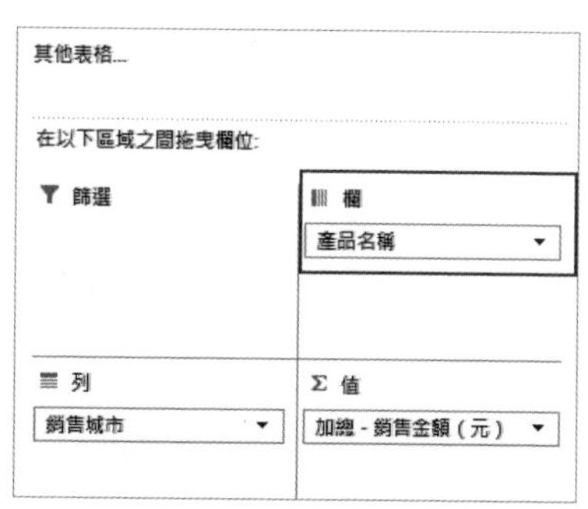

圖 2-25 顯示欄位移動後的位置

05 STEP 顯示樞紐分析表效果。在工作表中可看到移動產品名稱至頂部的樞紐分析表效果，在該樞紐分析表中，可以直接看到各項產品在各個城市的銷售金額情況，如圖 2-26 所示。

	A	B	C	D	E	F
3	加總 - 銷售金額（元）	欄標籤				
4	列標籤	產品A	產品B	產品C	產品D	總計
5	台中	540000		704000	840000	2084000
6	台北	465000	1075200		1260000	2800200
7	台南	1245000	896000		750000	2891000
8	高雄	360000	665600		2610000	3635600
9	新竹	600000	460800	418000	1080000	2558800
10	嘉義	390000	256000	946000	780000	2372000
11	總計	3600000	3353600	2068000	7320000	16341600

圖 2-26 顯示移動欄位後的樞紐分析表效果

除了可以使用以上方法來移動欄位外，還可以使用另外兩種方法來實現欄位的移動。

第一種是直接拖曳的方式。選取「列」標籤中的「產品名稱」欄位，然後按住滑鼠左鍵直接拖曳到「欄」標籤中，如圖 2-27 所示，隨後鬆開滑鼠即可實現欄位的移動。此種移動欄位的方法較快，且靈活性高。

第二種方式是在樞紐分析工作表中移動欄位。在工作表中選取要移動欄位下的任意一個欄位名下的儲存格。如要移動「產品名稱」欄位，其中，產品名稱包括產品 A、產品 B、產品 C 和產品 D。❶選取有「產品 A」、「產品 B」、「產品 C」和「產品 D」資料內容的任意儲存格按下滑鼠右鍵，❷在彈出的快顯功能表中點選「移動 > 移動 " 產品名稱 " 到欄」命令，如圖 2-27 所示，即可將該欄位移動到「欄」標籤中。但是該種方法只能將位於「列」標籤的欄位移動到「欄」標籤中，或者是將「欄」標籤中欄位移動到「列」標籤，無法像上述兩種方式，可以在欄位設定區域的四個區域中隨意移動。

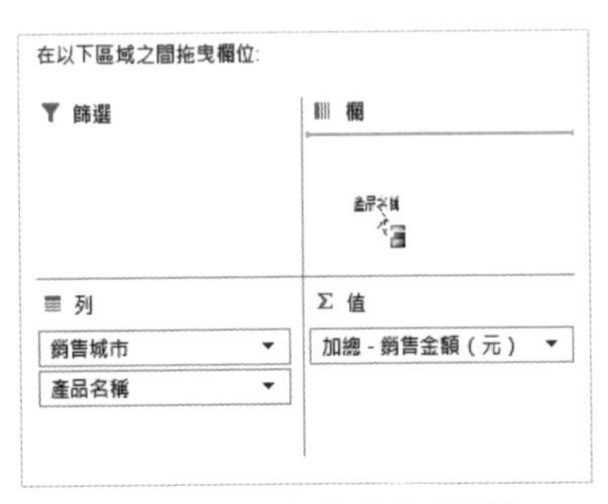

圖 2-27 以拖曳方式移動欄位

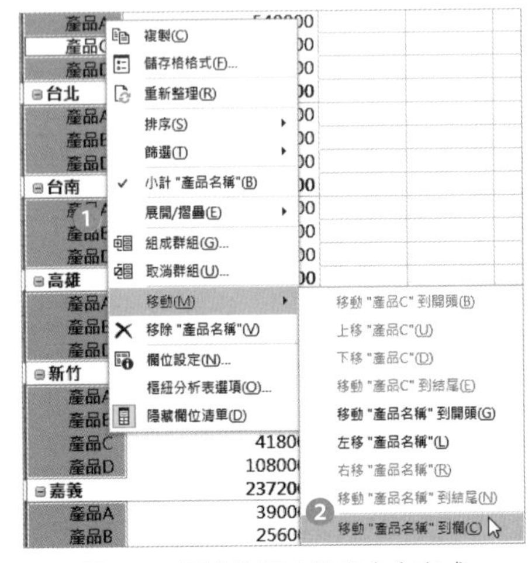

圖 2-28 透過快顯功能表命令完成

2.2.2 刪除欄位

老譚：如果你不小心多加入了某個欄位，或者是已有的某個欄位在新的情況下是不需要的時候，怎樣才能解決問題呢？

小言：這個我知道，直接刪除就可以啦！

老譚：嗯，這個操作的確很簡單，但是再簡單也有三種方法來實現哦！

STEP 01 顯示勾選多個欄位後的樞紐分析表效果。根據資料來源建立樞紐分析表後，在「樞紐分析表欄位」任務窗格中隨意勾選多個欄位，如圖 2-29 所示。可在工作表的顯示區域中看到樞紐分析表效果，如圖 2-30 所示。可以明顯發現該樞紐分析表內容繁雜，無法直接地查看分析的資料。

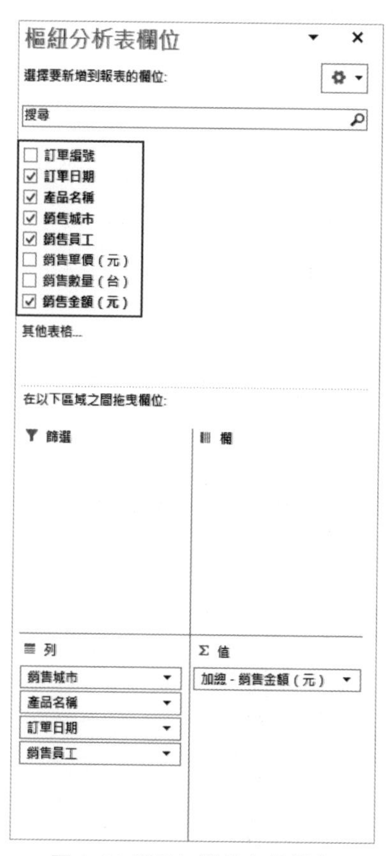

圖 2-29 顯示勾選的多個欄位

	A	B
3	列標籤	加總 - 銷售金額（元）
4	⊟台北	2800200
5	⊟產品A	465000
6	⊟2016/1/12	300000
7	趙鳳元	300000
8	⊟2016/1/13	165000
9	程志成	165000
10	⊟產品B	1075200
11	⊟2016/1/11	691200
12	李珍珍	691200
13	⊟2016/1/28	384000
14	程志成	384000
15	⊟產品D	1260000
16	⊟2016/1/16	1260000
17	趙鳳元	1260000
18	⊟新竹	2558800
19	⊟產品A	600000
20	⊟2016/1/15	600000
21	肖星星	600000
22	⊟產品B	460800
23	⊟2016/1/13	460800
24	肖星星	460800
25	⊟產品C	418000
26	⊟2016/1/12	418000
27	肖星星	418000
28	⊟產品D	1080000
29	⊟2016/1/15	1080000
30	趙鳳元	1080000
31	⊟台中	2084000
32	⊟產品A	540000
33	⊟2016/1/16	225000
34	狄安明	225000
35	⊟2016/1/25	315000
36	肖星星	315000
37	⊟產品C	704000

圖 2-30 顯示勾選多個欄位的資料效果

STEP 02 刪除欄位。假設暫時不想要查看訂單日期，❶可在欄位設定區域中按一下「訂單日期」右側的下三角按鈕，❷在展開的清單中點選「刪除欄位」選項，如圖 2-31 所示。即可看到欄位設定區域中的「訂單日期」欄位已被刪除，如圖 2-32 所示。

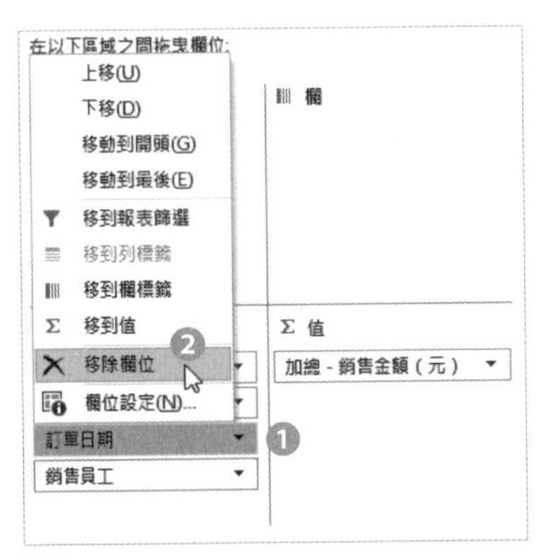

圖 2-31 刪除欄位

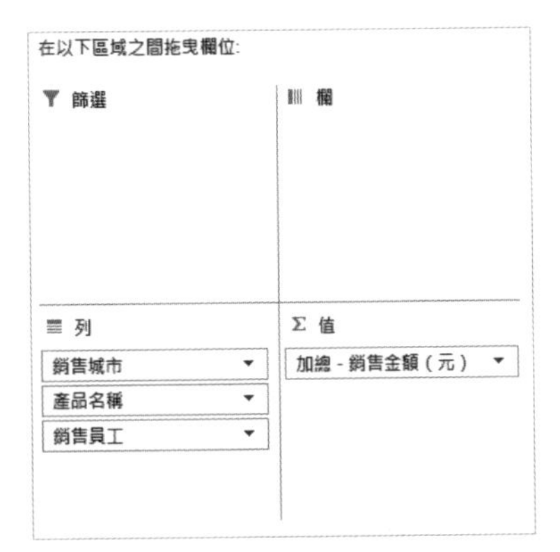

圖 2-32 顯示刪除欄位效果

STEP 03 取消勾選欄位。除了可以使用上面的方式來刪除欄位外，還可以直接在欄位清單中取消勾選某個欄位。如不想要顯示銷售城市，❶則直接取消勾選「銷售城市」欄位核取方塊，如圖 2-33 所示，欄位設定區域中的「銷售城市」欄位已被刪除。

STEP 04 顯示刪除欄位後的資料效果。隨後可看到刪除「訂單日期」和「銷售城市」欄位後的樞紐分析表效果，如圖 2-34 所示。

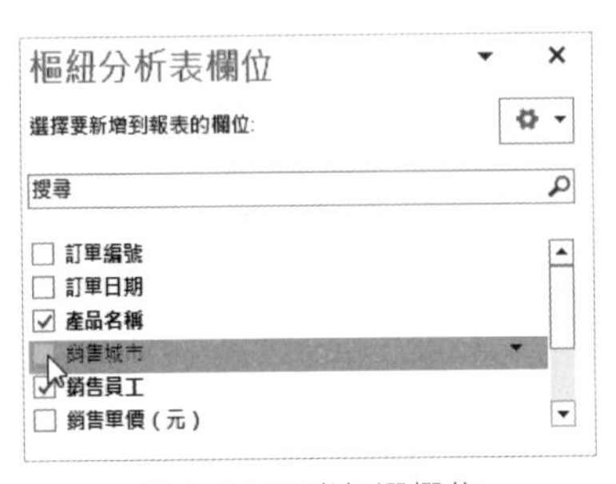

圖 2-33 取消勾選欄位

	A	B
3	列標籤	加總 - 銷售金額（元）
4	⊟產品A	3600000
5	李珍珍	390000
6	狄安明	225000
7	尚星星	1890000
8	程志成	465000
9	趙鳳元	630000
10	⊟產品B	3353600
11	李珍珍	691200
12	狄安明	896000
13	尚星星	460800
14	程志成	1049600
15	趙鳳元	256000
16	⊟產品C	2068000
17	李珍珍	440000
18	狄安明	550000
19	尚星星	1078000
20	⊟產品D	7320000
21	李珍珍	1200000
22	狄安明	660000
23	尚星星	750000
24	程志成	1590000
25	趙鳳元	3120000
26	總計	16341600

圖 2-34 顯示刪除欄位後的資料效果

當然，除了以上兩種方法，還可以直接在工作表中選取要刪除欄位下任意一個欄位名下的儲存格。如要刪除「銷售城市」欄位，❶則選取有含有城市名資料內容的任意儲存格，然後按滑鼠右鍵，❷在彈出的快顯功能表中點選「移除 " 銷售城市 "」命令，如圖 2-35 所示。即可將該欄位刪除。

圖 2-35 快顯功能表刪除欄位

2.2.3 展開與折疊欄位

老譚：在上面，我們介紹的樞紐分析表一般都比較簡單，欄位也比較少，那如果樞紐分析表欄位較多，而又想在不刪除欄位的情況下只查看某些欄位時，你覺得該如何做？

小言：這個，還真不知道。有什麼辦法能夠實現呢？

老譚：可以透過單項欄位前的展開和折疊按鈕來實現，但如果樞紐分析表中包含很多項目，透過這兩個按鈕來展開或折疊項目則比較浪費時間，此時可依如下方法快速折疊（展開）所有項目。

01 STEP 勾選欄位並顯示效果。根據「產品銷售記錄表」建立空白樞紐分析表後，❶在「樞紐分析表欄位」任務窗格中依次勾選「銷售員工」、「銷售城市」、「產品名稱」和「銷售金額（元）」欄位，如圖 2-36 所示，❷即可在該任務窗格下方看到各個欄位顯示位置。隨後在工作表中看到樞紐分析表效果，如圖 2-37 所示。預設情況下，在勾選多個欄位後，這些欄位的資料都會在工作表中顯示，即欄位呈現完全展開的形式。

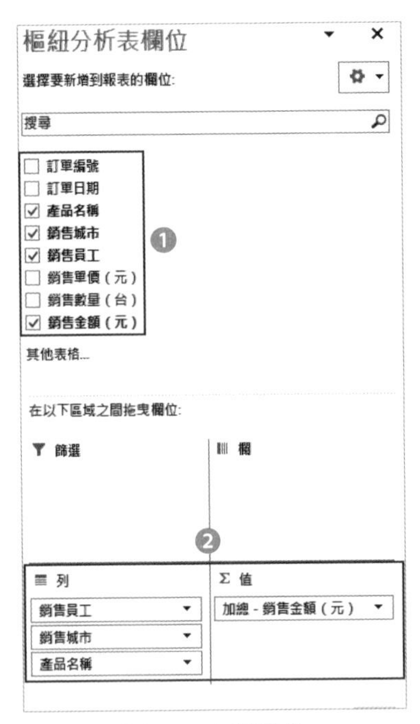

圖 2-36 勾選欄位

	A	B
3	列標籤	加總 - 銷售金額（元）
4	⊟李珍珍	2721200
5	⊟台中	440000
6	產品C	440000
7	⊟台北	691200
8	產品B	691200
9	⊟台南	390000
10	產品A	390000
11	⊟高雄	1200000
12	產品D	1200000
13	⊟狄安明	2331000
14	⊟台中	489000
15	產品A	225000
16	產品C	264000
17	⊟台南	896000
18	產品B	896000
19	⊟高雄	660000
20	產品D	660000
21	⊟嘉義	286000
22	產品C	286000
23	⊟肖星星	4178800
24	⊟台中	315000
25	產品A	315000
26	⊟台南	975000
27	產品A	225000
28	產品D	750000

圖 2-37 顯示效果

02 STEP 折疊銷售員工欄位。在勾選多個欄位後，可發現樞紐分析表的顯示較繁雜，若想要在不刪除欄位的情況下只查看需要的欄位，可使用折疊和展開按鈕來實現。假設此時只想要查看銷售員工的銷售金額資料，❶在「銷售員工」欄位中的任意姓名儲存格按滑鼠右鍵，❷在彈出的快顯功能表中點選「展開 / 折疊 > 折疊整個欄位」命令，如圖 2-38 所示。隨後可看到折疊後的樞紐分析表效果，如圖 2-39 所示。

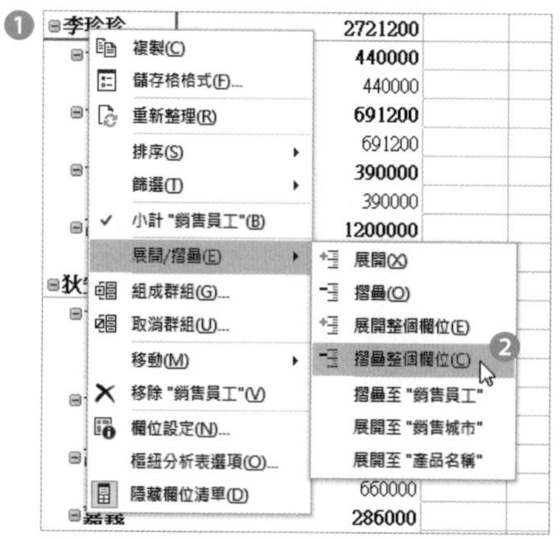

圖 2-38 折疊整個欄位

	A	B
3	列標籤	加總 - 銷售金額（元）
4	⊞李珍珍	2721200
5	⊞狄安明	2331000
6	⊞尙星星	4178800
7	⊞程志成	3104600
8	⊞趙鳳元	4006000
9	總計	16341600

圖 2-39 顯示折疊效果

03 STEP 展開銷售城市欄位。在折疊全部欄位後，如果想要查看某個員工在某個城市的銷售金額情況。❶在該銷售員工姓名的儲存格按滑鼠右鍵，如員工「趙鳳元」，❷在彈出的快顯功能表中點選「展開 / 折疊 > 展開至 " 銷售城市 "」，如圖 2-40 所示。隨後即可看到該員工在各個城市下的銷售金額情況，如圖 2-41 所示。

圖 2-40 展開銷售城市欄位

	A	B
3	列標籤	加總 - 銷售金額（元）
4	⊞李珍珍	2721200
5	⊞狄安明	2331000
6	⊞尙星星	4178800
7	⊞程志成	3104600
8	⊟趙鳳元	4006000
9	⊞台北	1560000
10	⊞台南	330000
11	⊞新竹	1080000
12	⊞嘉義	1036000
13	總計	16341600

圖 2-41 顯示展開效果

STEP 04 展開產品名稱欄位。如果想要查看某個員工的在某個城市的產品銷售金額情況，❶在某員工儲存格按滑鼠右鍵，❷在彈出的快顯功能表中點選「展開 / 折疊 > 展開至 " 產品名稱 "」命令，如圖 2-42 所示。隨後可看到該員工在某個城市的產品銷售情況，如圖 2-43 所示。

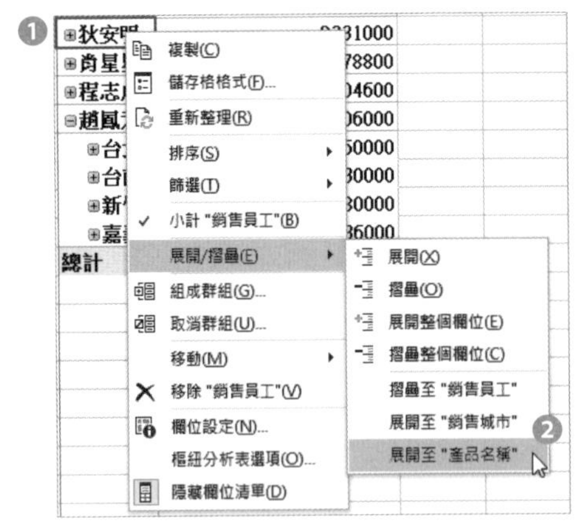

圖 2-42 展開產品名稱欄位

	A	B
3	列標籤	加總 - 銷售金額（元）
4	⊞李珍珍	2721200
5	⊟狄安明	2331000
6	⊟台中	489000
7	產品A	225000
8	產品C	264000
9	⊟台南	896000
10	產品B	896000
11	⊟高雄	660000
12	產品D	660000
13	⊟嘉義	286000
14	產品C	286000
15	⊞肖星星	4178800
16	⊞程志成	3104600
17	⊟趙鳳元	4006000
18	⊞台北	1560000
19	⊟台南	330000
20	產品A	330000
21	⊞新竹	1080000
22	⊟嘉義	1036000
23	產品B	256000
24	產品D	780000
25	總計	16341600

圖 2-43 顯示展開效果

STEP 05 展開欄位。以上使用的方法是直接在快顯功能表中進行，除此之外，還可以直接按一下折疊或展開按鈕來實現資料的查看。如想要查看員工「程志成」的詳細資料，可按一下該儲存格左側的展開按鈕，如圖 2-44 所示。隨後可看到展開的資料效果，如圖 2-45 所示。

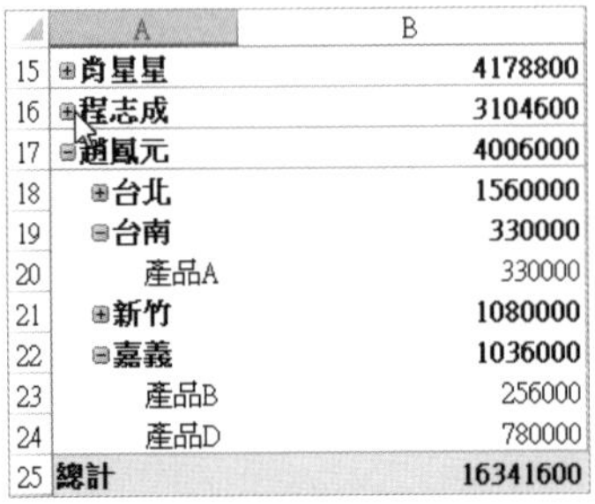

	A	B
15	⊞肖星星	4178800
16	⊞程志成	3104600
17	⊟趙鳳元	4006000
18	⊞台北	1560000
19	⊟台南	330000
20	產品A	330000
21	⊞新竹	1080000
22	⊟嘉義	1036000
23	產品B	256000
24	產品D	780000
25	總計	16341600

圖 2-44 按一下展開按鈕

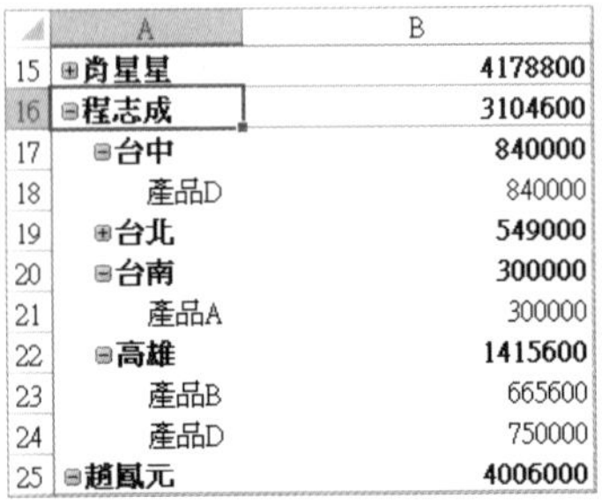

	A	B
15	⊞肖星星	4178800
16	⊟程志成	3104600
17	⊟台中	840000
18	產品D	840000
19	⊞台北	549000
20	⊟台南	300000
21	產品A	300000
22	⊟高雄	1415600
23	產品B	665600
24	產品D	750000
25	⊟趙鳳元	4006000

圖 2-45 顯示展開效果

06 STEP 折疊欄位。如果不想要看到某些詳細資料，可按一下該儲存格左側的折疊按鈕，如圖 2-46 所示。隨後可看到折疊後的樞紐分析表效果，如圖 2-47 所示。

	A	B
3	列標籤	加總 - 銷售金額（元）
4	⊞李珍珍	2721200
5	⊟狄安明	2331000
6	⊟台中	489000
7	產品A	225000
8	產品C	264000
9	⊟台南	896000
10	產品B	896000
11	⊟高雄	660000
12	產品D	660000
13	⊟嘉義	286000

圖 2-46 按一下折疊按鈕

	A	B
3	列標籤	加總 - 銷售金額（元）
4	⊞李珍珍	2721200
5	⊞狄安明	2331000
6	⊞肖星星	4178800
7	⊟程志成	3104600
8	⊟台中	840000
9	產品D	840000
10	⊞台北	549000
11	⊟台南	300000
12	產品A	300000
13	⊟高雄	1415600

圖 2-47 顯示折疊效果

07 STEP 折疊整個欄位。如果某個欄位的資料較多，想要將該欄位全部折疊，若直接使用左側的折疊按鈕很浪費時間，此時就可以使用快顯功能表中的「折疊整個欄位」來快速實現。❶在要折疊欄位的儲存格按滑鼠右鍵，❷在彈出的快顯功能表中按一下「展開 / 折疊 > 折疊整個欄位」命令，如圖 2-48 所示。隨後可看到折疊產品名稱欄位後的樞紐分析表效果，可發現產品名稱欄位都被折疊了，如圖 2-49 所示。

圖 2-48 折疊效果產品欄位

	A	B
3	列標籤	加總 - 銷售金額（元）
4	⊞李珍珍	2721200
5	⊞狄安明	2331000
6	⊞肖星星	4178800
7	⊟程志成	3104600
8	⊞台中	840000
9	⊞台北	549000
10	⊞台南	300000
11	⊞高雄	1415600
12	⊟趙鳳元	4006000
13	⊞台北	1560000
14	⊞台南	330000
15	⊞新竹	1080000
16	⊞嘉義	1036000
17	總計	16341600

圖 2-49 顯示折疊效果

STEP 08 隱藏欄位的展開與折疊按鈕。在完成折疊或者是展開操作後，如果想要隱藏該按鈕，可在「樞紐分析表工具 - 分析」頁籤按一下「顯示」群組中的「+/- 按鈕」按鈕，如圖 2-50 所示。隨後可看到樞紐分析表中的折疊或展開按鈕已被隱藏，如圖 2-51 所示。

圖 2-50 隱藏欄位的展開與折疊按鈕

	A	B
3	列標籤	加總 - 銷售金額（元）
4	李珍珍	2721200
5	狄安明	2331000
6	角星星	4178800
7	程志成	3104600
8	台中	840000
9	台北	549000
10	台南	300000
11	高雄	1415600
12	趙鳳元	4006000
13	台北	1560000
14	台南	330000
15	新竹	1080000
16	嘉義	1036000
17	總計	16341600

圖 2-51 顯示隱藏折疊按鈕的效果

2.2.4 打破傳統的樞紐分析表欄位顯示效果

老譚：你有沒有發現，在建立樞紐分析表時，展開的「樞紐分析表欄位」任務窗格中，欄位清單和欄位設定區域一般是按照上下排列的方式？

小言：對啊！其實一開始，我還想過為什麼要上下排列，而不是左右並排呢？但是用著用著就習慣了。

老譚：其實，這個排列只是系統預設的，我們可以根據自己的實際需要來改變排列方式，如你所說的並排顯示。而且，除了並排顯示以外，還可以只顯示欄位清單或是只顯示欄位設定區域。

STEP 01 並排顯示欄位清單和欄位設定區域。在「樞紐分析表欄位」任務窗格中，❶按一下「工具」右側的下三角按鈕，❷在展開的清單中點選「並排欄位區段和區域區段」選項，如圖 2-52 所示。隨後即可看到欄位清單和欄位設定區域並排顯示在「樞紐分析表欄位」任務窗格中，如圖 2-53 所示。

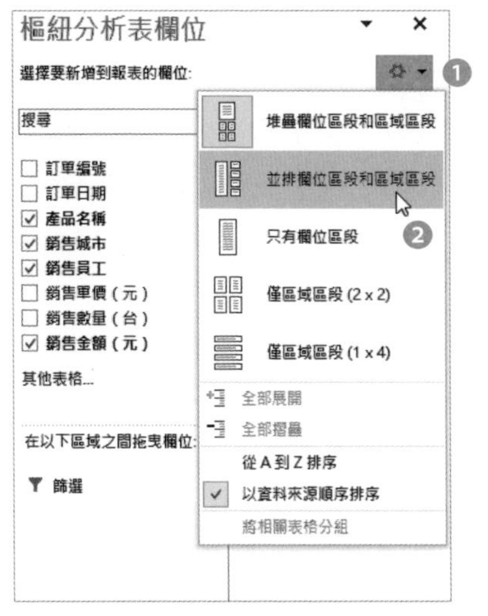

圖 2-52 改變欄位清單和區域的顯示方式

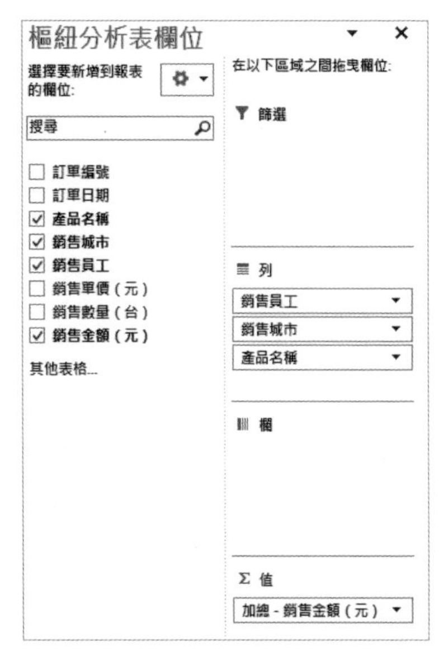

圖 2-53 欄位清單和區域並排顯示

02 STEP 僅顯示欄位清單。如果想要只顯示欄位清單，❶按一下「工具」右側的下三角按鈕，❷在展開的清單中點選「只有欄位區段」選項，如圖 2-54 所示。隨後即可看到「樞紐分析表欄位」任務窗格中僅顯示欄位清單，如圖 2-55 所示。

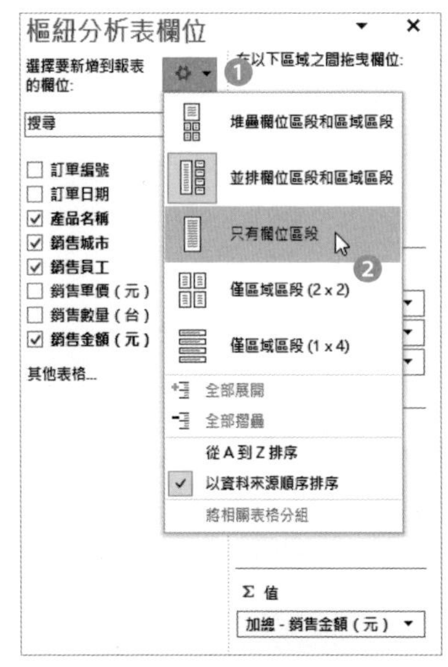

圖 2-54 僅顯示欄位清單

圖 2-55 僅顯示欄位清單的效果

03 STEP 僅顯示欄位設定區域。如果想要只顯示欄位設定區域，❶按一下「工具」右側的下三角按鈕，❷在展開的清單中點選「僅區域區段（2x2）」選項，如圖 2-56 所示。隨後即可看到窗格中只顯示欄位設定區域，且欄位設定區域依 2 行 2 列的方式進行排列，如圖 2-57 所示。如果想要讓欄位設定區域按照 1 列的方式排列，則在展開的下拉清單中點選「僅區域區段（1x4）」選項即可。

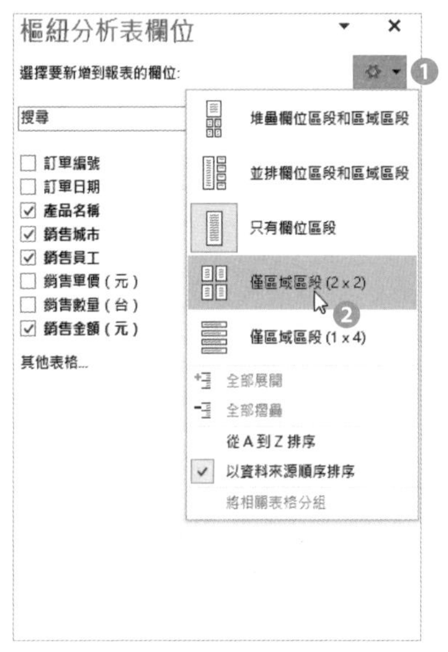

圖 2-56 僅顯示欄位設定區域

圖 2-57 僅顯示欄位設定區域的效果

2.3 輕鬆改變樞紐分析表的整體版面配置

老譚：在樞紐分析表中，我們既然可以重新排列欄位清單和欄位設定區域的顯示方式，那也能夠對樞紐分析表的版面配置進行改變。

小言：為什麼要改變版面配置呢？難道系統預設的不是最好的嗎？

老譚：不能說系統預設就是最好的，只能說比較符合大眾化，在某些情況下，預設的樞紐分析表不一定符合查看的需要。所以在實際工作中，我們可以根據需要改變樞紐分析表的版面配置效果。Excel 2016 中，在「樞紐分析表工具 - 設計」頁籤下的「版面配置」群組提供四種版面配置樣式，在每種樣式下又提供多個功能表以供使用者選擇。

- 小計：可將小計資料移動到底端或是頂部，還可以關閉小計資料。
- 總計：可開啟或關閉欄和列的總計值。
- 報表版面配置：可以隨意改變樞紐分析表的版面配置，提供壓縮、大綱和表格形式的版面配置效果。
- 空白列：可在每一個群組後插入空白列，在插入了空白列後，還可以將其刪除。

2.3.1 讓資料的總和顯示在底端

老譚：預設情況下，樞紐分析表的小計資料會出現在群組的頂部，而且也沒有小計字樣來說明該資料是小計結果，所以很有可能被忽略。如果是你，會如何將其移動到群組的底端呢？

小言：不可以直接移動欄位嗎？

老譚：移動欄位操作的前提是欄位存在於欄位清單中，但是樞紐分析表中的小計資料是系統自動根據數值型資料而計算出來的，不屬於欄位資料。也就是說，我們是無法透過移動欄位來實現在底端顯示項目小計資料的。但是「版面配置」群組中的「小計」工具提供了一種能夠實現這個目的的方式。

01 STEP 不要顯示小計的效果。根據「產品銷售清單」製作含有加總項的樞紐分析表後，❶可發現系統自動在每個組的頂部顯示數值型資料的小計資料。如果要改變這些小計資料的位置，❷切換至「樞紐分析表工具 - 設計」頁籤，❸在「版面配置」群組中按一下「小計」下三角按鈕，❹在展開的清單中點選「不要顯示小計」選項，如圖 2-58 所示。隨後可看到樞紐分析表中的小計資料已被隱藏，如圖 2-59 所示。

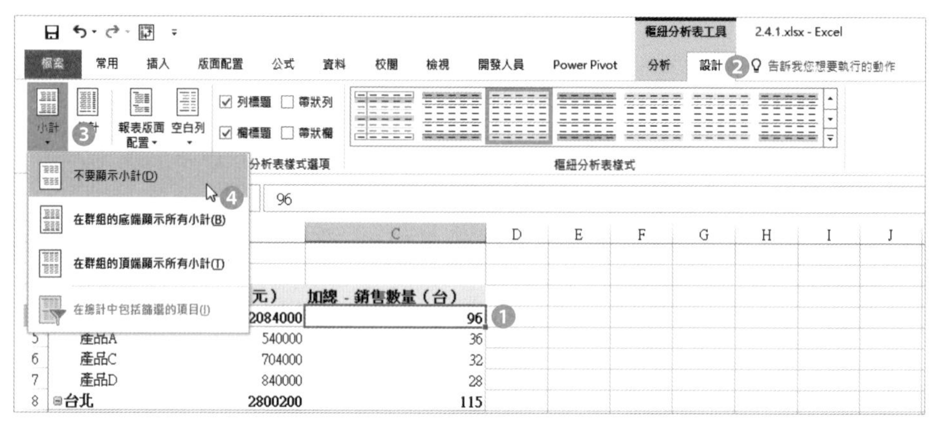

圖 2-58 不要顯示小計

	A	B	C
3	列標籤	加總 - 銷售金額（元）	加總 - 銷售數量（台）
4	⊟台中		
5	產品A	540000	36
6	產品C	704000	32
7	產品D	840000	28
8	⊟台北		
9	產品A	465000	31
10	產品B	1075200	42
11	產品D	1260000	42
12	⊟台南		
13	產品A	1245000	83
14	產品B	896000	35
15	產品D	750000	25
16	⊟高雄		
17	產品A	360000	24
18	產品B	665600	26
19	產品D	2610000	87

圖 2-59 沒有小計的樞紐分析表效果

02 STEP 在頂端顯示小計資料。如果要顯示小計資料，且在每個群組的頂端顯示，❶可在「版面配置」群組中按一下「小計」下三角按鈕，❷在展開的清單中點選「在群組的頂端顯示所有小計」選項，如圖 2-60 所示。可看到頂端顯示小計資料的樞紐分析表效果，如圖 2-61 所示。

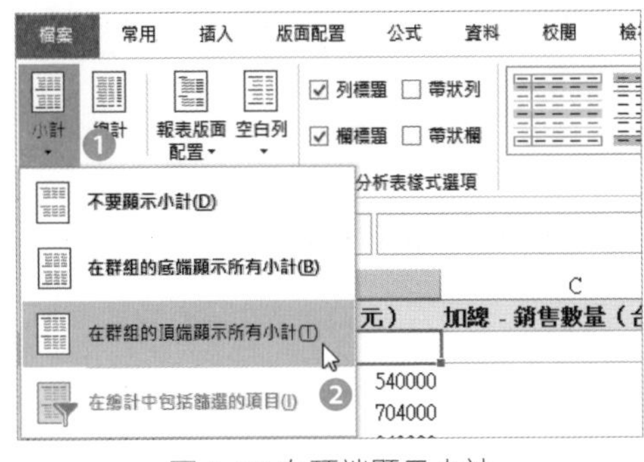

圖 2-60 在頂端顯示小計

	A	B	C
3	列標籤	加總 - 銷售金額（元）	加總 - 銷售數量（台）
4	⊟台中	2084000	96
5	產品A	540000	36
6	產品C	704000	32
7	產品D	840000	28
8	⊟台北	2800200	115
9	產品A	465000	31
10	產品B	1075200	42
11	產品D	1260000	42
12	⊟台南	2891000	143
13	產品A	1245000	83
14	產品B	896000	35
15	產品D	750000	25
16	⊟高雄	3635600	137
17	產品A	360000	24
18	產品B	665600	26
19	產品D	2610000	87

圖 2-61 在頂端顯示小計的效果

2.3.2 隱藏樞紐分析表中的總計值

小言：前輩，如果我不想要在樞紐分析表中查看總計值，因為總覺得這樣反而擾亂視線，那我是不是可以透過「版面配置」群組中的「總計」工具來實現目的呢？

老譚：嗯，對的，你理解得很快嘛！在做好樞紐分析表後，系統會自動出現小計，如果資料少還好，但如果資料多，反而會讓樞紐分析的結果看起來很亂，此時，「總計」工具可以幫上你的忙！

01 STEP 關閉列與欄總計值。根據「產品銷售記錄表」製作樞紐分析表，並勾選和設定好「產品名稱」、「銷售員工」和「銷售金額」欄位後，可在工作表中看到樞紐分析表效果。❶此時，發現 Excel 樞紐分析表在預設情況下包含列總計和欄總計，如果不希望列總計或欄總計出現在樞紐分析表中，可以進行以下的設定。❷切換至「樞紐分析表工具 - 設計」頁籤下，❸在「版面配置」群組中按一下「總計」下三角按鈕，❹在展開的清單中點選「關閉列與欄」選項，如圖 2-62 所示。

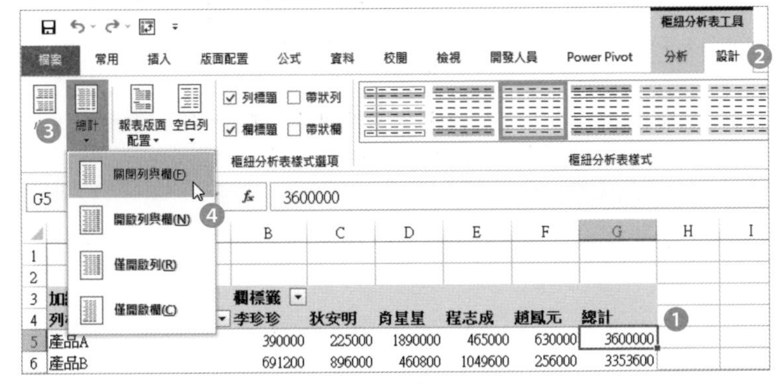

圖 2-62 關閉列與欄總計值

STEP 02 顯示禁用總計值的效果。隨後，可看到關閉列與欄後的效果，如圖 2-63 所示，可發現行和列的總計值都已被隱藏。

	A	B	C	D	E	F
3	加總 - 銷售金額（元）	欄標籤				
4	列標籤	李珍珍	狄安明	肖星星	程志成	趙鳳元
5	產品A	390000	225000	1890000	465000	630000
6	產品B	691200	896000	460800	1049600	256000
7	產品C	440000	550000	1078000		
8	產品D	1200000	660000	750000	1590000	3120000

圖 2-63 顯示禁用列與欄總計值的效果

STEP 03 僅開啟欄。如果想要在樞紐分析表的底端加入總計欄，❶可在「版面配置」群組中按一下「總計」下三角按鈕，❷在展開的清單中點選「僅開啟欄」選項，如圖 2-64 所示。如果想要在表格的右側加入總計列，則在展開的列表中按一下「僅開啟列」選項。

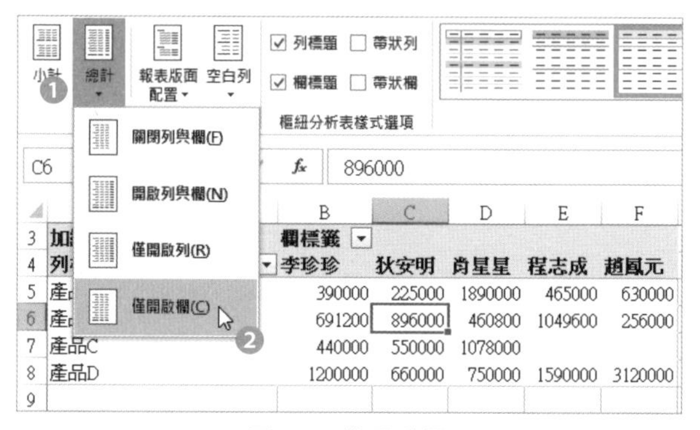

圖 2-64 僅開啟欄

STEP 04 顯示僅啟用欄總計值的效果。可看到總計行中的每個總計值只對該欄中的儲存格加總，如圖 2-65 所示。

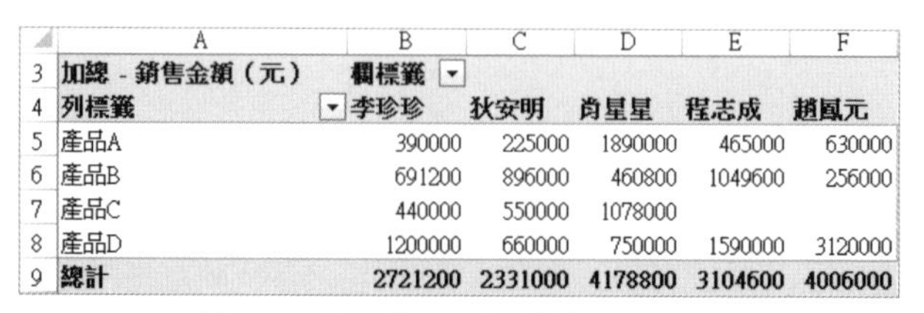

	A	B	C	D	E	F
3	加總 - 銷售金額（元）	欄標籤				
4	列標籤	李珍珍	狄安明	肖星星	程志成	趙鳳元
5	產品A	390000	225000	1890000	465000	630000
6	產品B	691200	896000	460800	1049600	256000
7	產品C	440000	550000	1078000		
8	產品D	1200000	660000	750000	1590000	3120000
9	總計	2721200	2331000	4178800	3104600	4006000

圖 2-65 顯示僅開啟欄總計值的效果

2.3.3 使用傳統的表格形式版面配置報表

老譚：在預設情況下，樞紐分析表將以壓縮形式顯示，而且在該報表版面配置中，列標籤中的多個欄位將堆疊在一列中，也就是說，列標籤中的欄位並不會顯示欄位名。如果要顯示欄位名，就必須使用其他的版面配置顯示效果。

小言：我發現在建立好樞紐分析表後，除了大的群組間以外都沒有格線，如果我想要顯示格線的話，可以利用「報表版面配置」工具嗎？

老譚：當然可以，「以列表方式顯示」的報表版面配置就能實現目的。以下就來講解一下各個不同版面配置有什麼區別。

01 STEP 以大綱模式顯示。根據「產品銷售記錄表」製作樞紐分析表，並勾選「銷售城市」、「產品名稱」、「銷售金額」和「銷售數量」欄位。這種顯示方式可以很明顯地看出欄位之間的階層關係。

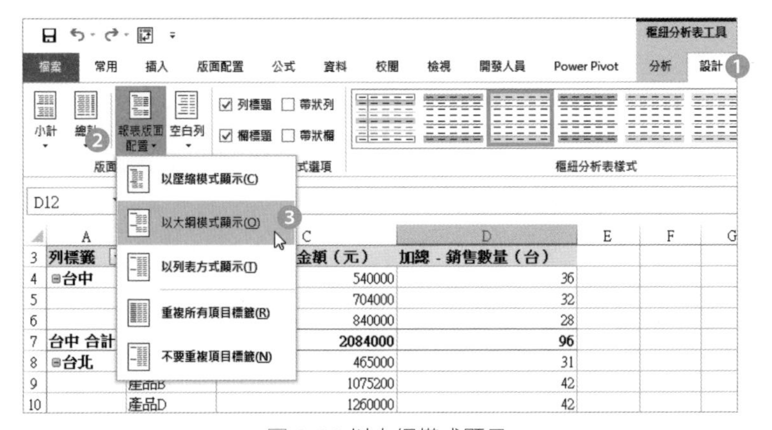

圖 2-66 以大綱模式顯示

❶切換至「樞紐分析表工具 - 設計」頁籤，❷在「版面配置」群組中按一下「報表版面配置」下三角按鈕，❸在展開的清單中點選「以大綱模式顯示」選項。❹隨後即可看到堆疊在 A 欄中的報表欄位各自佔據一欄顯示在表格中，而且會顯示所有的列標題名稱，如圖 2-67 所示。

	A	B	C	D
3	銷售城市	產品名稱	加總 - 銷售金額（元）	加總 - 銷售數量（台）
4	台中		2084000	96
5		產品A	540000	36
6		產品C	704000	32
7		產品D	840000	28
8	台北		2800200	115
9		產品A	465000	31
10		產品B	1075200	42
11		產品D	1260000	42
12	台南		2891000	143
13		產品A	1245000	83
14		產品B	896000	35
15		產品D	750000	25
16	高雄		3635600	137
17		產品A	360000	24
18		產品B	665600	26
19		產品D	2610000	87
20	新竹		2558800	113
21		產品A	600000	40
22		產品B	460800	18
23		產品C	418000	19
24		產品D	1080000	36

圖 2-67 顯示樞紐分析表的新版面配置效果

02 STEP 以列表方式顯示。如果想要在樞紐分析表中顯示表格框線，❶可於「版面配置」群組中按一下「報表版面配置」下三角按鈕，❷在展開的清單中點選「以列表方式顯示」選項，如圖 2-68 所示。隨後可看到表格中的樞紐分析表以表格的形式顯示，且小計資料顯示在各個欄位項的底端，如圖 2-69 所示。

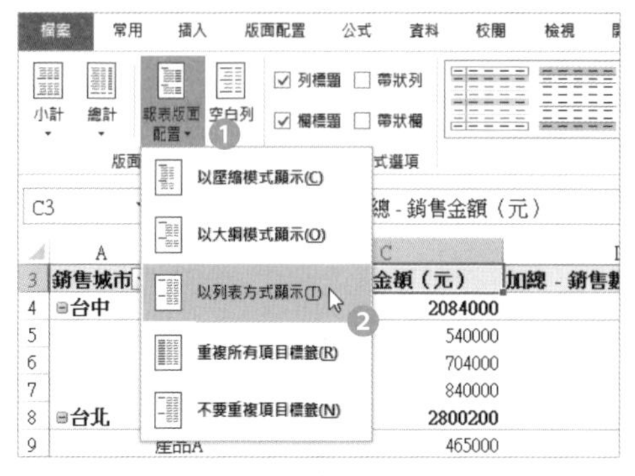

圖 2-68 以列表方式顯示

3	銷售城市	產品名稱	加總 - 銷售金額（元）	加總 - 銷售數量（台）
4	⊟台中	產品A	540000	36
5		產品C	704000	32
6		產品D	840000	28
7	台中 合計		**2084000**	**96**
8	⊟台北	產品A	465000	31
9		產品B	1075200	42
10		產品D	1260000	42
11	台北 合計		**2800200**	**115**
12	⊟台南	產品A	1245000	83
13		產品B	896000	35
14		產品D	750000	25
15	台南 合計		**2891000**	**143**
16	⊟高雄	產品A	360000	24
17		產品B	665600	26
18		產品D	2610000	87
19	高雄 合計		**3635600**	**137**
20	⊟新竹	產品A	600000	40
21		產品B	460800	18
22		產品C	418000	19
23		產品D	1080000	36
24	新竹 合計		**2558800**	**113**

圖 2-69 顯示表格形式的版面配置效果

03 STEP 重複顯示所有項目標籤。在 Excel 樞紐分析表中，當列區域包含多個欄位時，第一個列欄位的項目標籤會僅在第一列中顯示，而其他列為空。如圖 2-69 為「以列表方式顯示」的樞紐分析表，「銷售城市」欄位中，以「台北」為例，其本來有三行資料，但是只在第一行中顯示項目標籤。如果需要讓該欄位下的項目標籤在每一行中都顯示出來，可以利用「重複所有項目標籤」功能輕鬆實現。❶按一下「版面配置」群組中的「報表版面配置」下三角按鈕，❷在展開的列表中點選「重複所有項目標籤」選項，如圖 2-70 所示。❸可看到欄位中加入項目標籤後的效果，如圖 2-71 所示。如果想要不顯示項目標籤，則在展開的列表中點選「不重複項目標籤」選項即可。

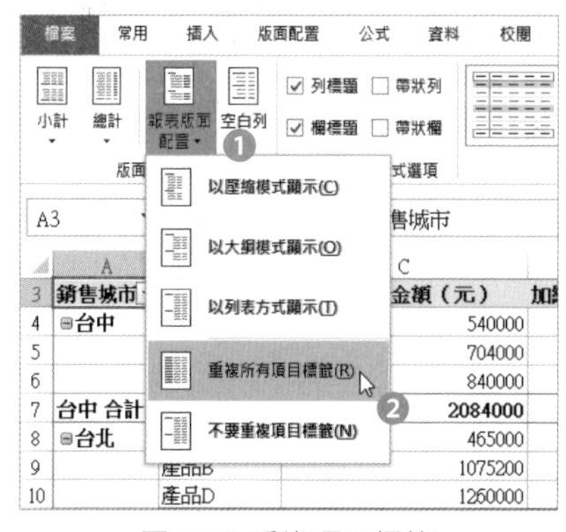

圖 2-70 重複項目標籤

3	銷售城市	產品名稱	加總 - 銷售金額（元）	加總 - 銷售數量（台）
4	⊟台中	產品A	540000	36
5	台中	產品C	704000	32
6	台中	產品D	840000	28
7	台中 合計	❸	**2084000**	**96**
8	⊟台北	產品A	465000	31
9	台北	產品B	1075200	42
10	台北	產品D	1260000	42
11	台北 合計		**2800200**	**115**
12	⊟台南	產品A	1245000	83
13	台南	產品B	896000	35
14	台南	產品D	750000	25
15	台南 合計		**2891000**	**143**
16	⊟高雄	產品A	360000	24
17	高雄	產品B	665600	26
18	高雄	產品D	2610000	87
19	高雄 合計		**3635600**	**137**

圖 2-71 顯示重複項目標籤的效果

還需注意的是，當樞紐分析表以壓縮形式顯示時，是無法為其加入重複的項目標籤的，因為在該種形式下，樞紐分析表中的多個欄位堆疊在一個列中，系統無法分辨這些項目標籤屬於哪個欄位，所以也就無法重複項目標籤。

2.3.4 讓小計資料一目了然

小言：前輩，我發現在預設情況下，各個群組間的資料比較緊湊，不便於區分各個欄位的查看。我是不是可以一個一個地在每一個群組後插入空白列呢？

老譚：為什麼要用這種笨方法呢？而且在樞紐分析表中是無法使用手工的方式插入空白列的。直接使用「版面配置」群組中的「空白列」工具就可以一步到位了！

01 STEP 使用「空白列」工具插入空白行。根據資料表格製作好樞紐分析表後，將小計資料設定在底端顯示，此時發現表格中的各個項目資料較為緊湊，不易區分，如圖 2-72 所示。❶此時就可以切換至「樞紐分析表工具 - 設計」頁籤，❷在「版面配置」群組中按一下「空白列」下三角按鈕，❸在展開的清單中點選「每一項之後插入空白行」選項，如圖 2-73 所示。

	A	B	C
3	列標籤	加總 - 銷售數量（台）	加總 - 銷售金額（元）
4	⊟李珍珍		
5	2016/1/11	27	691200
6	2016/1/14	26	390000
7	2016/1/18	40	1200000
8	2016/1/25	20	440000
9	李珍珍 合計	113	2721200
10	⊟狄安明		
11	2016/1/6	12	264000
12	2016/1/7	35	896000
13	2016/1/13	13	286000
14	2016/1/16	15	225000
15	2016/1/22	22	660000
16	狄安明 合計	97	2331000
17	⊟禹星星		

圖 2-72 未插入空白列的報表

	A	B	C	D	E	F	G
3	列標籤	加總 - 銷售數量（台）	加總 - 銷售金額（元）				
4	⊟李珍珍						
5	2016/1/11	27	691200				
6	2016/1/14	26	390000				
7	2016/1/18	40	1200000				
8	2016/1/25	20	440000				
9	李珍珍 合計	113	2721200				
10	⊟狄安明						

圖 2-73 每一項之後插入空白行

02 STEP 使用「欄位設定」插入空白列。除了可以使用以上方法來實現空白行的插入以外，❶還可以按一下小計欄位中的任意儲存格，如儲存格 A4，❷切換至「樞紐分析表工具 - 分析」頁籤，❸在「作用中欄位」群組中點選「欄位設定」按鈕，如圖 2-74 所示。彈出「欄位設定」對話方塊，❹切換至「版面配置與列印」頁籤，❺在「版面配置」群組下勾選「在每個項目標籤後插入空白行」核取方塊，如圖 2-75 所示。最後按一下「確定」按鈕即可回到樞紐分析表中。

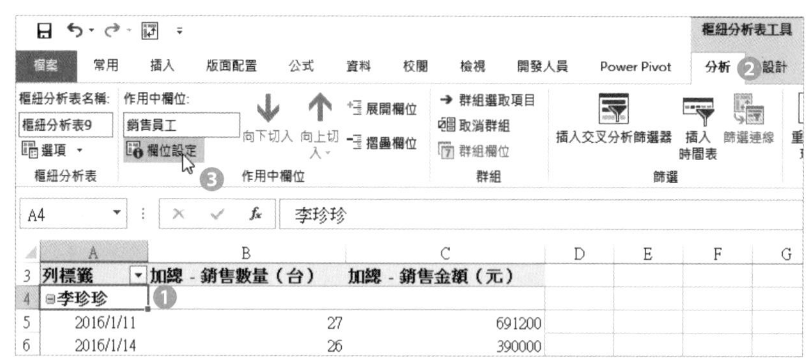

圖 2-74 按一下欄位「設定」按鈕

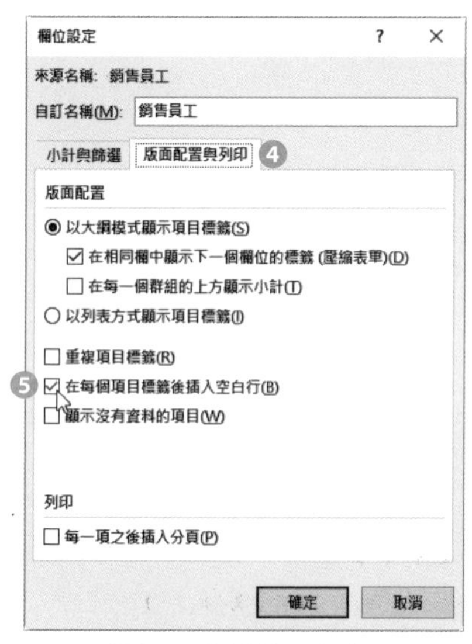

圖 2-75 勾選核取方塊

STEP 03 查看插入空白列效果。隨後即可看到每個欄位的小計資料後都插入了空白列，如圖 2-76 所示，從而可以清晰地查看各個小計欄位的數值。

	A	B	C
3	列標籤	加總 - 銷售數量（台）	加總 - 銷售金額（元）
4	⊟李珍珍		
5	2016/1/11	27	691200
6	2016/1/14	26	390000
7	2016/1/18	40	1200000
8	2016/1/25	20	440000
9	**李珍珍 合計**	**113**	**2721200**
10			
11	⊟狄安明		
12	2016/1/6	12	264000
13	2016/1/7	35	896000
14	2016/1/13	13	286000
15	2016/1/16	15	225000
16	2016/1/22	22	660000
17	**狄安明 合計**	**97**	**2331000**
18			
19	⊟肖星星		

圖 2-76 顯示插入空白列後的效果

STEP 04 刪除插入的空白列。如果對插入的空白列不滿意，想要將其刪除，❶在「版面配置」群組按一下「空白列」下三角按鈕，❷在展開的清單中點選「每一項之後移除空白行」選項，如圖 2-77 所示。

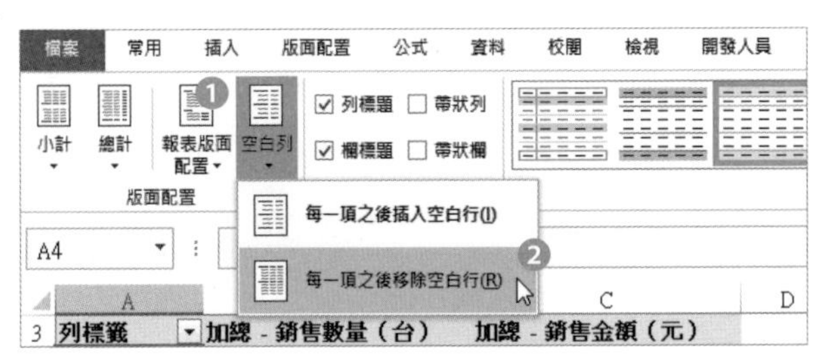

圖 2-77 刪除空白列

2.4 資料來源資訊的取得與隱藏

小言：啊！糟了！我本來是想刪除樞紐分析表，結果不小心把「產品銷售記錄表」工作表刪除了，而且也沒有備份工作表資料。我該怎麼辦？難道要重新製作嗎？

老譚：重新製作？怎麼可能，那太花時間了。不用擔心，只需幾個步驟就能讓「產品銷售記錄表」中的資料重新在工作表中同時顯示。

2.4.1 重新取得資料來源的所有資訊

小言：前輩，我想取得全部資料來源，並不是一部分哦！真的可以嗎？

老譚：當然可以，直接透過樞紐分析表選項工具就行了。

01 STEP 啟動「樞紐分析表選項」對話方塊。❶在樞紐分析表的任意區域按一下滑鼠右鍵，❷在彈出的快顯功能表中選擇「樞紐分析表選項」命令，如圖 2-78 所示。

02 STEP 啟用顯示詳細資料。彈出「樞紐分析表選項」對話方塊，❶切換至「資料」頁籤，❷在「樞紐分析表資料」選項群組下勾選「啟用顯示詳細資料」核取方塊，如圖 2-79 所示。

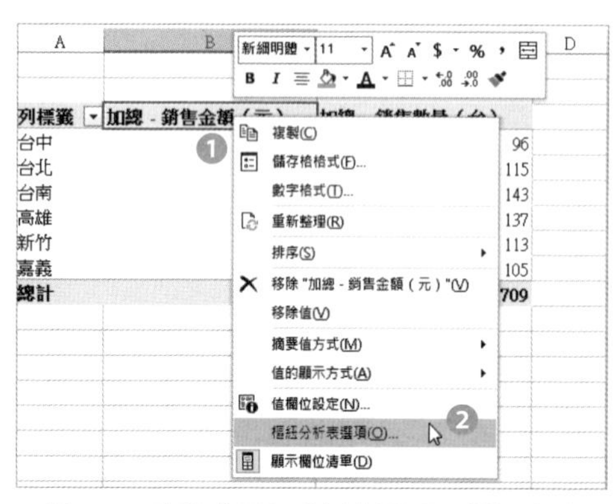

圖 2-78 啟動「樞紐分析表選項」對話方塊

圖 2-79 顯示詳細資料

03 STEP 顯示所有明細資料。按一下「確定」按鈕，回到工作表中，按兩下樞紐分析表的最後一個儲存格，如圖 2-80 所示。即可在另外一個新工作表中重新產生原始的資料來源，如圖 2-81 所示。

	A	B	C	D
3	列標籤	加總 - 銷售金額（元）	加總 - 銷售數量（台）	
4	台中	2084000	96	
5	台北	2800200	115	
6	台南	2891000	143	
7	高雄	3635600	137	
8	新竹	2558800	113	
9	嘉義	2372000	105	
10	**總計**	**16341600**	709	
11				
12				
13				

加總 - 銷售數量（台）
值: 709
列: 總計
欄: 加總 - 銷售數量（台）

圖 2-80 按兩下最後的儲存格

	A	B	C	D	E	F	G	H
1	訂單編號	訂單日期	產品名稱	銷售城市	銷售員工	銷售單價（元）	銷售數量（台）	銷售金額（元）
2	A-10258	2016/1/6	產品C	台中	狄安明	22000	12	264000
3	A-10259	2016/1/7	產品D	台中	程志成	30000	28	840000
4	A-10275	2016/1/16	產品A	台中	狄安明	15000	15	225000
5	A-10281	2016/1/25	產品A	台中	尚星星	15000	21	315000
6	A-10282	2016/1/25	產品C	台中	李珍珍	22000	20	440000
7	A-10262	2016/1/11	產品B	台北	李珍珍	25600	27	691200
8	A-10263	2016/1/12	產品A	台北	趙鳳元	15000	20	300000
9	A-10266	2016/1/13	產品A	台北	程志成	15000	11	165000
10	A-10274	2016/1/16	產品D	台北	趙鳳元	30000	42	1260000
11	A-10283	2016/1/28	產品B	台北	程志成	25600	15	384000
12	A-10260	2016/1/7	產品B	台南	狄安明	25600	35	896000
13	A-10261	2016/1/11	產品A	台南	尚星星	15000	15	225000
14	A-10270	2016/1/14	產品A	台南	李珍珍	15000	26	390000
15	A-10278	2016/1/20	產品A	台南	程志成	15000	20	300000
16	A-10279	2016/1/21	產品D	台南	尚星星	30000	25	750000
17	A-10284	2016/1/28	產品A	台南	趙鳳元	15000	22	330000
18	A-10256	2016/1/5	產品A	高雄	尚星星	15000	24	360000
19	A-10257	2016/1/6	產品B	高雄	程志成	25600	26	665600
20	A-10271	2016/1/14	產品D	高雄	程志成	30000	25	750000
21	A-10276	2016/1/18	產品D	高雄	李珍珍	30000	40	1200000
22	A-10280	2016/1/22	產品D	高雄	狄安明	30000	22	660000
23	A-10264	2016/1/12	產品C	新竹	尚星星	22000	19	418000
24	A-10267	2016/1/13	產品B	新竹	尚星星	25600	18	460800
25	A-10272	2016/1/15	產品D	新竹	趙鳳元	30000	36	1080000
26	A-10273	2016/1/15	產品A	新竹	尚星星	15000	40	600000
27	A-10265	2016/1/12	產品D	嘉義	趙鳳元	30000	26	780000
28	A-10268	2016/1/13	產品C	嘉義	狄安明	22000	13	286000

工作表2 工作表1

圖 2-81 顯示資料來源的所有資訊

2.4.2 取得某個項目的明細資料

小言：前輩，如果我並不想要全部的資料來源資訊，只想取得需要的部分資料來源，該如何處理呢？

老譚：其實方法大同小異，只需按兩下你需要顯示的那個欄位後的儲存格即可。這種方式只顯示樞紐分析表某個項目的明細資料，一般用於特定資料的查詢。

01 STEP 顯示某欄位下的明細資料。在「樞紐分析表選項」對話方塊中的「樞紐分析表資料」選項群組下勾選「啟用顯示詳細資料」核取方塊後，回到工作表中，假設想要取得「產品 A」在各個城市的明細資料，則在樞紐分析表中按兩下產品 A 後的小計儲存格，如儲存格 B4，如圖 2-82 所示。隨後可看到產品 A 在各個城市的明細資料，如圖 2-83 所示。

同理可證，如果想要取得產品 B 在各個城市的明細資料，則按兩下儲存格 B11。

	A	B
3	列標籤	加總 - 銷售金額（元）
4	⊟產品A	3600000
5	台北	465000
6	新竹	600000
7	台中	540000
8	嘉義	390000
9	台南	1245000
10	高雄	360000
11	⊟產品B	3353600

圖 2-82 按兩下小計資料儲存格

	A	B	C	D	E	F	G	H
1	訂單編號	訂單日期	產品名稱	銷售城市	銷售員工	銷售單價（元）	銷售數量（台）	銷售金額（元）
2	A-10263	2016/1/12	產品A	台北	趙鳳元	15000	20	300000
3	A-10266	2016/1/13	產品A	台北	程志成	15000	11	165000
4	A-10273	2016/1/15	產品A	新竹	肖星星	15000	40	600000
5	A-10275	2016/1/16	產品A	台中	狄安明	15000	15	225000
6	A-10281	2016/1/25	產品A	台中	肖星星	15000	21	315000
7	A-10285	2016/1/30	產品A	嘉義	肖星星	15000	26	390000
8	A-10284	2016/1/28	產品A	台南	趙鳳元	15000	22	330000
9	A-10278	2016/1/20	產品A	台南	程志成	15000	20	300000
10	A-10270	2016/1/14	產品A	台南	李珍珍	15000	26	390000
11	A-10261	2016/1/11	產品A	台南	肖星星	15000	15	225000
12	A-10256	2016/1/5	產品A	高雄	肖星星	15000	24	360000
13								

工作表2 工作表1

圖 2-83 顯示該欄位下的明細資料

STEP 02 顯示某項目下的明細資料。如果想要查看產品 A 在某個城市的明細資料，如台南，則按兩下該城市下的加總項資料儲存格，如圖 2-84 所示。隨後即可看到產品 A 在城市台南的明細資料，如圖 2-85 所示。

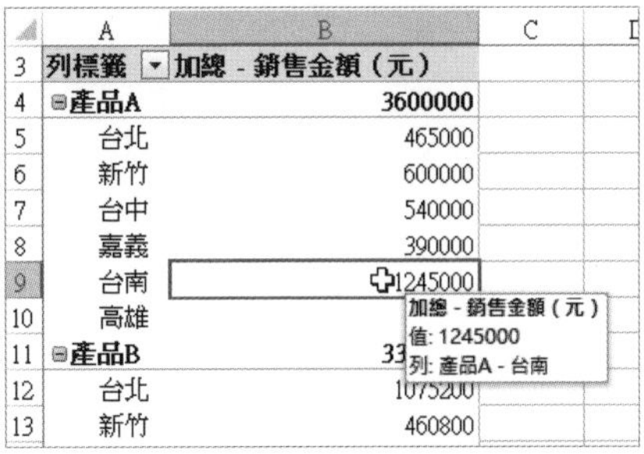

	A	B	C
3	列標籤	加總 - 銷售金額（元）	
4	⊟產品A	3600000	
5	台北	465000	
6	新竹	600000	
7	台中	540000	
8	嘉義	390000	
9	台南	1245000	
10	高雄		
11	⊟產品B	33	
12	台北	1075200	
13	新竹	460800	

加總 - 銷售金額（元）
值: 1245000
列: 產品A - 台南

圖 2-84 按兩下某個項目儲存格

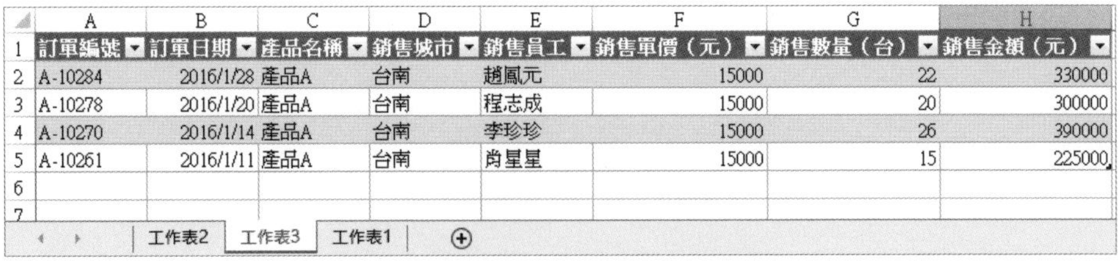

	A	B	C	D	E	F	G	H
1	訂單編號	訂單日期	產品名稱	銷售城市	銷售員工	銷售單價（元）	銷售數量（台）	銷售金額（元）
2	A-10284	2016/1/28	產品A	台南	趙鳳元	15000	22	330000
3	A-10278	2016/1/20	產品A	台南	程志成	15000	20	300000
4	A-10270	2016/1/14	產品A	台南	李珍珍	15000	26	390000
5	A-10261	2016/1/11	產品A	台南	肖星星	15000	15	225000
6								
7								

工作表2 工作表3 工作表1

圖 2-85 顯示該項目下的明細資料

2.4.3 禁止顯示資料來源

小言：前輩，如果我不想讓別人看到樞紐分析表的原始資料，該怎麼操作才能禁止顯示資料來源呢？

老譚：其實 Excel 中的隱藏工作表功能可以將含有資料來源資訊的工作表隱藏，但是這種方式在按兩下樞紐分析表中的儲存格時，資料來源還是會出現在新的工作表中。所以，要想完全禁止資料來源資訊的出現，可以使用「樞紐分析表選項」中的功能來實現。

STEP 01 按一下「選項」按鈕。❶選取樞紐分析表的任意儲存格，❷在「樞紐分析表工具 - 分析」頁籤下的「樞紐分析表」群組中，按一下「選項」按鈕，如圖 2-86 所示。

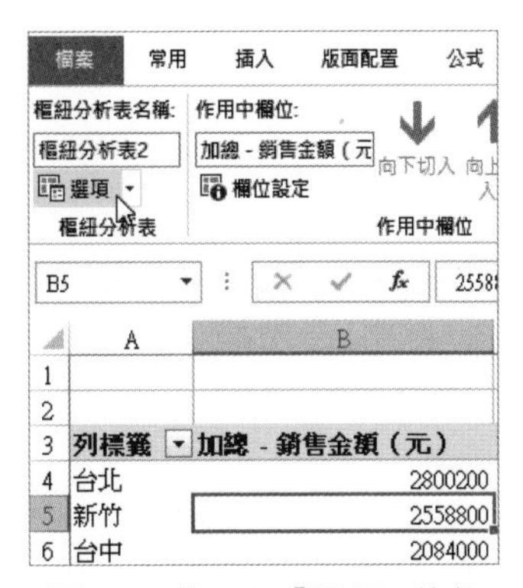

圖 2-86 按一下「選項」按鈕

STEP 02 禁止顯示資料來源。彈出「樞紐分析表選項」對話方塊，❶切換至「資料」頁籤，❷在「樞紐分析表資料」選項群組下取消勾選「啟用顯示詳細資料」核取方塊，如圖 2-87 所示。

圖 2-87 禁止顯示資料來源

STEP 03 無法更改樞紐分析表的部分資料。顯示詳細資料命令被關閉後，❶如果按兩下樞紐分析表以期獲得任何明細資料時，❷會出現錯誤提示對話方塊，提示使用者無法更改資料投樞紐分析表的部分資料，也就無法得到資料來源資訊了，如圖 2-88 所示。

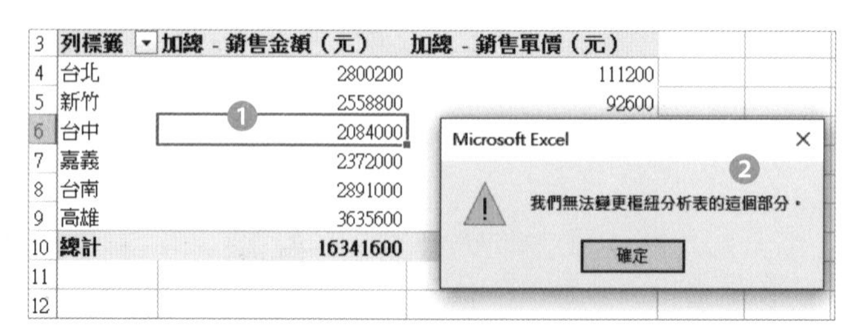

圖 2-88 彈出提示框提示無法更改樞紐分析表的部分資料

2.5 利用樞紐分析表小工具節約時間

老譚：在樞紐分析表中，除了以上介紹的一些常用工具，還有很多其他工具可以幫助我們在管理樞紐分析表時節約時間。如延遲版面配置更新、全部清除樞紐分析表等。

小言：我知道這些工具，但是卻一直不覺得這些工具有什麼大的作用。

老譚：這就錯啦！既然在樞紐分析表中出現這個工具，就表示它一定有用，只不過你還不知道該怎麼使用而已。

2.5.1 讓欄位版面配置從頭開始

老譚：以「全部清除」工具為例，你覺得它有什麼用？

小言：不就是將樞紐分析表中的欄位全部刪除而已嗎？我直接在「樞紐分析表欄位」任務窗格中取消欄位的勾選也可以啊！

老譚：如果表格中的欄位少還好。但是，只要勾選的欄位一多，若想要重新版面配置，使用該方法不是很慢嗎？所以，該工具的出現還是有一定道理的。

STEP 01 全部清除版面配置資料。❶切換至「樞紐分析表工具 - 分析」頁籤，❷在「動作」群組中按一下「清除」下三角按鈕，❸在展開的清單中點選「全部清除」，如圖 2-89 所示。

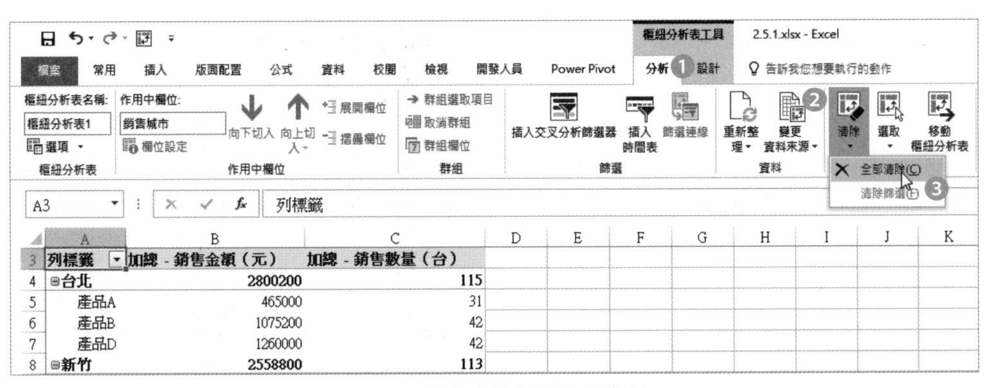

圖 2-89 全部清除版面配置資料

02 STEP 顯示清除版面配置後的空樞紐分析表效果。隨後即可看到樞紐分析表中的版面配置效果被清除了，只剩下一個空白的樞紐分析表效果，如圖 2-90 所示。

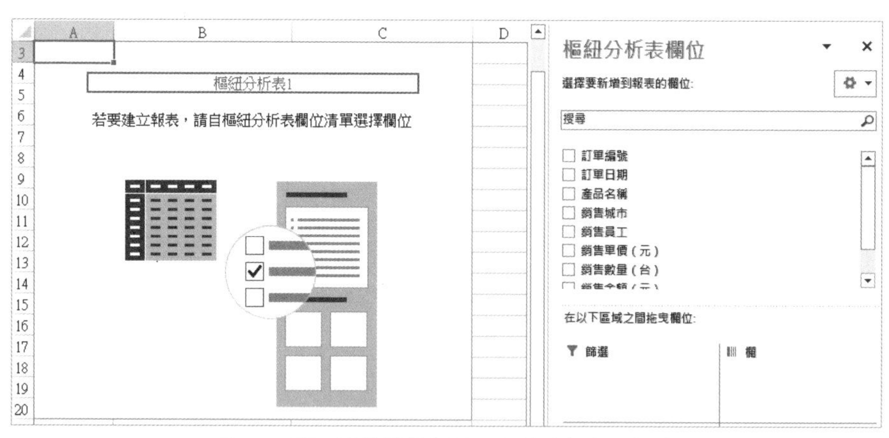

圖 2-90 顯示清除欄位版面配置的空樞紐分析表

透過以上操作，只會刪除樞紐分析表的版面配置資料，並不會刪除樞紐分析表，也就是說，還可以在該樞紐分析表中重新選擇欄位，版面配置樞紐分析表。如果要刪除整個樞紐分析表，除了可以直接刪除該樞紐分析工作表以外，還可以透過以下方法來實現。

01 STEP 選取整個樞紐分析表。❶在「動作」群組中按一下「選取」下三角按鈕，❷在展開的清單中點選「整個樞紐分析表」，如圖 2-91 所示。隨後即可看到工作表中的樞紐分析表資料全部被選取，如圖 2-92 所示。

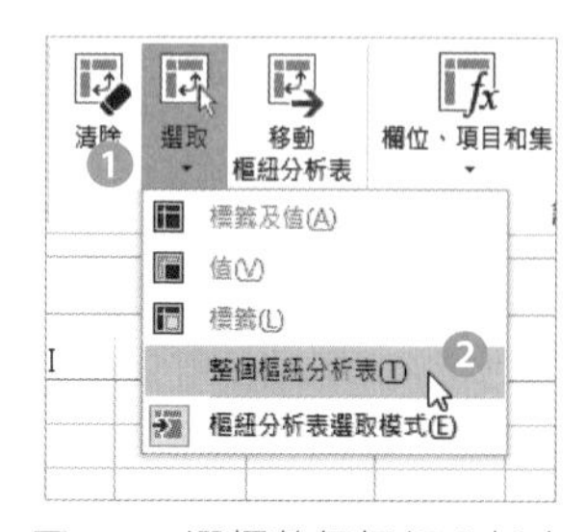

圖 2-91 選擇整個樞紐分析表

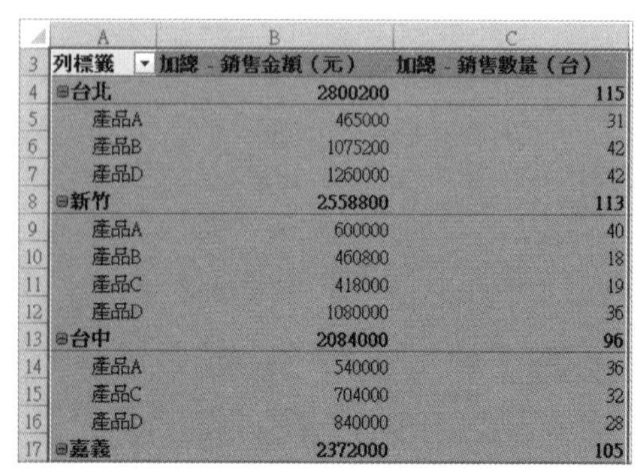

	A	B	C
3	列標籤	加總 - 銷售金額（元）	加總 - 銷售數量（台）
4	⊟台北	2800200	115
5	產品A	465000	31
6	產品B	1075200	42
7	產品D	1260000	42
8	⊟新竹	2558800	113
9	產品A	600000	40
10	產品B	460800	18
11	產品C	418000	19
12	產品D	1080000	36
13	⊟台中	2084000	96
14	產品A	540000	36
15	產品C	704000	32
16	產品D	840000	28
17	⊟嘉義	2372000	105

圖 2-92 顯示全部選取的效果

STEP 02 顯示刪除整個樞紐分析表後的效果。隨後，在鍵盤上按下【Delete】鍵，即可看到刪除樞紐分析表的效果，如圖 2-93 所示。可看到工作表還在，但是無論是資料，還是樞紐分析表範本都不見了，也就是說，必須要重新建立一個新的樞紐分析表。

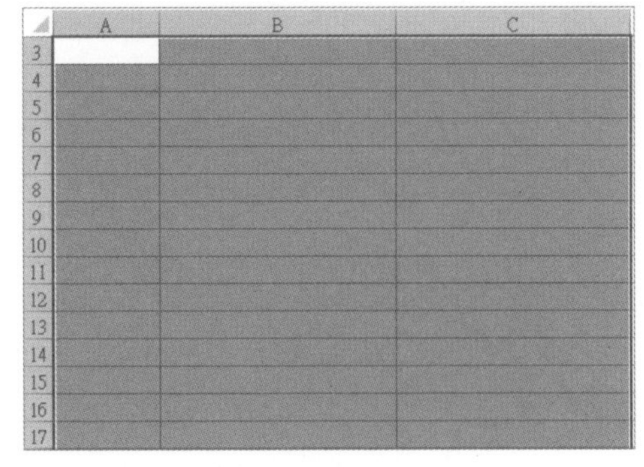

圖 2-93 刪除樞紐分析表的效果

此外還需特別注意，無論是刪除樞紐分析表版面配置或是刪除樞紐分析表，來源資料並不會受影響。

2.5.2 一次性顯示多個欄位資料

小言：前輩，我發現每次加入欄位、刪除欄位或者移動欄位到一個不同的位置，樞紐分析表就會隨著更新一次。如果有大量資料集的樞紐分析表，更新的動作就會花費一些時間，例如，建立一個新樞紐分析表並加入八個欄位，那麼就得等八次才能完全看到結果。如果我想讓這些欄位一次更新到報表中，而不是一次次的等待，如何能夠實現呢？

老譚：在 Excel 中，要想節省更新時間，可以透過延遲版面配置更新工具使樞紐分析表暫不進行重新整理，當所有欄位轉換完畢後再一次性進行重新整理。

STEP 01 延遲版面配置更新。建立一個空白的樞紐分析表範本後，在「樞紐分析表欄位」任務窗格下方，勾選「延遲版面配置更新」核取方塊，如圖 2-94 所示。

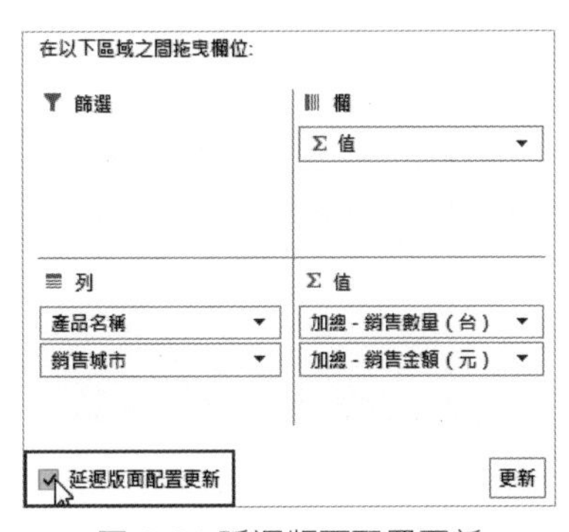

圖 2-94 延遲版面配置更新

STEP 02 加入欄位。在「樞紐分析表欄位」任務窗格的欄位清單中勾選需要的欄位，如「產品名稱」、「銷售城市」、「銷售數量（台）」和「銷售金額（元）」，如圖 2-95 所示。

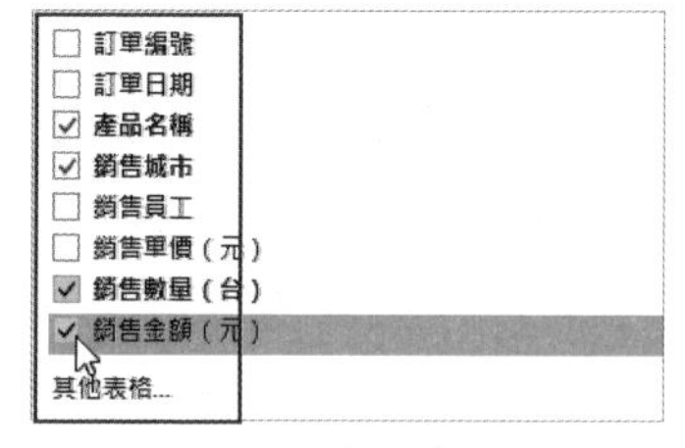

圖 2-95 加入欄位

STEP 03 顯示未更新的空白樞紐分析表。此時，可以看到樞紐分析表的顯示區域中並沒有隨著欄位的加入而顯示欄位的資料結果，如圖 2-96 所示。

STEP 04 更新資料。在「樞紐分析表欄位」任務窗格下方按一下「更新」按鈕，如圖 2-97 所示。

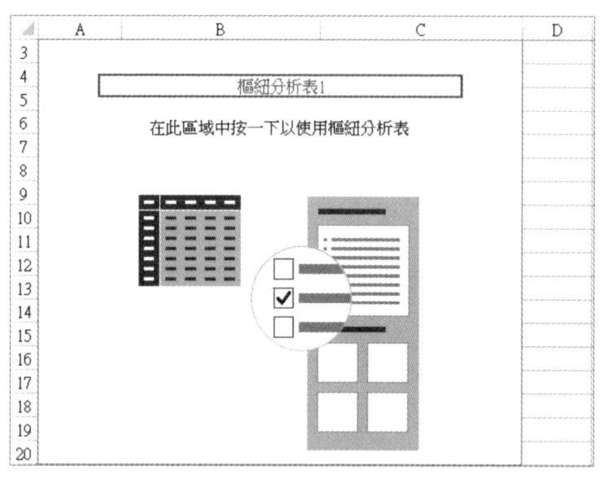

圖 2-96 顯示未更新的樞紐分析表

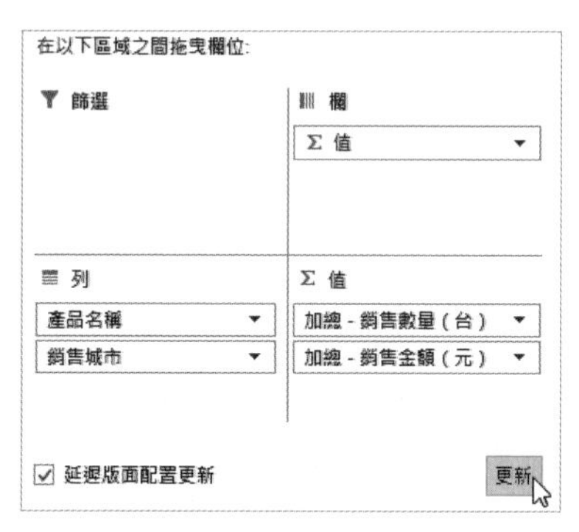

圖 2-97 更新資料

STEP 05 顯示更新欄位後的樞紐分析表。可看到樞紐分析表的顯示區域中一次性顯示已勾選欄位的資料，如圖 2-98 所示。

但需特別注意，當使用「延遲版面配置更新」，樞紐分析表處於手動更新狀態，某些功能也會同時被禁用，因此完成版面配置後，需取消勾選「延遲版面配置更新」，以免影響其他功能的使用。

	A	B	C
3	列標籤	加總 - 銷售數量（台）	加總 - 銷售金額（元）
4	⊟產品A	240	3600000
5	台北	31	465000
6	新竹	40	600000
7	台中	36	540000
8	嘉義	26	390000
9	台南	83	1245000
10	高雄	24	360000
11	⊟產品B	131	3353600
12	台北	42	1075200
13	新竹	18	460800
14	嘉義	10	256000
15	台南	35	896000
16	高雄	26	665600
17	⊟產品C	94	2068000
18	新竹	19	418000
19	台中	32	704000
20	嘉義	43	946000
21	⊟產品D	244	7320000

圖 2-98 顯示更新欄位後的樞紐分析表

3 樞紐分析表的外觀美化

小言透過自己的努力，很順利地通過試用期，隨後老譚提出幾個樞紐分析表的問題讓其思考：

- 如何讓樞紐分析表在外觀上看起來更完美？
- 如何才能讓樞紐分析表透過簡單的操作進行資料上的修飾？
- 如何才能在加入資料來源後，不需要重新整理樞紐分析表就能將加入的欄位顯示在樞紐分析表中？

3.1 美化樞紐分析表

小言：前輩，我想了一下你上週出給我的第一個問題，你所說的讓樞紐分析表外觀更完美，其實是對樞紐分析表進行美化，也就是在填滿色彩、字型和邊框等方面進行美化，對吧？

老譚：差不多就是這個意思！但是別小看這個問題，要對樞紐分析表進行外觀上的美化，不僅僅只有你所說的填滿色彩、字型和邊框等設定，我們還可以對數值加入貨幣符號，或者是設定千分位分隔符號。而且除了手動設定外觀以外，還可以直接使用表格中內建的格式快速對樞紐分析表進行美化。

3.1.1 手動更新樞紐分析表外觀

小言：前輩，我覺得手動設定樞紐分析表外觀很簡單，很容易就可以上手，但是有沒有什麼需要注意的地方呢？

老譚：的確，手動設定樞紐分析表外觀是一個比較基礎且常見的樞紐分析表美化方式，不但簡單而且在應用上也比較靈活。但還是想提醒初學者在使用該方式前能夠先培養一些美感，以免出現美化後不如美化前的表格效果。

01 STEP 顯示預設的樞紐分析表。應用「產品銷售記錄表」中的資料建立樞紐分析表，並加入需要的欄位，可看到如圖 3-1 所示的樞紐分析表效果。

	A	B	C	D	E	F	G
3	加總 - 銷售金額（元）	欄標籤					
4	列標籤	李珍珍	狄安明	肖星星	程志成	趙鳳元	總計
5	⊟產品A	390000	225000	1890000	465000	630000	3600000
6	台北				165000	300000	465000
7	新竹			600000			600000
8	台中		225000	315000			540000
9	嘉義			390000			390000
10	台南	390000		225000	300000	330000	1245000
11	高雄			360000			360000
12	⊟產品B	691200	896000	460800	1049600	256000	3353600
13	台北	691200			384000		1075200
14	新竹			460800			460800
15	嘉義					256000	256000
16	台南		896000				896000
17	高雄				665600		665600

圖 3-1 顯示預設的樞紐分析表效果

STEP 02 以大綱模式顯示樞紐分析表。❶選取樞紐分析表中的任意儲存格，❷在「樞紐分析表工具 - 設計」頁籤下，按一下「版面配置」群組中的「報表版面配置」下三角按鈕，❸在展開的清單中點選「以大綱模式顯示」選項，如圖 3-2 所示。

STEP 03 在底端顯示小計。繼續在「樞紐分析表工具 - 設計」頁籤下，❶在「版面配置」群組中按一下「小計」下三角按鈕，❷在展開的清單中點選「在群組的底端顯示所有小計」選項，如圖 3-3 所示。

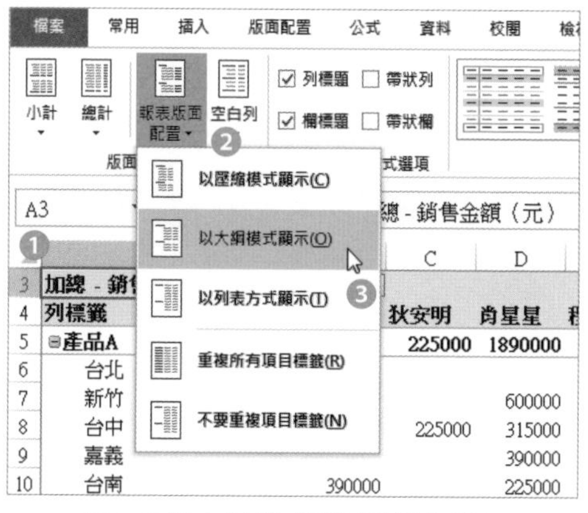
圖 3-2 以大綱模式顯示樞紐分析表

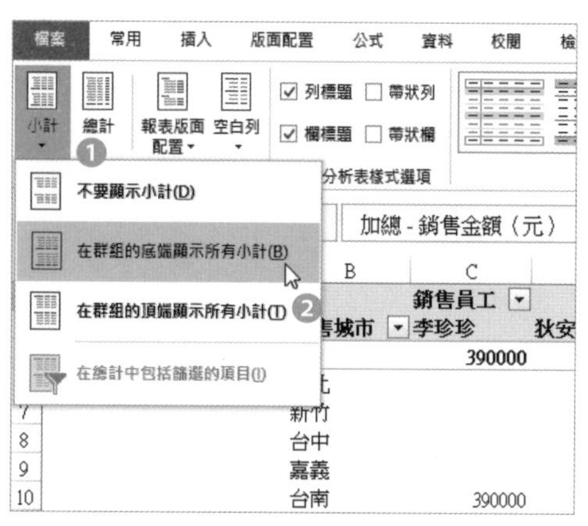
圖 3-3 在底端顯示小計

STEP 04 每一項之後插入空白行。❶在「版面配置」群組中按一下「空白列」下三角按鈕，❷在展開的清單中點選「每一項之後插入空白行」選項，如圖 3-4 所示。

STEP 05 設定字型和字型大小。❶選取整個樞紐分析表，❷在「常用」頁籤下的「字型」群組中，設定「字型」為「新細明體」，❸設定「字型大小」為「11」，❹按一下「字型」群組中的對話方塊啟動器，如圖 3-5 所示。

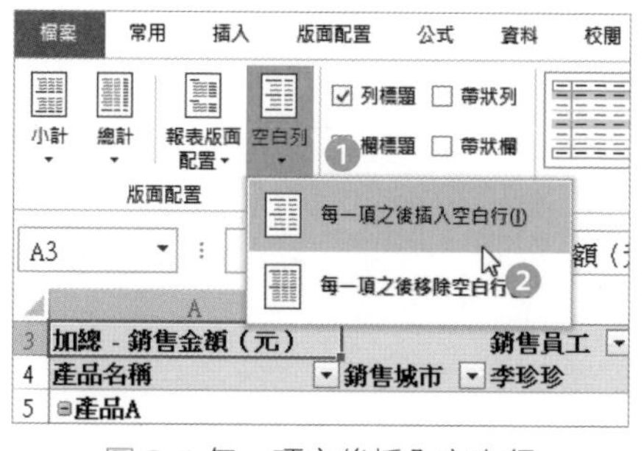
圖 3-4 每一項之後插入空白行

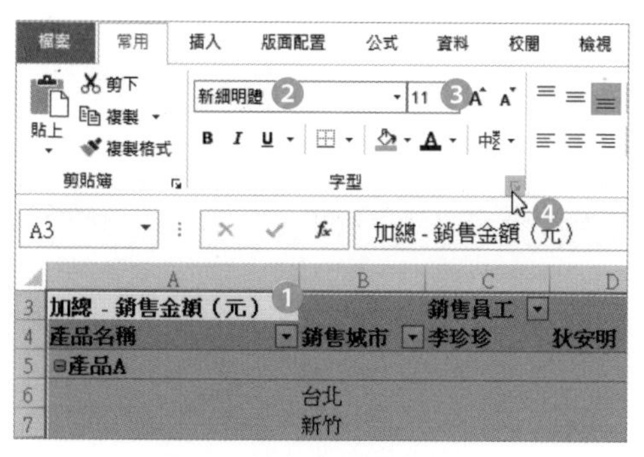
圖 3-5 設定字型及其大小

06 STEP 設定樞紐分析表的外邊框和內邊框。彈出「儲存格格式」對話方塊，❶切換至「外框」頁籤，❷在「線條」群組中選擇線條樣式、❸「色彩」群組下設定線條色彩、❹在「框線」群組下點選「上框線」和「下框線」，如圖 3-6 所示。以相同的方法選擇線條樣式和色彩，點選「格式」群組中的「內線」圖示，如圖 3-7 所示。

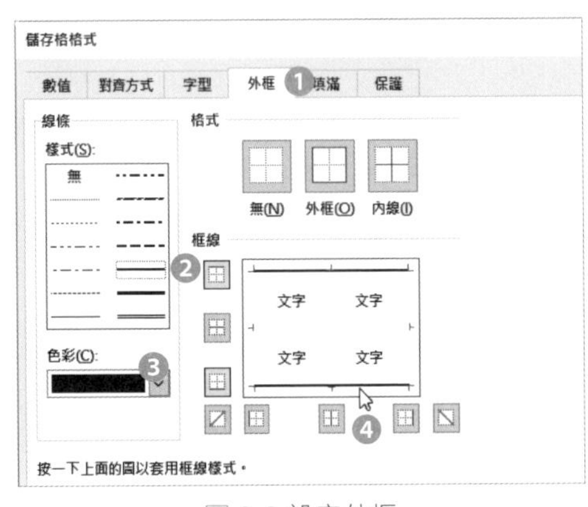

圖 3-6 設定外框

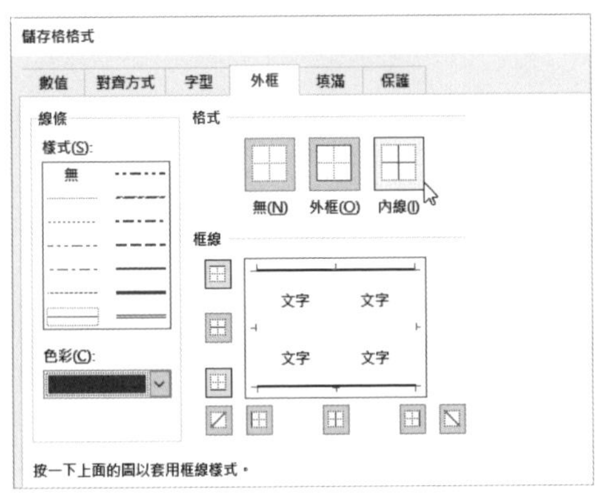

圖 3-7 設定內線

07 STEP 自訂標題列的填滿色。連續按一下「確定」按鈕，回到工作表中。❶選取標題列的儲存格區域，❷在「常用」頁籤下的「字型」群組中，按一下「填滿色彩」右側的下三角按鈕，❸在展開的清單中點選「其他色彩」選項，如圖 3-8 所示。彈出「色彩」對話方塊，❹切換到「自訂」頁籤，❺設定「RGB」為「184 210 212」，❻按一下「確定」按鈕，如圖 3-9 所示。

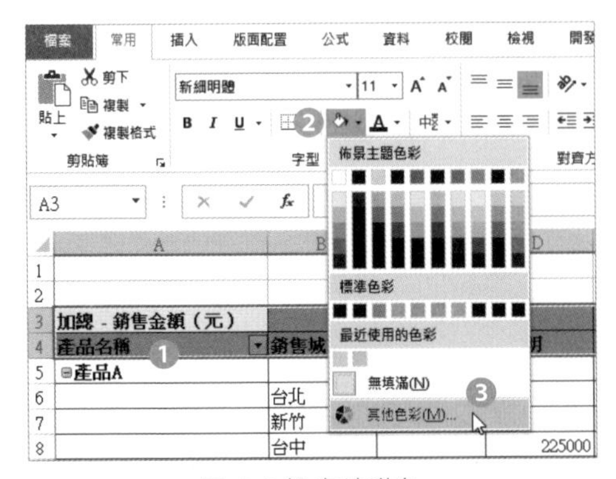

圖 3-8 設定填滿色

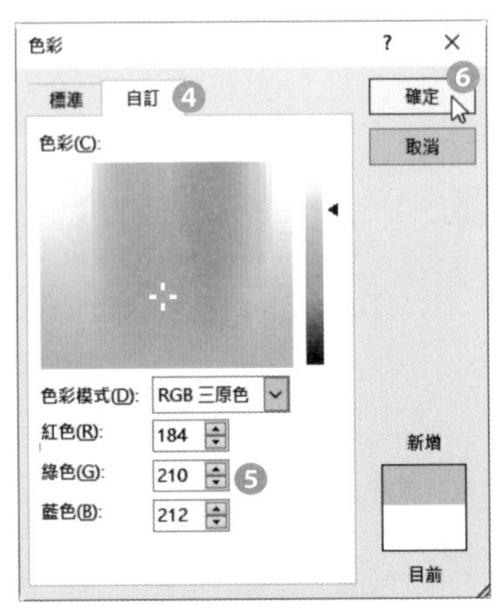

圖 3-9 自訂色彩

同時選取合計列。回到工作表即可看到套用填滿色彩後的標題列效果，將滑鼠放置在任意一個合計列左側的行號上，當滑鼠變為向右的黑色加粗箭頭時按一下，即可同時選取樞紐分析表中全部的合計列，如圖 3-10 所示。

11		高雄			360000			360000
12	產品A 合計		390000	225000	1890000	465000	630000	3600000
13	⊟產品B							
14		台北	691200			384000		1075200
15		新竹			460800			460800
16		嘉義					256000	256000
17		台南		896000				896000
18		高雄				665600		665600
19	產品B 合計		691200	896000	460800	1049600	256000	3353600

圖 3-10 選取合計列

09 STEP 設定合計列的填滿色。❶按一下「填滿色彩」右側下三角按鈕，❷在展開的清單中選擇合適的填滿色彩，如圖 3-11 所示。

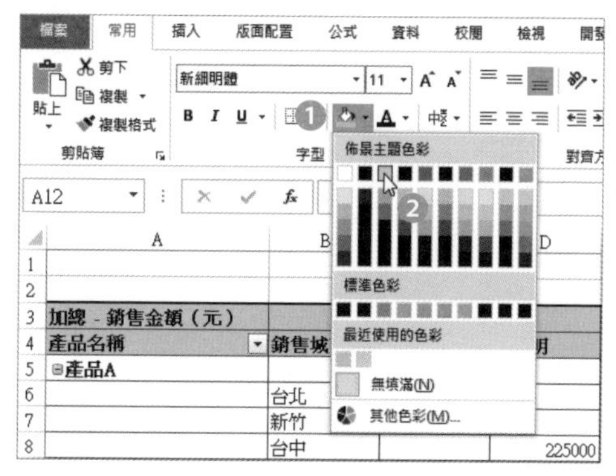

圖 3-11 設定合計列的填滿色

10 STEP 顯示手動設定後的樞紐分析表效果。最後即可看到手動設定後樞紐分析表的展示效果，如圖 3-12 所示。

加總 - 銷售金額（元）		銷售員工					
產品名稱	銷售城市	李珍珍	狄安明	肖星星	程志成	趙鳳元	總計
⊟產品A							
	台北				165000	300000	465000
	新竹			600000			600000
	台中		225000	315000			540000
	嘉義			390000			390000
	台南	390000		225000	300000	330000	1245000
	高雄			360000			360000
產品A 合計		390000	225000	1890000	465000	630000	3600000
⊟產品B							
	台北	691200			384000		1075200
	新竹			460800			460800
	嘉義					256000	256000
	台南		896000				896000
	高雄				665600		665600
產品B 合計		691200	896000	460800	1049600	256000	3353600

圖 3-12 顯示手動設定樞紐分析表的效果

3.1.2 為報表中的數字加入千分位分隔符號

老譚：你對上一節美化後的樞紐分析表效果有沒有什麼看法？

小言：個人覺得配色還蠻好看的，外框的加入也很完美！但還是覺得這個樞紐分析表不是很完美，不知道該不該說？

老譚：有什麼不該說的！你現在正是學習的階段，有問題就要提出來，不要不懂裝懂！免得以後問題越來越多而不知道該怎麼辦？而且我既然問你對該報表的看法，就表示這個報表還存在一些美化問題。

小言：嗯！謝謝前輩的教誨！我就是覺得圖 3-12 的樞紐分析表，雖然有外框將資料進行隔離，能夠很直覺地看到各行各列的資料，但是空白儲存格太多，還是很容易看漏某一行或某一列有哪些資料。此外，覺得對於第一次看該表的人來說，有可能不知道這些數值的單位到底是新台幣，還是美元。雖然在標題列的左上角可以知道是「加總項：銷售金額（元）」，但是有沒有什麼方法可以為數值加入單位呢？最後，還有一點疑問，如果報表中的數值很大、零很多，是否有什麼方式可將零隱藏，以免擾亂了閱讀視線。

老譚：不錯！你講到重點了，這些也正是我想要讓你注意的地方。上小節的美化，其實僅僅只是基礎上的外觀美化，我們還可以對報表進行數值上的深層美化。

01 STEP 設定樞紐分析表選項。繼續上小節中設定好的樞紐分析表，❶在樞紐分析表中的任意儲存格上按右鍵，❷在彈出的快顯功能表中點選「樞紐分析表選項」命令，如圖 3-13 所示。彈出「樞紐分析表選項」對話方塊，❸切換至「版面配置與格式」頁籤，❹在「版面配置」群組中勾選「具有標籤的儲存格跨欄置中」核取方塊，❺在「格式」群組中的「若為空白儲存格，顯示」後的文字方塊中輸入「0」，按一下「確定」按鈕，如圖 3-14 所示。

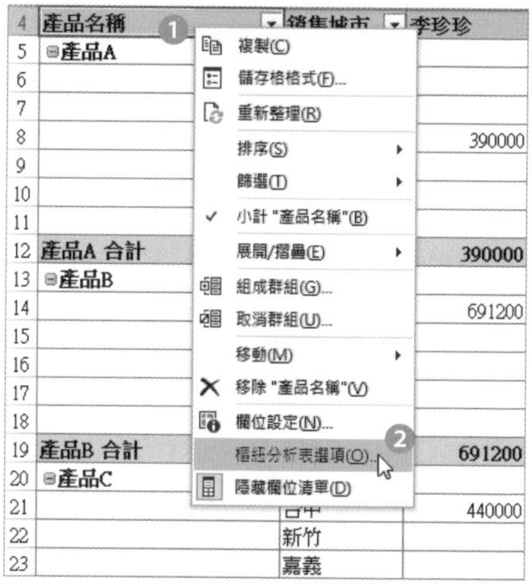

圖 3-13 啟動「樞紐分析表選項」對話方塊

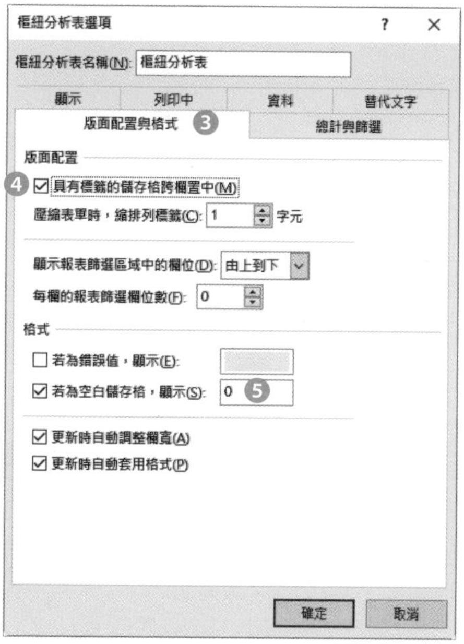

圖 3-14 設定儲存格合併和空白儲存格

02 STEP 按一下選取整個樞紐分析表。回到樞紐分析表中，即可看到在空儲存格中輸入 0 後的效果。將滑鼠放置在樞紐分析表左上角中的第一個儲存格上，當滑鼠變為向下或是向右的黑色加粗箭頭符號時按一下，如圖 3-15 所示，即可選取整個樞紐分析表。

加總 - 銷售金額 (元)		銷售員工					
產品名稱	銷售城市	李珍珍	狄安明	肖星星	程志成	趙鳳元	總計
⊟產品A							
	台中	0	225000	315000	0	0	540000
	台北	0	0	0	165000	300000	465000
	台南	390000	0	225000	300000	330000	1245000
	高雄	0	0	360000	0	0	360000
	新竹	0	0	600000	0	0	600000
	嘉義	0	0	390000	0	0	390000
產品A 合計		390000	225000	1890000	465000	630000	3600000
⊟產品B							
	台北	691200	0	0	384000	0	1075200
	台南	0	896000	0	0	0	896000
	高雄	0	0	0	665600	0	665600

圖 3-15 選取整個樞紐分析表

03 STEP 選取樞紐分析表中的值。❶切換至「樞紐分析表工具 - 分析」頁籤，❷在「動作」群組中按一下「選取」下三角按鈕，❸在展開的清單中點選「值」選項，如圖 3-16 所示。

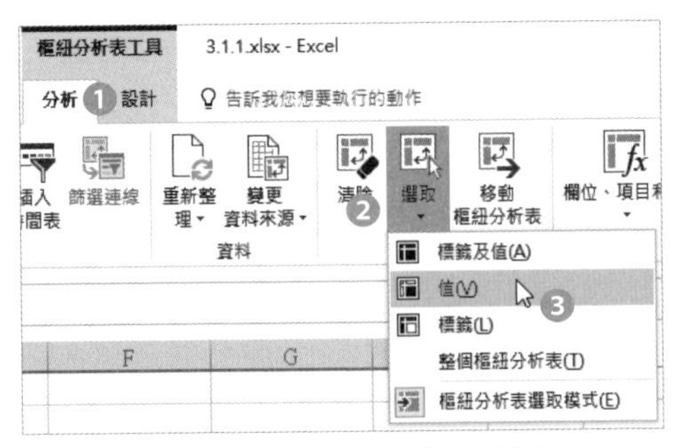

圖 3-16 選擇樞紐分析表中的值

04 STEP 啟動「設定儲存格格式」對話方塊。❶即可看到樞紐分析表中的值全部被選取，❷在「常用」頁籤的「數值」群組中按一下對話方塊啟動器，如圖 3-17 所示。

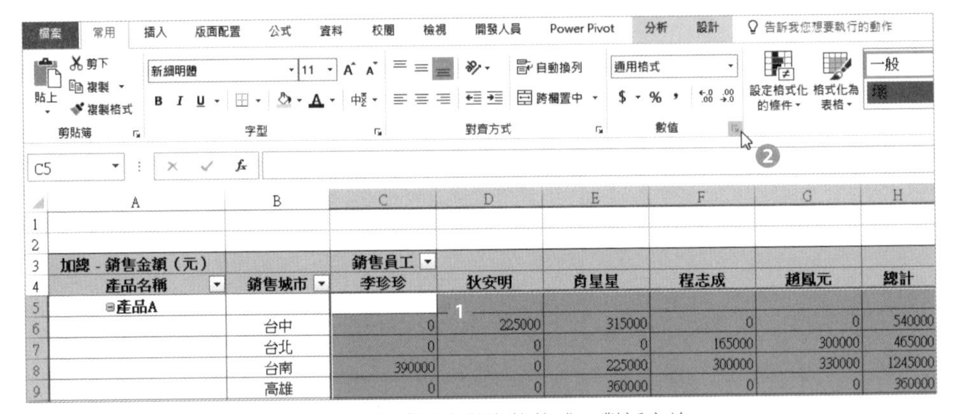

	A	B	C	D	E	F	G	H
1								
2								
3	加總 - 銷售金額（元）		銷售員工					
4	產品名稱	銷售城市	李珍珍	狄安明	肖星星	程志成	趙風元	總計
5	⊟產品A							
6		台中	0	225000	315000	0	0	540000
7		台北	0	0	0	165000	300000	465000
8		台南	390000	0	225000	300000	330000	1245000
9		高雄	0	0	360000	0	0	360000

圖 3-17 啟動「設定儲存格格式」對話方塊

05 STEP 設定貨幣格式。彈出「儲存格格式」對話方塊，❶在「數值」頁籤的「類別」清單方塊中點選「貨幣」，❷設定「小數位數」為 2、❸「貨幣符號」為「$」，按一下「確定」按鈕，如圖 3-18 所示。

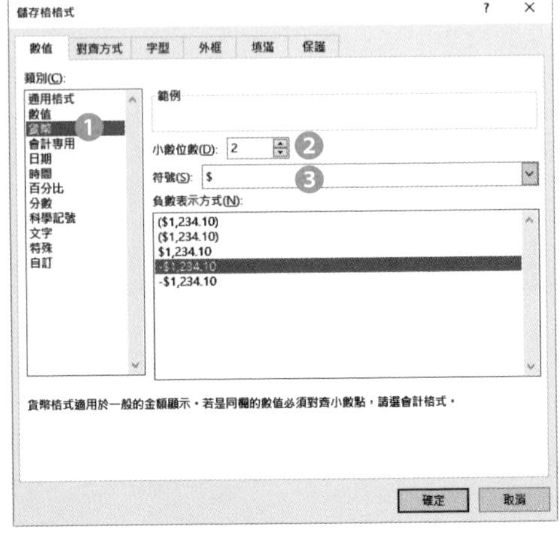

圖 3-18 設定貨幣格式

06 STEP 顯示設定貨幣格式後的樞紐分析表效果。回到樞紐分析表中，即可看到設定貨幣格式後的樞紐分析表效果，如圖 3-19 所示。

加總 - 銷售金額（元）		銷售員工					
產品名稱	銷售城市	李珍珍	狄安明	尚星星	程志成	趙鳳元	總計
⊟產品A							
	台中	$0.00	$225,000.00	$315,000.00	$0.00	$0.00	$540,000.00
	台北	$0.00	$0.00	$0.00	$165,000.00	$300,000.00	$465,000.00
	台南	$390,000.00	$0.00	$225,000.00	$300,000.00	$330,000.00	$1,245,000.00
	高雄	$0.00	$0.00	$360,000.00	$0.00	$0.00	$360,000.00
	新竹	$0.00	$0.00	$600,000.00	$0.00	$0.00	$600,000.00
	嘉義	$0.00	$0.00	$390,000.00	$0.00	$0.00	$390,000.00
產品A 合計		$390,000.00	$225,000.00	$1,890,000.00	$465,000.00	$630,000.00	$3,600,000.00
⊟產品B							
	台北	$691,200.00	$0.00	$0.00	$384,000.00	$0.00	$1,075,200.00
	台南	$0.00	$896,000.00	$0.00	$0.00	$0.00	$896,000.00
	高雄	$0.00	$0.00	$0.00	$665,600.00	$0.00	$665,600.00
	新竹	$0.00	$0.00	$460,800.00	$0.00	$0.00	$460,800.00
	嘉義	$0.00	$0.00	$0.00	$0.00	$256,000.00	$256,000.00
產品B 合計		$691,200.00	$896,000.00	$460,800.00	$1,049,600.00	$256,000.00	$3,353,600.00

圖 3-19 顯示設定貨幣格式後的效果

07 STEP 設定千分位分隔符號。以相同的方法選取樞紐分析表中的值，並開啟「設定儲存格格式」對話方塊，❶在「類別」清單方塊中點選「自訂」，❷在「類型」下方文字方塊中輸入「$#,##0,k」，如圖 3-20 所示。最後按一下「確定」按鈕回到工作表中。

08 STEP 隱藏展開和折疊按鈕。在「樞紐分析表工具 - 分析」頁籤下的「顯示」群組中，點選「+/- 按鈕」，如圖 3-21 所示，即可隱藏展開和折疊按鈕。

圖 3-20 設定千分位分隔符號

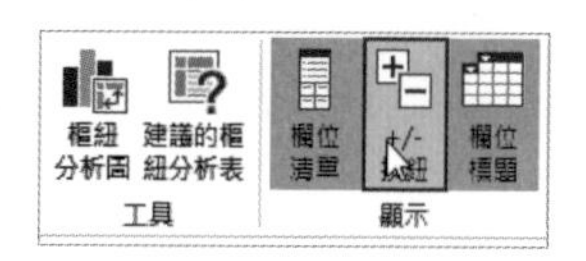

圖 3-21 隱藏展開和折疊按鈕

09 STEP 顯示加入千分位分隔符號後的樞紐分析表效果。隨後即可看到自訂千分位分隔符號後的樞紐分析表效果，如圖 3-22 所示。

加總 - 銷售金額（元）		銷售員工					
產品名稱	銷售城市	李珍珍	狄安明	肖星星	程志成	趙鳳元	總計
產品A							
	台中	$0k	$225k	$315k	$0k	$0k	$540k
	台北	$0k	$0k	$0k	$165k	$300k	$465k
	台南	$390k	$0k	$225k	$300k	$330k	$1,245k
	高雄	$0k	$0k	$360k	$0k	$0k	$360k
	新竹	$0k	$0k	$600k	$0k	$0k	$600k
	嘉義	$0k	$0k	$390k	$0k	$0k	$390k
產品A 合計		**$390k**	**$225k**	**$1,890k**	**$465k**	**$630k**	**$3,600k**
產品B							
	台北	$691k	$0k	$0k	$384k	$0k	$1,075k
	台南	$0k	$896k	$0k	$0k	$0k	$896k
	高雄	$0k	$0k	$0k	$666k	$0k	$666k
	新竹	$0k	$0k	$461k	$0k	$0k	$461k
	嘉義	$0k	$0k	$0k	$0k	$256k	$256k
產品B 合計		**$691k**	**$896k**	**$461k**	**$1,050k**	**$256k**	**$3,354k**

圖 3-22 顯示加入千分位分隔符號後的樞紐分析表效果

3.1.3 自訂改變樞紐分析表面貌

老譚：除了手動進行樞紐分析表的美化以外，還可以直接套用報表中的現成樣式，快速對樞紐分析表進行美化。

小言：這個我知道，比較簡單。但如果我對現成的樣式都不滿意，該怎麼辦？那不是還得手動設定？感覺好麻煩。

老譚：當然不是，你可以直接使用「新增樞紐分析表樣式」功能進行自訂樣式的設定，然後套用該樣式就可以了。此外這個樣式還可以套用到相同活頁簿中的其他樞紐分析表，不用手動重新設定。

小言：哦！這個功能有這樣的用處啊！我還正在想這個功能能用在哪兒呢？

01 STEP 展開樞紐分析表樣式庫。在建立好預設的樞紐分析表後，❶切換至「樞紐分析表工具 - 設計」頁籤，❷在「樞紐分析表樣式」群組中按一下快翻按鈕，如圖 3-23 所示。

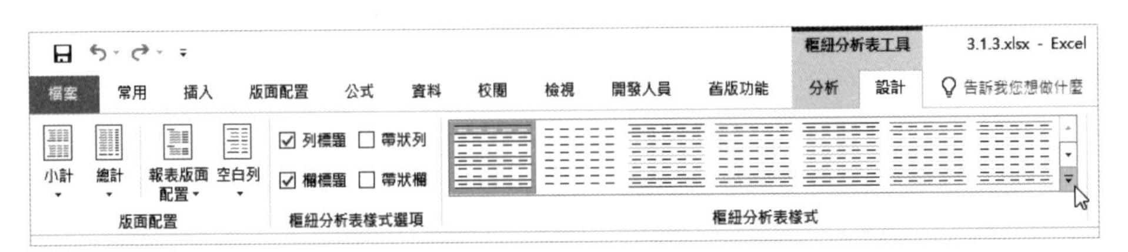

圖 3-23 展開樞紐分析表樣式庫

STEP 02 在樣式庫中選擇樣式。在展開的樣式庫中點選「中等深淺」的「樞紐分析表樣式中等深淺 14」樣式，如圖 3-24 所示。

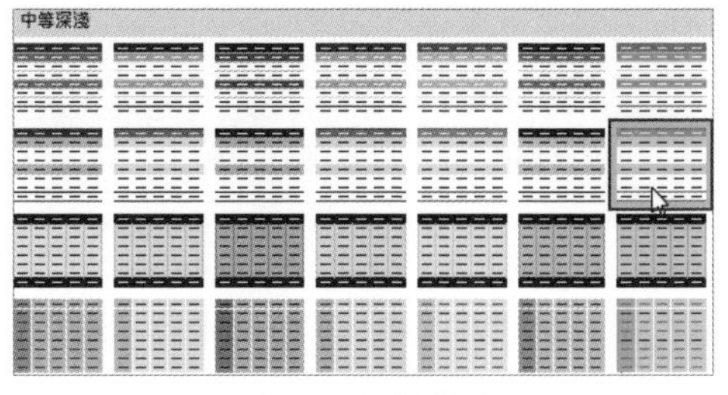

圖 3-24 選擇樣式

STEP 03 顯示設定樣式後的樞紐分析表。隨後即可看到套用樣式後的樞紐分析表效果，如圖 3-25 所示。

	A	B	C	D	E	F	G
3	加總 - 銷售金額（元）	欄標籤					
4	列標籤	李珍珍	狄安明	肖星星	程志成	趙鳳元	總計
5	⊟台北	691200			549000	1560000	2800200
6	產品A				165000	300000	465000
7	產品B	691200			384000		1075200
8	產品D					1260000	1260000
9	⊟新竹			1478800		1080000	2558800
10	產品A			600000			600000
11	產品B			460800			460800
12	產品C			418000			418000
13	產品D					1080000	1080000
14	⊟台中	440000	489000	315000	840000		2084000
15	產品A		225000	315000			540000
16	產品C	440000	264000				704000
17	產品D				840000		840000

圖 3-25 顯示設定樣式後的樞紐分析表

STEP 04 新增樣式。如果對已有的樣式不滿意，❶可在展開的樣式庫中點選「新增樞紐分析表樣式」，如圖 3-26 所示。彈出「新增樞紐分析表樣式」對話方塊，❷在「名稱」後的文字方塊中輸入「樞紐分析表樣式 1」，❸在「表格項目」下的清單方塊中點選「有標題列」，❹按一下「格式」按鈕，如圖 3-27 所示。

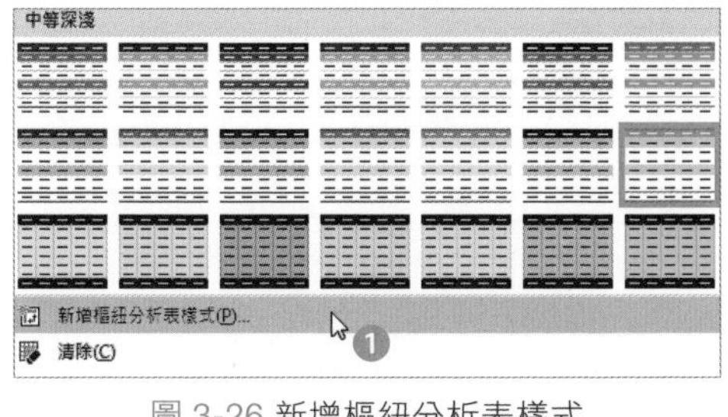

圖 3-26 新增樞紐分析表樣式

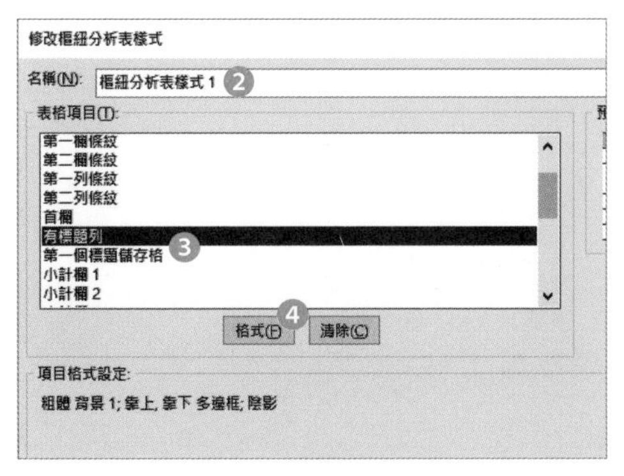

圖 3-27 設定樣式名稱

STEP 05 設定標題列的字型樣式和色彩。彈出「設定儲存格格式」對話方塊，❶在「字型」頁籤的「字型樣式」群組中點選「粗體」，❷按一下「色彩」群組下「自動」右側的下三角按鈕，❸在展開的清單中選擇合適的字型色彩，如圖3-28所示。

STEP 06 設定標題列的外框。❶切換至「外框」頁籤，❷在「樣式」清單方塊中選擇合適的線條，❸在「色彩」群組中設定合適的外框色彩，❹在「框線」群組中點選「上框線」和「下框線」，如圖 3-29 所示。

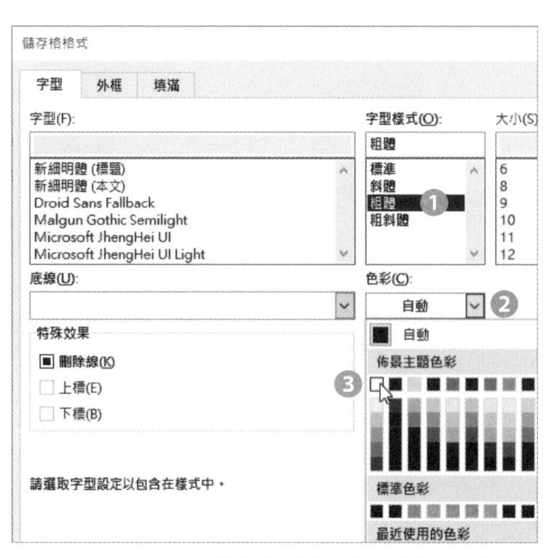

圖 3-28 設定標題列的字型樣式和色彩

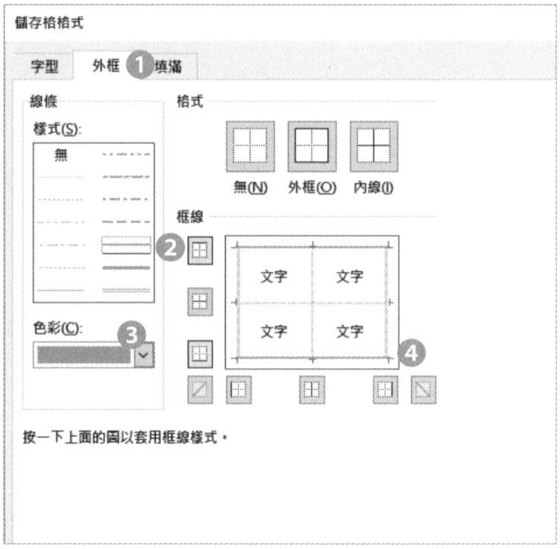

圖 3-29 設定標題列的外框

STEP 07 自訂標題列色彩。❶切換至「填滿」頁籤，❷按一下「其他色彩」按鈕，如圖3-30所示。彈出「色彩」對話方塊，❸切換至「自訂」頁籤，❹設定「RGB」為「143 191 189」，❺按一下「確定」按鈕，如圖 3-31 所示。

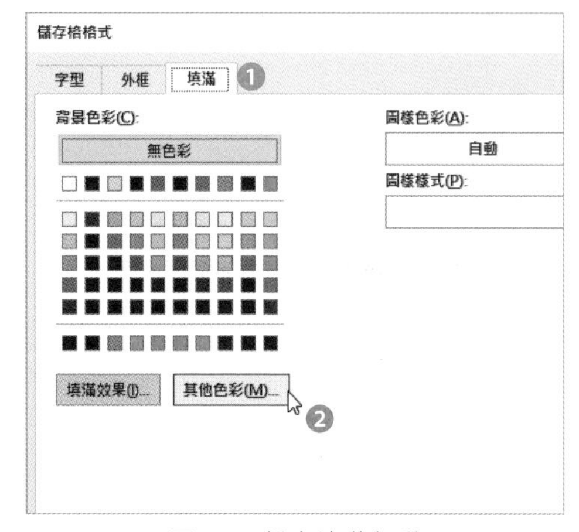

圖 3-30 設定填滿色彩

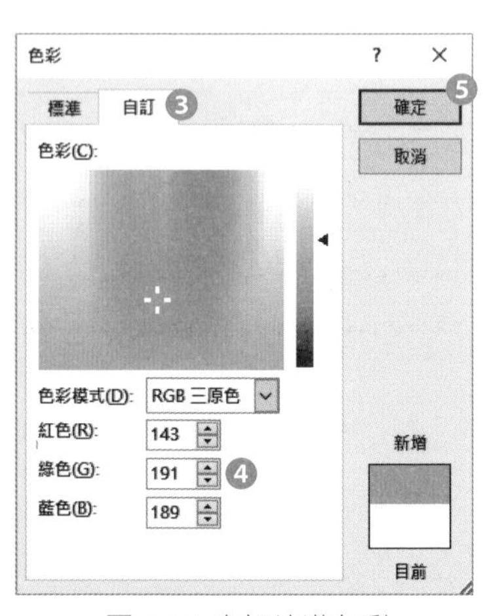

圖 3-31 自訂填滿色彩

08 STEP 預覽設定效果。回到「設定儲存格格式」對話方塊，繼續點選「確定」按鈕，回到「新增樞紐分析表樣式」對話方塊，可在「預覽」群組中看到設定的「標題列」效果，用相同的方法為「列次標題 1」設定字型、外框和填滿色，就能在「預覽」中看到設定的效果，如圖 3-32 所示。按一下「確定」按鈕，回到工作表。

09 STEP 套用自訂樣式。按一下「確定」按鈕，回到工作表中，展開樣式庫，可看到樣式庫的頂部出現一個「自訂」樣式組，在該樣式組下有一個樣式為「樞紐分析表樣式 1」，點選該樣式，如圖 3-33 所示。

圖 3-32 顯示設定後的預覽效果

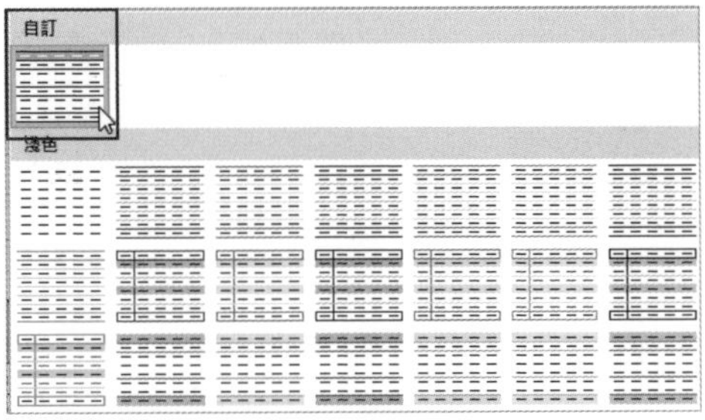

圖 3-33 套用自訂的樣式

10 STEP 顯示套用自訂樣式後的樞紐分析表。即可看到套用該樣式後的樞紐分析表效果，如圖 3-34 所示。

	A	B	C	D	E	F	G
1							
2							
3	加總 - 銷售金額（元）	欄標籤					
4	列標籤	李珍珍	狄安明	尚星星	程志成	趙鳳元	總計
5	⊟產品A	390000	225000	1890000	465000	630000	3600000
6	台中		225000	315000			540000
7	台北				165000	300000	465000
8	台南	390000		225000	300000	330000	1245000
9	高雄			360000			360000
10	新竹			600000			600000
11	嘉義			390000			390000
12	⊟產品B	691200	896000	460800	1049600	256000	3353600
13	台北	691200			384000		1075200
14	台南		896000				896000
15	高雄				665600		665600
16	新竹			460800			460800
17	嘉義					256000	256000

圖 3-34 顯示套用自訂樣式的樞紐分析表

11 STEP 修改自訂樣式。如果對自訂的樣式不滿意，❶右鍵點選該樣式，❷在彈出的快顯功能表中點選「修改」命令，如圖 3-35 所示。彈出「修改樞紐分析表樣式」對話方塊，❸在「表格項目」群組中選擇要修改的項目，如「標題列」，❹然後按一下「格式」按鈕，如圖 3-36 所示。

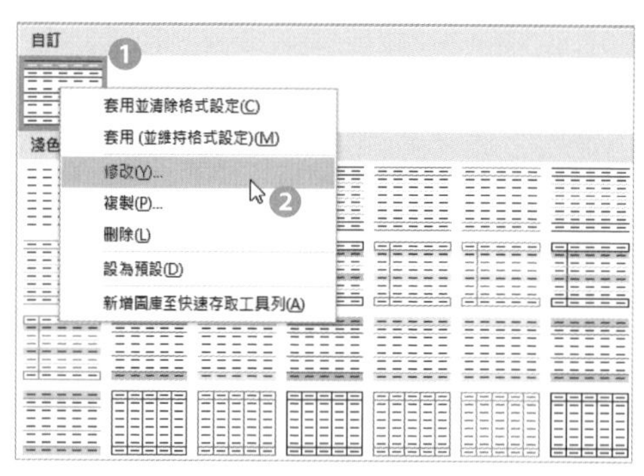

圖 3-35 修改自訂的樣式

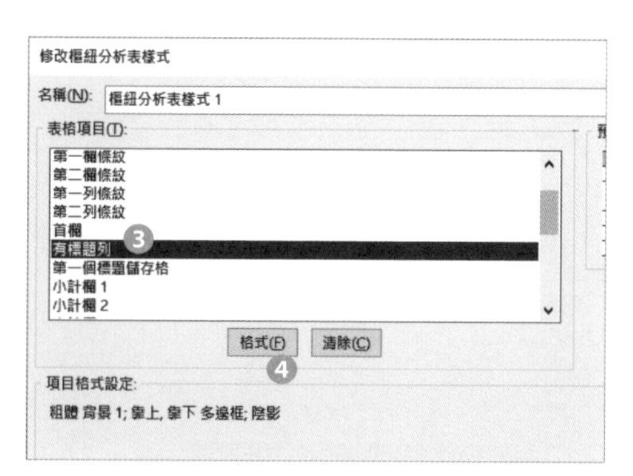

圖 3-36 按一下「格式」按鈕

12 STEP 修改標題列的外框。彈出「設定儲存格格式」對話方塊，❶切換至「外框」頁籤，❷重新設定線條、色彩和外框，如圖 3-37 所示。

13 STEP 以相同方式修改其他表格項目和加入表格項目樣式。用相同的方法更改「列次標題 1」的外框樣式，且為「總計列」加入樣式，隨後回到「修改樞紐分析表樣式」對話方塊，❶可在「預覽」群組下看到修改樣式後的效果，❷按一下「確定」按鈕，如圖 3-38 所示。

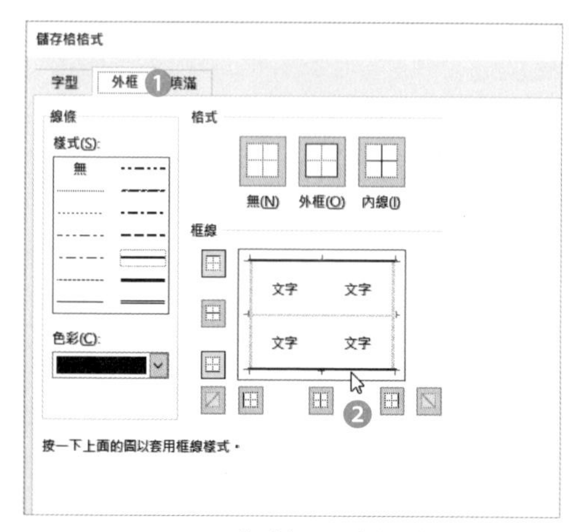

圖 3-37 修改標題列的外框

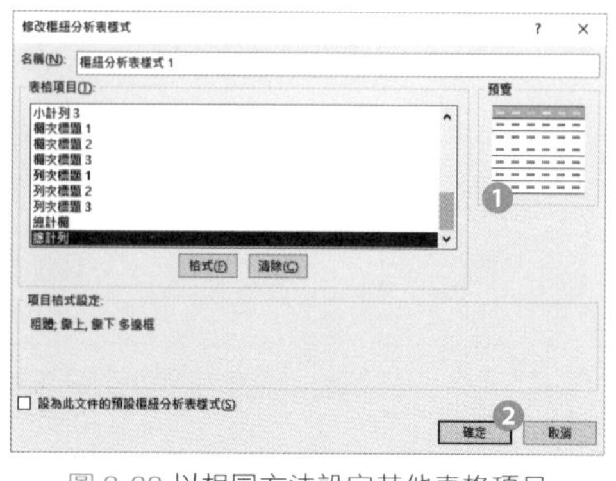

圖 3-38 以相同方法設定其他表格項目

14 STEP 顯示修改樣式後的樞紐分析表。回到樞紐分析表中，可看到樞紐分析表自動套用修改後的樞紐分析表樣式 1，如圖 3-39 所示。

	A	B	C	D	E	F	G
1							
2							
3	加總 - 銷售金額（元）	欄標籤 ▼					
4	列標籤 ▼	李珍珍	狄安明	尙星星	程志成	趙鳳元	總計
5	⊟產品A	390000	225000	1890000	465000	630000	3600000
6	台中		225000	315000			540000
7	台北				165000	300000	465000
8	台南	390000		225000	300000	330000	1245000
9	高雄			360000			360000
10	新竹			600000			600000
11	嘉義			390000			390000
12	⊟產品B	691200	896000	460800	1049600	256000	3353600
13	台北	691200			384000		1075200
14	台南		896000				896000
15	高雄				665600		665600
16	新竹			460800			460800
17	嘉義					256000	256000
18	⊟產品C	440000	550000	1078000			2068000
19	台中	440000	264000				704000
20	新竹			418000			418000
21	嘉義		286000	660000			946000
22	⊟產品D	1200000	660000	750000	1590000	3120000	7320000
23	台中				840000		840000

圖 3-39 顯示修改樣式後的樞紐分析表

3.1.4 使用主題樣式點綴樞紐分析表

小言：前輩，除了以上這些美化樞紐分析表的方法，還有沒有其他的呢？

老譚：當然還有，「版面配置」頁籤的主題樣式就是另外一種美化方法，雖然這種方法比較單一，但是也可以為樞紐分析表進行外觀上的點綴。

01 STEP 選擇主題樣式。建立預設的樞紐分析表後，❶切換至「版面配置」頁籤，❷在「佈景主題」群組中按一下「佈景主題」下三角按鈕，❸在展開的清單中點選「絲褸」主題樣式，如圖 3-40 所示。

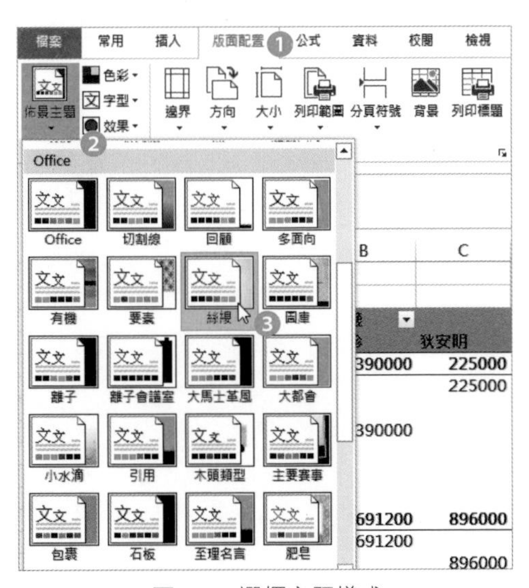

圖 3-40 選擇主題樣式

02 STEP 套用其他主題色彩。如果對現有的主題樣式不滿意，❶可按一下「色彩」右側的下三角按鈕，❷在展開的清單中選擇合適的色彩，如「藍綠色」，如圖 3-41 所示。

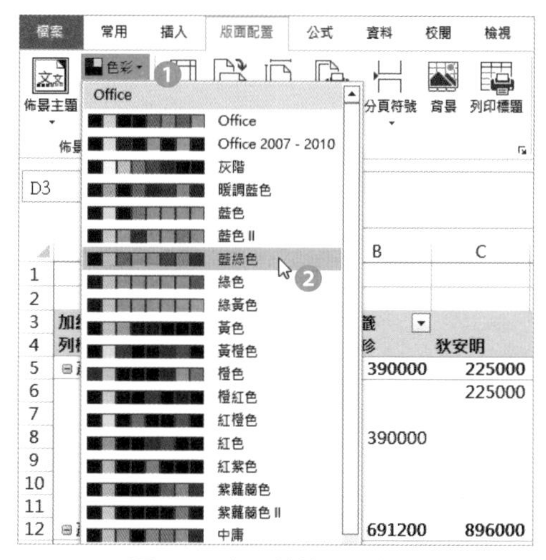

圖 3-41 套用其他主題色彩

03 STEP 顯示套用主題樣式後的樞紐分析表。隨後，可看到套用主題樣式後的樞紐分析表效果，如圖 3-42 所示。

	A	B	C	D	E	F	G
1							
2							
3	加總 - 銷售金額 (元)	欄標籤					
4	列標籤	李珍珍	狄安明	肖星星	程志成	趙圓元	總計
5	⊟產品A	390000	225000	1890000	465000	630000	3600000
6	台中		225000	315000			540000
7	台北				165000	300000	465000
8	台南	390000		225000	300000	330000	1245000
9	高雄			360000			360000
10	新竹			600000			600000
11	嘉義			390000			390000
12	⊟產品B	691200	896000	460800	1049600	256000	3353600
13	台北	691200			384000		1075200
14	台南		896000				896000
15	高雄				665600		665600
16	新竹			460800			460800
17	嘉義					256000	256000
18	⊟產品C	440000	550000	1078000			2068000

圖 3-42 顯示套用主題樣式後的樞紐分析表

3.2 改變樞紐分析表的常用修飾

小言：前輩，我們除了可以對樞紐分析表的外觀進行美化以外，是否還可以改變樞紐分析表的固有格式呢？

老譚：當然可以，因為預設的樞紐分析表格式並不一定適合每個人的使用習慣。如由於以前經常使用老版本的 Excel，所以我喜歡用經典的樞紐分析表版面配置，但是在新版本下，預設的卻不是經典版面配置，因此，我必須進行小小的設定，才能直接使用該版面配置。

3.2.1 讓樞紐分析表煥然一新

老譚：重新整理工具在樞紐分析表中會經常使用到，因為在輸入資料時，我們並不能完全保證資料沒有錯錄，在改變資料來源中的資料後，樞紐分析表中的資料內容並不會自動改變，此時就需要使用重新整理功能才能使樞紐分析表中顯示的資料與資料來源的一致。

小言：那如果我可以確定資料沒有輸入錯誤，只是對某個名稱不滿意而想要改變時，是不是也可以使用重新整理功能呢？

老譚：當然也可以！需注意的是，如果只是想要重新整理現有的樞紐分析表，則在該樞紐分析表中按一下「樞紐分析表工具 - 分析」頁籤的「重新整理」按鈕即可。如果想要對活頁簿中的多個工作表同時進行重新整理，則需使用「全部重新整理」工具。此外，如果想要在開啟時重新整理樞紐分析表，可以在「樞紐分析表選項」中啟動「檔案開啟時自動更新」功能。

STEP 01 顯示輸入錯誤資料的樞紐分析表。開啟工作表，可看到樞紐分析表中銷售城市「台北」顯示成「抬北」，如圖 3-43 所示。❶切換至「產品銷售記錄表」工作表，❷可看到原始資料中的「台北」誤打為「抬北」，如圖 3-44 所示。

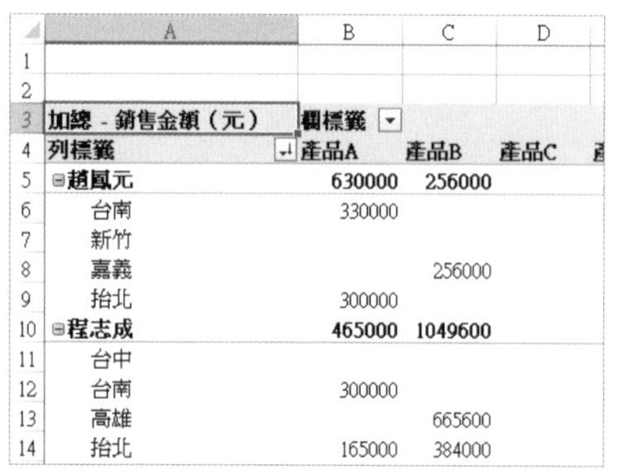

	A	B	C	D
1				
2				
3	加總 - 銷售金額（元）	欄標籤		
4	列標籤	產品A	產品B	產品C
5	⊟趙鳳元	630000	256000	
6	台南	330000		
7	新竹			
8	嘉義		256000	
9	抬北	300000		
10	⊟程志成	465000	1049600	
11	台中			
12	台南	300000		
13	高雄		665600	
14	抬北	165000	384000	

圖 3-43 顯示樞紐分析表

	A	B	C	D	E
1	訂單編號	訂單日期	產品名稱	銷售城市	銷售員工
2	A-10256	2016/1/5	產品A	高雄	肖星星
3	A-10257	2016/1/6	產品B	高雄	程志成
4	A-10258	2016/1/6	產品C	台中	狄安明
5	A-10259	2016/1/7	產品D	台中	程志成
6	A-10260	2016/1/7	產品B	台南	狄安明
7	A-10261	2016/1/11	產品A	台南	肖星星
8	A-10262	2016/1/11	產品B	抬北 ❷	李珍珍
9	A-10263	2016/1/12	產品A	抬北	趙鳳元
10	A-10264	2016/1/12	產品C	新竹	肖星星
11	A-10265	2016/1/12	產品D	嘉義	趙鳳元
12	A-10266	2016/1/13	產品A	抬北	程志成
13	A-10267	2016/1/13	產品B	新竹	肖星星

工作表1　產品銷售記錄表 ❶

圖 3-44 查看輸入錯誤值的資料來源

STEP 02 取代資料。在「常用」頁籤的「編輯」群組中，❶按一下「尋找與選取」下三角按鈕，❷在展開的清單中點選「取代」選項，如圖 3-45 所示。彈出「尋找及取代」對話方塊，❸在「取代」頁籤的「尋找目標」後文字方塊中輸入「抬北」，❹在「取代成」後的文字方塊中輸入「台北」，❺然後按一下「全部取代」按鈕，如圖 3-46 所示。

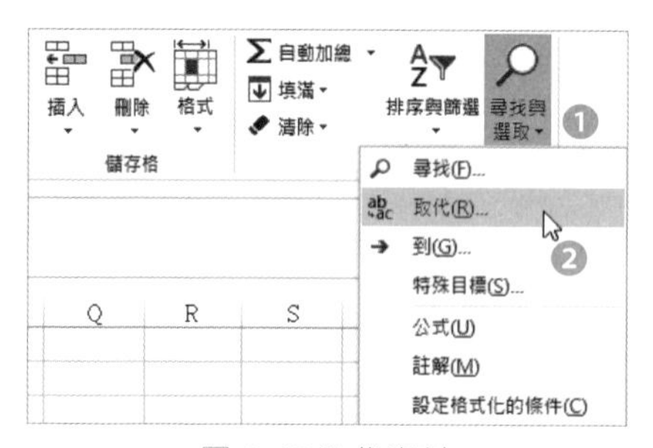

圖 3-45 取代資料

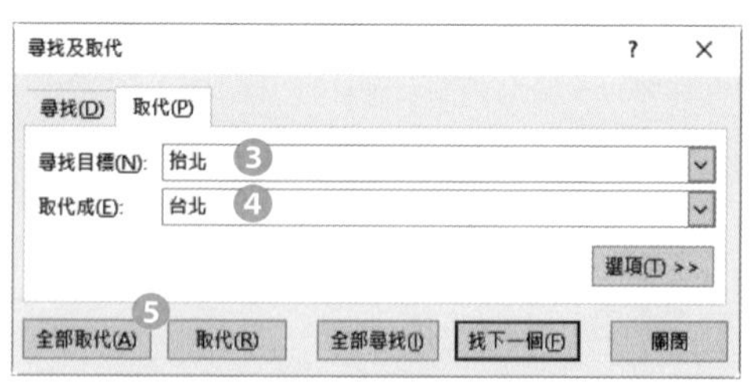

圖 3-46 輸入取代內容

STEP 03 取代錯誤資料後的效果。彈出對話方塊，說明已完成取代，以及共完成幾項取代作業，按一下「確定」按鈕，如圖 3-47 所示。按一下「尋找及取代」對話方塊中的「關閉」按鈕，回到工作表中，即可看到取代後的資料來源效果，如圖 3-48 所示。

圖 3-47 完成取代

	A	B	C	D	E
1	訂單編號	訂單日期	產品名稱	銷售城市	銷售員工
2	A-10256	2016/1/5	產品A	高雄	肖星星
3	A-10257	2016/1/6	產品B	高雄	程志成
4	A-10258	2016/1/6	產品C	台中	狄安明
5	A-10259	2016/1/7	產品D	台中	程志成
6	A-10260	2016/1/7	產品B	台南	狄安明
7	A-10261	2016/1/11	產品A	台南	肖星星
8	A-10262	2016/1/11	產品B	台北	李珍珍
9	A-10263	2016/1/12	產品A	台北	趙鳳元
10	A-10264	2016/1/12	產品C	新竹	肖星星
11	A-10265	2016/1/12	產品D	嘉義	趙鳳元
12	A-10266	2016/1/13	產品A	台北	程志成
13	A-10267	2016/1/13	產品B	新竹	肖星星

工作表1 | 產品銷售記錄表

圖 3-48 顯示取代效果

STEP 04 重新整理資料。切換至含有樞紐分析表的工作表，❶在樞紐分析表中的任意儲存格按右鍵，❷在彈出的快顯功能表中點選「重新整理」命令，如圖 3-49 所示。❶或者是在「樞紐分析表工具 - 分析」頁籤，按一下「資料」群組中的「重新整理」下三角按鈕，❷在展開的清單中點選「重新整理」選項，如圖 3-50 所示。

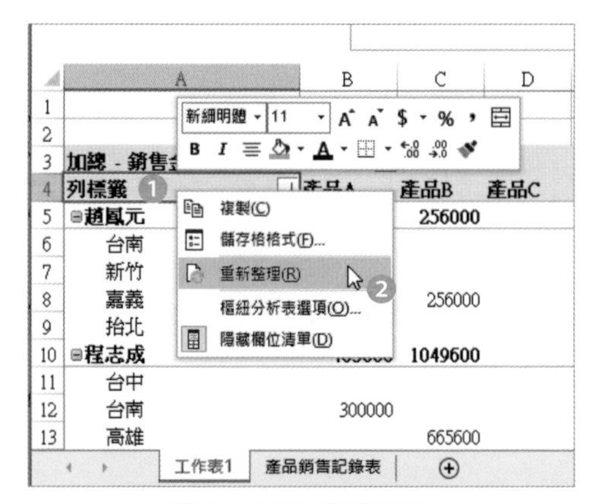

圖 3-49 重新整理資料

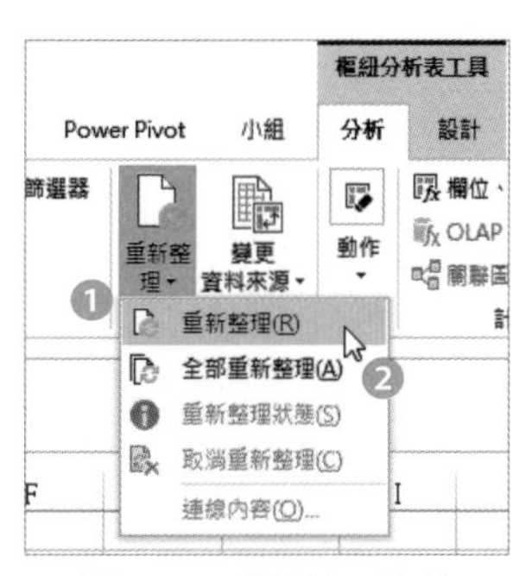

圖 3-50 重新整理資料

05 STEP 顯示手動重新整理後的樞紐分析表效果。隨後即可看到樞紐分析表中的「抬北」被重新整理為「台北」，如圖 3-51 所示。

06 STEP 檔案開啟時自動更新。以上兩種方法比較適用於一個活頁簿中只有一個樞紐分析表的情況。如果一個活頁簿中有多個樞紐分析表時，一個一個的手動重新整理就很麻煩，此時可以使用「全部重新整理」或「檔案開啟時自動更新」方法來實現同時重新整理多個樞紐分析表。開啟「樞紐分析表選項」對話方塊，❶切換至「資料」頁籤，❷在「樞紐分析表資料」群組下勾選「檔案開啟時自動更新」核取方塊，如圖 3-52 所示。隨後儲存並關閉活頁簿，重新開啟活頁簿後，即可發現活頁簿中的多個樞紐分析表已同時重新整理資料。

	A	B	C	D	E
1					
2					
3	加總 - 銷售金額（元）	欄標籤			
4	列標籤	產品A	產品B	產品C	產品D
5	⊟趙鳳元	630000	256000		31200
6	台北	300000			12600
7	台南	330000			
8	新竹				10800
9	嘉義		256000		7800
10	⊟程志成	465000	1049600		15900
11	台中				8400
12	台北	165000	384000		
13	台南	300000			
14	高雄		665600		7500
15	⊟肖星星	1890000	460800	1078000	7500
16	台中	315000			
17	台南	225000			7500
18	高雄	360000			
19	新竹	600000	460800	418000	
20	嘉義	390000		660000	

圖 3-51 重新整理效果

圖 3-52 檔案開啟時自動更新

3.2.2 讓錯誤值一覽無遺

小言：前輩，有一次我在製作樞紐分析表時，由於沒有仔細檢查資料來源中的值，在製作好樞紐分析表後，才發現樞紐分析表中出現了很多錯誤值，但是又由於錯誤值並不是出現在同一列或者是同一行中，所以在查看時很不方便。雖然我想過用填滿色彩來突出顯示，但是一個一個找實在太麻煩了，有沒有什麼比較快速的方法可突出顯示這些錯誤值呢？

老譚：嗯，利用樞紐分析表的隱藏功能就能做到了，需先在「樞紐分析表選項」中啟動，啟動後就能將錯誤值直觀的展現在樞紐分析表中，無需一個個查詢。

01 STEP 查看錯誤的原始資料。切換到原始資料工作表中，可看到含有錯誤值的原始資料，如圖 3-53 所示。

	A	B	C	D	E	F	G	H
1	訂單編號	訂單日期	產品名稱	銷售城市	銷售員工	銷售單價（元）	銷售數量（台）	銷售金額（元）
2	A-10256	2016/1/5	產品A	高雄	肖星星	$ 15,000.00	24	$ 360,000.00
3	A-10257	2016/1/6	產品B	高雄	程志成	$ 25,600.00	26	$ 665,600.00
4	A-10258	2016/1/6	產品C	台中	狄安明	$ 22,000.00	12	$ 264,000.00
5	A-10259	2016/1/7	產品D	台中	程志成	$ 30,000.00	28	$ 840,000.00
6	A-10260	2016/1/7	產品B	台南	狄安明	$ 25,600.00	35	$ 896,000.00
7	A-10261	2016/1/11	產品A	台南	肖星星	$ 15,000.00	15	$ 225,000.00
8	A-10262	2016/1/11	產品B	台北	李珍珍	$ 25,600.00	27	$ 691,200.00
9	A-10263	2016/1/12	產品A	台北	趙鳳元	$ 15,000.00	20	$ 300,000.00
10	A-10264	2016/1/12	產品C	新竹	肖星星	$ 22,000.00	19	$ 418,000.00
11	A-10265	2016/1/12	產品D	嘉義	趙鳳元	$ 30,000.00	26	$ 780,000.00
12	A-10266	2016/1/13	產品A	台北	程志成	$ 15,000.00	11	$ 165,000.00
13	A-10267	2016/1/13	產品B	新竹	肖星星	$ 25,600.00	18	$ 460,800.00
14	A-10268	2016/1/13	產品C	嘉義	狄安明	*	13	#VALUE!
15	A-10269	2016/1/14	產品B	嘉義	趙鳳元	$ 25,600.00	10	$ 256,000.00
16	A-10270	2016/1/14	產品A	台南	李珍珍	$ 15,000.00	26	$ 390,000.00
17	A-10271	2016/1/14	產品D	高雄	程志成	$ 30,000.00	25	$ 750,000.00
18	A-10272	2016/1/15	產品D	新竹	趙鳳元	\	36	#VALUE!
19	A-10273	2016/1/15	產品A	新竹	肖星星	$ 15,000.00	40	$ 600,000.00
20	A-10274	2016/1/16	產品D	台北	趙鳳元	$ 30,000.00	42	$ 1,260,000.00
21	A-10275	2016/1/16	產品A	台中	狄安明	$ 15,000.00	15	$ 225,000.00
22	A-10276	2016/1/18	產品D	高雄	李珍珍	#	40	#VALUE!
23	A-10277	2016/1/18	產品C	嘉義	肖星星	$ 22,000.00	30	$ 660,000.00

圖 3-53 查看錯誤的原始資料

02 STEP 顯示含有錯誤的樞紐分析表。隨後，建立好樞紐分析表，可看到樞紐分析表中含有多個錯誤的數值，如圖 3-54 所示。

	A	B	C	D	E	F
1						
2						
3	加總 - 銷售金額（元）	欄標籤				
4	列標籤	產品A	產品B	產品C	產品D	總計
5	⊟李珍珍	390000	691200	440000	#VALUE!	#VALUE!
6	台中			440000		440000
7	台北		691200			691200
8	台南	390000				390000
9	高雄				#VALUE!	#VALUE!
10	⊟狄安明	225000	896000	#VALUE!	660000	#VALUE!
11	台中	225000		264000		489000
12	台南		896000			896000
13	高雄				660000	660000
14	嘉義			#VALUE!		#VALUE!
15	⊟肖星星	1890000	460800	1078000	750000	4178800

圖 3-54 顯示含有錯誤的樞紐分析表

03 STEP 設定樞紐分析表選項。選取樞紐分析表中的任意儲存格，❶在「樞紐分析表工具 - 分析」頁籤，按一下「樞紐分析表」群組中「選項」右側的下三角按鈕，❷在展開的清單中點選「選項」，如圖 3-55 所示。彈出「樞紐分析表選項」對話方塊，❸切換至「版面配置與格式」頁籤，❹在「格式」群組下勾選「若為錯誤值，顯示」核取方塊，❺在文字方塊中輸入「計算錯誤！」，如圖 3-56 所示。按一下「確定」按鈕，回到工作表。

圖 3-55 啟動「樞紐分析表選項」對話方塊

樞紐分析表選項
樞紐分析表名稱(N): 樞紐分析表1
顯示 | 列印中 | 資料 | 替代文字
版面配置與格式 ❸ | 總計與篩選
版面配置
☐ 具有標籤的儲存格跨欄置中(M)
壓縮表單時，縮排列標籤(C): 1 字元
顯示報表篩選區域中的欄位(D): 由上到下
每欄的報表篩選欄位數(F): 0
格式
❹ ☑ 若為錯誤值，顯示(E): 計算錯誤！ ❺
☑ 若為空白儲存格，顯示(S):
☑ 更新時自動調整欄寬(A)
☑ 更新時自動套用格式(P)

圖 3-56 設定錯誤值格式

04 STEP 顯示錯誤值。在工作表中，即可看到樞紐分析表的錯誤值都顯示為「計算錯誤！」，明顯與其他資料有所區別，如圖 3-57 所示。

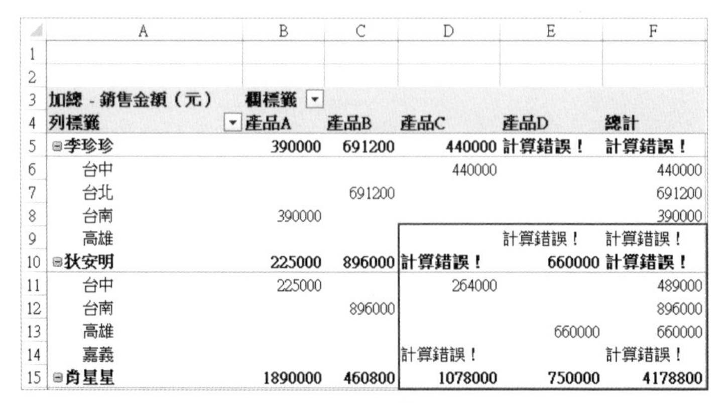

	A	B	C	D	E	F
1						
2						
3	加總 - 銷售金額（元）	欄標籤				
4	列標籤	產品A	產品B	產品C	產品D	總計
5	⊟李珍珍	390000	691200	440000	計算錯誤！	計算錯誤！
6	台中			440000		440000
7	台北		691200			691200
8	台南	390000				390000
9	高雄				計算錯誤！	計算錯誤！
10	⊟狄安明	225000	896000	計算錯誤！	660000	計算錯誤！
11	台中	225000		264000		489000
12	台南		896000			896000
13	高雄				660000	660000
14	嘉義			計算錯誤！		計算錯誤！
15	⊟肖星星	1890000	460800	1078000	750000	4178800

圖 3-57 顯示錯誤值

3.2.3 重新整理時保持儲存格欄寬和設定格式

小言：前輩，快來幫幫忙！為什麼一重新整理或加入欄位，我之前好不容易填滿的色彩和加入的外框就全沒有了啊！我試了幾遍，還是這樣！感覺心好累！

老譚：哈哈！不要著急，這只是一些你沒有注意的隱藏功能在作怪而已。啟動這些功能後，就算是經常重新整理，也不需要重複設定了。而且在平時的操作中，我們也經常會遇到已調整好欄寬的樞紐分析表，一執行重新整理命令後，欄寬又自動回復原狀，即自動調整為「最適合的寬度」，但卻不便於排版，所以為了欄寬在重新整理後仍保持已經設定好的狀態，我們也可以使用隱藏功能來實現。

STEP 01 設定樞紐分析表的格式和欄寬。建立樞紐分析表後，可看到預設情況下數值區域中的值都靠右對齊，且 A 欄中的儲存格欄寬較緊湊，標題列的列高也比較小，如圖 3-58 所示。此時可以使用 Excel 中的工具設定 A 欄的欄寬、標題列的列高，以及標題列和合計列的填滿色，並為數值區域設定外框樣式，如圖 3-59 所示。

	A	B	C
1			
2			
3	列標籤	加總 - 銷售金額（元）	加總 - 銷售數量（台）
4	⊟台中	2084000	96
5	產品A	540000	36
6	產品C	704000	32
7	產品D	840000	28
8	⊟台北	2800200	115
9	產品A	465000	31
10	產品B	1075200	42
11	產品D	1260000	42
12	⊟台南	2891000	143
13	產品A	1245000	83
14	產品B	896000	35
15	產品D	750000	25
16	⊟高雄	3635600	137

圖 3-58 顯示建立的樞紐分析表

	A	B	C
1			
2			
3	列標籤	加總 - 銷售金額（元）	加總 - 銷售數量（台）
4	⊟台中	2084000	96
5	產品A	540000	36
6	產品C	704000	32
7	產品D	840000	28
8	⊟台北	2800200	115
9	產品A	465000	31
10	產品B	1075200	42
11	產品D	1260000	42
12	⊟台南	2891000	143
13	產品A	1245000	83
14	產品B	896000	35
15	產品D	750000	25

圖 3-59 設定表格欄寬、列高和格式

02 STEP 重新整理樞紐分析表。❶在樞紐分析表中的任意儲存格按右鍵，❷在彈出的快顯功能表中點選「重新整理」命令，如圖 3-60 所示。即可看到樞紐分析表中的欄寬和設定的格式恢復到預設的樞紐分析表效果，但是列高未做改變，如圖 3-61 所示。

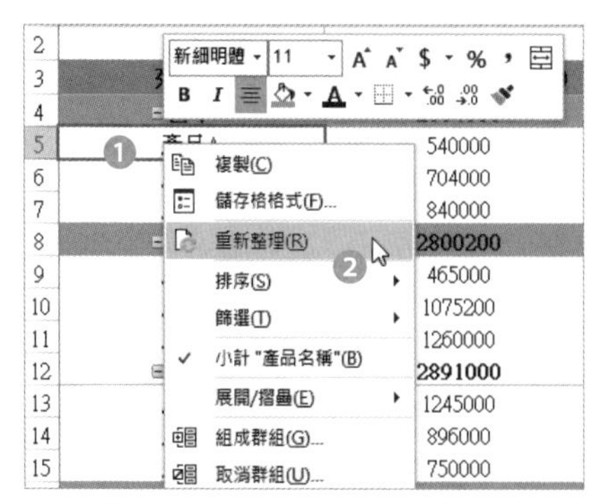

圖 3-60 重新整理樞紐分析表

	A	B	C
1			
2			
3	列標籤	加總 - 銷售金額（元）	加總 - 銷售數量（台）
4	⊟台中	2084000	96
5	產品A	540000	36
6	產品C	704000	32
7	產品D	840000	28
8	⊟台北	2800200	115
9	產品A	465000	31
10	產品B	1075200	42
11	產品D	1260000	42
12	⊟台南	2891000	143
13	產品A	1245000	83
14	產品B	896000	35
15	產品D	750000	25

圖 3-61 顯示重新整理效果

03 STEP 設定樞紐分析表選項。❶在樞紐分析表中的任意儲存格按右鍵，❷在彈出的快顯功能表中點選「樞紐分析表選項」命令，如圖 3-62 所示。彈出「樞紐分析表選項」對話方塊，❸切換至「版面配置與格式」頁籤，❹在「格式」群組下取消勾選「更新時自動調整欄寬」核取方塊，勾選「更新時自動套用格式」核取方塊，如圖 3-63 所示，按一下「確定」按鈕。回到樞紐分析表後，再重新為樞紐分析表設定欄寬和格式，可發現樞紐分析表的欄寬和格式將不再隨著重新整理而發生變化。

圖 3-62 啟動「樞紐分析表選項」對話方塊

圖 3-63 設定樞紐分析表選項

3.2.4 由左至右顯示報表篩選欄位

老譚：不知道你有沒有注意到，當樞紐分析表中有多個篩選欄位時，預設情況下，是以由上到下的方式顯示。

小言：當然注意到了，其實我很想改變一下這種由上到下的方式，因為當報表篩選欄位較多，由上到下的顯示方式，經常造成篩選錯誤，不僅浪費很多時間進行重新篩選，還不能保證重新篩選時不會出錯。

老譚：所以說，你需要多多注意樞紐分析表中的隱藏選項，這不是就有一個功能可以解決你的煩惱。

01 STEP 顯示由上到下的報表篩選欄位。建立樞紐分析表，且加入多個報表篩選欄位，如圖 3-64 所示。

	A	B	C	D	E	F	G
1	訂單編號	(全部)					
2	訂單日期	(全部)					
3							
4	加總 - 銷售金額（元）	欄標籤					
5	列標籤	李珍珍	狄安明	尚星星	程志成	趙鳳元	總計
6	⊟台中	440000	489000	315000	840000		2084000
7	產品A		225000	315000			540000
8	產品C	440000	264000				704000
9	產品D				840000		840000
10	⊟台北	691200			549000	1560000	2800200
11	產品A				165000	300000	465000
12	產品B	691200			384000		1075200
13	產品D					1260000	1260000
14	⊟台南	390000	896000	975000	300000	330000	2891000

圖 3-64 垂直顯示的報表篩選欄位

02 STEP 設定樞紐分析表選項。❶在樞紐分析表中的任意儲存格按右鍵，❷在彈出的快顯功能表中點選「樞紐分析表選項」命令，如圖 3-65 所示。彈出「樞紐分析表選項」對話方塊，❸切換至「版面配置與格式」頁籤，❹在「版面配置」群組按一下「顯示報表篩選區域中的欄位」右側的下三角按鈕，❺在展開的清單中點選「由左至右」選項，如圖 3-66 所示。按一下「確定」按鈕，回到樞紐分析表。

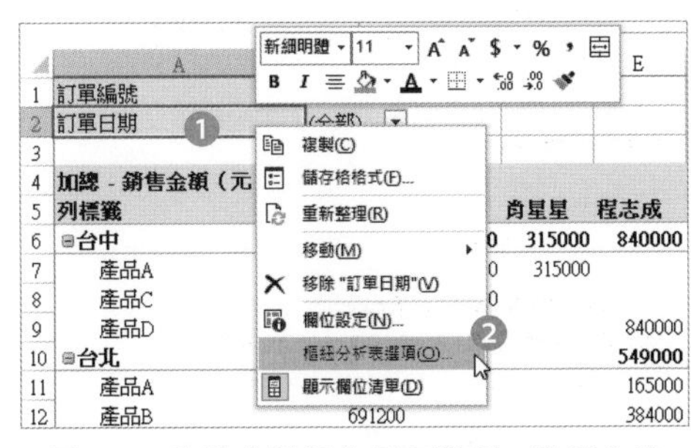

圖 3-65 啟動「樞紐分析表選項」對話方塊

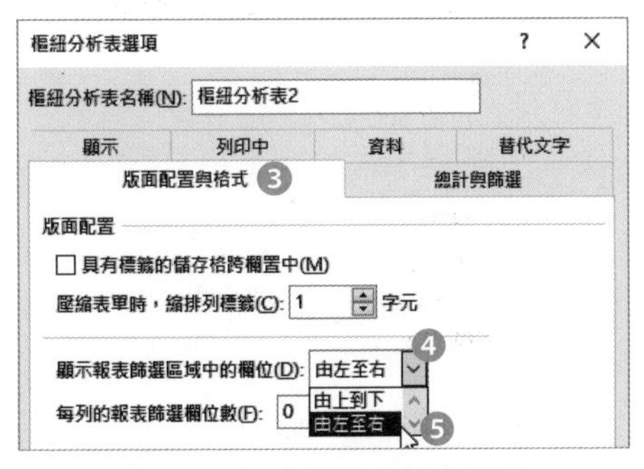

圖 3-66 設定樞紐分析表選項

03 STEP 報表篩選欄位水平顯示的效果。在樞紐分析表中，即可看到報表篩選欄位並列顯示，如圖 3-67 所示。

	A	B	C	D	E	F	G
1							
2	訂單編號	(全部)		訂單日期	(全部)		
3							
4	加總 - 銷售金額（元）	欄標籤					
5	列標籤	李珍珍	狄安明	貞星星	程志成	趙鳳元	總計
6	⊟台中	440000	489000	315000	840000		2084000
7	產品A		225000	315000			540000
8	產品C	440000	264000				704000
9	產品D				840000		840000
10	⊟台北	691200			549000	1560000	2800200
11	產品A				165000	300000	465000
12	產品B	691200			384000		1075200
13	產品D					1260000	1260000
14	⊟台南	390000	896000	975000	300000	330000	2891000

圖 3-67 並列顯示報表篩選欄位

3.2.5 使用經典的樞紐分析表版面配置

老譚：用過早期版本 Excel 樞紐分析表的使用者都知道，可以在建立樞紐分析表後直接拖曳欄位到樞紐分析表各區域中，而無需勾選欄位再設定欄位位置這麼麻煩。

小言：哦，您說的就是古典樞紐分析表版面配置吧！之前就聽您提到過，它真的這麼神奇嗎？

老譚：當然！不過這還是使用習慣的問題，無論哪種方式，習慣就好了。

01 STEP 設定樞紐分析表選項。在建立樞紐分析表且還未勾選欄位時，❶在樞紐分析表中的任意儲存格按右鍵，❷在彈出的快顯功能表中點選「樞紐分析表選項」命令，如圖 3-68 所示。彈出「樞紐分析表選項」對話方塊，❸切換至「顯示」頁籤，❹勾選「古典樞紐分析表版面配置（在格線中啟用拖曳欄位）」核取方塊，如圖 3-69 所示。按一下「確定」按鈕，回到工作表中。

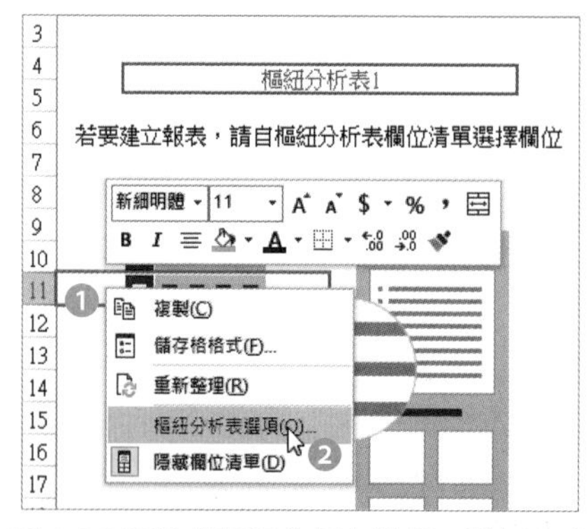

圖 3-68 啟動「樞紐分析表選項」對話方塊

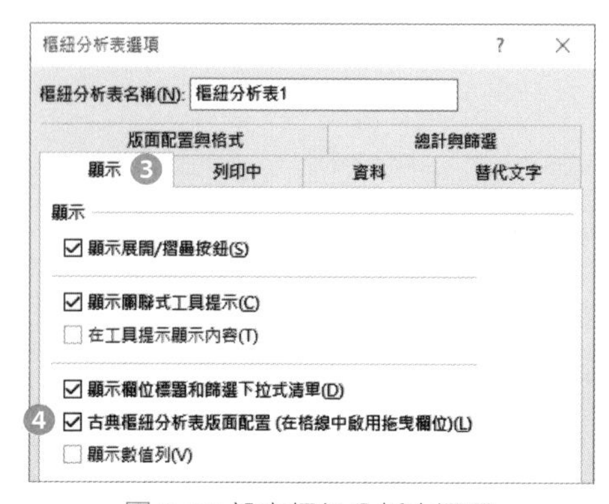

圖 3-69 設定樞紐分析表選項

02 STEP 顯示經典的樞紐分析表版面配置效果。在工作表中，即可看到啟用經典樞紐分析表的版面配置效果，如圖 3-70 所示。

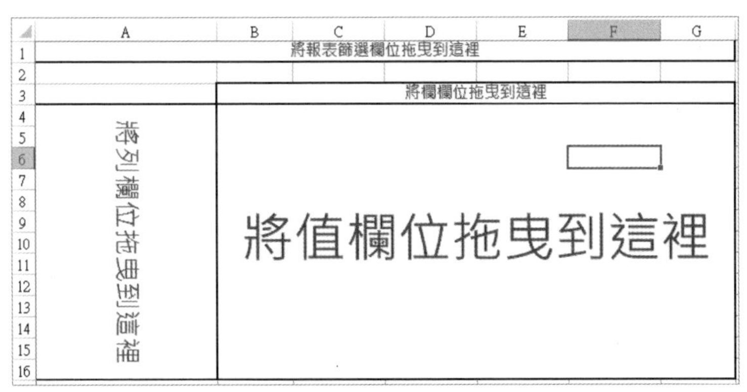

圖 3-70 顯示經典的樞紐分析表版面配置效果

03 STEP 拖曳欄位至樞紐分析表各區域中。❶在「樞紐分析表欄位」任務窗格中選取欄位，如「銷售城市」，❷將其拖曳至左側的樞紐分析表欄區域，如圖 3-71 所示。

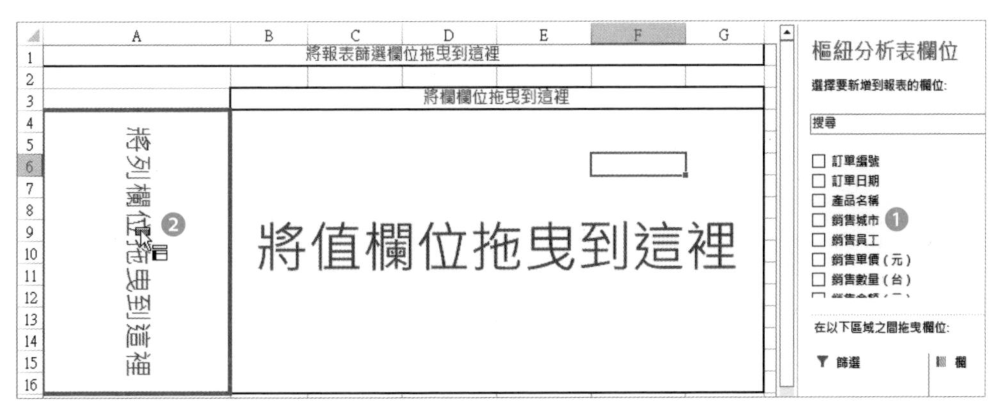

圖 3-71 拖曳欄位

04 STEP 顯示拖曳欄位後的效果。隨後可看到「銷售城市」欄位在欄區域中的效果，如圖 3-72 所示。

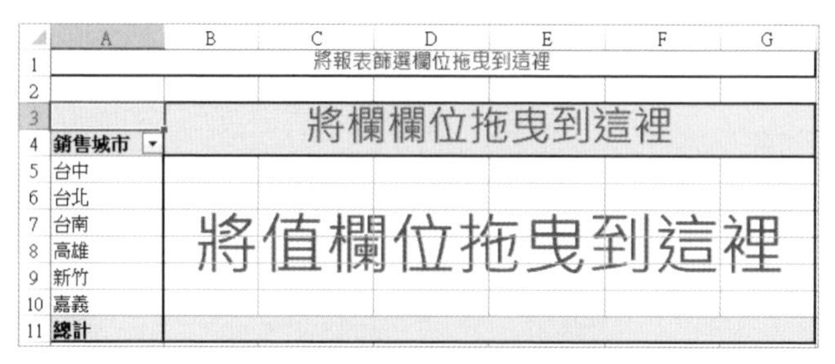

圖 3-72 顯示拖曳欄位後的效果

05 STEP 顯示樞紐分析表欄位和資料效果。應用相同的方法拖曳其他欄位至合適的區域，即可得到如圖 3-73 所示的樞紐分析表效果，可看到「樞紐分析表欄位」下的欄位設定區域中，各個欄位隨著拖曳放置在對應的區域中。

訂單日期	(全部)						
加總 - 銷售金額（元）		銷售員工					
銷售城市	產品名稱	李珍珍	狄安明	肖星星	程志成	趙鳳元	總計
台中	產品A		225000	315000			540000
	產品C	440000	264000				704000
	產品D				840000		840000
台中 合計		440000	489000	315000	840000		2084000
台北	產品A				165000	300000	465000
	產品B	691200			384000		1075200
	產品D					1260000	1260000
台北 合計		691200			549000	1560000	2800200
台南	產品A	390000		225000	300000	330000	1245000
	產品B		896000				896000
	產品D			750000			750000
台南 合計		390000	896000	975000	300000	330000	2891000
高雄	產品A			360000			360000
	產品B				665600		665600
	產品D	1200000	660000		750000		2610000
高雄 合計		1200000	660000	360000	1415600		3635600
新竹	產品A			600000			600000
	產品B			460800			460800
	產品C			418000			418000

圖 3-73 顯示樞紐分析表欄位和資料效果

3.3 讓樞紐分析表動起來

老譚：日常工作中，我們經常會遇到這種情況：當樞紐分析表製作好後，突然發現，有遺漏的項目需要插入到資料來源中；或者設計好的來源資料表中，需要增設一個屬性欄位；或者有新發生的事項需要記錄到來源資料表中。這個時候，一般的做法，是回到樞紐分析表精靈，重新定義產生樞紐分析表的來源資料表範圍，然後再重新整理樞紐分析表。但是，你不覺得總是用樞紐分析表功能進行反覆操作，不但會降低資料的處理速度，還會讓人產生疲勞厭煩的感覺嗎？

小言：的確是這樣，但是真的有方法可以快速解決這個問題嗎？

老譚：當然有方法可以解決以上問題，也就是製作動態的樞紐分析表。使用該功能，只需在原樞紐分析表的基礎上點擊重新整理即可。本小節將主要介紹常用的兩種方法，即定義名稱法和列表法。

3.3.1 定義名稱法建立動態的樞紐分析表

小言：定義名稱法建立樞紐分析表，是不是先定義名稱，然後將定義的名稱應用到樞紐分析表中呢？

老譚：可以這樣解釋，通常情況下，建立樞紐分析表是透過選擇一個已知的區域來進行，如此一來，樞紐分析表選定的資料來源區域就會被固定。而定義名稱法建立的樞紐分析表，則是使用公式定義樞紐分析表的資料來源，實現資料來源的動態擴展，從而建立動態的樞紐分析表。簡單的說，就是在定義名稱時，使用 OFFSET 函數來定義一個動態區域名稱，然後在建立樞紐分析表時指定該動態區域為資料來源。當我們在資料來源中加入資料時，樞紐分析表中的資料來源就自動擴展了。

01 STEP 新增名稱。❶在「產品銷售記錄表」工作表的「公式」頁籤下，❷按一下「定義的名稱」群組中「名稱管理員」按鈕，如圖 3-74 所示。彈出「名稱管理員」對話方塊，❸按一下「新增」按鈕，如圖 3-75 所示。

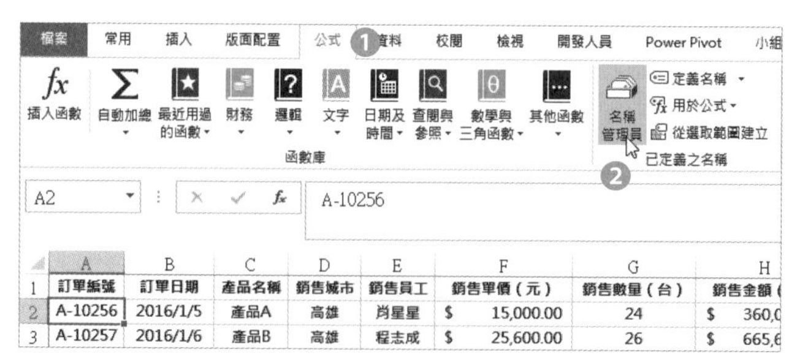

圖 3-74 啟動名稱管理員

圖 3-75 新增名稱

02 STEP 設定名稱和參照到。彈出「新增名稱」對話方塊，❶在「名稱」後的文字方塊中輸入「資料」，❷在「參照到」後的文字方塊中輸入公式：「=OFFSET(產品銷售記錄表 !$A$1,0,0,COUNTA(產品銷售記錄表 !$A:$A),COUNTA(產品銷售記錄表 !$1:$1))」，❸按一下「確定」按鈕，如圖 3-76 所示。回到「名稱管理員」對話方塊中，❹按一下「關閉」按鈕，如圖 3-77 所示。

公式解析：OFFSET 是一個參照函數，第二、三兩個參數表示行、列偏移量，這裡是 0 意味著不發生偏移，第四參數和第五參數表示引用的高度和寬度。公式中分別統計 A 欄和第 1 行的非空儲存格的數量作為資料來源的高度和寬度。當「產品銷售記錄表」工作表中新增資料記錄時，這個高度和寬度的值會自動發生變化，進而達到對資料來源區域做動態參照的效果。

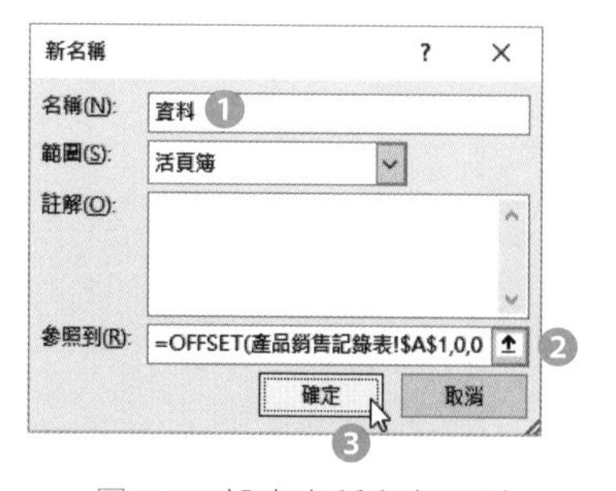

圖 3-76 設定名稱和參照到

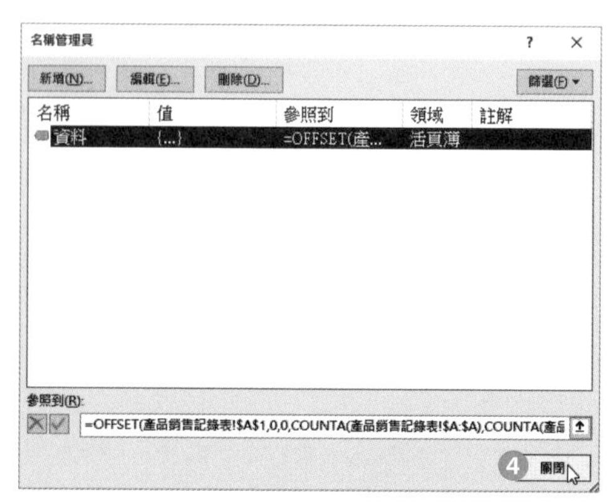

圖 3-77 關閉名稱管理員

03 STEP 建立樞紐分析表。回到工作表中，❶選取「產品銷售記錄表」工作表中的任意儲存格，❷切換至「插入」頁籤，❸在「表格」群組按一下「樞紐分析表」按鈕，如圖 3-78 所示。彈出「建立樞紐分析表」對話方塊，❹在「表格 / 範圍」後的文字方塊輸入「資料」，❺按一下「新工作表」選項按鈕，❻按一下「確定」按鈕，如圖 3-79 所示。

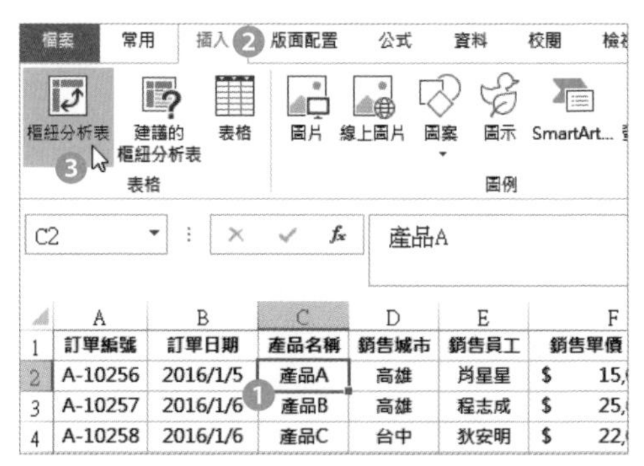

圖 3-78 插入樞紐分析表

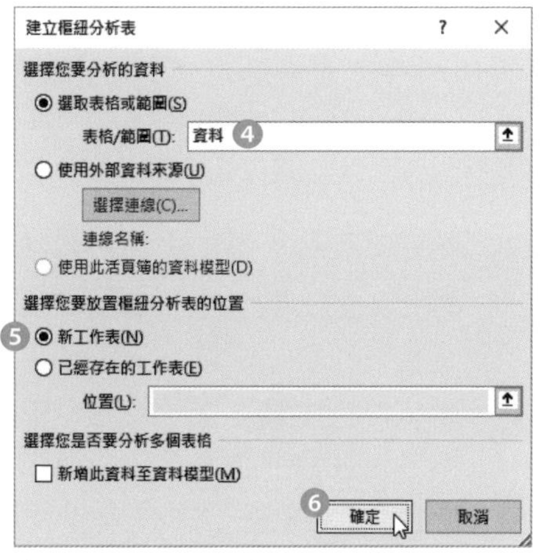

圖 3-79 設定樞紐分析表區域

04 STEP 顯示樞紐分析表效果。回到工作表中，在「樞紐分析表欄位」任務窗格中勾選欄位，即可得到如圖 3-80 所示的樞紐分析表。

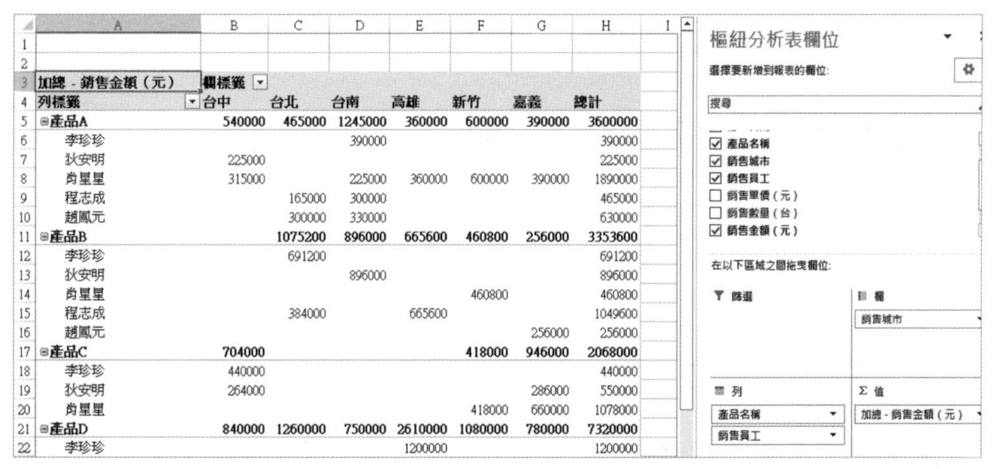

加總 - 銷售金額（元）	欄標籤						
列標籤	台中	台北	台南	高雄	新竹	嘉義	總計
⊟產品A	540000	465000	1245000	360000	600000	390000	3600000
李珍珍			390000				390000
狄安明	225000						225000
肖星星	315000		225000	360000	600000	390000	1890000
程志成		165000	300000				465000
趙鳳元		300000	330000				630000
⊟產品B		1075200	896000	665600	460800	256000	3353600
李珍珍		691200					691200
狄安明			896000				896000
肖星星					460800		460800
程志成		384000		665600			1049600
趙鳳元						256000	256000
⊟產品C	704000				418000	946000	2068000
李珍珍	440000						440000
狄安明	264000					286000	550000
肖星星					418000	660000	1078000
⊟產品D	840000	1260000	750000	2610000	1080000	780000	7320000
李珍珍				1200000			1200000

圖 3-80 顯示建立的樞紐分析表

STEP 05 加入資料內容。❶切換至「產品銷售記錄表」工作表，❷在資料內容後加入兩行資料，如圖 3-81 所示。

	A	B	C	D	E	F	G	H
1	訂單編號	訂單日期	產品名稱	銷售城市	銷售員工	銷售單價（元）	銷售數量（台）	銷售金額（元）
26	A-10280	2016/1/22	產品D	高雄	狄安明	$ 30,000.00	22	$ 660,000.00
27	A-10281	2016/1/25	產品A	台中	肖星星	$ 15,000.00	21	$ 315,000.00
28	A-10282	2016/1/25	產品C	台中	李珍珍	$ 22,000.00	20	$ 440,000.00
29	A-10283	2016/1/28	產品B	台北	程志成	$ 25,600.00	15	$ 384,000.00
30	A-10284	2016/1/28	產品A	台南	趙鳳元	$ 15,000.00	22	$ 330,000.00
31	A-10285	2016/1/30	產品A	嘉義	肖星星	$ 15,000.00	26	$ 390,000.00
32	B-10325	2016/2/1	產品B	深圳	狄安明	$ 25,600.00	45	$ 1,152,000.00
33	B-10356	2016/2/3	產品C	天津	李珍珍	$ 22,000.00	36	$ 792,000.00

圖 3-81 加入資料內容

STEP 06 重新整理樞紐分析表。切換至樞紐分析表工作表中，❶在「樞紐分析表工具 - 分析」頁籤的「資料」群組中按一下「重新整理」下三角按鈕，❷在展開的清單中點選「重新整理」選項，如圖 3-82 所示。

圖 3-82 重新整理樞紐分析表

STEP 07 顯示加入資料後的報表效果。隨後即可看到重新整理資料後的報表效果，新加入的資料被套用到樞紐分析表中，如圖 3-83 所示。

	A	B	C	D	E	F	G	H	I	J
1										
2										
3	加總 - 銷售金額（元）	欄標籤								
4	列標籤	台中	台北	台南	高雄	新竹	嘉義	深圳	天津	總計
5	⊟產品A	540000	465000	1245000	360000	600000	390000			3600000
6	李珍珍			390000						390000
7	狄安明	225000								225000
8	肖星星	315000		225000	360000	600000	390000			1890000
9	程志成		165000	300000						465000
10	趙鳳元		300000	330000						630000
11	⊟產品B		1075200	896000	665600	460800	256000	1152000		4505600
12	李珍珍		691200							691200
13	狄安明			896000				1152000		2048000
14	肖星星					460800				460800
15	程志成		384000		665600					1049600
16	趙鳳元						256000			256000
17	⊟產品C	704000				418000	946000		792000	2860000
18	李珍珍	440000							792000	1232000
19	狄安明	264000					286000			550000
20	肖星星					418000	660000			1078000
21	⊟產品D	840000	1260000	750000	2610000	1080000	780000			7320000

圖 3-83 顯示定義名稱法建立的動態樞紐分析表效果

3.3.2 以列表法建立動態的樞紐分析表

小言：前輩，我覺得定義名稱時，公式的輸入太麻煩了，有沒有更簡單的方法呢？

老譚：那你就問對了，不是還有列表法嗎？Excel 表是一系列包含相關資料的行和列，它有許多特殊的功能。例如，當我們在 Excel 表的後面加入資料時，Excel 表會自動擴展。但是需注意的是：要將區域轉化為 Excel 表有一些要求，例如，區域中的資料必須與其他資料分開，即其周圍有空白列和空列包圍、區域中每一列的第一行都有一個唯一的列標題、區域的中間不能有空白列等。當使用該方法製作好動態的樞紐分析表後，新資料無論是想列擴展或者是向行方向擴展，按一下重新整理均可自動出現在樞紐分析表中。

01 STEP 建立表。❶在「產品銷售記錄表」工作表中選取任意儲存格，❷切換至「插入」頁籤，❸在「表格」群組中按一下「表格」按鈕，如圖 3-84 所示。彈出「建立表格」對話方塊，保持預設的「請問表格的資料來源」設定，❹直接按一下「確定」按鈕，如圖 3-85 所示。

圖 3-84 按一下「表格」按鈕

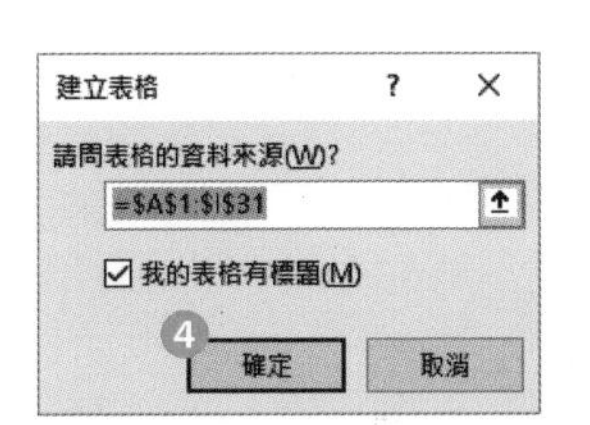

圖 3-85 建立表格

02 STEP 顯示建立的表格效果。隨後即可看到建立後的效果，如圖 3-86 所示。

	A	B	C	D	E	F	G	H
1	訂單編號	訂單日期	產品名稱	銷售城市	銷售員工	銷售單價（元）	銷售數量（台）	銷售金額（元）
2	A-10256	2016/1/5	產品A	高雄	肖星星	$ 15,000.00	24	$ 360,000.00
3	A-10257	2016/1/6	產品B	高雄	程志成	$ 25,600.00	26	$ 665,600.00
4	A-10258	2016/1/6	產品C	台中	狄安明	$ 22,000.00	12	$ 264,000.00
5	A-10259	2016/1/7	產品D	台中	程志成	$ 30,000.00	28	$ 840,000.00
6	A-10260	2016/1/7	產品B	台南	狄安明	$ 25,600.00	35	$ 896,000.00
7	A-10261	2016/1/11	產品A	台南	肖星星	$ 15,000.00	15	$ 225,000.00
8	A-10262	2016/1/11	產品B	台北	李珍珍	$ 25,600.00	27	$ 691,200.00
9	A-10263	2016/1/12	產品A	台北	趙鳳元	$ 15,000.00	20	$ 300,000.00
10	A-10264	2016/1/12	產品C	新竹	肖星星	$ 22,000.00	19	$ 418,000.00
11	A-10265	2016/1/12	產品D	嘉義	趙鳳元	$ 30,000.00	26	$ 780,000.00
12	A-10266	2016/1/13	產品A	台北	程志成	$ 15,000.00	11	$ 165,000.00
13	A-10267	2016/1/13	產品B	新竹	肖星星	$ 25,600.00	18	$ 460,800.00
14	A-10268	2016/1/13	產品C	嘉義	狄安明	$ 22,000.00	13	$ 286,000.00
15	A-10269	2016/1/14	產品B	嘉義	趙鳳元	$ 25,600.00	10	$ 256,000.00
16	A-10270	2016/1/14	產品A	台南	李珍珍	$ 15,000.00	26	$ 390,000.00

圖 3-86 顯示建立表格的效果

03 STEP 建立樞紐分析表。❶選取表中的任意儲存格，❷在「插入」頁籤的「表格」群組中按一下「樞紐分析表」按鈕，如圖 3-87 所示。彈出「建立樞紐分析表」對話方塊，❸在「選擇您要分析的資料」群組中按一下「選取表格式範圍」，並設定「表格 / 範圍」為「表格 1」，❹在「選擇您要放置樞紐分析表的位置」群組按一下「新工作表」選項按鈕，❺按一下「確定」按鈕，如圖 3-88 所示。

圖 3-87 插入樞紐分析表

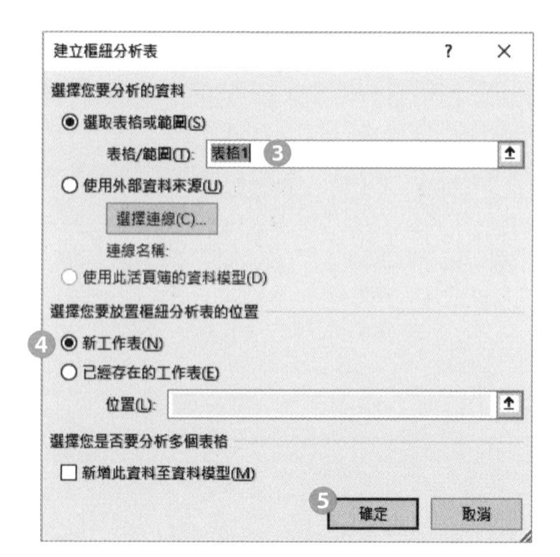

圖 3-88 建立樞紐分析表

04 STEP 顯示建立的樞紐分析表。回到工作表中，在新工作表的「樞紐分析表欄位」任務窗格中勾選欄位，並在欄位設定區域中設定各個欄位的位置，如圖 3-89 所示。即可得到如圖 3-90 所示的樞紐分析表效果。

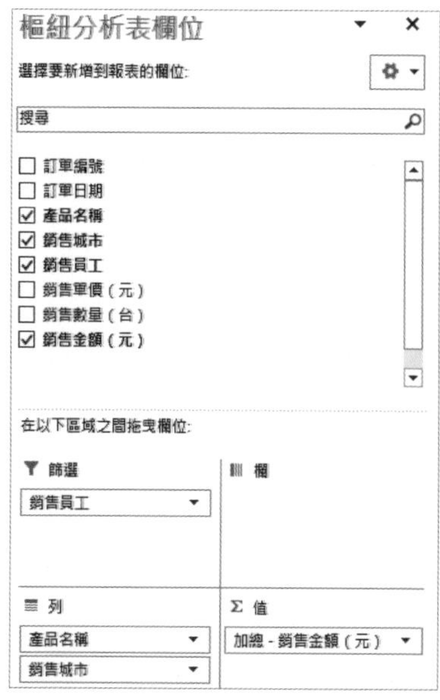

圖 3-89 勾選樞紐分析表欄位

	A	B
1	銷售員工	(全部)
2		
3	列標籤	加總 - 銷售金額（元）
4	⊟產品A	
5	台北	465000
6	新竹	600000
7	台中	540000
8	嘉義	390000
9	台南	1245000
10	高雄	360000
11	產品A 合計	3600000
12	⊟產品B	
13	台北	1075200
14	新竹	460800
15	嘉義	256000
16	台南	896000
17	高雄	665600
18	產品B 合計	3353600
19	⊟產品C	
20	新竹	418000
21	台中	704000
22	嘉義	946000
23	產品C 合計	2068000

圖 3-90 顯示樞紐分析表效果

05 STEP 加入列欄位。❶切換至「產品銷售記錄表」工作表，❷在 I 列加入「銷售成本（元）」列資料，如圖 3-91 所示。

	A	B	C	D	E	F	G	H	I
1	訂單編	訂單日期	產品名	銷售城	銷售員	銷售單價（元）	銷售數量（台	銷售金額（元）	銷售成本（元）
2	A-10256	2016/1/5	產品A	高雄	肖星星	$ 15,000.00	24	$ 360,000.00	$240,000.00
3	A-10257	2016/1/6	產品B	高雄	程志成	$ 25,600.00	26	$ 665,600.00	$260,000.00
4	A-10258	2016/1/6	產品C	台中	狄安明	$ 22,000.00	12	$ 264,000.00	$120,000.00
5	A-10259	2016/1/7	產品D	台中	程志成	$ 30,000.00	28	$ 840,000.00	$280,000.00
6	A-10260	2016/1/7	產品B	台南	狄安明	$ 25,600.00	35	$ 896,000.00	$350,000.00
7	A-10261	2016/1/11	產品A	台南	肖星星	$ 15,000.00	15	$ 225,000.00	$150,000.00
8	A-10262	2016/1/11	產品B	台北	李珍珍	$ 25,600.00	27	$ 691,200.00	$270,000.00
9	A-10263	2016/1/12	產品A	台北	趙鳳元	$ 15,000.00	20	$ 300,000.00	$200,000.00
10	A-10264	2016/1/12	產品C	新竹	肖星星	$ 22,000.00	19	$ 418,000.00	$190,000.00
11	A-10265	2016/1/12	產品D	嘉義	趙鳳元	$ 30,000.00	26	$ 780,000.00	$260,000.00
12	A-10266	2016/1/13	產品A	台北	程志成	$ 15,000.00	11	$ 165,000.00	$110,000.00
13	A-10267	2016/1/13	產品B	新竹	肖星星	$ 25,600.00	18	$ 460,800.00	$180,000.00
14	A-10268	2016/1/13	產品C	嘉義	狄安明	$ 22,000.00	13	$ 286,000.00	$130,000.00
15	A-10269	2016/1/14	產品B	嘉義	趙鳳元	$ 25,600.00	10	$ 256,000.00	$100,000.00
16	A-10270	2016/1/14	產品A	台南	李珍珍	$ 15,000.00	26	$ 390,000.00	$260,000.00
17	A-10271	2016/1/14	產品D	高雄	程志成	$ 30,000.00	25	$ 750,000.00	$250,000.00
18	A-10272	2016/1/15	產品D	新竹	趙鳳元	$ 30,000.00	36	$ 1,080,000.00	$360,000.00
19	A-10273	2016/1/15	產品A	新竹	肖星星	$ 15,000.00	40	$ 600,000.00	$400,000.00
20	A-10274	2016/1/16	產品D	台北	趙鳳元	$ 30,000.00	42	$ 1,260,000.00	$420,000.00
21	A-10275	2016/1/16	產品A	台中	狄安明	$ 15,000.00	15	$ 225,000.00	$150,000.00

工作表1 | 產品銷售記錄表 ❶

圖 3-91 加入表格數據

06 STEP 重新整理樞紐分析表。切換至樞紐分析表工作表，❶在「樞紐分析表工具 - 分析」頁籤的「資料」群組中按一下「重新整理」下三角按鈕，❷在展開的清單中按一下「重新整理」選項，如圖 3-92 所示。

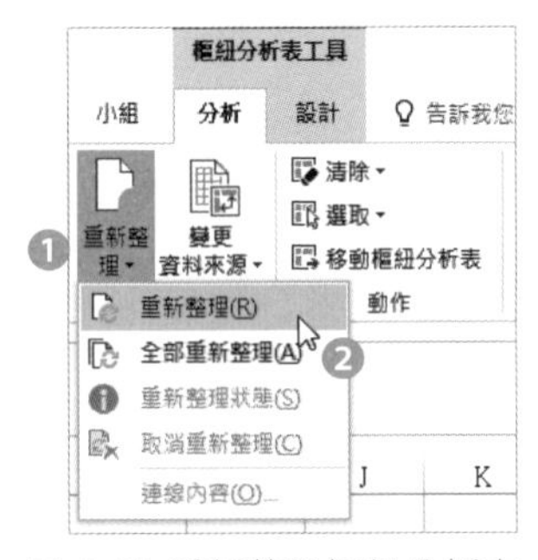

圖 3-92 重新整理樞紐分析表

07 STEP 勾選新欄位。可看到「樞紐分析欄位」任務窗格中新加入了「銷售成本（元）」的欄位，勾選該欄位，如圖 3-93 所示。

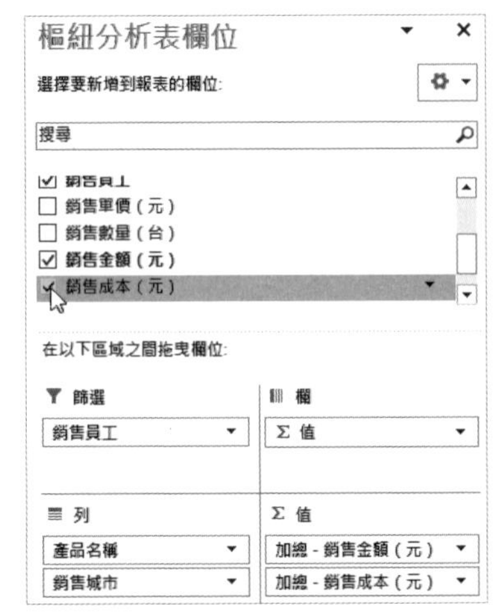

圖 3-93 勾選新欄位

08 STEP 顯示新的樞紐分析表效果。隨後即可看到新加入欄位後的樞紐分析表效果，如圖 3-94 所示。

	A	B	C
1	銷售員工	(全部)	
2			
3	列標籤	加總 - 銷售金額（元）	加總 - 銷售成本（元）
4	⊟產品A		
5	台北	465000	310000
6	新竹	600000	400000
7	台中	540000	360000
8	嘉義	390000	260000
9	台南	1245000	830000
10	高雄	360000	240000
11	產品A 合計	3600000	2400000
12	⊟產品B		
13	台北	1075200	420000
14	新竹	460800	180000
15	嘉義	256000	100000
16	台南	896000	350000
17	高雄	665600	260000
18	產品B 合計	3353600	1310000
19	⊟產品C		

圖 3-94 顯示動態的樞紐分析表效果

4 排序與篩選

透過一段時間的自學，老譚覺得小言對樞紐分析表有了一個大概的瞭解，但是他也發現一個弊端，那就是透過這樣的摸索學習，小言對某些功能的認識會有一定的偏差和不全之處。所以，老譚想詳細地介紹排序和篩選操作，讓小言能夠完全掌握樞紐分析表的排序和篩選功能。

4.1 井然有序地擺放數據

老譚：不知道你有沒有注意，在建立好樞紐分析表後，每個樞紐分析表欄位中的資料項目是根據該項的名稱依昇冪排序的。

小言：說實話，若您不說，我可能還沒注意，我一直以為樞紐分析表在建立時是沒有順序的。

老譚：當然，這只是預設情況下，現在的樞紐分析表功能是很強大的，我們可以根據自身需求來改變資料的擺放順序。而且方法還不止一種喔！

4.1.1 手動排序樞紐分析表

小言：前輩，有沒有比較簡單的方法可以對樞紐分析表中的資料進行排序呢？

老譚：當然有的！首先我們來介紹最簡單的排序，即手動排序，該排序方式並不是按照完全的昇冪或者是降冪來排列資料的，你可以隨意將欄位的某個項目資料在該欄位中移動。

01 STEP 顯示未手動排序前的樞紐分析表。透過資料來源建立樞紐分析表後，在未進行排序的情況下，可看到如圖 4-1 所示的樞紐分析表效果。

	A	B	C	D	E	F	G
1							
2							
3	加總 - 銷售金額（元）		產品名稱				
4	銷售城市	銷售員工	產品A	產品B	產品C	產品D	總計
5	台中	李珍珍	$0K	$0K	$440K	$0K	$440K
6		狄安明	$225K	$0K	$264K	$0K	$489K
7		尚星星	$315K	$0K	$0K	$0K	$315K
8		程志成	$0K	$0K	$0K	$840K	$840K
9	台北	李珍珍	$0K	$691K	$0K	$0K	$691K
10		程志成	$165K	$384K	$0K	$0K	$549K
11		趙鳳元	$300K	$0K	$0K	$1,260K	$1,560K
12	台南	李珍珍	$390K	$0K	$0K	$0K	$390K
13		狄安明	$0K	$896K	$0K	$0K	$896K
14		尚星星	$225K	$0K	$0K	$750K	$975K

圖 4-1 顯示未排序時的樞紐分析表

STEP 02 使用拖曳的方式進行排序。此時，希望將「銷售城市」欄位下的「台南」資料項目排在開頭，❶選取「銷售城市」欄位「台南」資料項目中的任意儲存格，如儲存格 A12，❷然後將滑鼠停靠在該儲存格外框線上，當滑鼠指標變為⁜形狀時，如圖 4-2 所示，❸將該儲存格拖曳到「台中」的上外框線上，如圖 4-3 所示。鬆開滑鼠後，即可完成「台南」資料項目移至開頭的排序操作。

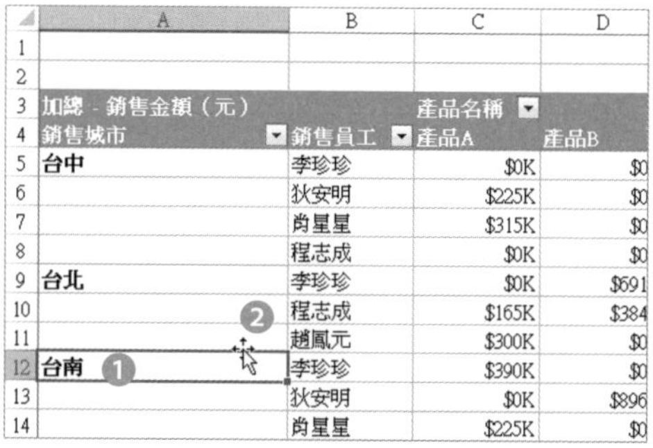

	A	B	C	D
1				
2				
3	加總 - 銷售金額（元）		產品名稱	
4	銷售城市	銷售員工	產品A	產品B
5	台中	李珍珍	$0K	$0
6		狄安明	$225K	$0
7		尚星星	$315K	$0
8		程志成	$0K	$0
9	台北	李珍珍	$0K	$691
10		程志成	$165K	$384
11		趙鳳元	$300K	$0
12	台南 ❶	李珍珍	$390K	$0
13		狄安明	$0K	$896
14		尚星星	$225K	$0

圖 4-2 選取要排序的欄位

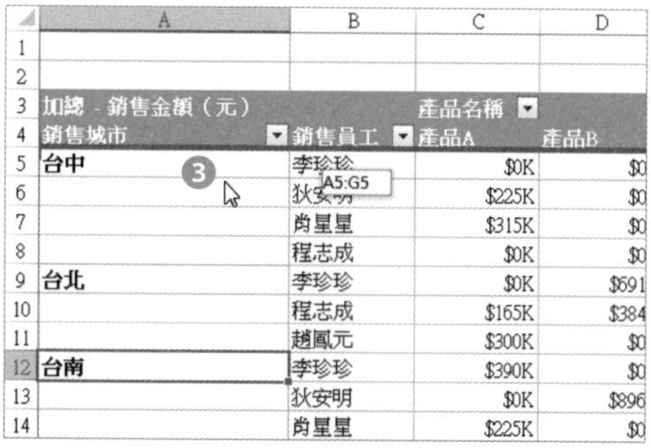

	A	B	C	D
1				
2				
3	加總 - 銷售金額（元）		產品名稱	
4	銷售城市	銷售員工	產品A	產品B
5	台中 ❸	李珍珍 A5:G5	$0K	$0
6		狄安明	$225K	$0
7		尚星星	$315K	$0
8		程志成	$0K	$0
9	台北	李珍珍	$0K	$691
10		程志成	$165K	$384
11		趙鳳元	$300K	$0
12	台南	李珍珍	$390K	$0
13		狄安明	$0K	$896
14		尚星星	$225K	$0

圖 4-3 拖曳該欄位

STEP 03 使用移動命令排序。除了可以直接拖曳進行排序，還可以使用移動命令進行排序，在圖 4-1 的報表基礎上，❶在「銷售城市」欄位下「台南」資料項目的任意儲存格上按右鍵，如儲存格 A12，❷在彈出的快顯功能表中點選「移動 > 移動 " 台南 " 至開頭」命令，如圖 4-4 所示。

STEP 04 使用輸入的方式排序。此外，使用者還可以使用輸入的方式進行排序，於圖 4-1 中的報表基礎上，在「銷售城市」欄位下的開頭位置輸入「台南」資料內容，即在儲存格 A5 中輸入內容，如圖 4-5 所示。按下【Enter】鍵後，即可將「台南」資料項目調整至開頭的位置。

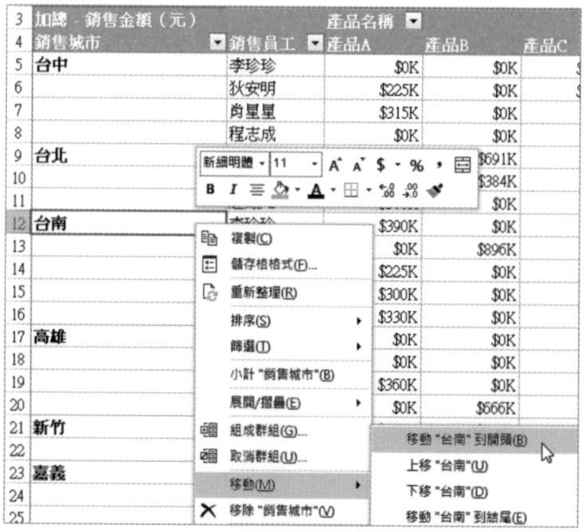

	A	B	C	D	E
3	加總 - 銷售金額（元）		產品名稱		
4	銷售城市	銷售員工	產品A	產品B	產品C
5	台中	李珍珍	$0K	$0K	
6		狄安明	$225K	$0K	
7		尚星星	$315K	$0K	
8		程志成	$0K	$0K	
9	台北			$691K	
10				$384K	
11				$0K	
12	台南		$390K	$0K	
13			$0K	$896K	
14			$225K	$0K	
15			$300K	$0K	
16			$330K	$0K	
17	高雄		$0K	$0K	
18			$0K	$0K	
19			$360K	$0K	
20			$0K	$666K	
21	新竹				
22					
23	嘉義				
24					
25					

新細明體 11

複製(C)
儲存格格式(F)...
重新整理(R)
排序(S)
篩選(T)
小計 "銷售城市"(B)
展開/摺疊(E)
組成群組(G)...
取消群組(U)...
移動(M)
移除 "銷售城市"(V)

移動 "台南" 到開頭(B)
上移 "台南"(U)
下移 "台南"(D)
移動 "台南" 到結尾(E)

圖 4-4 使用移動命令排序

	A	B	C	D
1				
2				
3	加總 - 銷售金額（元）		產品名稱	
4	銷售城市	銷售員工	產品A	產品B
5	台南	李珍珍	$0K	$0
6		狄安明	$225K	$0
7		尚星星	$315K	$0
8		程志成	$0K	$0
9	台北	李珍珍	$0K	$691
10		程志成	$165K	$384
11		趙鳳元	$300K	$0
12	台南	李珍珍	$390K	$0
13		狄安明	$0K	$896
14		尚星星	$225K	$0

圖 4-5 使用輸入的方式排序

顯示不同排序方法所得到的相同排序效果。隨後，可發現透過這三種手動排序方法都可以得到如圖 4-6 所示的樞紐分析表排序效果。

	A	B	C	D	E	F	G
3	加總 - 銷售金額（元）		產品名稱				
4	銷售城市	銷售員工	產品A	產品B	產品C	產品D	總計
5	台南	李珍珍	$390K	$0K	$0K	$0K	$390K
6		狄安明	$0K	$896K	$0K	$0K	$896K
7		尚星星	$225K	$0K	$0K	$750K	$975K
8		程志成	$300K	$0K	$0K	$0K	$300K
9		越鳳元	$330K	$0K	$0K	$0K	$330K
10	台中	李珍珍	$0K	$0K	$440K	$0K	$440K
11		狄安明	$225K	$0K	$264K	$0K	$489K
12		尚星星	$315K	$0K	$0K	$0K	$315K
13		程志成	$0K	$0K	$0K	$840K	$840K
14	台北	李珍珍	$0K	$691K	$0K	$0K	$691K
15		程志成	$165K	$384K	$0K	$0K	$549K
16		越鳳元	$300K	$0K	$0K	$1,260K	$1,560K

圖 4-6 顯示不同手動排序方式後相同的樞紐分析表效果

4.1.2 自動排序樞紐分析表

小言：前輩，既然有手動排序，那是不是就會有自動排序呢？

老譚：嗯！這倒是有的，相較於手動排序的靈活優勢，自動排序可能較為死板，排序的方式主要也是昇冪和降冪這兩種，但是此種排序方式較為穩固，不會出現手動方式中雜亂無章的現象。

顯示未排序前的樞紐分析表。如圖 4-7 所示為透過資料來源建立的樞紐分析表，可看到訂單日期是呈昇冪（從最舊到最新）排序的。

利用欄位下拉清單進行排序。❶按一下樞紐分析表標題行「訂單日期」欄位右側的下三角按鈕，❷在展開的下拉清單中點選「從最新到最舊排序」命令，如圖 4-8 所示。即可完成對「訂單日期」欄位的降冪排序。

	A	B	C
1			
2			
3	訂單日期	加總 - 銷售金額（元）	加總 - 銷售數量（台）
4	2016/1/5	$360,000	$24
5	2016/1/6	$929,600	$38
6	2016/1/7	$1,736,000	$63
7	2016/1/11	$916,200	$42
8	2016/1/12	$1,498,000	$65
9	2016/1/13	$911,800	$42
10	2016/1/14	$1,396,000	$61
11	2016/1/15	$1,680,000	$76
12	2016/1/16	$1,485,000	$57
13	2016/1/18	$1,860,000	$70
14	2016/1/20	$300,000	$20
15	2016/1/21	$750,000	$25
16	2016/1/22	$660,000	$22
17	2016/1/25	$755,000	$41
18	2016/1/28	$714,000	$37
19	2016/1/30	$390,000	$26
20	總計	$16,342K	$1K

圖 4-7 原始樞紐分析表

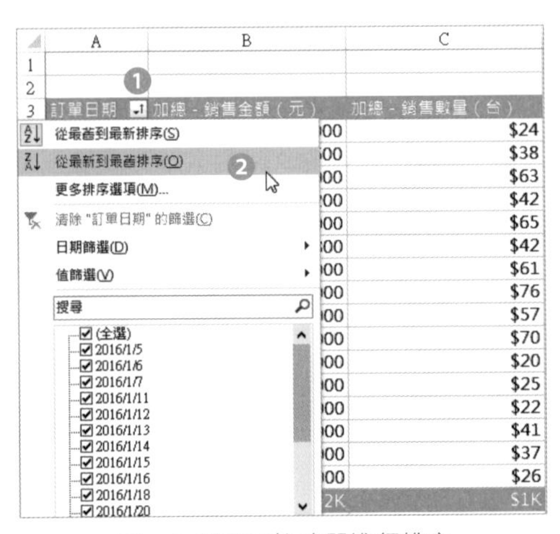

圖 4-8 利用下拉清單進行排序

03 STEP 利用欄位清單隱藏的下拉式功能表排序。如果想要透過另外一種方式對「訂單日期」進行排序，則於圖 4-7 的樞紐分析表基礎上，❶在「樞紐分析表欄位」任務窗格按一下「訂單日期」欄位右側的下三角按鈕，如圖 4-9 所示。❷在展開的下拉清單中點選「從最新到最舊排序」命令，如圖 4-10 所示。即可完成對「訂單日期」的降冪排序。

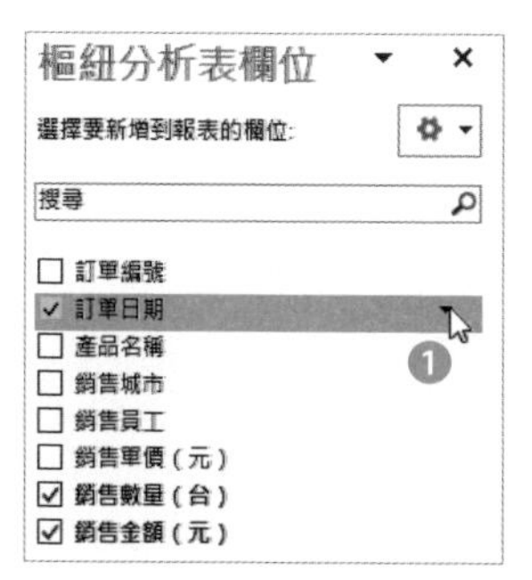

圖 4-9 按一下欄位清單右側的下三角按鈕

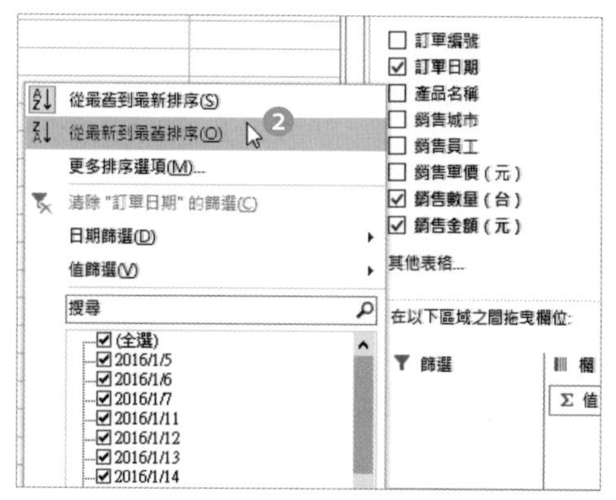

圖 4-10 利用欄位清單的下拉式功能表進行降冪排序

04 STEP 利用工具列進行排序。除了以上兩種方法對欄位進行自動排序以外，還可以直接使用工具列中的工具進行排序。在圖 4-7 的樞紐分析表基礎上，❶按一下「訂單日期」欄位的標題或者是該欄位下的任意資料項目儲存格，如儲存格 A5，❷切換至「資料」頁籤，❸在「排序和篩選」群組中按一下「從最新到最舊排序」按鈕，如圖 4-11 所示。

檔案 常用 插入 版面配置 公式 資料 校閱 檢視 開發人員

取得資料 從文字/CSV 從 Web 從表格/範圍 最近使用的來源 現有連線 取得及轉換資料 全部重新整理 查詢與連線 內容 編輯連結 查詢與連線 排序

A4 2016/1/5

	A	B	C
1			
2			
3	訂單日期	加總 - 銷售金額（元）	加總 - 銷售數量（台）
4	2016/1/5	$360,000	$24
5	2016/1/6	$929,600	$38
6	2016/1/7	$1,736,000	$63
7	2016/1/11	$916,200	$42
8	2016/1/12	$1,498,000	$65

圖 4-11 利用工具列進行排序

顯示不同排序方法所得到相同的樞紐分析表效果。最後可發現以上三種方式的自動排序都可以得到圖 4-12 的樞紐分析表效果。

	A	B	C
1			
2			
3	訂單日期	加總 - 銷售金額（元）	加總 - 銷售數量（台）
4	2016/1/30	$390,000	$26
5	2016/1/28	$714,000	$37
6	2016/1/25	$755,000	$41
7	2016/1/22	$660,000	$22
8	2016/1/21	$750,000	$25
9	2016/1/20	$300,000	$20
10	2016/1/18	$1,860,000	$70
11	2016/1/16	$1,485,000	$57
12	2016/1/15	$1,680,000	$76
13	2016/1/14	$1,396,000	$61
14	2016/1/13	$911,800	$42
15	2016/1/12	$1,498,000	$65
16	2016/1/11	$916,200	$42
17	2016/1/7	$1,736,000	$63
18	2016/1/6	$929,600	$38
19	2016/1/5	$360,000	$24
20	總計	$16,342K	$1K

圖 4-12 不同排序方法得到相同的效果圖

06 STEP 關閉自動排序。如果使用者想要關閉自動排序，❶則可以在相應的欄位中按一下「訂單日期」右側的「自動排序」按鈕，❷在展開的下拉清單中點選「更多排序選項」命令，如圖 4-13 所示。彈出「排序（訂單日期）」對話方塊，❸在「排序選項」群組按一下「手動（您可以拖曳項目重新編排）」選項按鈕，❹然後按一下「確定」按鈕，如圖 4-14 所示，即可關閉樞紐分析表中的自動排序。

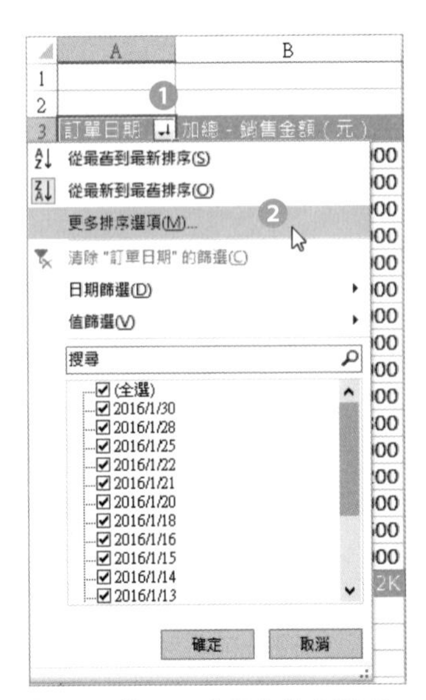

圖 4-13 按一下「更多排序選項」

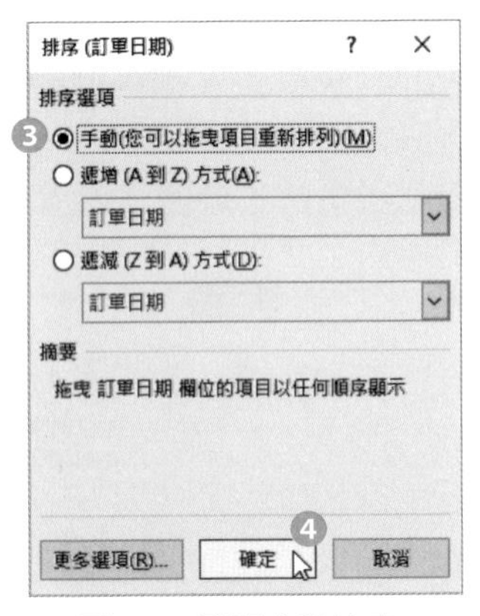

圖 4-14 關閉自動排序

4.1.3 使用更多排序選項排序

老譚：除了手動和自動排序，我們還可以使用更多排序選項進行排序。該排序也有多種方式，以下將做詳細地介紹。

1. 以數值欄位對欄位進行排序

STEP 01 顯示未排序前的樞紐分析表。如圖 4-15 所示，為樞紐分析表未進行排序前的報表效果。

	A	B	C	D	E	F
1						
2						
3	加總 - 銷售金額（元）	產品名稱				
4	銷售員工	產品A	產品B	產品C	產品D	總計
5	趙鳳元	$630K	$256K	$0K	$3,120K	$4,006K
6	程志成	$465K	$1,050K	$0K	$1,590K	$3,105K
7	肖星星	$1,890K	$461K	$1,078K	$750K	$4,179K
8	狄安明	$225K	$896K	$550K	$660K	$2,331K
9	李珍珍	$390K	$691K	$440K	$1,200K	$2,721K
10	總計	$3,600K	$3,354K	$2,068K	$7,320K	$16,342K

圖 4-15 顯示未排序前的樞紐分析表

STEP 02 以數值欄位對欄位進行排序。如果想要「銷售員工」欄位按照「加總項：銷售金額（元）」欄位的小計值進行昇冪排序，❶則可以按一下「銷售員工」欄位右側的下三角按鈕，❷在展開的清單中點選「更多排序選項」命令，如圖 4-16 所示。彈出「排序（銷售員工）」對話方塊，❸按一下「遞增（A 到 Z）方式」選項按鈕，❹然後按一下出現在右側的下三角按鈕，❺在展開的下拉清單中點選「加總項：銷售金額（元）」選項，如圖 4-17 所示。按一下「確定」按鈕，回到樞紐分析表。

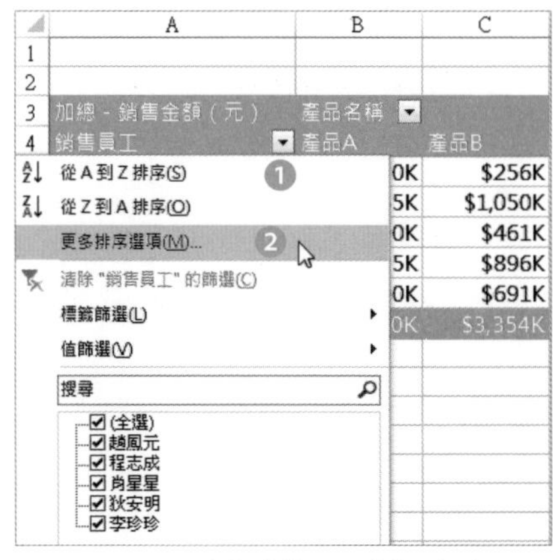

圖 4-16 啟動「排序」對話方塊

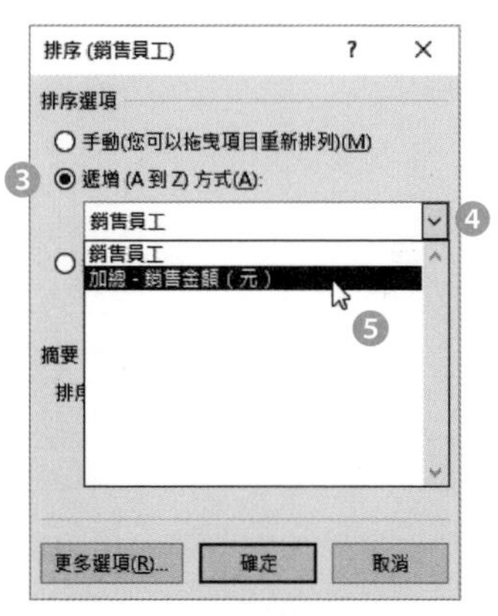

圖 4-17 選擇數值欄位

STEP 03 顯示數值欄位排序後的效果。按一下「確定」按鈕，回到樞紐分析表，即完成了對「銷售員工」欄位的銷售金額小計排序，如圖 4-18 所示。

	A	B	C	D	E	F
1						
2						
3	加總 - 銷售金額（元）	產品名稱				
4	銷售員工	產品A	產品B	產品C	產品D	總計
5	狄安明	$225K	$896K	$550K	$660K	$2,331K
6	李珍珍	$390K	$691K	$440K	$1,200K	$2,721K
7	程志成	$465K	$1,050K	$0K	$1,590K	$3,105K
8	趙鳳元	$630K	$256K	$0K	$3,120K	$4,006K
9	肖星星	$1,890K	$461K	$1,078K	$750K	$4,179K
10	總計	$3,600K	$3,354K	$2,068K	$7,320K	$16,342K

圖 4-18 顯示數值欄位排序後的效果

2. 對數值欄位所在列進行排序

STEP 01 設定排序選項。在圖 4-15 的樞紐分析表基礎上，如果想要依據「產品名稱」欄位「產品 B」區域的銷售金額對「銷售員工」欄位進行昇冪排序，❶則可以按一下「銷售員工」欄位右側的下三角按鈕，❷在展開的下拉清單中點選「更多排序選項」命令，如圖 4-19 所示。彈出「排序（銷售員工）」對話方塊，❸在「排序選項」群組按一下「遞增（A 到 Z）方式」選項按鈕，❹然後設定昇冪的排序依據為「加總 - 銷售金額（元）」，❺按一下「更多選項」按鈕，如圖 4-20 所示。

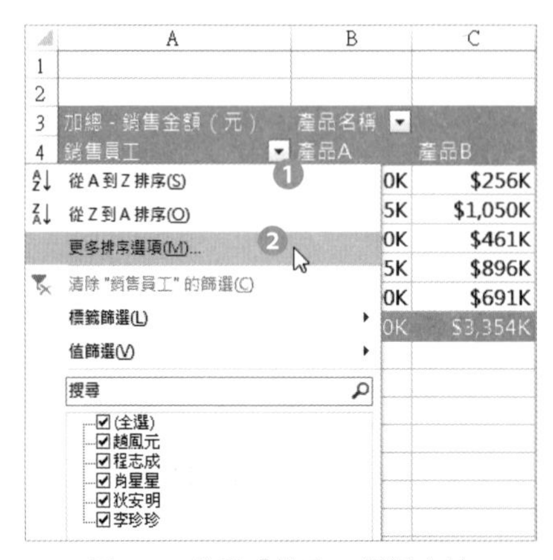

圖 4-19 啟動「排序」對話方塊

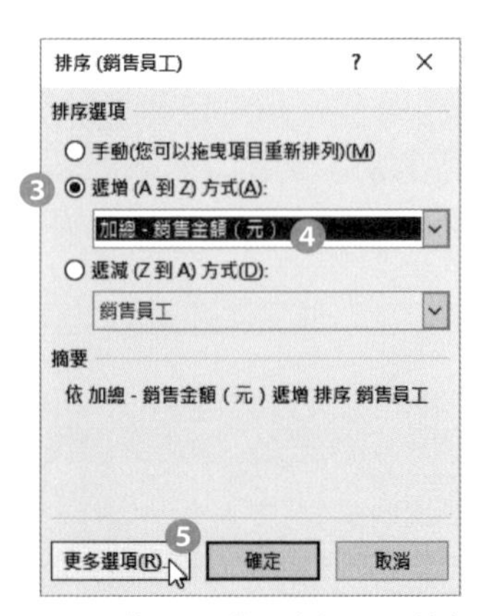

圖 4-20 按一下「更多選項」按鈕

STEP 02 以數值欄位所在列進行排序。彈出「更多排序選項（銷售員工）」對話方塊，❶按一下「主要鍵」選項群組下的「所選取欄中的值」選項按鈕，❷在下方的文字方塊中設定區域為「產品名稱」欄位的「產品 B」區域資料項目對應的「加總 - 銷售金額（元）」欄位項的任意儲存格，如儲存格 C7，如圖 4-21 所示。按一下「確定」按鈕，回到「排序（銷售員工）」對話方塊中，再次按一下「確定」按鈕，如圖 4-22 所示。

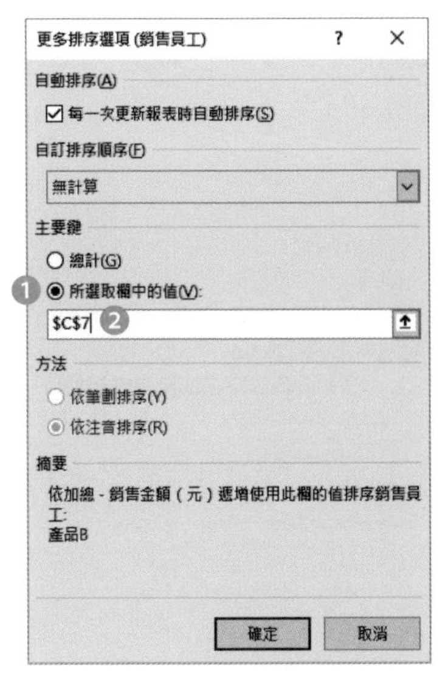

圖 4-21 選擇排序依據

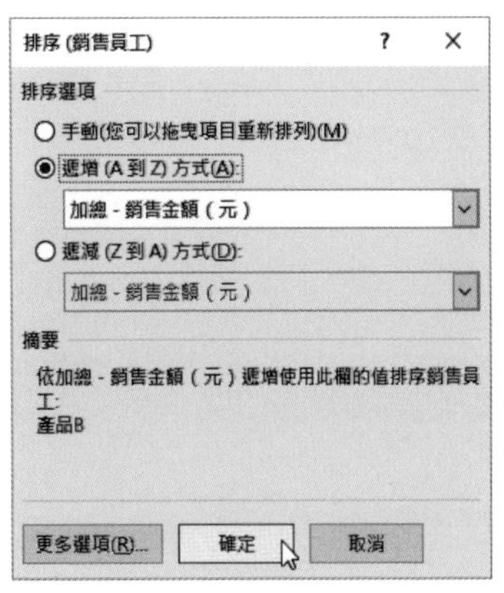

圖 4-22 完成排序的設定

STEP 03 顯示數值欄位排序所在列的樞紐分析表效果。回到樞紐分析表中，即可看到「銷售員工」以「產品 B」的數值進行昇冪排序，如圖 4-23 所示。

	A	B	C	D	E	F
1						
2						
3	加總 - 銷售金額（元）	產品名稱				
4	銷售員工	產品A	產品B	產品C	產品D	總計
5	趙鳳元	$630K	$256K	$0K	$3,120K	$4,006K
6	肖星星	$1,890K	$461K	$1,078K	$750K	$4,179K
7	李珍珍	$390K	$691K	$440K	$1,200K	$2,721K
8	狄安明	$225K	$896K	$550K	$660K	$2,331K
9	程志成	$465K	$1,050K	$0K	$1,590K	$3,105K
10	總計	$3,600K	$3,354K	$2,068K	$7,320K	$16,342K

圖 4-23 顯示排序效果

3. 對姓名進行筆劃排序

中文姓名的排序，習慣上是按照「筆劃」的順序來進行的。這種排序的規則是：首先按姓氏的筆劃數多少排列，同筆劃數的姓氏則按起筆順序（橫、豎、撇、捺、折）排序，筆劃數和筆形都相同的姓氏，按字型結構排序，先左右、再上下，最後整體字。如果姓氏相同，則依次再看姓名中的其他字，規則同姓氏。

01 STEP 設定排序選項。❶按一下「銷售員工」欄位標題右側的下三角按鈕，❷在展開的清單中點選「更多排序選項」命令，如圖 4-24 所示。彈出「排序（銷售員工）」對話方塊，❸在「排序選項」群組按一下「遞增（A 到 Z）方式」選項按鈕，❹然後按一下「更多選項」按鈕，如圖 4-25 所示。

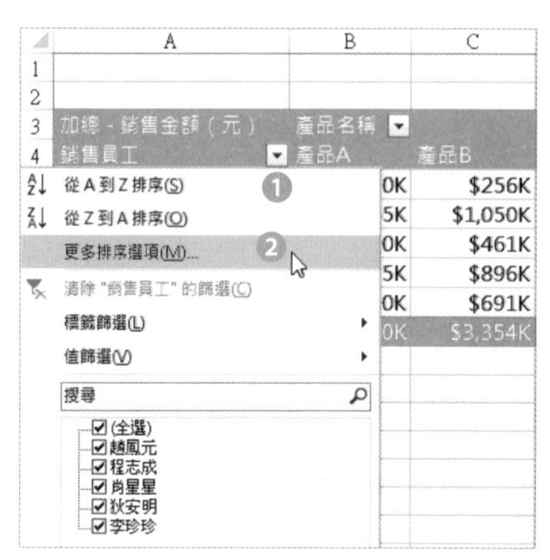

圖 4-24 啟動「排序」對話方塊

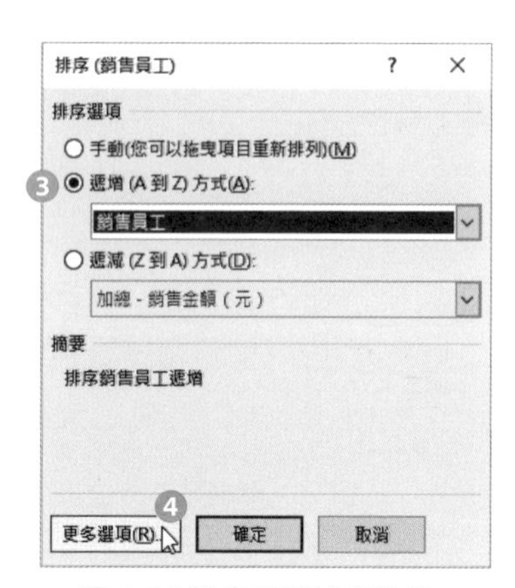

圖 4-25 設定昇冪排序依據

4.1 井然有序地擺放數據

02 STEP 以筆劃對銷售員工進行排序。彈出「更多排序選項（銷售員工）」對話方塊，❶在「自動排序」選項群組下取消勾選「每一次更新報表時自動排序」核取方塊，❷在「方法」選項下按一下「依筆劃排序」選項按鈕，如圖 4-26 所示。按一下「確定」按鈕，回到「排序（銷售員工）」對話方塊，再按一下「確定」按鈕，如圖 4-27 所示。

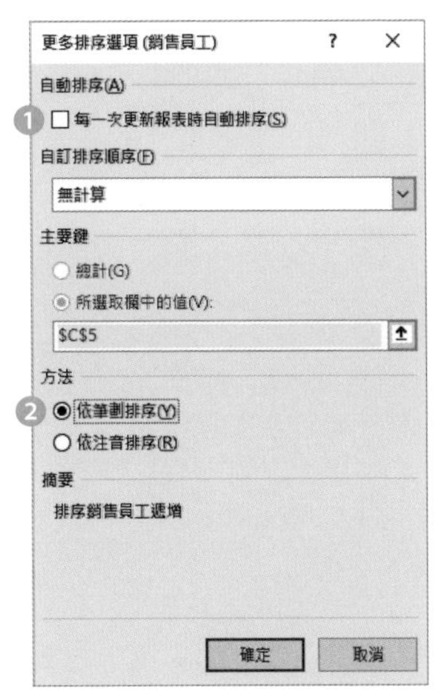

圖 4-26 以筆劃進行排序

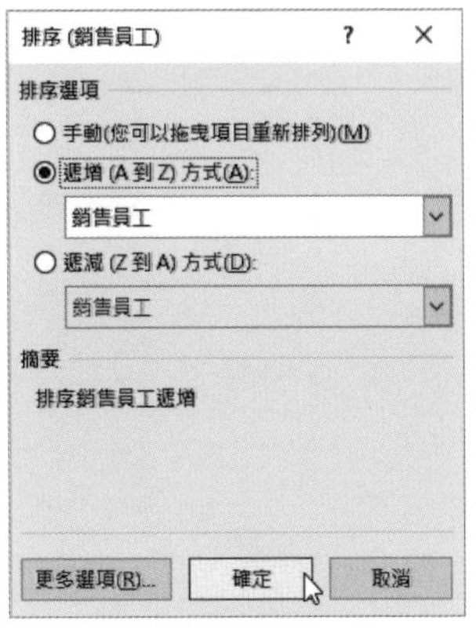

圖 4-27 完成筆劃的排序設定

03 STEP 顯示筆劃排序後的樞紐分析表。回到樞紐分析表，即可完成對「銷售員工」欄位的按筆劃排序，如圖 4-28 所示。

	A	B	C	D	E	F
1						
2						
3	加總 - 銷售金額（元）	產品名稱				
4	銷售員工	產品A	產品B	產品C	產品D	總計
5	李珍珍	$390K	$691K	$440K	$1,200K	$2,721K
6	狄安明	$225K	$896K	$550K	$660K	$2,331K
7	肖星星	$1,890K	$461K	$1,078K	$750K	$4,179K
8	程志成	$465K	$1,050K	$0K	$1,590K	$3,105K
9	趙鳳元	$630K	$256K	$0K	$3,120K	$4,006K
10	總計	$3,600K	$3,354K	$2,068K	$7,320K	$16,342K

圖 4-28 顯示以筆劃進行排序的樞紐分析表

4. 對數值欄位進行從左至右地排序

如果希望在樞紐分析表中，在不影響其他部門員工的排序，而只對某銷售員工下的某個銷售城市之銷售金額進行從左至右的降冪排序，則可透過以下幾個步驟。

STEP 01 顯示未排序前的報表效果。圖 4-29 為未排序前的樞紐分析表效果。

加總 - 銷售金額（元）		產品名稱				
銷售員工	銷售城市	產品A	產品B	產品C	產品D	總計
李珍珍	台中	$0K	$0K	$440K	$0K	$440K
	台北	$0K	$691K	$0K	$0K	$691K
	台南	$390K	$0K	$0K	$0K	$390K
	高雄	$0K	$0K	$0K	$1,200K	$1,200K
狄安明	台中	$225K	$0K	$264K	$0K	$489K
	台南	$0K	$896K	$0K	$0K	$896K
	高雄	$0K	$0K	$0K	$660K	$660K
	嘉義	$0K	$0K	$286K	$0K	$286K
肖星星	台中	$315K	$0K	$0K	$0K	$315K
	台南	$225K	$0K	$0K	$750K	$975K
	高雄	$360K	$0K	$0K	$0K	$360K
	新竹	$600K	$461K	$418K	$0K	$1,479K
	嘉義	$390K	$0K	$660K	$0K	$1,050K
程志成	台中	$0K	$0K	$0K	$840K	$840K
	台北	$165K	$384K	$0K	$0K	$549K
	台南	$300K	$0K	$0K	$0K	$300K
	高雄	$0K	$666K	$0K	$750K	$1,416K

圖 4-29 顯示未排序前的樞紐分析表

STEP 02 依據值排序。❶選取「銷售員工」對應的某個城市中的「加總項：銷售金額」欄位所在數值區域的任意儲存格，如儲存格 C10，❷在「資料」頁籤的「排序與篩選」群組中按一下「排序」按鈕，如圖 4-30 所示。彈出「依據值排序」對話方塊，❸在「排序選項」群組下按一下「最大到最小」選項按鈕，❹在「排序方向」群組下按一下「從左至右」選項按鈕，❺然後按一下「確定」按鈕，，如圖 4-31 所示。

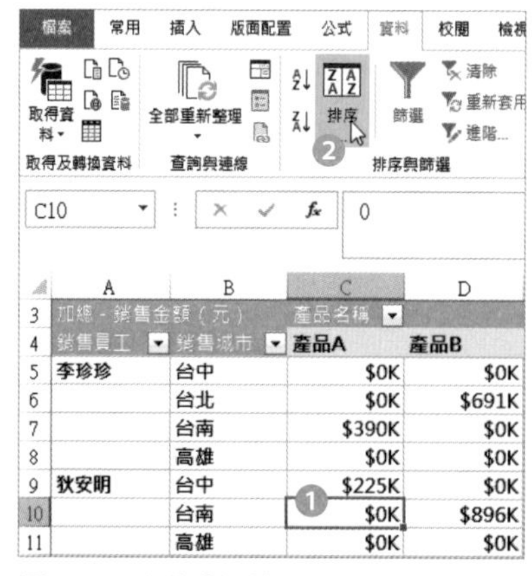

圖 4-30 啟動「依據值排序」對話方塊

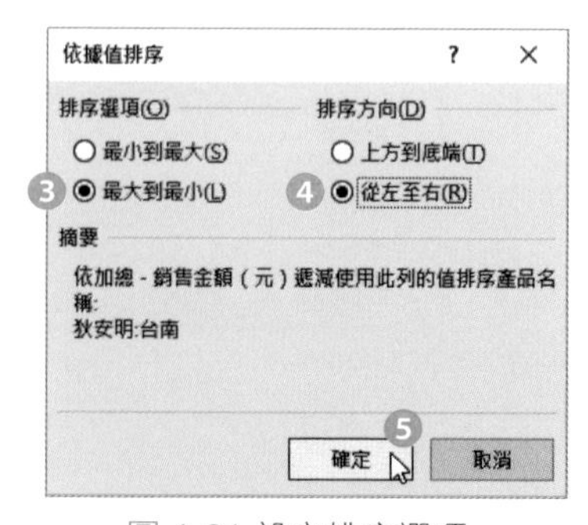

圖 4-31 設定排序選項

03 STEP 顯示依據值排序效果。回到樞紐分析表中，即可看到依據值排序後的報表效果，可發現銷售員工肖星星對銷售城市嘉義的銷售額，在產品上進行了從左至右的降冪排序，如圖 4-32 所示。

	A	B	C	D	E	F	G
3	加總 - 銷售金額（元）		產品名稱				
4	銷售員工	銷售城市	產品B	產品A	產品D	產品C	總計
5	李珍珍	台中	$0K	$0K	$0K	$440K	$440K
6		台北	$691K	$0K	$0K	$0K	$691K
7		台南	$0K	$390K	$0K	$0K	$390K
8		高雄	$0K	$0K	$1,200K	$0K	$1,200K
9	狄安明	台中	$0K	$225K	$0K	$264K	$489K
10		台南	$896K	$0K	$0K	$0K	$896K
11		高雄	$0K	$0K	$660K	$0K	$660K
12		嘉義	$0K	$0K	$0K	$286K	$286K
13	肖星星	台中	$0K	$315K	$0K	$0K	$315K
14		台南	$0K	$225K	$750K	$0K	$975K
15		高雄	$0K	$360K	$0K	$0K	$360K
16		新竹	$461K	$600K	$0K	$418K	$1,479K
17		嘉義	$0K	$390K	$0K	$660K	$1,050K
18	程志成	台中	$0K	$0K	$840K	$0K	$840K
19		台北	$384K	$165K	$0K	$0K	$549K

圖 4-32 顯示依據值排序後的樞紐分析表效果

4.1.4 自訂排序樞紐分析表

小言：前輩，我發現前面介紹的排序方式一般都是對數值進行昇冪和降冪排序，或者是對員工姓名進行筆劃排序，但是，我如果想對公司的銷售城市進行一個既不是數字大小，又不是筆劃的排序，那該怎麼排序呢？

老譚：很簡單，對於你所說的這種情況，可以透過「自訂清單」的方法來建立一個特殊的順序，並要求 Excel 根據這個順序進行排序。

01 STEP 顯示未自訂排序時的樞紐分析表效果。圖 4-33 為還未進行排序的樞紐分析表。現想要對「銷售城市」欄位按照「台北、新竹、台中、嘉義、台南、高雄」的順序進行昇冪排序，則首先要進行自訂清單。

	A	B	C	D	E	F	G
3	加總 - 銷售金額（元）		產品名稱				
4	銷售城市	銷售員工	產品A	產品C	產品D	產品B	總計
5	新竹	肖星星	$600K	$418K	$0K	$461K	$1,479K
6		趙鳳元	$0K	$0K	$1,080K	$0K	$1,080K
7	嘉義	狄安明	$0K	$286K	$0K	$0K	$286K
8		肖星星	$390K	$660K	$0K	$0K	$1,050K
9		趙鳳元	$0K	$0K	$780K	$256K	$1,036K
10	高雄	李珍珍	$0K	$0K	$1,200K	$0K	$1,200K
11		狄安明	$0K	$0K	$660K	$0K	$660K
12		肖星星	$360K	$0K	$0K	$0K	$360K
13		程志成	$0K	$0K	$750K	$666K	$1,416K
14	台中	李珍珍	$0K	$440K	$0K	$0K	$440K
15		狄安明	$225K	$264K	$0K	$0K	$489K
16		肖星星	$315K	$0K	$0K	$0K	$315K
17		程志成	$0K	$0K	$840K	$0K	$840K
18	台南	李珍珍	$390K	$0K	$0K	$0K	$390K
19		狄安明	$0K	$0K	$0K	$896K	$896K
20		肖星星	$225K	$0K	$750K	$0K	$975K

圖 4-33 顯示未自訂排序前的報表

02 STEP 編輯自訂列表。按一下「檔案」按鈕，❶在彈出的窗格中點選「選項」命令，如圖 4-34 所示。彈出「Excel 選項」對話方塊，❷按一下「進階」選項切換至該面板，❸然後在該面板按一下「一般」選項群組下的「編輯自訂清單」按鈕，如圖 4-35 所示。

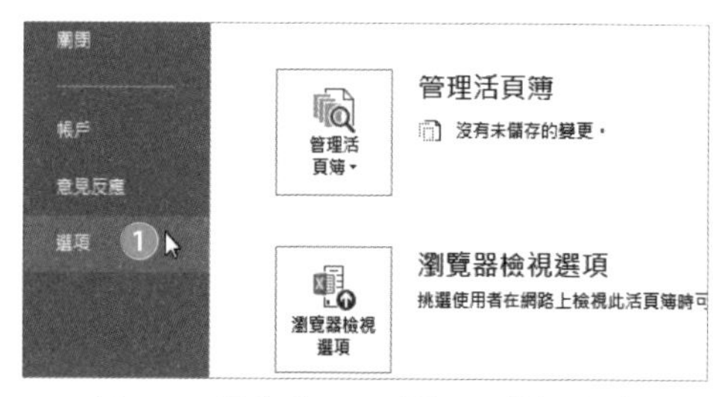

圖 4-34 開啟「Excel 選項」對話方塊

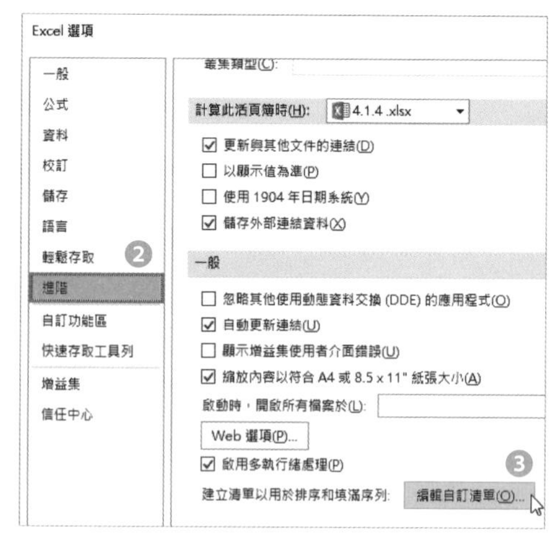

圖 4-35 編輯自訂列表

03 STEP 自訂清單。彈出「自訂清單」對話方塊，❶在「清單項目」下的文字方塊中按「銷售城市」順序依次輸入自訂的各個元素，即「台北」、「新竹」、「台中」、「嘉義」、「台南」、「高雄」，在輸入一個元素後可按【Enter】鍵進行上下切換，❷全部元素輸入完成後，按一下「新增」按鈕，如圖 4-36 所示。❸此時，左側的「自訂清單」清單方塊中可看到輸入的自訂清單內容，❹按一下「確定」按鈕，如圖 4-37 所示。

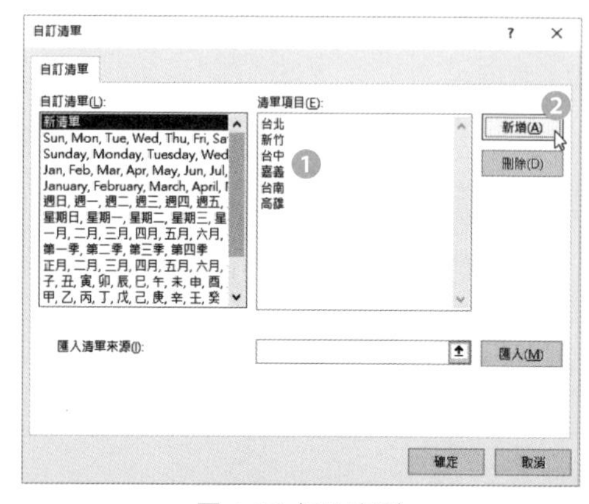

圖 4-36 加入序列

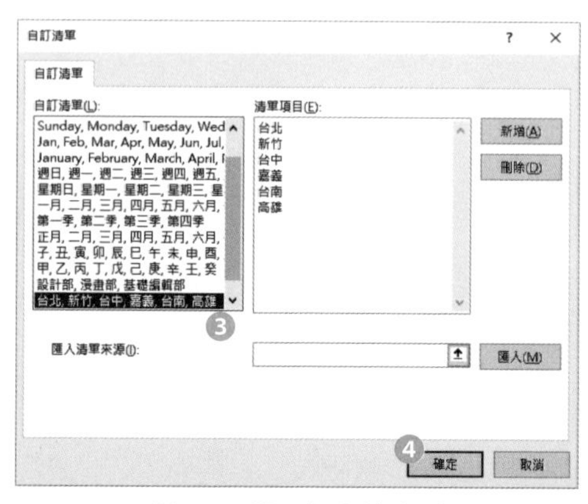

圖 4-37 顯示加入的序列

04 STEP 自訂排序。回到「Excel 選項」對話方塊，按一下「確定」按鈕，如圖 4-38 所示。回到報表中，❶按一下「銷售城市」欄位右側的下三角按鈕，❷在展開的清單中點選「從 A 到 Z 排序」命令，如圖 4-39 所示。

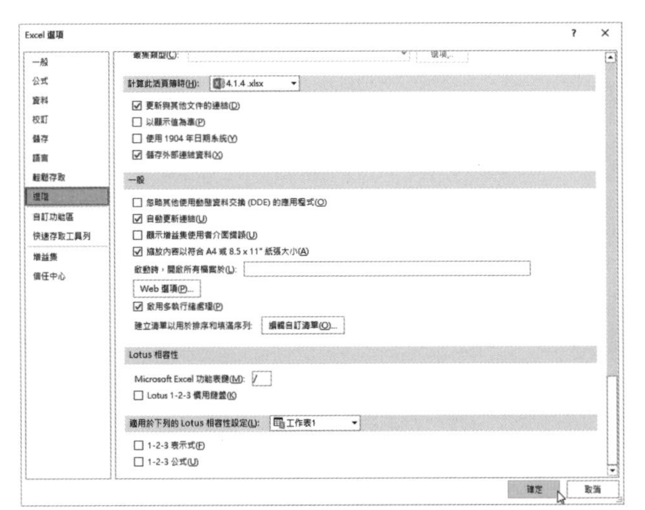

圖 4-38 完成自訂清單的加入

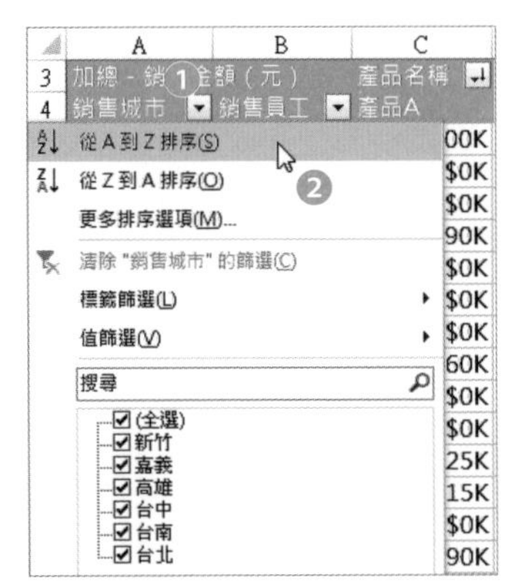

圖 4-39 進行昇冪排序

05 STEP 顯示自訂排序效果。隨後即可看到自訂排序的效果，如圖 4-40 所示。

	A	B	C	D	E	F	G
3	加總 - 銷售金額（元）		產品名稱				
4	銷售城市	銷售員工	產品C	產品A	產品D	產品B	總計
5	台北	李珍珍	$0K	$0K	$0K	$691K	$691K
6		程志成	$0K	$165K	$0K	$384K	$549K
7		趙鳳元	$0K	$300K	$1,260K	$0K	$1,560K
8	新竹	肖星星	$418K	$600K	$0K	$461K	$1,479K
9		趙鳳元	$0K	$0K	$1,080K	$0K	$1,080K
10	台中	李珍珍	$440K	$0K	$0K	$0K	$440K
11		狄安明	$264K	$225K	$0K	$0K	$489K
12		肖星星	$0K	$315K	$0K	$0K	$315K
13		程志成	$0K	$0K	$840K	$0K	$840K
14	嘉義	狄安明	$286K	$0K	$0K	$0K	$286K
15		肖星星	$660K	$390K	$0K	$0K	$1,050K
16		趙鳳元	$0K	$0K	$780K	$256K	$1,036K
17	台南	李珍珍	$0K	$390K	$0K	$0K	$390K
18		狄安明	$0K	$0K	$0K	$896K	$896K
19		肖星星	$0K	$225K	$750K	$0K	$975K
20		程志成	$0K	$300K	$0K	$0K	$300K
21		趙鳳元	$0K	$330K	$0K	$0K	$330K
22	高雄	李珍珍	$0K	$0K	$1,200K	$0K	$1,200K
23		狄安明	$0K	$0K	$660K	$0K	$660K
24		肖星星	$0K	$360K	$0K	$0K	$360K
25		程志成	$0K	$0K	$750K	$666K	$1,416K

圖 4-40 顯示自訂後的樞紐分析表效果

4.1.5 對報表篩選欄位進行排序

小言：前輩，除了以上四種排序方式以外，還有其他排序嗎？

老譚：嗯！在樞紐分析表中，還有一種比較特殊的排序，即對報表的篩選欄位進行排序。通常情況下，是不能直接對報表篩選欄位進行排序的，但是如果希望對其進行排序，則需要先將報表篩選欄位移動至「欄」標籤或「列」標籤區域內進行排序，排序完成後再移動至「報表篩選」區域即可。

STEP 01 顯示未排序前的報表。圖 4-41 為未進行排序的含有報表篩選欄位的樞紐分析表。

	A	B	C	D	E	F
1	銷售員工	(全部)				
2						
3	加總 - 銷售金額（元）	產品名稱				
4	銷售城市	產品A	產品B	產品C	產品D	總計
5	台中	$540K	$0K	$704K	$840K	$2,084K
6	台北	$465K	$1,075K	$0K	$1,260K	$2,800K
7	台南	$1,245K	$896K	$0K	$750K	$2,891K
8	高雄	$360K	$666K	$0K	$2,610K	$3,636K
9	新竹	$600K	$461K	$418K	$1,080K	$2,559K
10	嘉義	$390K	$256K	$946K	$780K	$2,372K
11	總計	$3,600K	$3,354K	$2,068K	$7,320K	$16,342K

圖 4-41 顯示未排序前的樞紐分析表

STEP 02 拖曳改變欄位位置。❶按一下報表篩選欄位右側的下三角按鈕，❷在展開的列表中可看到未排序前的「銷售員工」排列順序，如圖 4-42 所示。在「樞紐分析表欄位」任務窗格中，❸按一下「篩選」中的「銷售員工」欄位，然後將其移動至「列」標籤區域內的首位，如圖 4-43 所示。

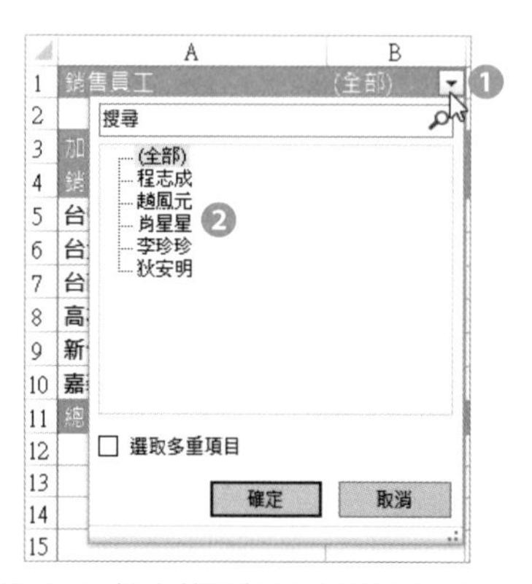

圖 4-42 報表篩選欄位未排序前的效果

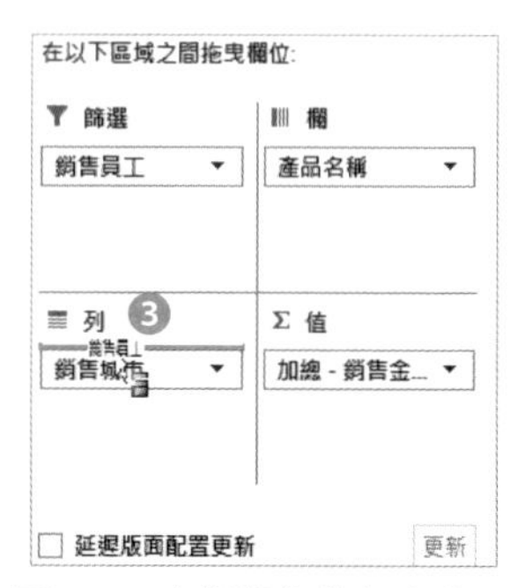

圖 4-43 改變欄位的設定位置

STEP 03 顯示改變欄位後的報表效果。即可產生如圖 4-44 所示的樞紐分析表效果。

	A	B	C	D	E	F	G
1							
2							
3	加總 - 銷售金額（元）		產品名稱				
4	銷售員工	銷售城市	產品A	產品B	產品C	產品D	總計
5	程志成	台中	$0K	$0K	$0K	$840K	$840K
6		台北	$165K	$384K	$0K	$0K	$549K
7		台南	$300K	$0K	$0K	$0K	$300K
8		高雄	$0K	$666K	$0K	$750K	$1,416K
9	趙鳳元	台北	$300K	$0K	$0K	$1,260K	$1,560K
10		台南	$330K	$0K	$0K	$0K	$330K
11		新竹	$0K	$0K	$0K	$1,080K	$1,080K
12		嘉義	$0K	$256K	$0K	$780K	$1,036K
13	肖星星	台中	$315K	$0K	$0K	$0K	$315K
14		台南	$225K	$0K	$0K	$750K	$975K
15		高雄	$360K	$0K	$0K	$0K	$360K
16		新竹	$600K	$461K	$418K	$0K	$1,479K
17		嘉義	$390K	$0K	$660K	$0K	$1,050K
18	李珍珍	台中	$0K	$0K	$440K	$0K	$440K

圖 4-44 顯示改變欄位位置後的樞紐分析表效果

STEP 04 對欄位進行降冪排序。❶按一下「銷售員工」欄位標題右側的下三角按鈕，❷在展開的清單中點選「從Z到A排序」命令，即可將篩選欄位進行降冪排列，如圖 4-45 所示。

STEP 05 移動欄位。在「樞紐分析表欄位」任務窗格中，❶按一下「列」標籤中的「銷售員工」欄位，❷在展開的清單中點選「移到報表篩選」選項，如圖 4-46 所示。

STEP 06 顯示報表篩選欄位降冪排序後的欄位順序。按一下報表篩選欄位右側的下三角按鈕，在展開的清單中可看到排序後的「銷售員工」排列順序，如圖 4-47 所示。

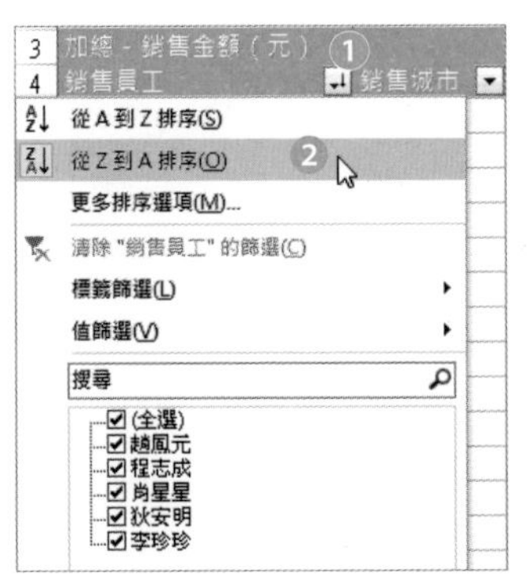

圖 4-45 對欄位進行降冪排序

圖 4-46 移動欄位位置

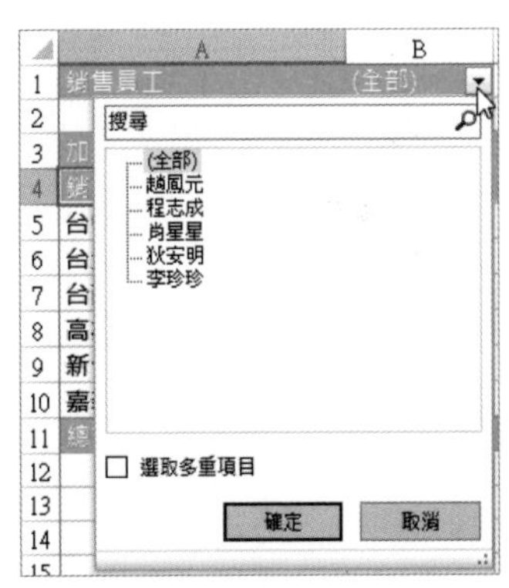

圖 4-47 顯示降冪排序後的報表篩選欄位順序

4.2 讓你的數據脫穎而出

小言：前輩，我發現，排序功能雖然能夠得到想要的資料，但是當資料較多時，卻發現想要的資料已淹沒在眾多資料中。所以，如果只想要某一部分資料，那我不是得一個一個地刪除不需要的資料？

老譚：分別排序刪除也太麻煩了吧！你是不是忘記了 Excel 中的篩選功能，在樞紐分析表中，該功能也很實用。同樣的，篩選的方式也有多種。

4.2.1 自動篩選樞紐分析表

老譚：篩選方式雖然很多，但是最簡單和常用的還是自動篩選。而且自動篩選的方式也不止一種喔！

01 STEP 顯示未篩選前的樞紐分析表。利用資料來源建立並設定好樞紐分析表後，可看到未篩選前的資料效果，如圖 4-48 所示。

	A	B	C	D	E	F	G	H
3	加總 - 銷售金額（元）		銷售員工					
4	銷售城市	產品名稱	李珍珍	狄安明	尚星星	程志成	趙鳳元	總計
5	台中	產品A	$0K	$225K	$315K	$0K	$0K	$540K
6		產品C	$440K	$264K	$0K	$0K	$0K	$704K
7		產品D	$0K	$0K	$0K	$840K	$0K	$840K
8	台北	產品A	$0K	$0K	$0K	$165K	$300K	$465K
9		產品B	$691K	$0K	$0K	$384K	$0K	$1,075K
10		產品D	$0K	$0K	$0K	$0K	$1,260K	$1,260K
11	台南	產品A	$390K	$0K	$225K	$300K	$330K	$1,245K
12		產品B	$0K	$896K	$0K	$0K	$0K	$896K
13		產品D	$0K	$0K	$750K	$0K	$0K	$750K
14	高雄	產品A	$0K	$0K	$360K	$0K	$0K	$360K
15		產品B	$0K	$0K	$0K	$666K	$0K	$666K
16		產品D	$1,200K	$660K	$0K	$750K	$0K	$2,610K
17	新竹	產品A	$0K	$0K	$600K	$0K	$0K	$600K
18		產品B	$0K	$0K	$461K	$0K	$0K	$461K
19		產品C	$0K	$0K	$418K	$0K	$0K	$418K
20		產品D	$0K	$0K	$0K	$0K	$1,080K	$1,080K
21	嘉義	產品A	$0K	$0K	$390K	$0K	$0K	$390K
22		產品B	$0K	$0K	$0K	$0K	$256K	$256K

圖 4-48 顯示未篩選前的樞紐分析表

STEP 02 利用欄位下拉清單進行篩選。❶按一下要篩選欄位標題行右側的下拉按鈕，如「銷售城市」，❷在展開的下拉清單中取消勾選「台北」、「高雄」、「台中」、「新竹」核取方塊，❸然後按一下「確定」按鈕，如圖 4-49 所示。

STEP 03 利用欄位清單進行篩選。此外，❶也可以在「樞紐分析表欄位」欄位清單中按一下要篩選欄位右側的下三角按鈕，❷在展開的清單中取消勾選不需要顯示的欄位核取方塊，❸然後按一下「確定」按鈕即可，如圖 4-50 所示。

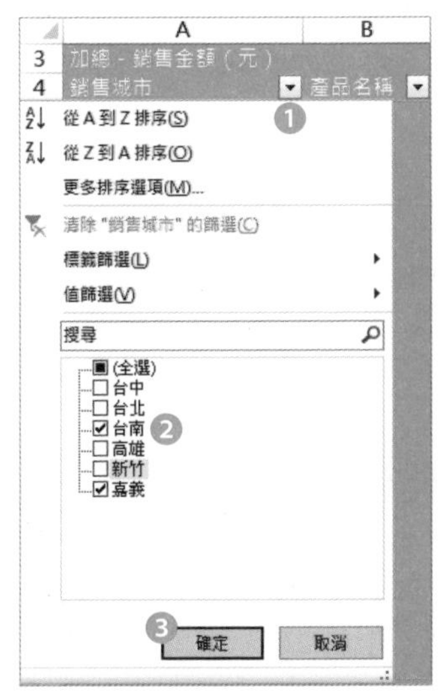

圖 4-49 利用欄位下拉清單進行篩選

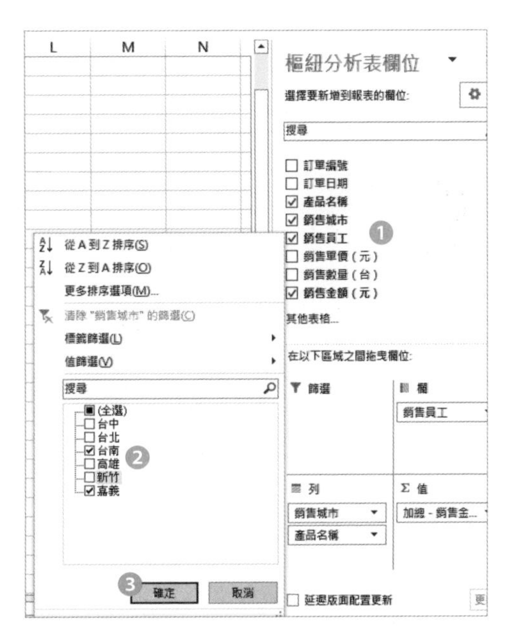

圖 4-50 利用欄位清單進行篩選

STEP 04 顯示自動篩選後的報表效果。隨後即可看到透過以上兩種自動篩選方法後的報表效果，可發現都同樣只顯示出「嘉義」和「台南」這兩個銷售城市的資料，如圖 4-51 所示。

	A	B	C	D	E	F	G	H
3	加總 - 銷售金額（元）		銷售員工					
4	銷售城市	產品名稱	李珍珍	狄安明	肖星星	程志成	趙鳳元	總計
5	台南	產品A	$390K	$0K	$225K	$300K	$330K	$1,245K
6		產品B	$0K	$896K	$0K	$0K	$0K	$896K
7		產品D	$0K	$0K	$750K	$0K	$0K	$750K
8	嘉義	產品A	$0K	$0K	$390K	$0K	$0K	$390K
9		產品B	$0K	$0K	$0K	$0K	$256K	$256K
10		產品C	$0K	$286K	$660K	$0K	$0K	$946K
11		產品D	$0K	$0K	$0K	$0K	$780K	$780K
12	總計		$390K	$1,182K	$2,025K	$300K	$1,366K	$5,263K

圖 4-51 顯示使用兩種自動篩選方法後的樞紐分析表效果

4.2.2 使用工具列進行數字篩選

小言：前輩，我想篩選報表中銷售額大於某個值的資料，但是用自動篩選沒辦法做到。

老譚：哦，那你可以試一下數字篩選，篩選並不只有自動篩選。但是需注意的是，數值欄位中通常是沒有篩選按鈕的，需透過工具列加入篩選按鈕，才能進行篩選。

STEP 01 利用工具列進行篩選。建立並設定樞紐分析表後，❶按一下與樞紐分析表行總計或者是列總計相鄰的儲存格，如儲存格 H4，❷切換至「資料」頁籤，❸在「排序和篩選」群組中按一下「篩選」按鈕，如圖 4-52 所示。

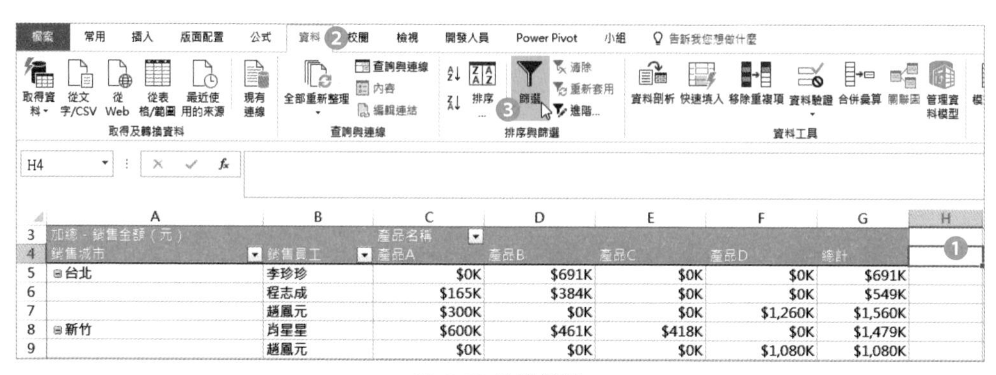

	A	B	C	D	E	F	G	H
3	加總 - 銷售金額（元）		產品名稱					
4	銷售城市	銷售員工	產品A	產品B	產品C	產品D	總計	
5	⊟台北	李珍珍	$0K	$691K	$0K	$0K	$691K	
6		程志成	$165K	$384K	$0K	$0K	$549K	
7		趙鳳元	$300K	$0K	$0K	$1,260K	$1,560K	
8	⊟新竹	肖星星	$600K	$461K	$418K	$0K	$1,479K	
9		趙鳳元	$0K	$0K	$0K	$1,080K	$1,080K	

圖 4-52 啟動篩選

STEP 02 選擇數字篩選類別。❶按一下含有「產品 A」內容的儲存格右側下三角按鈕，❷在展開的清單中點選「數字篩選 > 大於或等於」命令，如圖 4-53 所示。

圖 4-53 選擇數字篩選

03 STEP 自訂自動篩選。彈出「自訂自動篩選」對話方塊，❶在「顯示符合條件的列」選項群組，設定「產品 A 大於或等於 300000」，❷按一下「確定」按鈕，如圖 4-54 所示。

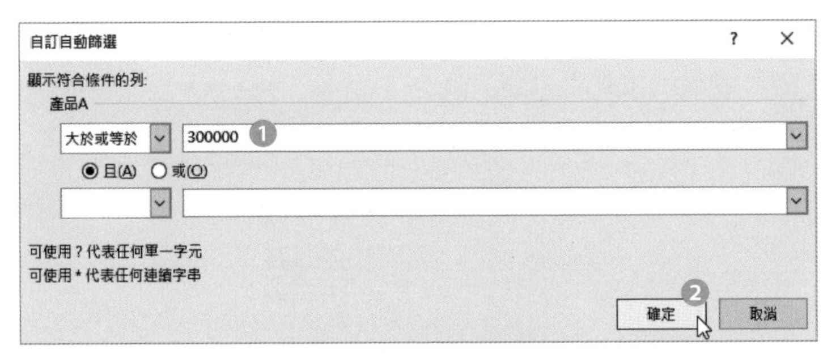

圖 4-54 自訂自動篩選

04 STEP 顯示篩選效果。隨後即可看到使用工具列進行數字篩選後的報表效果，可發現只顯示出產品 A 銷售金額大於等於 300000 的報表資料，如圖 4-55 所示。

	A	B	C	D	E	F	G
3	加總 - 銷售金額（元）		產品名稱				
4	銷售城市	銷售員工	產品A	產品B	產品C	產品D	總計
7		趙鳳元	$300K	$0K	$0K	$1,260K	$1,560K
8	⊟新竹	肖星星	$600K	$461K	$418K	$0K	$1,479K
12		肖星星	$315K	$0K	$0K	$0K	$315K
15		肖星星	$390K	$0K	$660K	$0K	$1,050K
17	⊟台南	李珍珍	$390K	$0K	$0K	$0K	$390K
20		程志成	$300K	$0K	$0K	$0K	$300K
21		趙鳳元	$330K	$0K	$0K	$0K	$330K
24		肖星星	$360K	$0K	$0K	$0K	$360K
26	總計		$3,600K	$3,354K	$2,068K	$7,320K	$16,342K

圖 4-55 顯示使用工具列篩選的結果

4.2.3 標籤篩選與日期篩選

小言：前輩！當我按一下篩選按鈕時，在展開的列表中為何「值篩選」的上一個命令會出現不同的情況，一會是「標籤篩選」，一會又是「日期篩選」。

老譚：不是命令在變化，而是因為你篩選的欄位不同。會出現「標籤篩選」，通常是因為以文字欄位項為依據，如「銷售城市」、「員工姓名」等。而出現「日期篩選」則是因為以日期欄位作為篩選依據。

1. 標籤篩選

01 STEP 選擇標籤篩選選項。建立並設定好樞紐分析表後，❶按一下「銷售城市」欄位標題右側的下三角按鈕，❷在展開的清單中點選「標籤篩選 > 開始於」命令，如圖 4-56 所示。

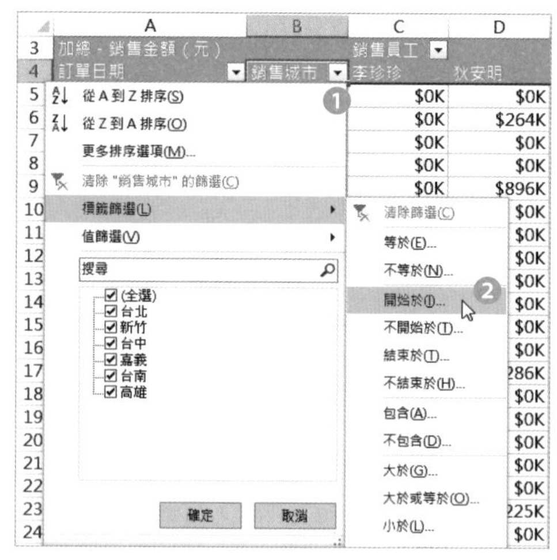

圖 4-56 選擇標籤篩選

02 STEP 設定篩選項目。彈出「標籤篩選（銷售城市）」對話方塊，❶在「顯示標籤的項目」群組設定「開始於台」，❷然後按一下「確定」按鈕，如圖 4-57 所示。

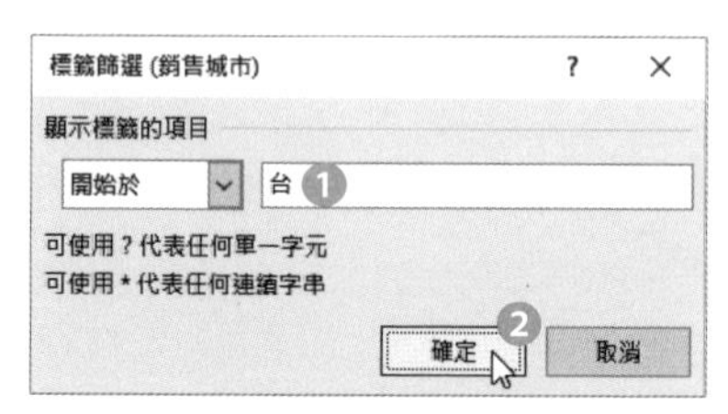

圖 4-57 設定篩選項目

03 STEP 顯示標籤篩選後的效果。回到工作表中，即可看到標籤篩選後的樞紐分析表，可發現只顯示出台北、台中和台南這三個開頭是「台」的銷售城市資料，如圖 4-58 所示。

	A	B	C	D	E	F	G	H
3	加總 - 銷售金額（元）		銷售員工					
4	訂單日期	銷售城市	李珍珍	狄安明	肖星星	程志成	趙鳳元	總計
5	⊟2016/1/6	台中	$0K	$264K	$0K	$0K	$0K	$264K
6	⊟2016/1/7	台中	$0K	$0K	$0K	$840K	$0K	$840K
7		台南	$0K	$896K	$0K	$0K	$0K	$896K
8	⊟2016/1/11	台北	$691K	$0K	$0K	$0K	$0K	$691K
9		台南	$0K	$0K	$225K	$0K	$0K	$225K
10	⊟2016/1/12	台北	$0K	$0K	$0K	$0K	$300K	$300K
11	⊟2016/1/13	台北	$0K	$0K	$0K	$165K	$0K	$165K
12	⊟2016/1/14	台南	$390K	$0K	$0K	$0K	$0K	$390K
13	⊟2016/1/16	台北	$0K	$0K	$0K	$0K	$1,260K	$1,260K
14		台中	$0K	$225K	$0K	$0K	$0K	$225K
15	⊟2016/1/20	台南	$0K	$0K	$0K	$300K	$0K	$300K
16	⊟2016/1/21	台南	$0K	$0K	$750K	$0K	$0K	$750K
17	⊟2016/1/25	台中	$440K	$0K	$315K	$0K	$0K	$755K
18	⊟2016/1/28	台北	$0K	$0K	$0K	$384K	$0K	$384K
19		台南	$0K	$0K	$0K	$0K	$330K	$330K
20	總計		$1,521K	$1,385K	$1,290K	$1,689K	$1,890K	$7,775K

圖 4-58 顯示標籤篩選後的樞紐分析表

2. 日期篩選

01 STEP 進行日期篩選。以圖 4-56 所示的樞紐分析表為例，❶按一下「訂單日期」欄位標題行右側的下三角按鈕，❷在展開的清單中按一下「日期篩選 > 介於」命令，如圖 4-59 所示。彈出「日期篩選（訂單日期）」對話方塊，❸在「顯示符合下列日期的項目」群組設定「介於 2016/1/10 與 2016/1/15」之間，❹按一下「確定」按鈕，如圖 4-60 所示。

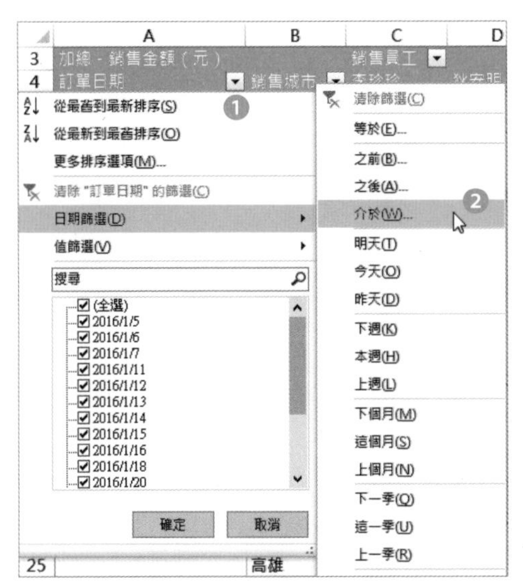

圖 4-59 選擇日期篩選

圖 4-60 設定日期篩選條件

02 STEP 顯示日期篩選後的報表效果。隨後即可看到日期篩選後的樞紐分析表效果，可發現只顯示出 2016/1/10 至 2016/1/15 日期之間的資料，如圖 4-61 所示。

	A	B	C	D	E	F	G	H
3	加總 - 銷售金額（元）		銷售員工					
4	訂單日期	銷售城市	李珍珍	狄安明	肖星星	程志成	趙鳳元	總計
5	⊟2016/1/11	台北	$691K	$0K	$0K	$0K	$0K	$691K
6		台南	$0K	$0K	$225K	$0K	$0K	$225K
7	⊟2016/1/12	台北	$0K	$0K	$0K	$0K	$300K	$300K
8		新竹	$0K	$0K	$418K	$0K	$0K	$418K
9		嘉義	$0K	$0K	$0K	$0K	$780K	$780K
10	⊟2016/1/13	台北	$0K	$0K	$0K	$165K	$0K	$165K
11		新竹	$0K	$0K	$461K	$0K	$0K	$461K
12		嘉義	$0K	$286K	$0K	$0K	$0K	$286K
13	⊟2016/1/14	嘉義	$0K	$0K	$0K	$0K	$256K	$256K
14		台南	$390K	$0K	$0K	$0K	$0K	$390K
15		高雄	$0K	$0K	$0K	$750K	$0K	$750K
16	⊟2016/1/15	新竹	$0K	$0K	$600K	$0K	$1,080K	$1,680K
17	總計		$1,081K	$286K	$1,704K	$915K	$2,416K	$6,402K

圖 4-61 顯示日期篩選後的樞紐分析表

4.2.4 使用值篩選資料

小言：前輩，值篩選和上文講到的數字篩選不是一樣的嗎？如果不一樣，有什麼區別呢？

老譚：值篩選雖與使用工具列進行的數字篩選有相同之處，但是數字篩選一般可對某一列的數值資料進行篩選，而值篩選則一般是以欄位對應的數值區域的小計記錄作為篩選依據。且根據實際情況，使用者即可篩選項數，也可以篩選百分比等。

1. 篩選最前 6 項資料

STEP 01 進行值篩選。❶按一下「訂單編號」欄位標題右側的下三角按鈕，❷在展開的清單中點選「值篩選 > 前 10 項」命令，如圖 4-62 所示。

圖 4-62 進行值篩選

STEP 02 篩選項數。彈出「前 10 個篩選（訂單編號）」對話方塊，❶設定「顯示」為「最前 6 項」，❷按一下「確定」按鈕，如圖 4-63 所示。

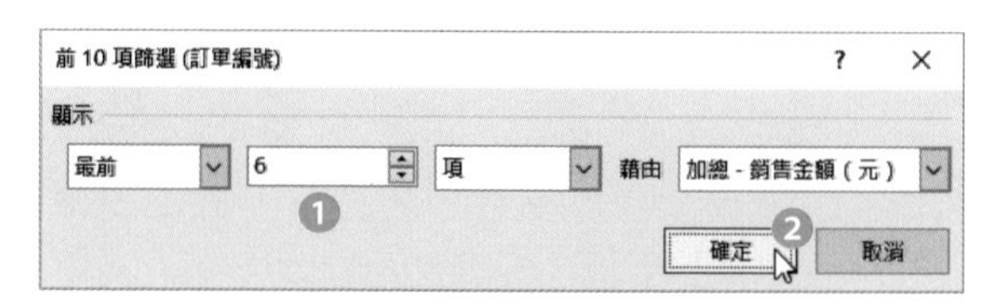

圖 4-63 篩選項數

顯示篩選資料。回到工作表中，即可看到篩選出的最大前 6 項資料，如圖 4-64 所示。

	A	B	C	D	E	F
3	加總 - 銷售金額（元）	產品名稱				
4	訂單編號	產品A	產品B	產品C	產品D	總計
5	A-10259	$0K	$0K	$0K	$840K	$840K
6	A-10260	$0K	$896K	$0K	$0K	$896K
7	A-10265	$0K	$0K	$0K	$780K	$780K
8	A-10272	$0K	$0K	$0K	$1,080K	$1,080K
9	A-10274	$0K	$0K	$0K	$1,260K	$1,260K
10	A-10276	$0K	$0K	$0K	$1,200K	$1,200K
11	總計	$0K	$896K	$0K	$5,160K	$6,056K

圖 4-64 顯示篩選最大 6 項的樞紐分析表

2. 篩選最後 20% 的資料

篩選最後 20% 的資料。回到未篩選前的樞紐分析表，應用相同的方法開啟「前 10 項篩選（訂單編號）」對話方塊，❶在對話方塊「顯示」群組的左側下拉清單中選擇「最後」，❷中間文字方塊中輸入「20」，❸在右側的下拉清單中選擇「%」，❹按一下「確定」按鈕，如圖 4-65 所示。

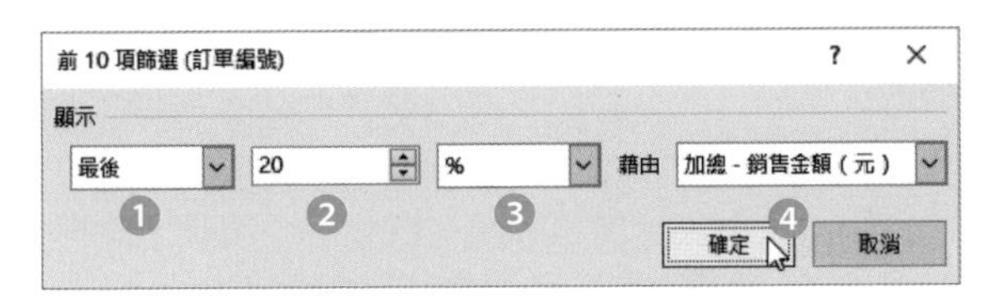

圖 4-65 篩選最後 20% 的資料

顯示篩選效果。回到工作表中，即可看到篩選出最小 20% 的資料，如圖 4-66 所示。

	A	B	C	D	E	F
3	加總 - 銷售金額（元）	產品名稱				
4	訂單編號	產品A	產品B	產品C	產品D	總計
5	A-10256	$360K	$0K	$0K	$0K	$360K
6	A-10258	$0K	$0K	$264K	$0K	$264K
7	A-10261	$225K	$0K	$0K	$0K	$225K
8	A-10263	$300K	$0K	$0K	$0K	$300K
9	A-10266	$165K	$0K	$0K	$0K	$165K
10	A-10268	$0K	$0K	$286K	$0K	$286K
11	A-10269	$0K	$256K	$0K	$0K	$256K
12	A-10275	$225K	$0K	$0K	$0K	$225K
13	A-10278	$300K	$0K	$0K	$0K	$300K
14	A-10281	$315K	$0K	$0K	$0K	$315K
15	A-10283	$0K	$384K	$0K	$0K	$384K
16	A-10284	$330K	$0K	$0K	$0K	$330K
17	總計	$2,220K	$640K	$550K	$0K	$3,410K

圖 4-66 顯示篩選最小 20% 資料的樞紐分析表效果

4.2.5 使用搜尋文字方塊進行篩選

小言：前輩，都有這麼多的篩選方式了，那在篩選列表中的搜尋框是怎麼回事？好像沒什麼用了吧？

老譚：那是你現在的欄位中資料還比較少的原因，當報表中的資料很多，而你只想要某個資料項目時，直接在搜尋框中輸入關鍵字，你就會發現它的強大之處了。

01 STEP 利用文字方塊進行篩選。建立並設定好樞紐分析表，❶按一下「訂單編號」欄位標題行右側的下三角按鈕，如圖 4-67 所示。❷在展開的清單中的「搜尋」文字方塊中輸入「8」，❸按一下「確定」按鈕，如圖 4-68 所示。

圖 4-67 展開篩選下拉清單

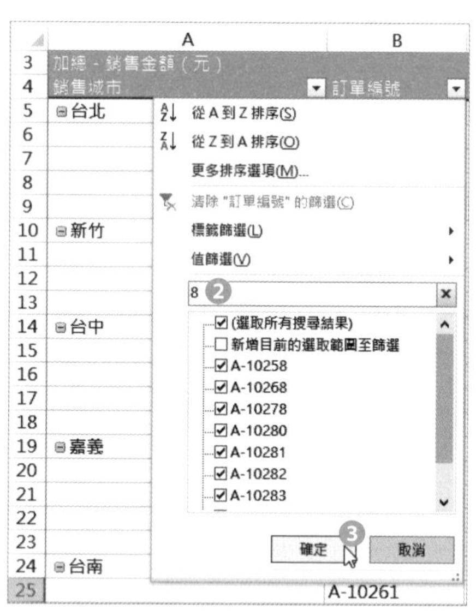

圖 4-68 輸入篩選內容

02 STEP 顯示篩選後的效果。即可看到訂單編號中含有 8 的資料，如圖 4-69 所示。

	A	B	C	D	E	F	G
3	加總 - 銷售金額（元）		產品名稱				
4	銷售城市	訂單編號	產品A	產品B	產品C	產品D	總計
5	⊟台北	A-10283		384000			384000
6	⊟台中	A-10258			264000		264000
7		A-10281	315000				315000
8		A-10282			440000		440000
9	⊟嘉義	A-10268			286000		286000
10		A-10285	390000				390000
11	⊟台南	A-10278	300000				300000
12		A-10284	330000				330000
13	⊟高雄	A-10280				660000	660000
14	總計		1335000	384000	990000	660000	3369000

圖 4-69 顯示篩選後的效果

4.3 使用交叉分析篩選器篩選資料

小言：前輩！在樞紐分析表中，當對多個欄位進行篩選後，如果要查看是對哪些欄位進行篩選、怎樣進行篩選，必須開啟篩選下拉清單來查看，感覺很麻煩。此外在篩選多個欄位時也要一個一個的篩選，有沒有比較快的方式呢？

老譚：嗯！插入交叉分析篩選器就能同時滿足你的這兩個要求。在 Excel 的樞紐分析表中，交叉分析篩選器不僅能輕鬆地對樞紐分析表進行篩選操作，還可以直接查看篩選資訊。

4.3.1 瞭解交叉分析篩選器

小言：前輩！聽您提到交叉分析篩選器後，我就去操作了一下，感覺它雖簡單但好強大啊！

老譚：那是當然的，不強大，又怎麼會被我們經常拿來用呢？但是交叉分析篩選器的強大之處並不僅僅只是在它的功能上，我覺得可能還有很多地方你沒注意，以下會詳細的說明交叉分析篩選器功能。

首先，交叉分析篩選器是易於使用的篩選元件，它包含一組按鈕，使您能夠快速地篩選樞紐分析表中的資料，無需開啟下拉清單來查詢要篩選的項目。當您使用常規的樞紐分析表篩選來篩選多個項目時，篩選僅指示篩選了多個項目，您必須開啟一個下拉清單才能找到有關篩選的詳細資訊。然而，交叉分析篩選器可以清晰地標記已應用的篩選，並提供詳細資訊，以便您能夠輕鬆地瞭解顯示在已篩選的樞紐分析表中的資料。如圖 4-70 所示，為一個標準的交叉分析篩選器樣式。

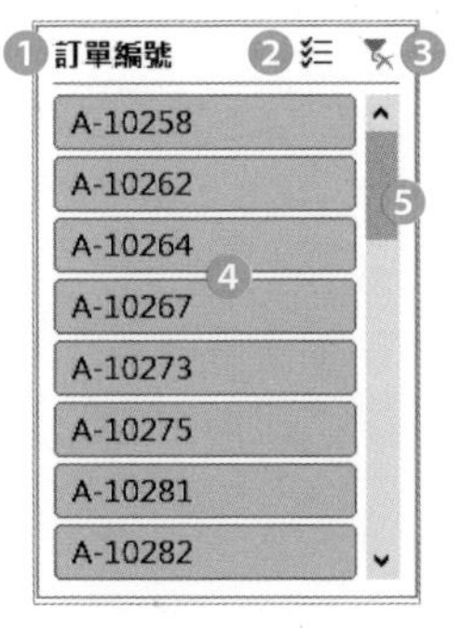

圖 4-70 瞭解交叉分析篩選器

❶交叉分析篩選器標題：指示交叉分析篩選器中的欄位項目類型。

❷「多重選取」按鈕：使用該按鈕，可同時選取多個欄位項目。

❸「清除篩選」按鈕：報表資料已經篩選後，卻想要回到未篩選前的情況時，可按一下該按鈕。

❹欄位項目按鈕：按一下要篩選的欄位項目，即可篩選出該項目的資料。

❺捲軸：當交叉分析篩選器中的項目多於當前可見的項目時，可以使用捲軸滾動查看。

在樞紐分析表中，除了可以建立獨立交叉分析篩選器以外，還可以建立多個交叉分析篩選器來篩選樞紐分析表。建立交叉分析篩選器之後，交叉分析篩選器將和樞紐分析表一起顯示在工作表上，如果有多個交叉分析篩選器，則會分層顯示。我們可以將交叉分析篩選器移至工作表上的另一位置，然後根據需要調整大小。此外，還可以根據實際需要調整交叉分析篩選器格式，以及隱藏和刪除交叉分析篩選器。

4.3.2 插入交叉分析篩選器並進行篩選

老譚：瞭解交叉分析篩選器以後，就可以開始插入交叉分析篩選器進行篩選操作。

小言：哈哈，這個操作我已經會了，很簡單。

老譚：別高興得太早，如果你覺得很簡單，那你告訴我：除了透過「多重選取」按鈕來選取多個欄位項目，還有沒有其他的方法。

小言：這個，我還真的不知道！不過既然有「多重選取」按鈕這個簡單的方法，還費那麼大的勁幹嘛？

老譚：所謂技多不壓身嘛！多學習還是有用的。

小言：嗯！前輩！受教了，感覺自己開始有點自滿了。

老譚：沒事，年輕人嘛，開始時都會出現這種情況。接著說，要選取多個項目，除了可以使用「多重選取」按鈕，還可以使用【Ctrl】鍵啊！和選取多個儲存格方法一樣。

小言：的確是喔！突然感覺 Excel 中的許多功能都有相通之處。看來我真的要好好地了解這些平時沒有注意的功能。

STEP 01 啟動「插入交叉分析篩選器」對話方塊。建立樞紐分析表後，❶選取報表中的任意儲存格，❷切換至「樞紐分析表工具 - 分析」頁籤，❸在「篩選」群組中按一下「插入交叉分析篩選器」按鈕，如圖 4-71 所示。

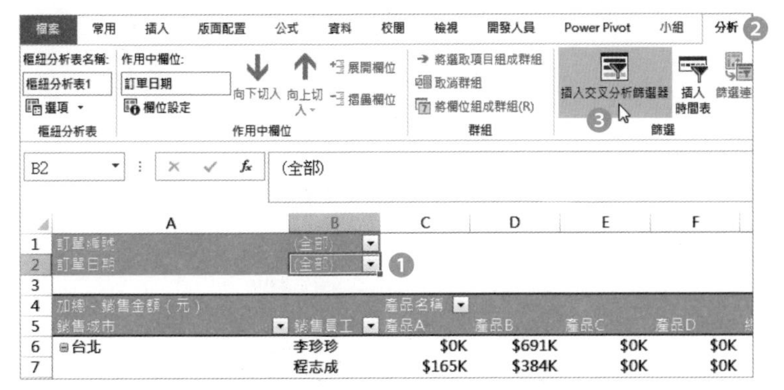

圖 4-71 插入交叉分析篩選器

02 STEP 勾選要插入交叉分析篩選器欄位的核取方塊。彈出「插入交叉分析篩選器」對話方塊，❶在清單中勾選要插入的欄位核取方塊，❷然後按一下「確定」按鈕，如圖 4-72 所示。

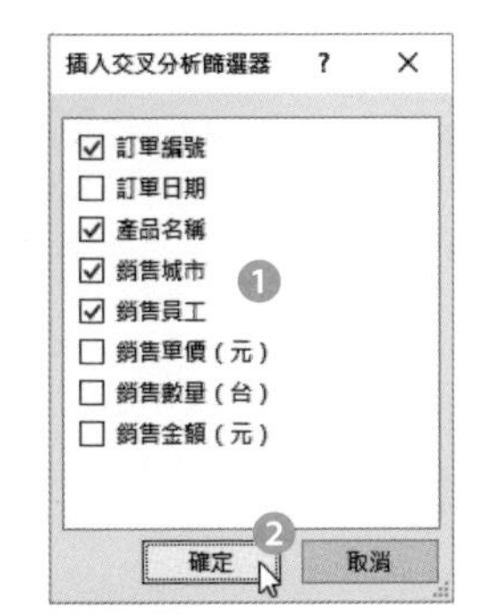

圖 4-72 勾選要插入的交叉分析篩選器欄位

03 STEP 顯示插入的交叉分析篩選器效果。回到樞紐分析表，即可看到插入的交叉分析篩選器效果，如圖 4-73 所示。

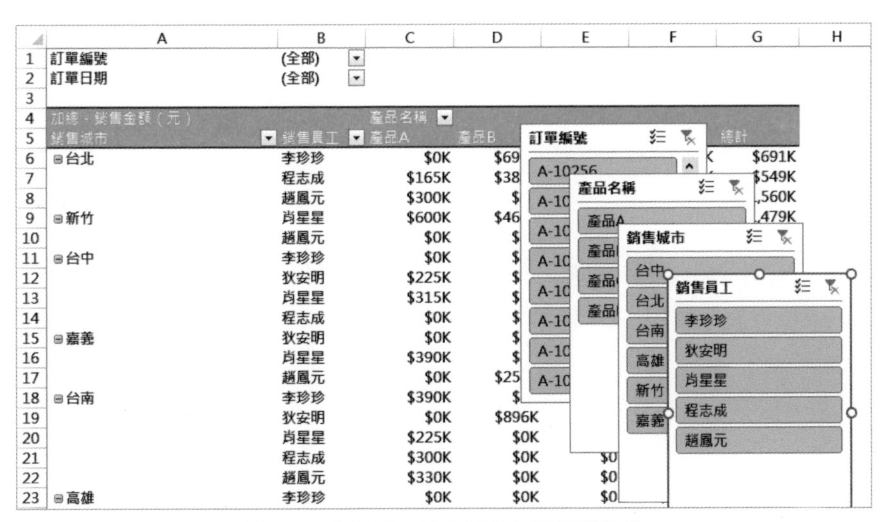

圖 4-73 顯示插入的交叉分析篩選器效果

04 STEP 透過交叉分析篩選器篩選資料。❶在「銷售員工」交叉分析篩選器中按一下「肖星星」欄位項按鈕，如圖 4-74 所示。❷然後在「銷售城市」交叉分析篩選器中按一下「台中」欄位項，如圖 4-75 所示。

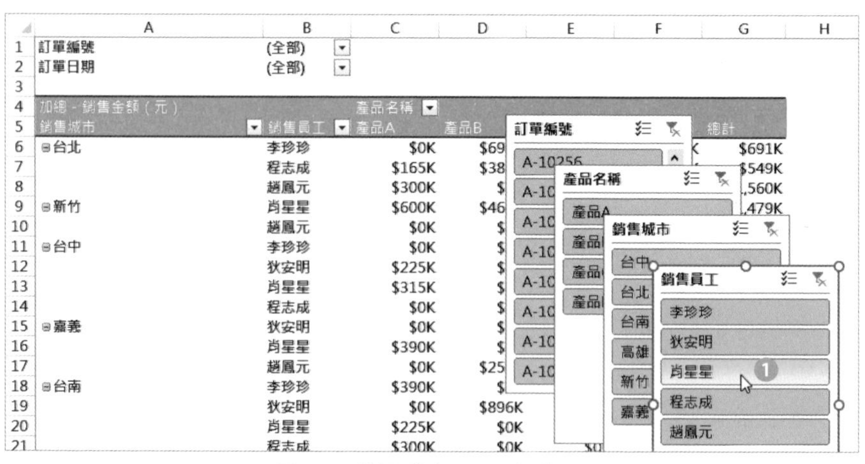

圖 4-74 篩選「肖星星」欄位項

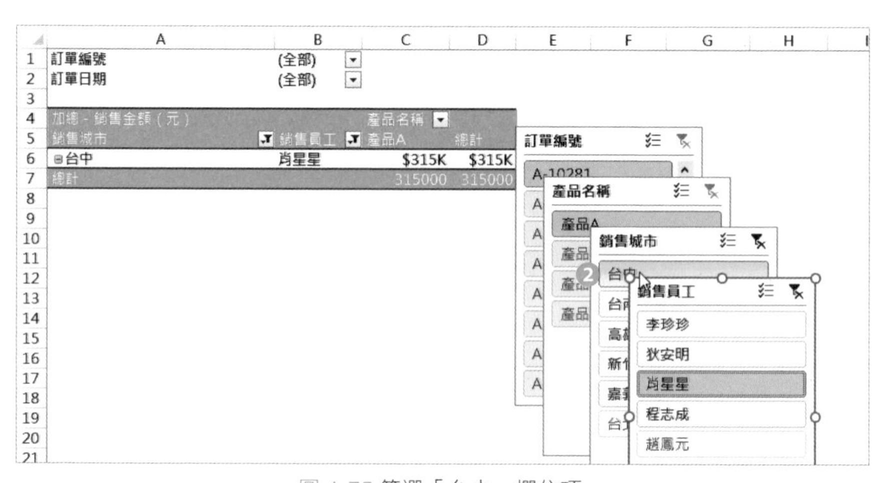

圖 4-75 篩選「台中」欄位項

05 STEP 顯示篩選效果。即可看到多個交叉分析篩選器篩選後的效果，即肖星星在台中的銷售金額情況，如圖 4-76 所示。

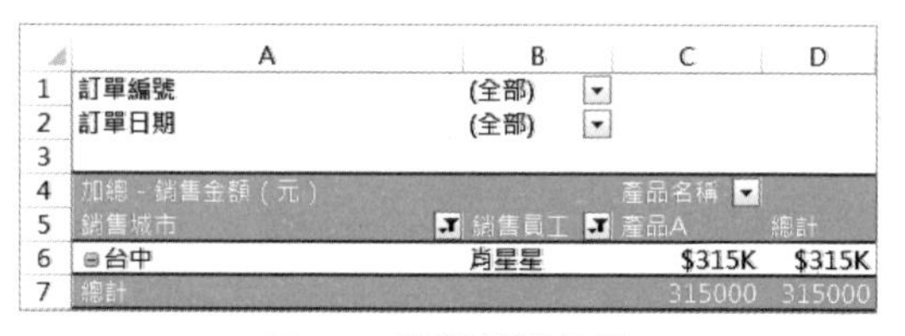

	A	B	C	D
1	訂單編號	(全部)		
2	訂單日期	(全部)		
3				
4	加總 - 銷售金額（元）		產品名稱	
5	銷售城市	銷售員工	產品A	總計
6	⊟台中	肖星星	$315K	$315K
7	總計		315000	315000

圖 4-76 顯示篩選效果

06 STEP 使用【Ctrl】鍵在交叉分析篩選器中選擇多個欄位項。除了可以在單個交叉分析篩選器中選擇單個欄位項，還可以選擇多個欄位項，如按住【Ctrl】鍵，然後在「銷售城市」交叉分析篩選器中按一下要選擇的多個欄位項按鈕，如圖 4-77 所示。

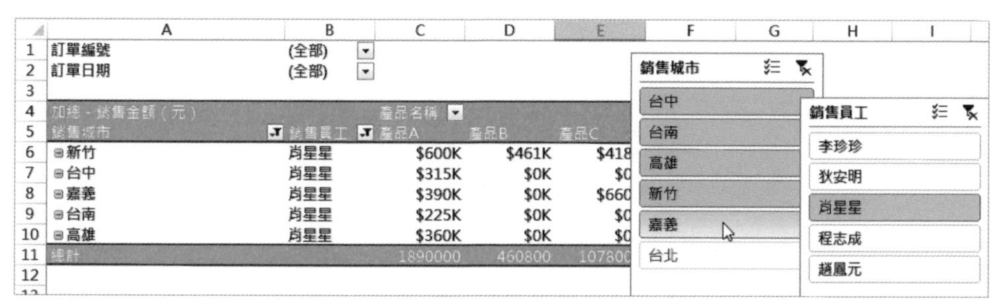

圖 4-77 利用【Ctrl】鍵選擇多個欄位項

07 STEP 利用「多重選取」按鈕選擇多個欄位項。除了可以使用步驟 06 中的方法來選擇多個欄位項，❶還可以按一下交叉分析篩選器中「多重選取」按鈕，如圖 4-78 所示。❷然後在交叉分析篩選器中按一下多個欄位項按鈕，如圖 4-79 所示。

圖 4-78 利用「多重選取」按鈕

圖 4-79 選擇多個欄位項

08 STEP 顯示多個交叉分析篩選器篩選的報表效果。隨後即可看到多個銷售員工在多個銷售城市的篩選報表效果，如圖 4-80 所示。

	A	B	C	D	E	F	G
1	訂單編號	(全部)					
2	訂單日期	(全部)					
3							
4	加總 - 銷售金額（元）		產品名稱				
5	銷售城市	銷售員工	產品A	產品B	產品C	產品D	總計
6	⊟新竹	肖星星	$600K	$461K	$418K	$0K	$1,479K
7	⊟台中	狄安明	$225K	$0K	$264K	$0K	$489K
8		肖星星	$315K	$0K	$0K	$0K	$315K
9		程志成	$0K	$0K	$0K	$840K	$840K
10	⊟嘉義	狄安明	$0K	$0K	$286K	$0K	$286K
11		肖星星	$390K	$0K	$660K	$0K	$1,050K
12	⊟台南	狄安明	$0K	$896K	$0K	$0K	$896K
13		肖星星	$225K	$0K	$0K	$750K	$975K
14		程志成	$300K	$0K	$0K	$0K	$300K
15	⊟高雄	狄安明	$0K	$0K	$0K	$660K	$660K
16		肖星星	$360K	$0K	$0K	$0K	$360K
17		程志成	$0K	$666K	$0K	$750K	$1,416K
18	總計		2415000	2022400	1628000	3000000	9065400

圖 4-80 顯示篩選效果

4.3.3 修改交叉分析篩選器標題

小言：前輩，由於實際需要，資料來源中的欄位名稱做了修改，所以重新整理後，報表中的欄位名稱也同樣會做出相應的改變。但是我發現交叉分析篩選器的標題卻並不會改變，我覺得這樣很不好，會讓不知道原始資料的人感到迷惑，但是我又不知道該如何修改。難道又要重新插入新的交叉分析篩選器，那樣太麻煩了吧！

老譚：有兩種方法可以修改為你需要的交叉分析篩選器，一種是直接在「交叉分析篩選器標題」中修改，另一種是在「交叉分析篩選器設定」對話方塊中修改。此外，假設你覺得欄位項目就可以分辨出欄位，而不想要顯示交叉分析篩選器的標題，也可以將其隱藏。

STEP 01 在標題框中修改交叉分析篩選器標題。❶選取要修改標題的交叉分析篩選器，❷切換至「交叉分析篩選器工具 - 選項」頁籤，❸在「交叉分析篩選器」群組的「交叉分析篩選器標題」下的文字方塊中輸入「訂單號碼」，如圖 4-81 所示。❹即可看到選取的交叉分析篩選器標題變成修改後的標題，如圖 4-82 所示。

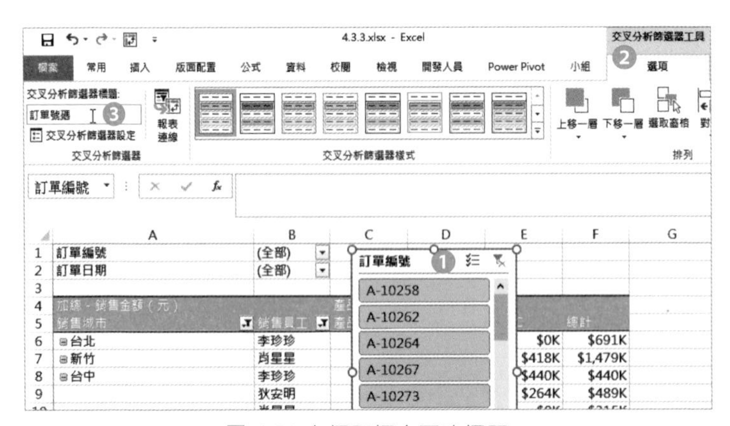

圖 4-81 在標題框中更改標題

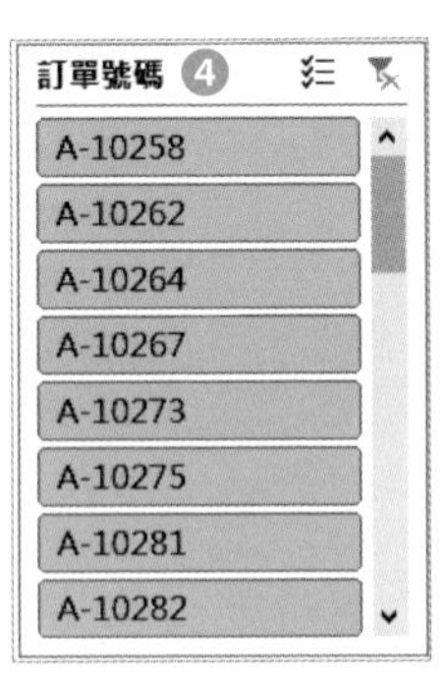

圖 4-82 顯示修改效果

STEP 02 啟動「交叉分析篩選器設定」對話方塊方法 A。除了可以使用上述方法修改交叉分析篩選器標題，也可以在「交叉分析篩選器設定」對話方塊中修改標題。❶在要更改標題的交叉分析篩選器上按右鍵，❷在彈出的快顯功能表中點選「交叉分析篩選器設定」命令，如圖 4-83 所示。

圖 4-83 按右鍵開啟對話方塊

STEP 03 啟動「交叉分析篩選器設定」對話方塊方法 B。❶選取要修改標題的交叉分析篩選器，❷在「交叉分析篩選器工具 - 選項」頁籤的「交叉分析篩選器」群組中按一下「交叉分析篩選器設定」按鈕，如圖 4-84 所示。

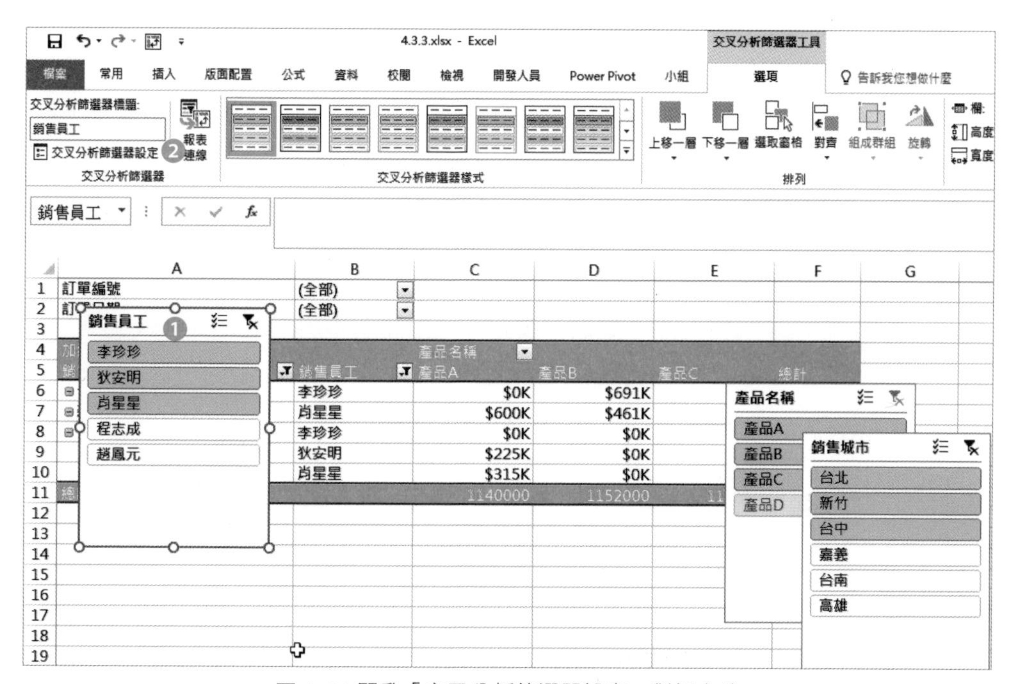

圖 4-84 開啟「交叉分析篩選器設定」對話方塊

04 STEP 更改交叉分析篩選器標題。彈出「交叉分析篩選器設定」對話方塊，❶在「頁首」選項群組下的「標題」文字方塊中輸入「員工姓名」，❷按一下「確定」按鈕，如圖 4-85 所示。

05 STEP 顯示更改效果。回到工作表中，即可看到更改交叉分析篩選器標題後的效果，如圖 4-86 所示。

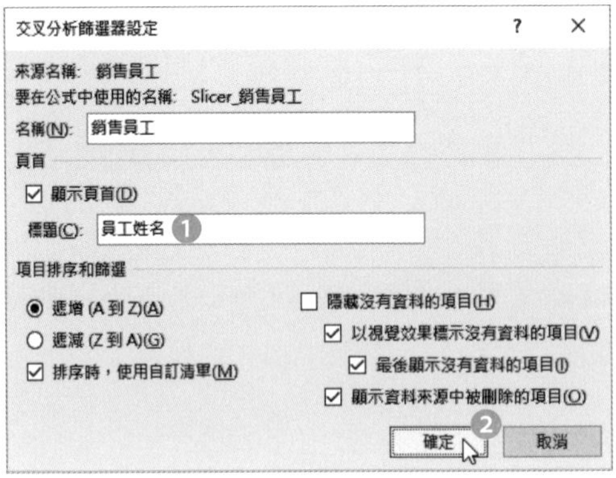

交叉分析篩選器設定 ? ×
來源名稱: 銷售員工
要在公式中使用的名稱: Slicer_銷售員工
名稱(N): 銷售員工
頁首
☑ 顯示頁首(D)
標題(C): 員工姓名 ❶
項目排序和篩選
◉ 遞增 (A 到 Z)(A)
○ 遞減 (Z 到 A)(G)
☑ 排序時，使用自訂清單(M)
☐ 隱藏沒有資料的項目(H)
☑ 以視覺效果標示沒有資料的項目(V)
☑ 最後顯示沒有資料的項目(I)
☑ 顯示資料來源中被刪除的項目(O)
❷ 確定 取消

圖 4-85 修改標題

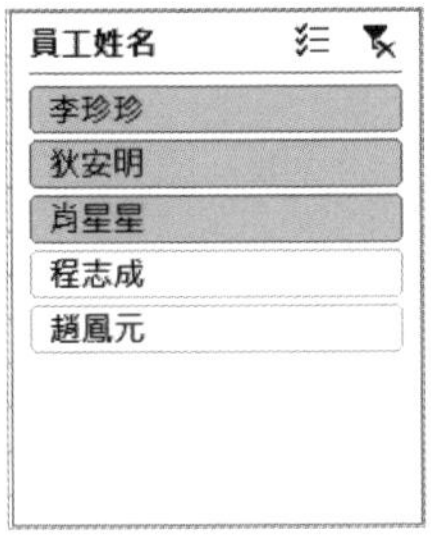

員工姓名
李珍珍
狄安明
肖星星
程志成
趙鳳元

圖 4-86 顯示修改效果

06 STEP 隱藏交叉分析篩選器標題。如果使用者想要將交叉分析篩選器的標題隱藏起來，則可以在「交叉分析篩選器設定」對話方塊「頁首」群組中取消勾選「顯示頁首」核取方塊，如圖 4-87 所示，按一下「確定」按鈕。

07 STEP 顯示隱藏效果。按一下「確定」按鈕，回到報表中，即可看到隱藏交叉分析篩選器標題後的效果，如圖 4-88 所示。

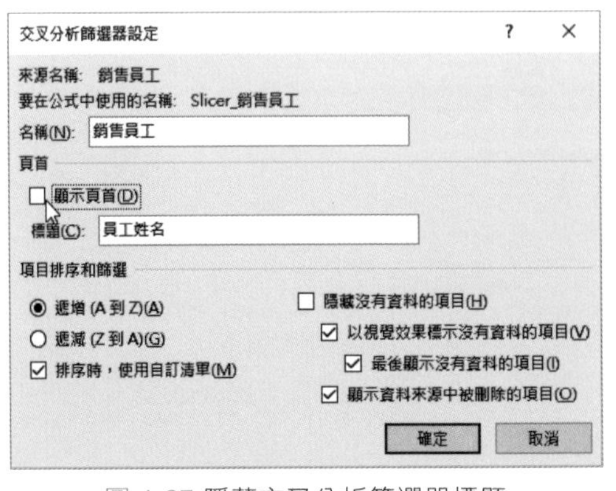

圖 4-87 隱藏交叉分析篩選器標題

圖 4-88 顯示隱藏交叉分析篩選器標題效果

4.3.4 改變交叉分析篩選器的前後顯示順序

老譚：不知你有沒有發現，當樞紐分析表中插入兩個或兩個以上的交叉分析篩選器後，交叉分析篩選器會被堆放在一起，會相互遮蓋，如果要篩選下面的交叉分析篩選器，可能會很不方便。

小言：嗯，之前我就發現，雖然可以拖曳上面的交叉分析篩選器至其他位置，然後再對顯示出來的交叉分析篩選器進行篩選，但是有沒有方法可以在不移動交叉分析篩選器的前提下篩選下面的交叉分析篩選器呢？

老譚：此時只要使用接下來介紹的方法，改變交叉分析篩選器的前後顯示順序就可以了。

01 STEP 將交叉分析篩選器移到最上層。❶選取要更改顯示順序的交叉分析篩選器並按滑鼠右鍵，❷在彈出的快顯功能表中點選「移到最上層 > 移到最上層」命令，如圖 4-89 所示。

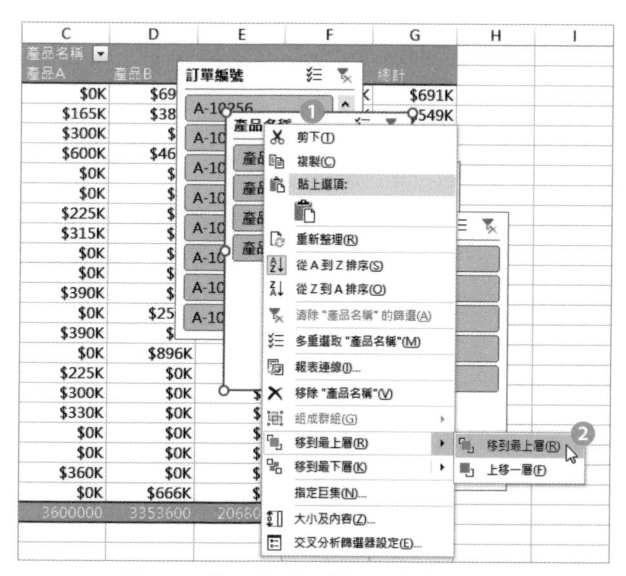

圖 4-89 將交叉分析篩選器移到最上層

02 STEP 顯示改變顯示順序後的交叉分析篩選器效果。隨後即可看到該交叉分析篩選器位於最上層的效果，如圖 4-90 所示。

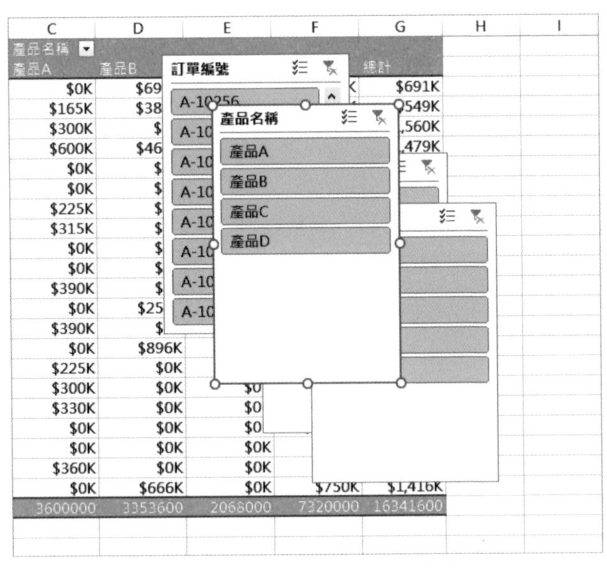

圖 4-90 顯示改變顯示順序後的效果

03 STEP 按一下「選取窗格」按鈕。❶切換至「交叉分析篩選器工具 - 選項」頁籤，❷在「排列」群組中點擊「選取窗格」按鈕，如圖 4-91 所示。

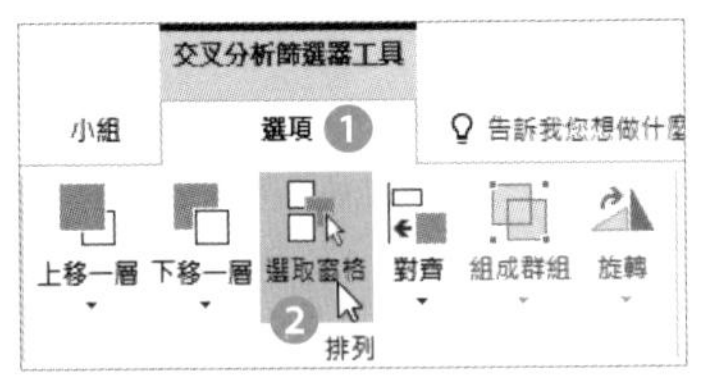

圖 4-91 啟動「選取範圍」任務窗格

04 STEP 上下移動交叉分析篩選器的顯示順序。在工作表的右側彈出「選取範圍」任務窗格，❶選擇「銷售城市」交叉分析篩選器，❷按一下「上移一層」按鈕，如圖 4-92 所示。如果想要將「產品名稱」交叉分析篩選器下移，❸則選取該交叉分析篩選器，❹然後按一下「下移一層」按鈕，如圖 4-93 所示。

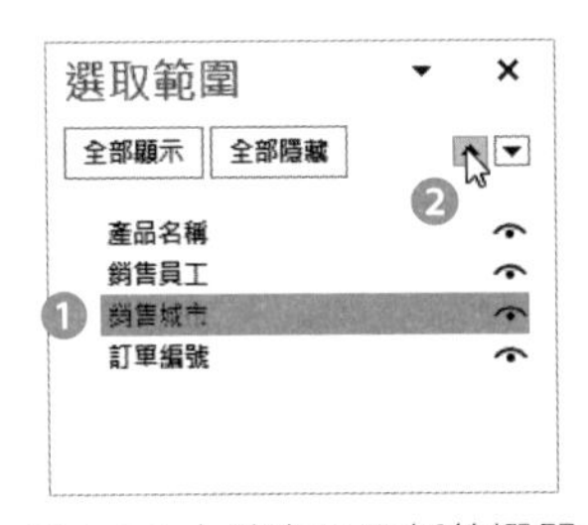

圖 4-92 上移交叉分析篩選器

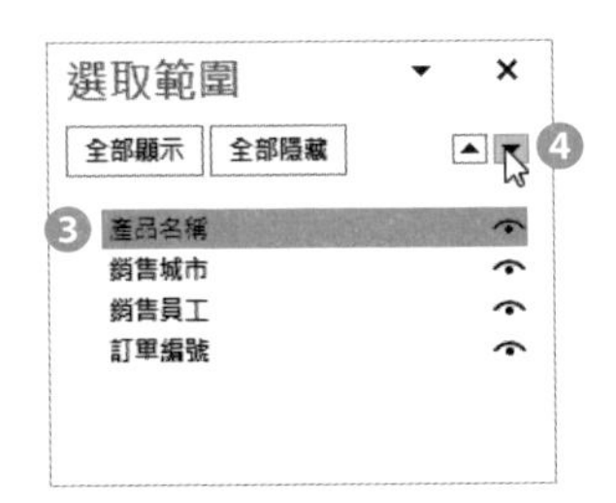

圖 4-93 下移交叉分析篩選器

05 STEP 在任務窗格中顯示移動後的交叉分析篩選器顯示順序。❶隨後可在「選取範圍」任務窗格中看到移動交叉分析篩選器順序後的上下效果，如圖 4-94 所示，❷最後按一下「關閉」按鈕，關閉「選取範圍」任務窗格。

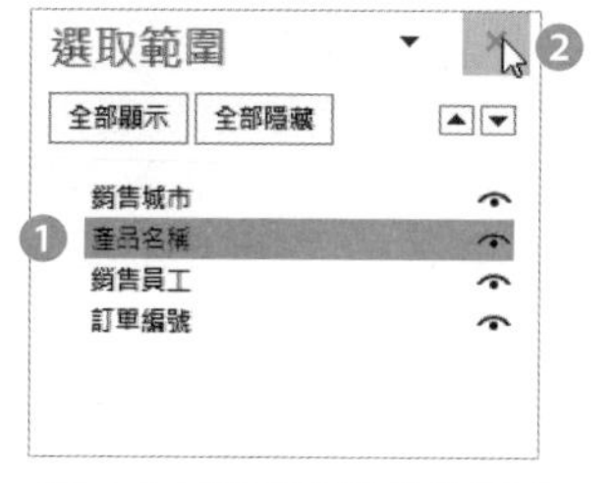

圖 4-94 顯示移動後的順序

06 STEP 在報表中顯示移動後交叉分析篩選器顯示順序。此時可以看到報表中插入的交叉分析篩選器顯示順序與在「選取範圍」任務窗格中顯示的上下順序相同，如圖 4-95 所示。

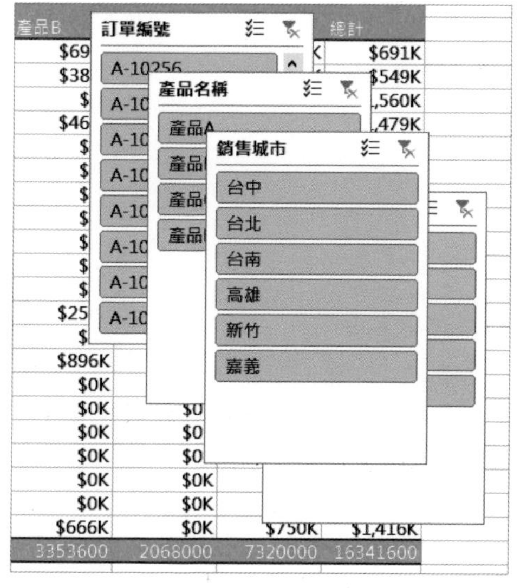

圖 4-95 在報表中顯示交叉分析篩選器的顯示順序

4.3.5 隱藏和刪除交叉分析篩選器

老譚：在使用交叉分析篩選器篩選資料後，可能會想要暫時隱藏交叉分析篩選器，以便於進行其他操作。那你知道該怎麼隱藏嗎？

小言：說實話，我還真不知道該如何隱藏交叉分析篩選器，只知道可以用【Delete】鍵刪除交叉分析篩選器。

老譚：其實也很簡單，透過「選取窗格」功能就可以實現交叉分析篩選器的隱藏和顯示。

STEP 01 隱藏「訂單編號」交叉分析篩選器。❶在「交叉分析篩選器工具 - 選項」頁籤按一下「排列」群組中的「選取窗格」按鈕，如圖 4-96 所示。❷在右側彈出的「選取範圍」任務窗格中按一下「訂單編號」右側的「隱藏」按鈕，如圖 4-97 所示。

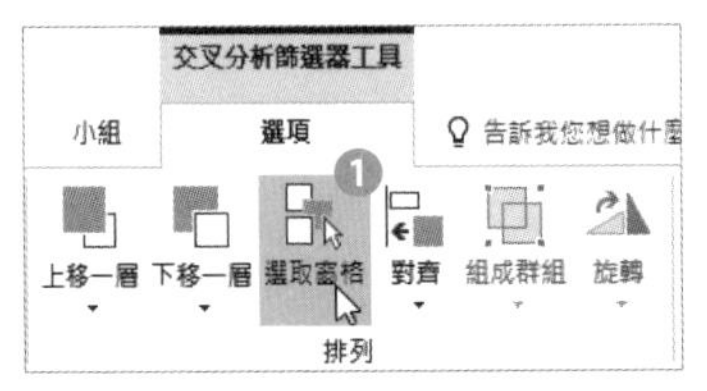

圖 4-96 啟動「選取範圍」任務窗格

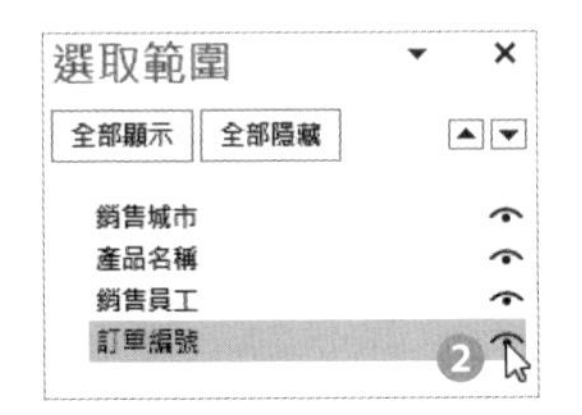

圖 4-97 隱藏交叉分析篩選器

STEP 02 顯示隱藏交叉分析篩選器的效果。即可在報表中看到「訂單編號」交叉分析篩選器被隱藏的效果，如圖 4-98 所示。

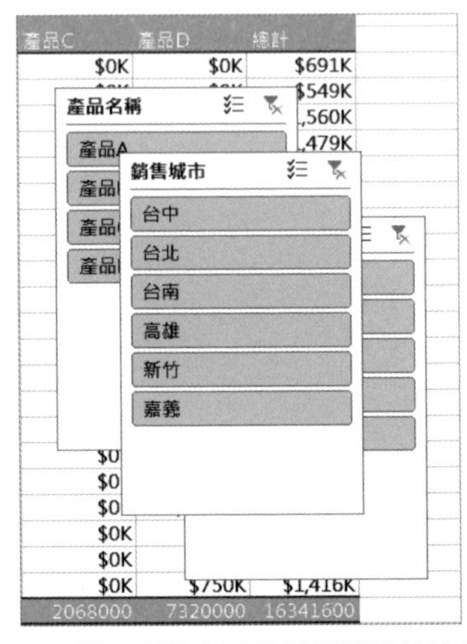

圖 4-98 顯示隱藏交叉分析篩選器後的效果

STEP 03 全部隱藏交叉分析篩選器。在「選取範圍」任務窗格中按一下「全部隱藏」按鈕，如圖 4-99 所示。

選取範圍
全部顯示 全部隱藏
銷售城市
產品名稱
銷售員工
訂單編號

圖 4-99 將交叉分析篩選器全部隱藏

STEP 04 顯示全部隱藏的效果。此時可以看到交叉分析篩選器被隱藏後的報表效果，如圖 4-100 所示。

	A	B	C	D	E	F	G
1	訂單編號	(全部)					
2	訂單日期	(全部)					
3							
4	加總 - 銷售金額（元）		產品名稱				
5	銷售城市	銷售員工	產品A	產品B	產品C	產品D	總計
6	⊟台北	李珍珍	$0K	$691K	$0K	$0K	$691K
7		程志成	$165K	$384K	$0K	$0K	$549K
8		趙鳳元	$300K	$0K	$0K	$1,260K	$1,560K
9	⊟新竹	肖星星	$600K	$461K	$418K	$0K	$1,479K
10		趙鳳元	$0K	$0K	$0K	$1,080K	$1,080K
11	⊟台中	李珍珍	$0K	$0K	$440K	$0K	$440K
12		狄安明	$225K	$0K	$264K	$0K	$489K
13		肖星星	$315K	$0K	$0K	$0K	$315K
14		程志成	$0K	$0K	$0K	$840K	$840K
15	⊟嘉義	狄安明	$0K	$0K	$286K	$0K	$286K
16		肖星星	$390K	$0K	$660K	$0K	$1,050K
17		趙鳳元	$0K	$256K	$0K	$780K	$1,036K
18	⊟台南	李珍珍	$390K	$0K	$0K	$0K	$390K

圖 4-100 顯示全部隱藏後的報表效果

STEP 05 將隱藏的交叉分析篩選器全部顯示。在「選取範圍」任務窗格中按一下「全部顯示」按鈕，如圖 4-101 所示，即可將被隱藏的交叉分析篩選器顯示出來。此時可發現，就算是交叉分析篩選器被全部隱藏，其仍然顯示在「選取範圍」任務窗格中。

圖 4-101 將隱藏的交叉分析篩選器全部顯示出來

06 STEP 移除一個交叉分析篩選器。❶在「訂單編號」交叉分析篩選器上按右鍵，❷在彈出的快顯功能表中點選「移除 "訂單編號"」命令，如圖 4-102 所示。即可看到該交叉分析篩選器被移除，如圖 4-103 所示。

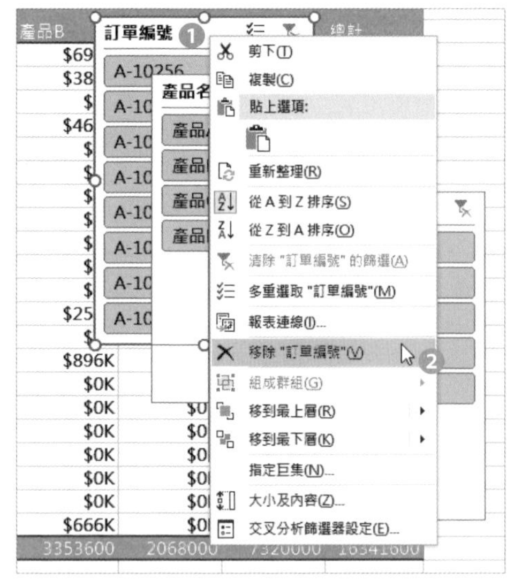

圖 4-102 刪除某個交叉分析篩選器

	A	B	C	D	E	F	G
1	訂單編號	(全部)					
2	訂單日期	(全部)					
3							
4	加總 - 銷售金額（元）		產品名稱				
5	銷售城市	銷售員工	產品A	產品B	產品C	產品D	總計
6	⊟台北	李珍珍	$0K	$691K	$0K	$0K	$691K
7		程志成	$165K	$384K			$549K
8		趙鳳元	$300K	$0K			,560K
9	⊟新竹	肖星星	$600K	$461K			,479K
10		趙鳳元	$0K	$0K			
11	⊟台中	李珍珍	$0K	$0K			
12		狄安明	$225K	$0K			
13		肖星星	$315K	$0K			
14		程志成	$0K	$0K			
15	⊟嘉義	狄安明	$0K	$0K			
16		肖星星	$390K	$0K			
17		趙鳳元	$0K	$256K			
18	⊟台南	李珍珍	$390K	$0K			
19		狄安明	$0K	$896K			
20		肖星星	$225K	$0K			
21		程志成	$300K	$0K	$0		
22		趙鳳元	$330K	$0K	$0		
23	⊟高雄	李珍珍	$0K	$0K	$0		
24		狄安明	$0K	$0K	$0K		
25		肖星星	$360K	$0K	$0K		
26		程志成	$0K	$666K	$0K	$750K	$1,416K
27	總計		3600000	3353600	2068000	7320000	16341600

圖 4-103 顯示移除效果

STEP 07 透過任務窗格查看刪除交叉分析篩選器效果。此時可以在「選取範圍」任務窗格中看到被刪除的交叉分析篩選器未顯示，如圖 4-104 所示。

圖 4-104 顯示刪除交叉分析篩選器後的任務窗格

STEP 08 刪除所有交叉分析篩選器。❶使用【Ctrl】鍵選取所有交叉分析篩選器並按右鍵，❷在彈出的快顯功能表中點選「移除交叉分析篩選器」命令，如圖 4-105 所示。此時即可發現「選取範圍」任務窗格中的交叉分析篩選器全部被刪除，如圖 4-106 所示。

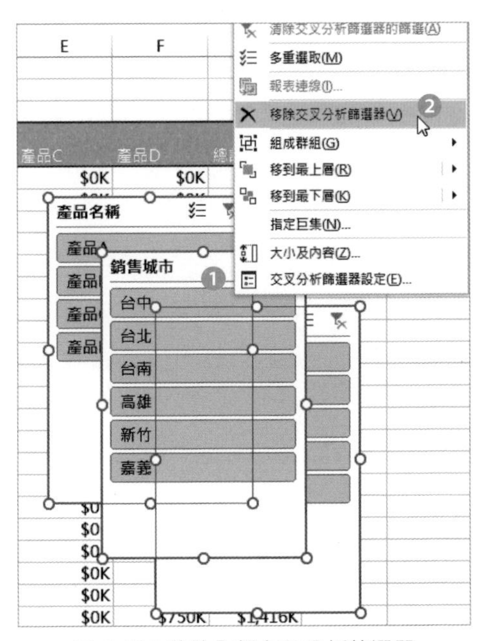

圖 4-105 移除全部交叉分析篩選器

圖 4-106 顯示刪除全部交叉分析篩選器後的任務窗格

4.4 設定交叉分析篩選器格式

老譚：除了以上介紹的交叉分析篩選器基本操作功能，我們還可以在交叉分析篩選器中進行其他的一些格式操作，如移動交叉分析篩選器的位置和排列方式、多列顯示交叉分析篩選器中的欄位、為交叉分析篩選器套用格式等等。

小言：沒想到一個小小的交叉分析篩選器都有這麼多的講究，我對發明樞紐分析表的人真是五體投地了。

4.4.1 移動交叉分析篩選器的位置和排列方式

小言：前輩，我知道移動交叉分析篩選器是為了讓被擋住的報表內容顯示出來，但是排列功能又有什麼用啊？

老譚：正所謂「天生我才必有用」，既然出現，就表示總會有用到的時候。比如，當我們移動多個交叉分析篩選器後，這些交叉分析篩選器可能會參差不齊，看起來就不是很舒服，此時就可以使用「靠上對齊」排列方式讓這些交叉分析篩選器規規矩矩的顯示在報表中。

01 STEP 手動移動交叉分析篩選器。開啟工作表後，可看到插入的多個交叉分析篩選器位置，如果對該交叉分析篩選器的位置不滿意，可將滑鼠放置在該交叉分析篩選器中，當滑鼠變為 形狀時，如圖 4-107 所示，按住滑鼠左鍵拖曳至合適的位置後，放開滑鼠即可，如圖 4-108 所示。

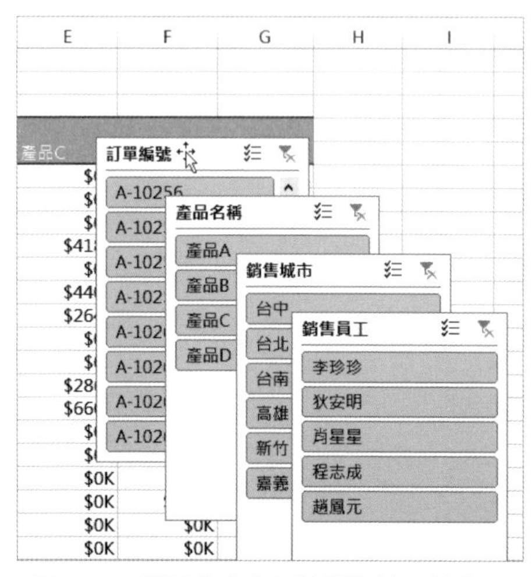

圖 4-107 顯示交叉分析篩選器的原始位置

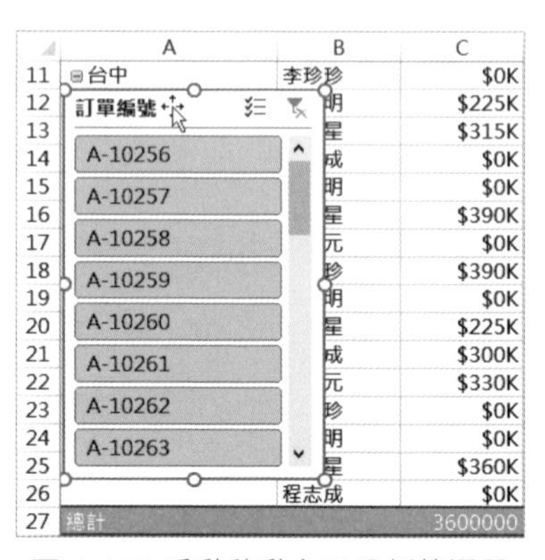

圖 4-108 手動移動交叉分析篩選器

STEP 02 顯示手動移動交叉分析篩選器後的報表效果。隨後應用相同的方法移動其他交叉分析篩選器的位置，即可得到如圖 4-109 所示的交叉分析篩選器報表顯示效果。

	A	B	C	D	E	F	G	H
11	⊟台中	李珍珍	$0K	$0K	$440K	$0K	$440K	
26		程志成	$0K	$666K	$0K	$750K	$1,416K	
27	總計		3600000	3353600	2068000	7320000	16341600	

訂單編號	產品名稱	銷售城市	銷售員工
A-10256	產品A	台中	李珍珍
A-10257	產品B	台北	狄安明
A-10258	產品C	台南	肖星星
A-10259	產品D	高雄	程志成
A-10260		新竹	趙鳳元
A-10261		嘉義	
A-10262			
A-10263			

圖 4-109 顯示手動移動後的效果

STEP 03 設定交叉分析篩選器的排列方式。手動移動後的交叉分析篩選器並不一定會整齊的排列在報表中，❶此時就可以使用【Ctrl】鍵選取全部的交叉分析篩選器，❷切換至「交叉分析篩選器工具 - 選項」頁籤，❸在「排列」群組中按一下「對齊」下三角按鈕，❹在展開的清單中點選「靠上對齊」選項，如圖 4-110 所示。

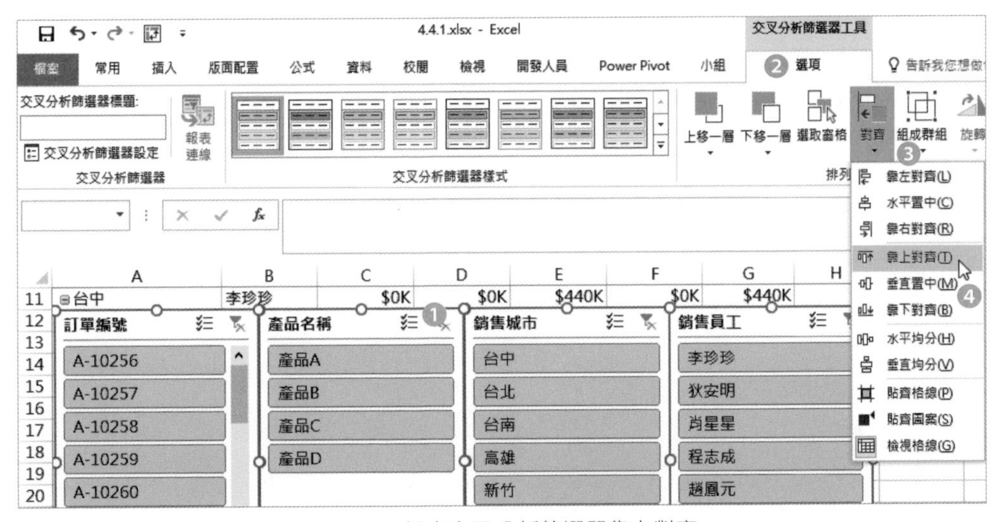

圖 4-110 設定交叉分析篩選器靠上對齊

04 STEP 群組交叉分析篩選器。如果想要同時將多個交叉分析篩選器移動到其他位置，使用【Ctrl】鍵一個個的選取會比較麻煩，❶此時就可以在選取多個交叉分析篩選器後，❷在「排列」群組中按一下「組成群組」下三角按鈕，❸在展開的清單中點選「組成群組」選項，如圖 4-111 所示。

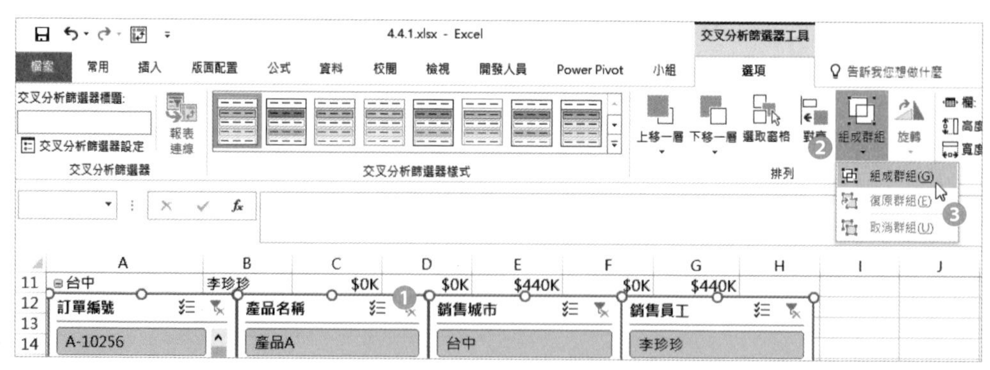

圖 4-111 群組交叉分析篩選器

05 STEP 移動群組後的交叉分析篩選器。此時將滑鼠放置在任意一個交叉分析篩選器上，當滑鼠變為 時，拖曳滑鼠可移動群組後的多個交叉分析篩選器，如圖 4-112 所示。

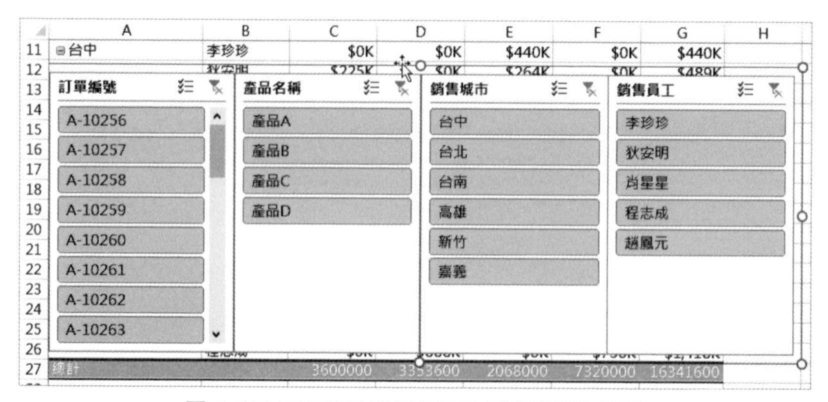

圖 4-112 顯示移動群組交叉分析篩選器的效果

4.4.2 多列顯示交叉分析篩選器中的欄位項

老譚：你有沒有發現，當交叉分析篩選器中的欄位項目較多時，不能完全顯示在表面，只有透過捲軸才能顯示被隱藏的欄位項。

小言：嗯，已經發現了，剛剛我還在想，如果要選取的欄位項隱藏在下方，就必須拖曳捲軸，感覺好麻煩。

老譚：如果不想這麼麻煩，其實可以為交叉分析篩選器的欄位項設定多列，顯示隱藏的欄位項就可以了。

01 STEP 取消群組。選取群組後的交叉分析篩選器，❶在「交叉分析篩選器工具-選項」頁籤按一下「排列」群組中的「組成群組」下三角按鈕，❷在展開的清單中選取「取消群組」選項，如圖 4-113 所示。

02 STEP 按一下「大小及內容」命令。❶在「訂單編號」交叉分析篩選器上按右鍵，❷在彈出的快顯功能表中點選「大小及內容」命令，如圖 4-114 所示。

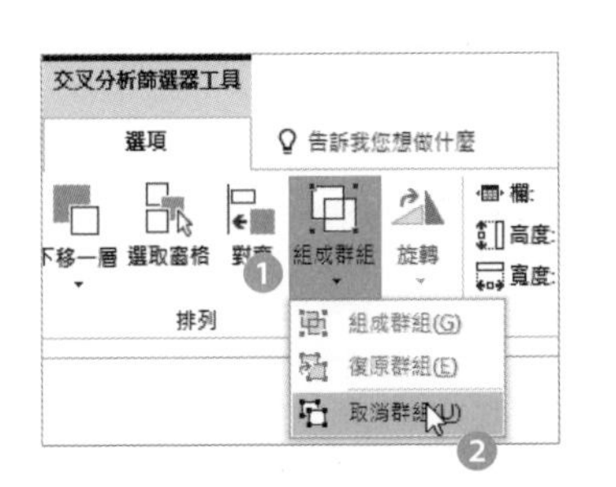

圖 4-113 取消群組

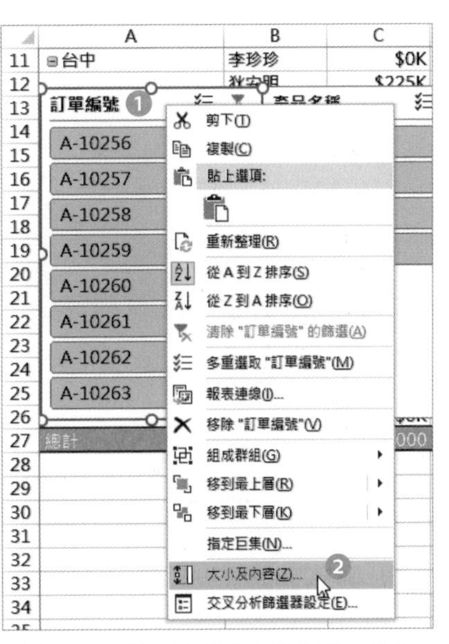

圖 4-114 按一下「大小及內容」命令

STEP 03 設定交叉分析篩選器的版面配置。工作表的右側彈出「設定交叉分析篩選器格式」任務窗格，❶在「版面配置」選項群組下設定「欄數」、「按鈕高度」和「按鈕寬度」，將「欄數」調節為「3」，將「按鈕高度」調節為「0.5 公分」，將「按鈕寬度」調節為「2.2 公分」，❷在調整過程中可發現「大小」選項群組下的「高度」和「寬度」會隨著「版面配置」中的改變而變化，如圖 4-115 所示。

圖 4-115 設定交叉分析篩選器的框架

STEP 04 顯示設定效果。隨後可看到調整交叉分析篩選器版面配置後的效果，如圖 4-116 所示。可以明顯發現「訂單編號」交叉分析篩選器被設定為 3 列，按鈕高度和寬度也有相應的變化。

圖 4-116 顯示設定效果

05 STEP 設定「產品名稱」交叉分析篩選器的位置。在步驟 04 中可以發現：由於「訂單編號」交叉分析篩選器大小的改變，「產品名稱」交叉分析篩選器覆蓋到「訂單編號」交叉分析篩選器的部分內容，此時可以移動「產品名稱」交叉分析篩選器的位置以完全顯示「訂單編號」的內容。選取「產品名稱」交叉分析篩選器，在「設定交叉分析篩選器格式」任務窗格中按一下「位置」選項群組下「水平」文字方塊右側的數值調節按鈕，將其調整至與「訂單編號」交叉分析篩選器完全水平排列即可，如圖 4-117 所示。

06 STEP 調整「銷售城市」交叉分析篩選器的位置。應用相同的方法調整「銷售城市」交叉分析篩選器的水平位置，如圖 4-118 所示。

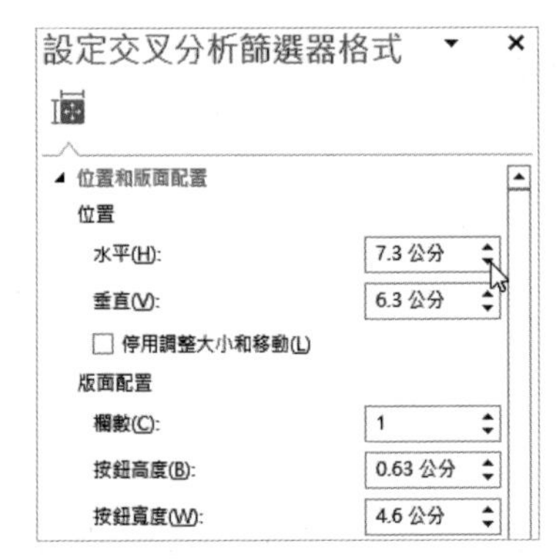

圖 4-117 設定「產品名稱」交叉分析篩選器水平位置

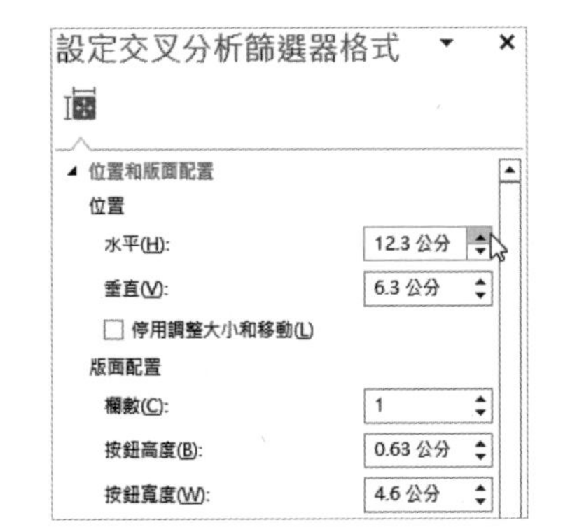

圖 4-118 設定「銷售城市」交叉分析篩選器水平位置

07 STEP 調整「銷售員工」交叉分析篩選器的水平位置。繼續選取其他交叉分析篩選器，在「設定交叉分析篩選器格式」任務窗格中調整該交叉分析篩選器的水平位置，如圖 4-119 所示。

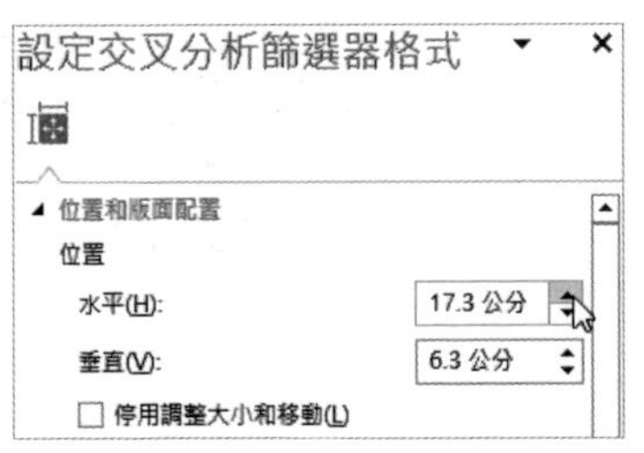

圖 4-119 調整水平位置

08 STEP 顯示設定交叉分析篩選器格式的效果。隨後可看到設定交叉分析篩選器列數、大小和位置後的報表效果，如圖 4-120 所示。

	A	B	C	D	E	F	G
1	訂單編號	(全部)					
2	訂單日期	(全部)					
3							
4	加總 - 銷售金額（元）		產品名稱				
5	銷售城市	銷售員工	產品A	產品B	產品C	產品D	總計
6	⊟台北	李珍珍	$0K	$691K	$0K	$0K	$691K
7		程志成	$165K	$384K	$0K	$0K	$549K
8		趙鳳元	$300K	$0K	$0K	$1,260K	$1,560K
9	⊟新竹	肖星星	$600K	$461K	$418K	$0K	$1,479K
10		趙鳳元	$0K	$0K	$0K	$1,080K	$1,080K
11	⊟台中	李珍珍	$0K	$0K	$440K	$0K	$440K
12		狄安明	$225K	$0K	$264K	$0K	$489K

訂單編號	產品名稱	銷售城市	銷售員工
A-102... A-102... A-102...	產品A	台中	李珍珍
A-102... A-102... A-102...	產品B	台北	狄安明
A-102... A-102... A-102...	產品C	台南	肖星星
A-102... A-102... A-102...	產品D	高雄	程志成
A-102... A-102... A-102...		新竹	趙鳳元
A-102... A-102... A-102...		嘉義	
A-102... A-102... A-102...			
A-102... A-102... A-102...			
A-102... A-102... A-102...			

圖 4-120 顯示設定交叉分析篩選器格式後的效果

09 STEP 其他設定交叉分析篩選器的方法。除了可以在「設定交叉分析篩選器格式」任務窗格中設定交叉分析篩選器的大小和列數以外，還可以在「交叉分析篩選器工具 - 選項」頁籤的「按鈕」和「大小」群組中直接設定，如圖 4-121 所示。

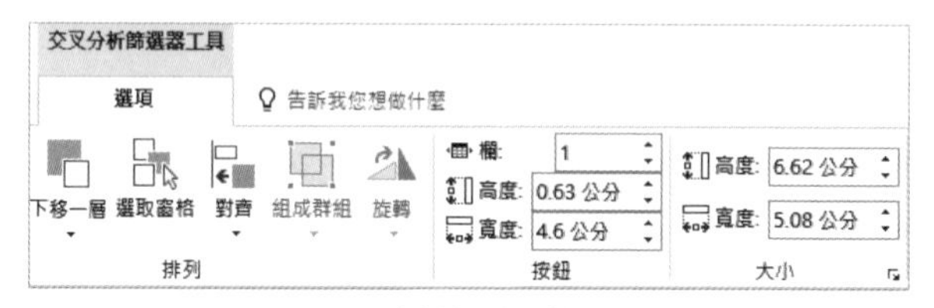

圖 4-121 直接設定列數和大小

4.4.3 讓交叉分析篩選器不隨「變」而「動」

老譚：在設定好交叉分析篩選器的位置和大小後，如果突然發現某一列的欄寬太寬或太窄，或者是列高太高或太低時，當將其進行調整後，會發現交叉分析篩選器會隨著改變。

小言：啊！早就發現了，然後我就又不得不再一次對交叉分析篩選器進行大小和位置的設定。真是麻煩死了！

老譚：其實只要在改變儲存格行或列前，固定交叉分析篩選器的大小和位置，就不用重新設定了。

STEP 01 交叉分析篩選器隨著欄寬的改變而改變。❶將滑鼠放置在 A 欄列號的右側，當滑鼠變為 ✥ 形狀時，按住滑鼠左鍵向左拖曳，如圖 4-122 所示。❷即可看到A欄變窄，❸而「訂單編號」交叉分析篩選器的寬度也隨著變窄，如圖4-123 所示。

圖 4-122 調整欄寬

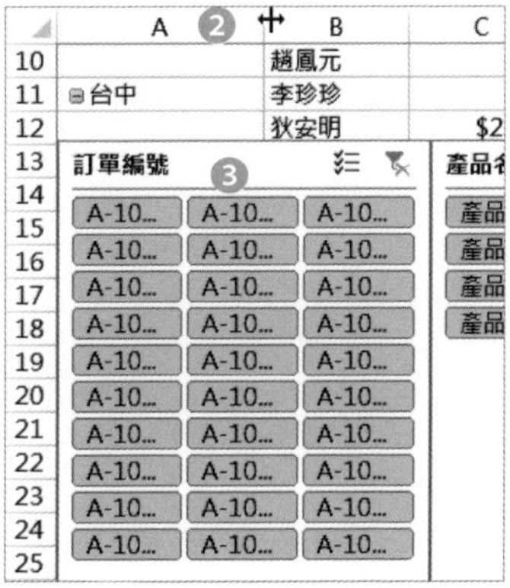

圖 4-123 顯示調整欄寬後的交叉分析篩選器效果

02 STEP 固定交叉分析篩選器的大小和位置。將 A 欄恢復之前的寬度，❶選取「訂單編號」交叉分析篩選器並按右鍵，❷在彈出的快顯功能表中點選「大小及內容」命令，如圖 4-124 所示。彈出「設定交叉分析篩選器格式」任務窗格，❸在「屬性」選項群組下按一下「大小位置不隨儲存格改變」選項按鈕，如圖 4-125 所示。然後應用相同的方法固定其他交叉分析篩選器的大小和位置。

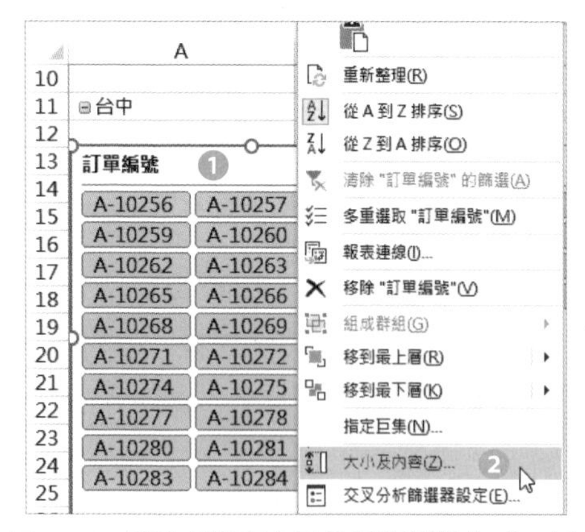

圖 4-124 開啟「設定交叉分析篩選器格式」任務窗格

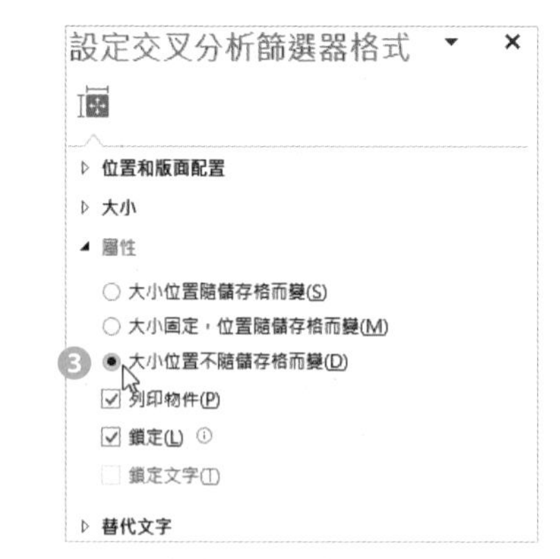

圖 4-125 固定交叉分析篩選器的大小和位置

03 STEP 顯示固定後的效果。隨後，縮小 A 欄的寬度，可看到交叉分析篩選器並不會隨著寬度的改變而改變，如圖 4-126 所示。

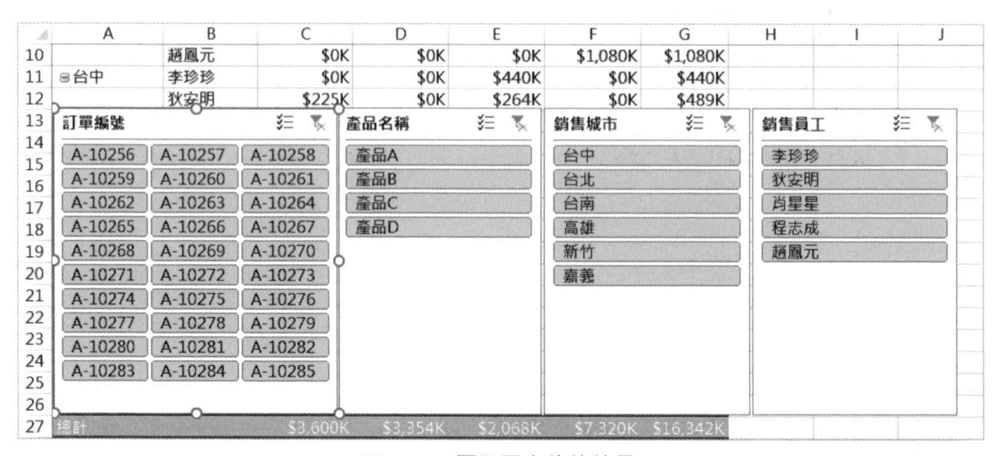

圖 4-126 顯示固定後的效果

STEP 04 禁止調整交叉分析篩選器的大小和移動。選取全部交叉分析篩選器，在「設定交叉分析篩選器格式」任務窗格中的「位置」選項群組下勾選「停用調整大小和移動」核取方塊，如圖 4-127 所示。可看到各個調整功能都變為灰色而無法使用，如圖 4-128 所示。

設定交叉分析篩選器格式

▲ 位置和版面配置

位置

水平(H):	0.03 公分
垂直(V):	6.3 公分

☑ 停用調整大小和移動(L)

版面配置

欄數(C):	3
按鈕高度(B):	0.5 公分
按鈕寬度(W):	2.2 公分

圖 4-127 禁止調整交叉分析篩選器的大小和移動

▲ 大小

高度(E)

寬度(D)

旋轉(T)

調整高度(H)

調整寬度(W)

☐ 鎖定長寬比(A)

☐ 相對於原始圖片大小(R)

圖 4-128 顯示禁止效果

STEP 05 無法移動和調整交叉分析篩選器效果。隨後將滑鼠放置在交叉分析篩選器上，可看到滑鼠並不會變為 形狀，只會呈 形狀，表示交叉分析篩選器無法移動和調整大小，如圖 4-129 所示。

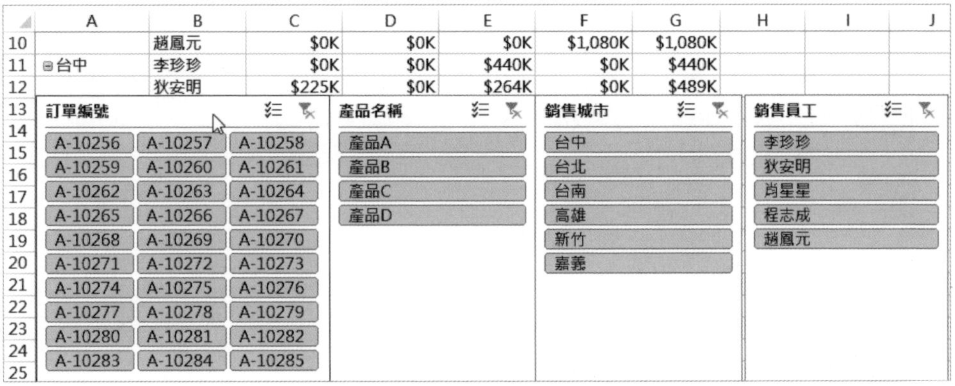

	A	B	C	D	E	F	G	H	I	J
10		趙鳳元	$0K	$0K	$0K	$1,080K	$1,080K			
11	⊟台中	李珍珍	$0K	$0K	$440K	$0K	$440K			
12		狄安明	$225K	$0K	$264K	$0K	$489K			

訂單編號			產品名稱	銷售城市	銷售員工
A-10256	A-10257	A-10258	產品A	台中	李珍珍
A-10259	A-10260	A-10261	產品B	台北	狄安明
A-10262	A-10263	A-10264	產品C	台南	肖星星
A-10265	A-10266	A-10267	產品D	高雄	程志成
A-10268	A-10269	A-10270		新竹	趙鳳元
A-10271	A-10272	A-10273		嘉義	
A-10274	A-10275	A-10276			
A-10277	A-10278	A-10279			
A-10280	A-10281	A-10282			
A-10283	A-10284	A-10285			

圖 4-129 無法移動和調整交叉分析篩選器的位置和大小

1 2 3 4 排序與篩選 5 6 7 8

4.4.4 為交叉分析篩選器化妝

小言：前輩，為交叉分析篩選器設定樣式，是不是和設定報表樣式的方法是一樣的？

老譚：嗯，方法的確差不多，但是又比報表要少一些優勢。在報表中時，可以直接透過「常用」頁籤下的工具進行設定，但是在交叉分析篩選器中就不行了。如圖 4-130 所示，可以發現「常用」頁籤中的功能都處於灰色狀態，也就是不能直接透過該頁籤的命令對交叉分析篩選器進行樣式的設定。

圖 4-130 不能透過「常用」頁籤中的命令來進行設定

所以，要設定交叉分析篩選器樣式，還是需透過「交叉分析篩選器工具 - 選項」中的「交叉分析篩選器樣式」來套用樣式和自訂樣式。

STEP 01 選擇交叉分析篩選器樣式。選取要設定樣式的交叉分析篩選器，❶切換至「交叉分析篩選器工具 - 選項」頁籤，❷在「交叉分析篩選器樣式」群組中按一下下拉選單按鈕，如圖 4-131 所示。❸在展開的樣式庫中點選「交叉分析篩選器樣式深色 4」，如圖 4-132 所示。

圖 4-131 展開交叉分析篩選器樣式

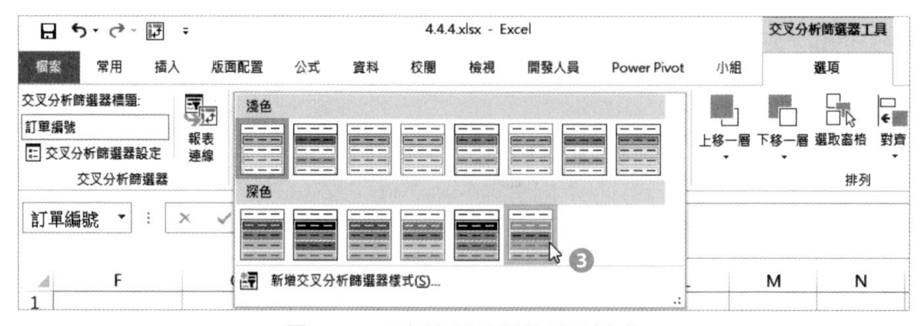

圖 4-132 選擇交叉分析篩選器樣式

STEP 02 顯示套用樣式效果。隨後可看到套用樣式後的交叉分析篩選器效果，如圖 4-133 所示。

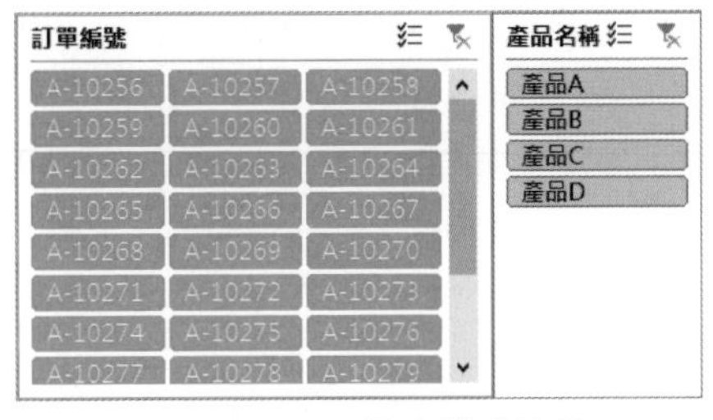

圖 4-133 顯示設定樣式效果

STEP 03 新增樣式。如果對套用的樣式不滿意，可在展開的樣式庫中按一下「新增交叉分析篩選器樣式」選項，如圖 4-134 所示。

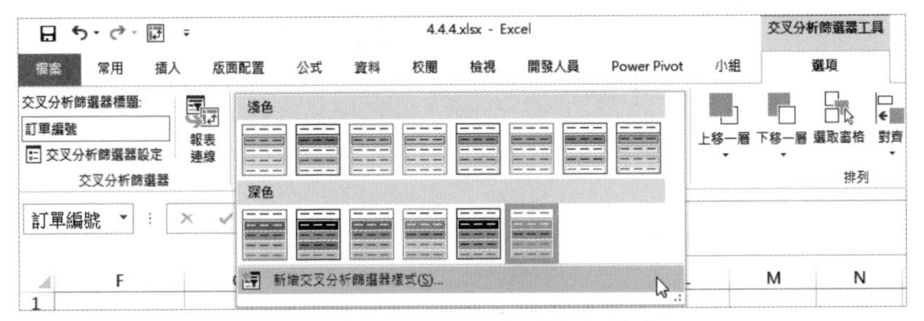

圖 4-134 新增交叉分析篩選器樣式

STEP 04 設定頁首格式。彈出「新增交叉分析篩選器樣式」對話方塊，❶在「名稱」後的文字方塊中輸入「新樣式 1」，❷在「交叉分析篩選器元素」下的清單方塊中選擇「頁首」，❸然後按一下「格式」按鈕，如圖 4-135 所示。

STEP 05 設定字型格式。彈出「設定交叉分析篩選器格式元素」對話方塊，❶在「字型」頁籤設定「字型」為「微軟正黑體（標題）」，❷「字型樣式」為「粗體」，❸「字型大小」為「14」，如圖 4-136 所示。

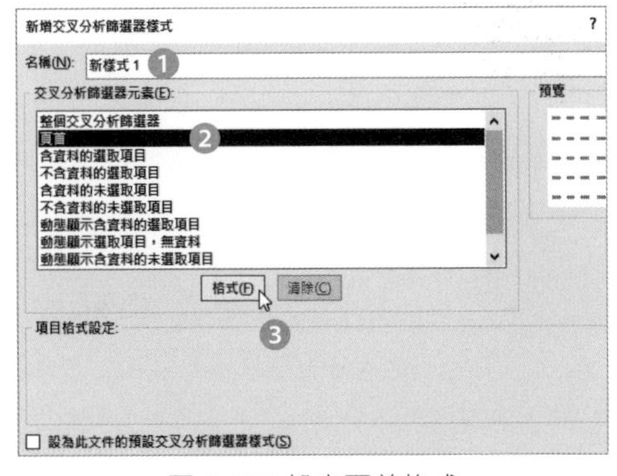

圖 4-135 設定頁首格式

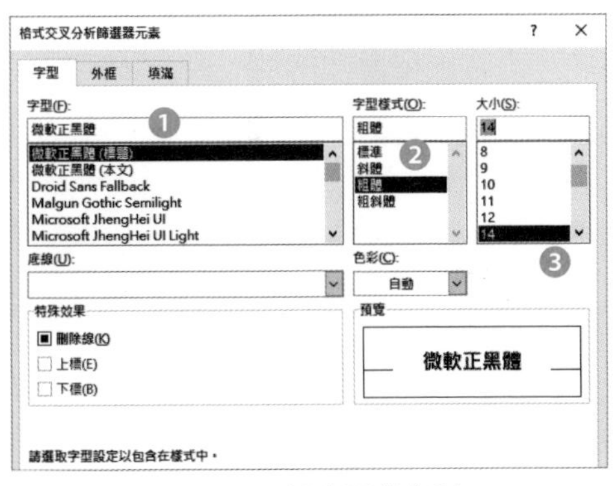

圖 4-136 設定頁首字型

06 STEP 設定頁首外框。❶切換至「外框」頁籤下，❷選擇合適的外框「樣式」、「色彩」，❸然後按一下「格式」選項群組下的「外框」圖示，如圖 4-137 所示。

07 STEP 設定填滿色彩。❶切換至「填滿」頁籤，❷按一下「其他色彩」按鈕，如圖 4-138 所示。

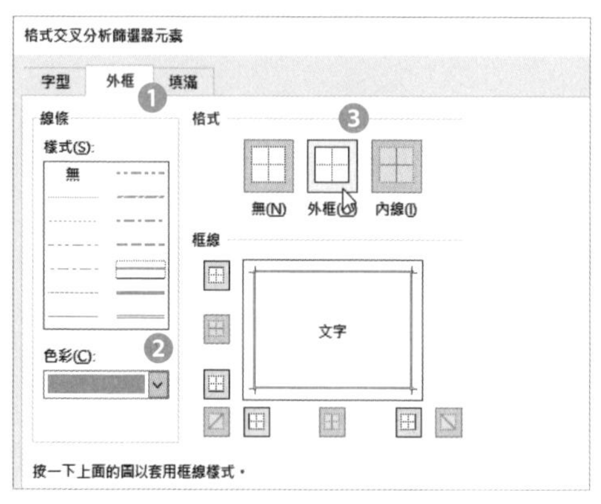

圖 4-137 設定頁首外框

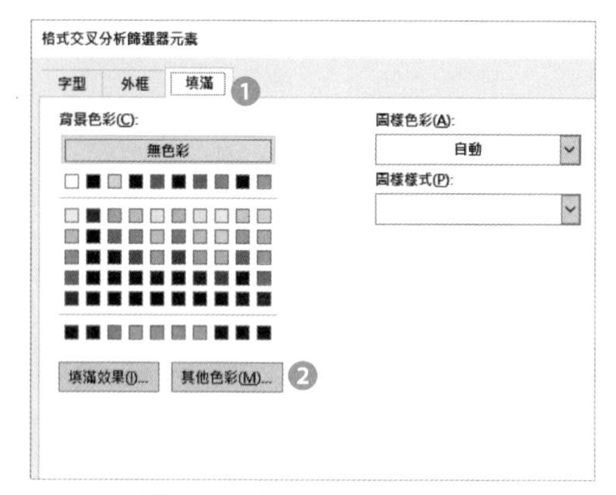

圖 4-138 設定頁首填滿效果

08 STEP 自訂色彩。彈出「色彩」對話方塊，❶切換至「自訂」頁籤，❷設定「RGB」為「200 228 226」，❸按一下「確定」按鈕，如圖 4-139 所示。

09 STEP 設定其他項目格式。繼續按一下「確定」按鈕，回到「新增交叉分析篩選器樣式」對話方塊，❶在「交叉分析篩選器元素」清單方塊中選擇「含資料的選取項目」，❷然後按一下「格式」按鈕，如圖 4-140 所示。

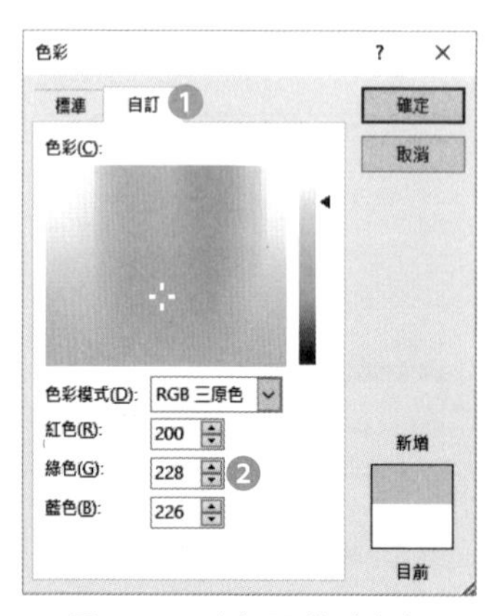

圖 4-139 自訂頁首填充色

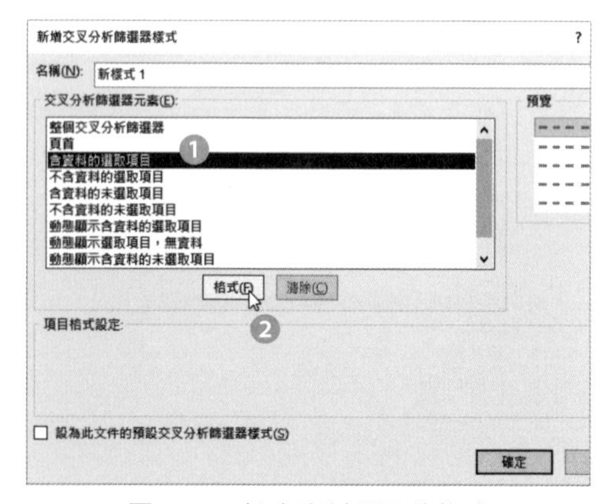

圖 4-140 設定資料項目的格式

STEP 10 設定字型格式。彈出「設定交叉分析篩選器格式元素」對話方塊，設定合適的「字型」和「字型大小」，如圖 4-141 所示。

STEP 11 設定外框。❶切換至「外框」頁籤，❷選擇合適的外框線條、色彩，❸然後按一下「外框」圖示，如圖 4-142 所示，最後按一下「確定」按鈕。

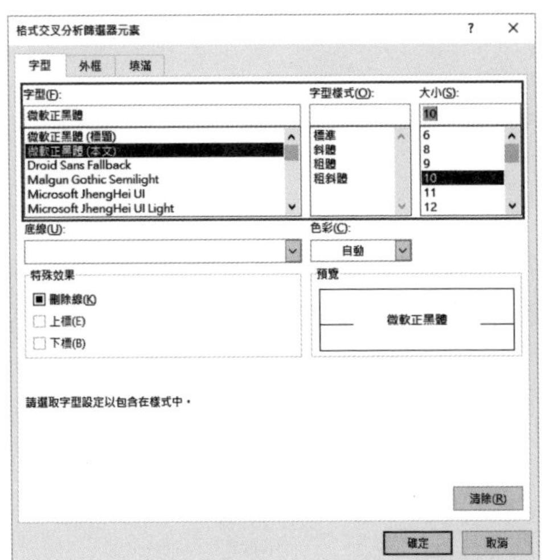

圖 4-141 設定資料項目的字型

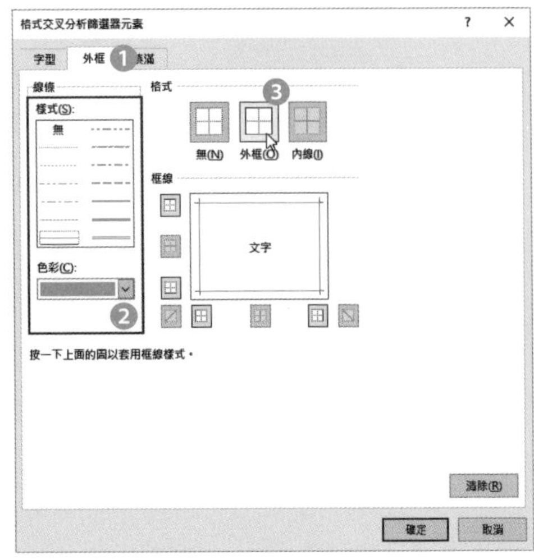

圖 4-142 設定資料項目外框

STEP 12 預覽設定效果。按一下「確定」按鈕，回到「新增交叉分析篩選器樣式」對話方塊，❶可在「預覽」選項群組下看到新增的樣式效果，❷按一下「確定」按鈕，如圖 4-143 所示。

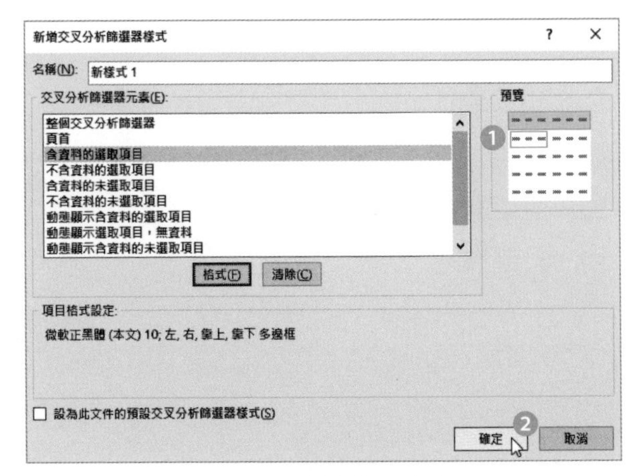

圖 4-143 預覽設定效果

STEP 13 套用自訂的樣式。回到報表中，按一下「交叉分析篩選器樣式」群組中的快翻按鈕，在展開的樣式庫中點選「自訂」下的「新樣式 1」，如圖 4-144 所示。

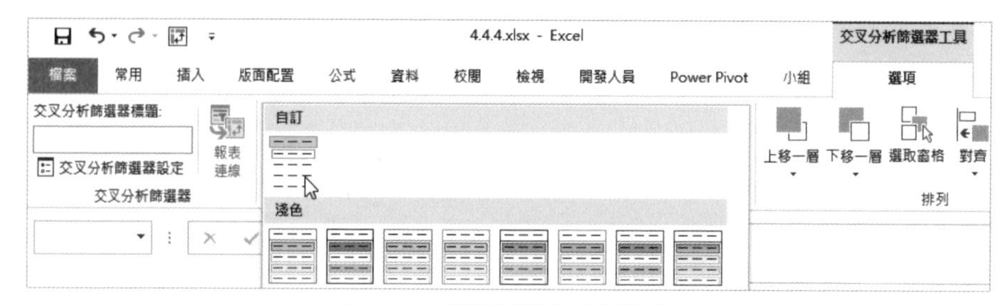

圖 4-144 選擇新增的自訂樣式

STEP 14 顯示套用自訂樣式後的效果。隨後即可看到交叉分析篩選器應用自訂的樣式，應用相同的方法為其他交叉分析篩選器套用自訂的樣式，即可得到如圖 4-145 所示的效果。

圖 4-145 顯示套用自訂樣式的效果

STEP 15 修改樣式。如果對自訂的樣式不滿意，❶可於「新樣式 1」按右鍵，❷在彈出的快顯功能表中點選「修改」命令，如圖 4-146 所示。

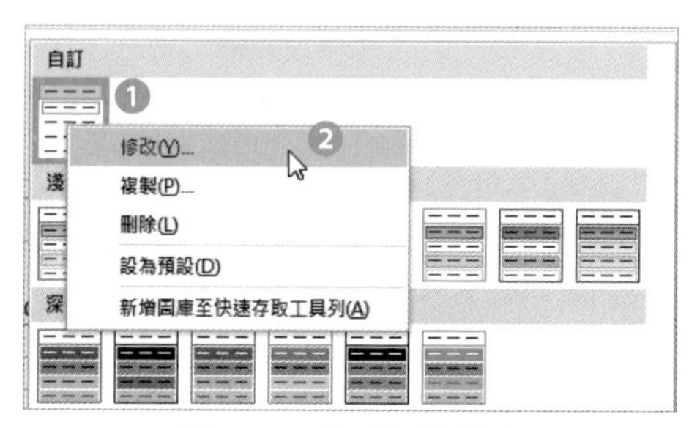

圖 4-146 修改新增樣式

STEP 16 設定整個交叉分析篩選器格式。彈出「修改交叉分析篩選器樣式」對話方塊，❶在「交叉分析篩選器元素」清單方塊中選擇「整個交叉分析篩選器」，❷然後按一下「格式」按鈕，如圖 4-147 所示。

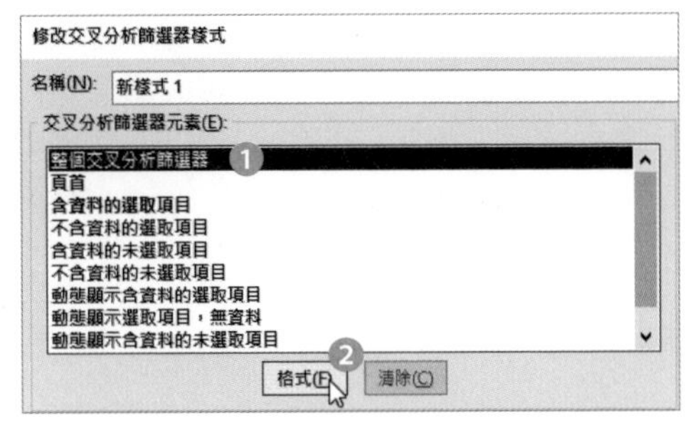

圖 4-147 設定整個交叉分析篩選器格式

STEP 17 設定交叉分析篩選器的外框。彈出「設定交叉分析篩選器格式元素」對話方塊，❶切換至「框線」頁籤，❷設定合適的「樣式」、「色彩」，❸按一下「外框」圖示，如圖 4-148 所示。按一下「確定」按鈕，回到「修改交叉分析篩選器樣式」對話方塊，❹可看到「預覽」選項群組下的預覽效果，❺然後按一下「確定」按鈕，如圖 4-149 所示。

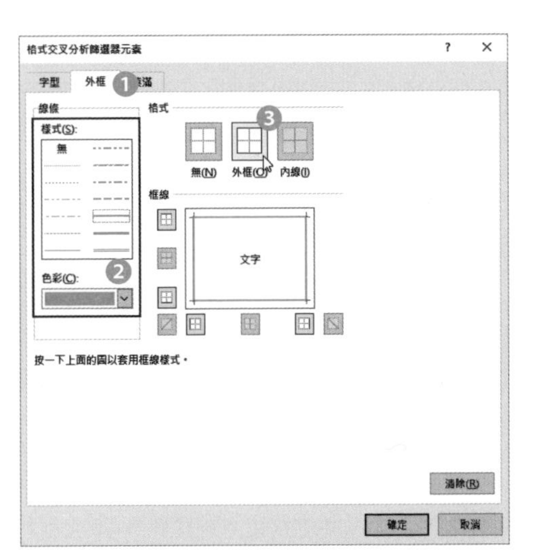

圖 4-148 設定外框

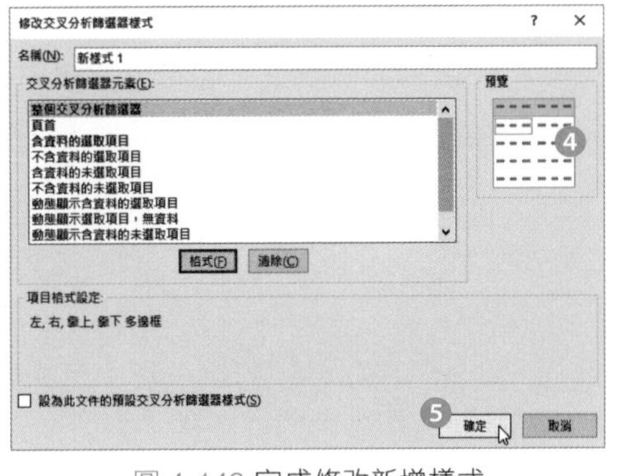

圖 4-149 完成修改新增樣式

18 STEP 顯示修改樣式後的交叉分析篩選器效果。回到工作表中，可看到更改自訂樣式後的交叉分析篩選器效果，如圖 4-150 所示。

訂單編號			產品名稱	銷售城市	銷售員工
A-10256	A-10257	A-10258	產品A	台北	李珍珍
A-10259	A-10260	A-10261	產品B	新竹	狄安明
A-10262	A-10263	A-10264	產品C	台中	肖星星
A-10265	A-10266	A-10267	產品D	嘉義	程志成
A-10268	A-10269	A-10270		台南	趙鳳元
A-10271	A-10272	A-10273		高雄	
A-10274	A-10275	A-10276			
A-10277	A-10278	A-10279			
A-10280	A-10281	A-10282			
A-10283	A-10284	A-10285			

圖 4-150 顯示修改樣式後的交叉分析篩選器效果

4.4.5 交叉分析篩選器同步篩選多個樞紐分析表

老譚：一般情況下，我們都是一個交叉分析篩選器或者是多個交叉分析篩選器對單個樞紐分析表進行篩選，如果想要讓一個交叉分析篩選器或是多個交叉分析篩選器對多個樞紐分析表進行同步篩選，該怎麼辦呢？

小言：我看過一個功能，感覺就是為了同步篩選樞紐分析表做準備的。

老譚：你說的是「報表連線」吧！它的作用的確是為了同步篩選多個報表。

01 STEP 插入交叉分析篩選器。在工作表中插入三個樞紐分析表後，❶選取任意一個樞紐分析表中的儲存格，❷切換至「樞紐分析表工具 - 分析」頁籤，❸在「篩選」群組中按一下「插入交叉分析篩選器」按鈕，如圖 4-151 所示。

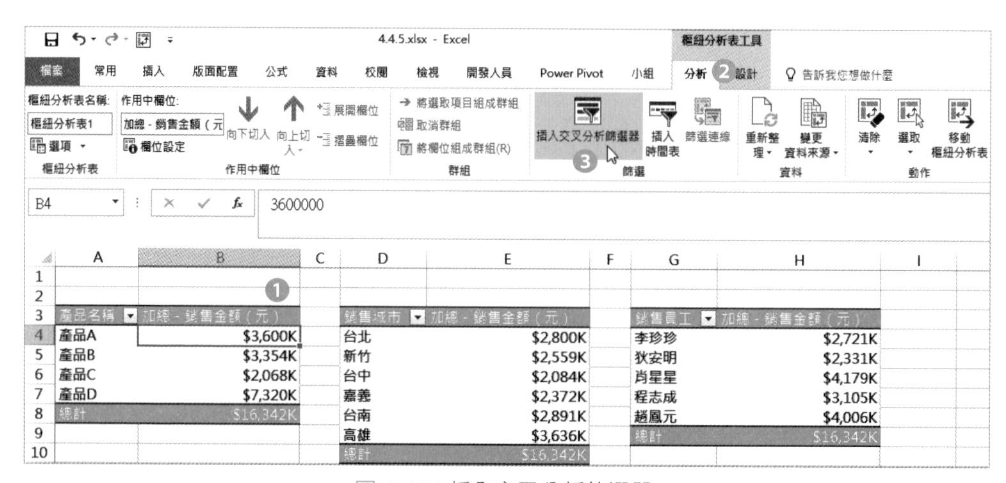

圖 4-151 插入交叉分析篩選器

STEP 02 勾選要插入的交叉分析篩選器核取方塊。彈出「插入交叉分析篩選器」對話方塊，❶勾選「產品名稱」核取方塊，❷按一下「確定」按鈕，如圖 4-152 所示。

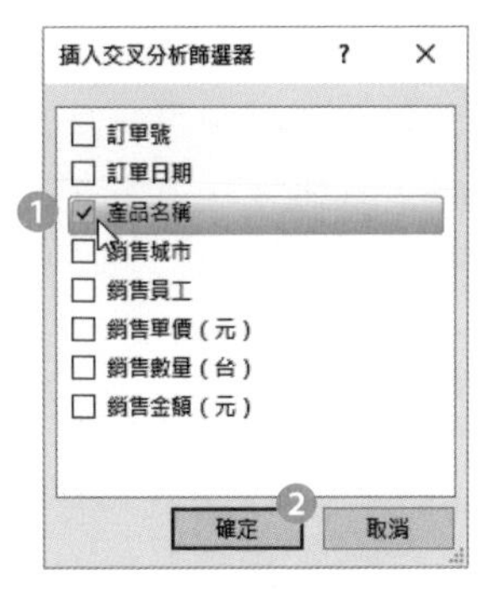

圖 4-152 勾選欄位

STEP 03 篩選數據。隨後可看到插入的交叉分析篩選器，❶在交叉分析篩選器中按一下欄位項「產品 C」，❷可看到只有選取儲存格的樞紐分析表進行篩選，其他樞紐分析表沒有任何變化，如圖 4-153 所示。

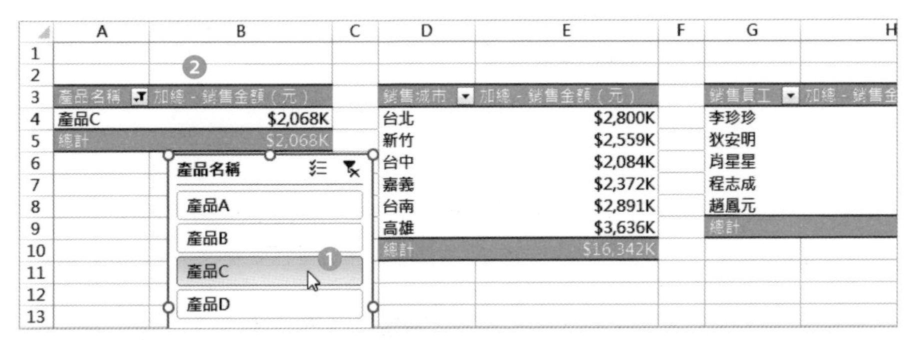

圖 4-153 篩選數據

STEP 04 清除篩選。按一下交叉分析篩選器中的「清除篩選」按鈕，如圖 4-154 所示，即可回到未篩選前的效果。

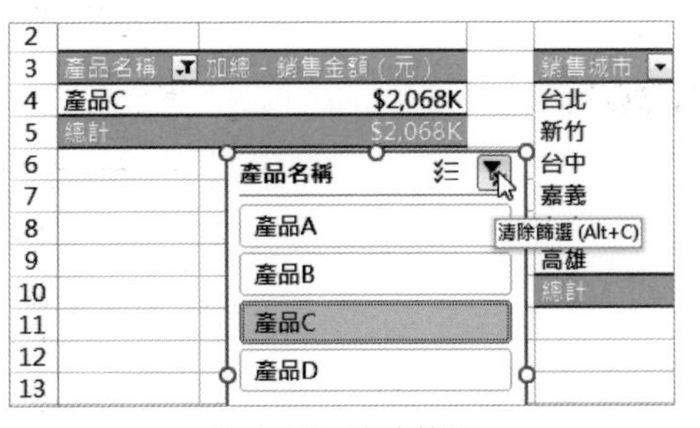

圖 4-154 清除篩選

05 STEP 使用兩種方法啟動報表連線。❶選取交叉分析篩選器，❷在「交叉分析篩選器工具 - 選項」頁籤按一下「交叉分析篩選器樣式」群組中的「報表連線」按鈕，如圖 4-155 所示。❶或者是直接在交叉分析篩選器按右鍵，❷在彈出的快顯功能表中點選「報表連線」命令，如圖 4-156 所示。

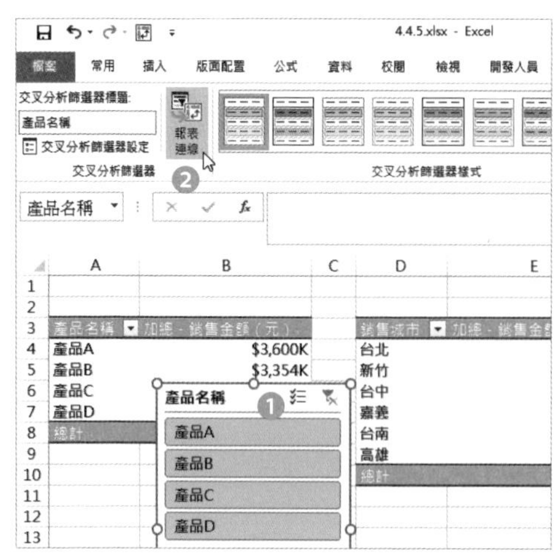

圖 4-155 啟動報表連線

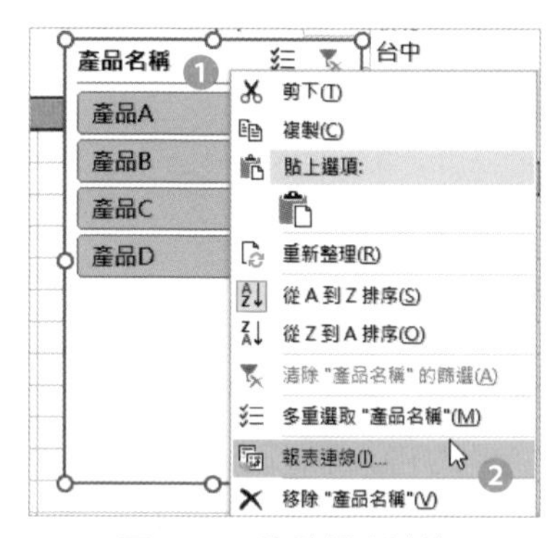

圖 4-156 啟動報表連線

06 STEP 勾選要連線的報表。彈出「報表連線（產品名稱）」對話方塊，❶勾選全部核取方塊，❷按一下「確定」按鈕，如圖 4-157 所示。

07 STEP 篩選數據。回到報表中，在交叉分析篩選器中按一下「產品 C」欄位項，如圖 4-158 所示。

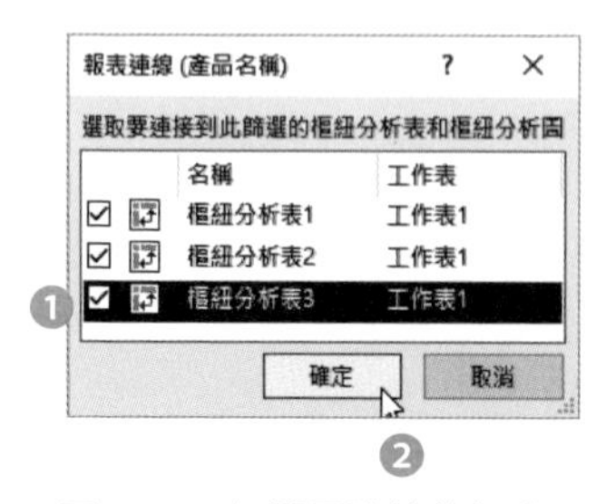

圖 4-157 勾選要連線的報表

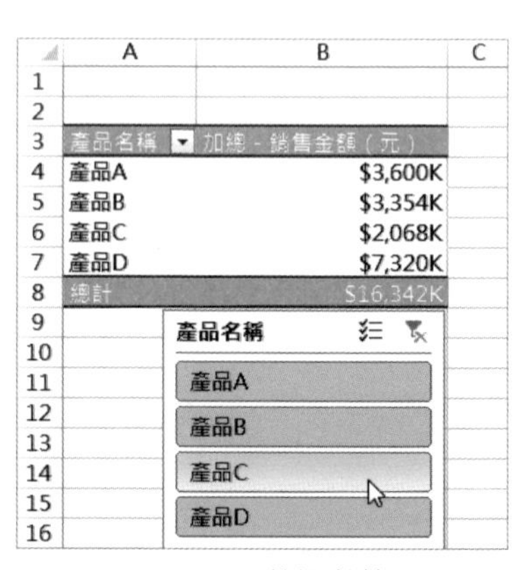

圖 4-158 篩選數據

STEP 08 顯示同步篩選多個樞紐分析表的效果。隨後即可看到三個樞紐分析表都根據交叉分析篩選器的篩選而進行相應的變化，如圖 4-159 所示。

	A	B	C	D	E	F	G	H
1								
2								
3	產品名稱	加總 - 銷售金額（元）		銷售城市	加總 - 銷售金額（元）		銷售員工	加總 - 銷售金額（元）
4	產品C	$2,068K		新竹	$418K		李珍珍	$440K
5	總計	$2,068K		台中	$704K		狄安明	$550K
6				嘉義	$946K		肖星星	$1,078K
7				總計	$2,068K		總計	$2,068K

交叉分析篩選器：產品名稱（產品A、產品B、產品C、產品D）

圖 4-159 顯示同步篩選多個樞紐分析表的效果

4.5 透過時間表篩選指定日期的資料

老譚：上面講解的交叉分析篩選器雖然很直觀，但是在篩選日期格式的欄位時，還是有些不方便，例如想要篩選「年」或者是「季」等時間段，使用交叉分析篩選器就會有一定的限制。

小言：那可以使用時間表啊！上次我就使用時間表篩選出沒有分季別的日期資料。

老譚：哦！看來你也在努力地學習。有了時間表以後，在篩選日期資料時，就可以直接透過該功能顯示日期。而且在時間表中，你可以選擇某個時間點，也可以篩選一個時間段，還可以在四種時間級別，即年、季、月或天中按時間段進行篩選。但是有個問題，在篩選一個時間段時，只能篩選連續的時間段，而不能像交叉分析篩選器一樣篩選不連續的時間點。

STEP 01 插入樞紐分析表。選取資料來源工作表中的任意儲存格，❶在「插入」頁籤的「表格」群組中按一下「樞紐分析表」按鈕，如圖 4-160 所示。彈出「建立樞紐分析表」對話方塊，❷使用「選擇您要分析的資料」群組下預設的「表格 / 範圍」設定，❸然後按一下「確定」按鈕，如圖 4-161 所示。

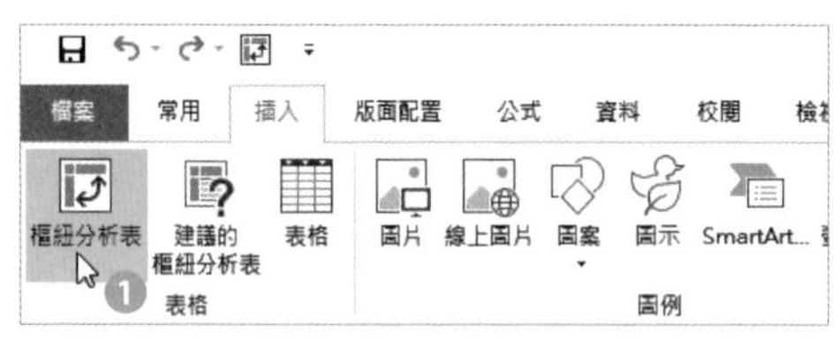

圖 4-160 插入樞紐分析表

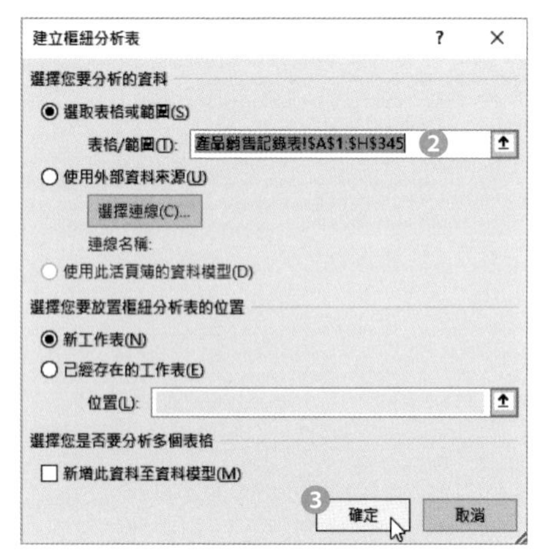

圖 4-161 建立樞紐分析表

勾選欄位。在新工作表中右側的「樞紐分析表欄位」任務窗格中勾選要顯示的欄位，如圖 4-162 所示。可在欄位的設定區域看到各個欄位的位置，如圖 4-163 所示。

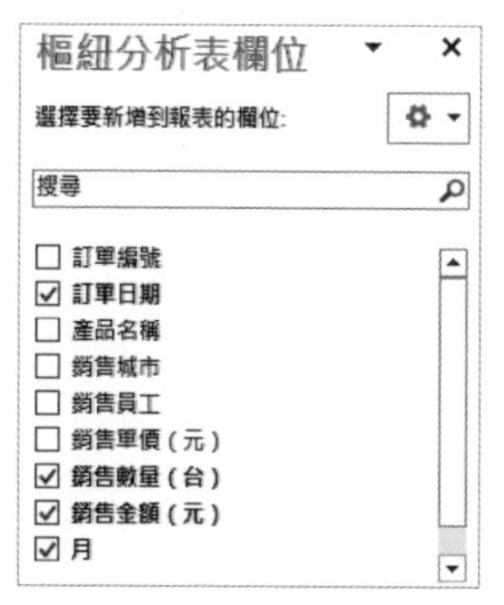

圖 4-162 勾選欄位

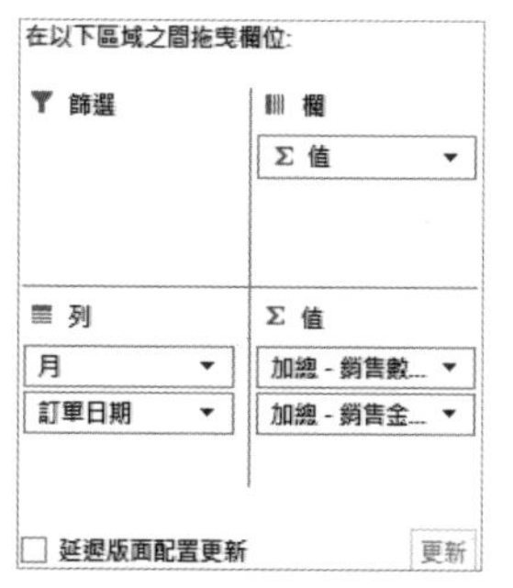

圖 4-163 設定欄位位置

顯示建立的報表。隨後可在工作表中看到建立的樞紐分析表效果，如圖 4-164 所示。

	A	B	C
1			
2			
3	列標籤	加總 - 銷售數量(台)	加總 - 銷售金額(元)
4	⊞1月	709	16341600
5	⊞2月	321	6996400
6	⊞3月	869	20340000
7	⊞4月	773	17643600
8	⊞5月	762	16540400
9	⊞6月	1048	24253400
10	⊞7月	867	18688400
11	⊞8月	875	19077000
12	⊞9月	858	18220800
13	⊞10月	917	20665600
14	⊞11月	840	15859500
15	⊞12月	772	15688800
16	總計	9611	210315500

圖 4-164 顯示插入的樞紐分析表

STEP 04 使用兩種方法插入時間表。❶切換至「樞紐分析表工具 - 分析」頁籤，❷在「篩選」群組中按一下「插入時間表」按鈕，如圖 4-165 所示。或者是在「插入」頁籤的「篩選」群組中按一下「時間表」按鈕，如圖 4-166 所示。

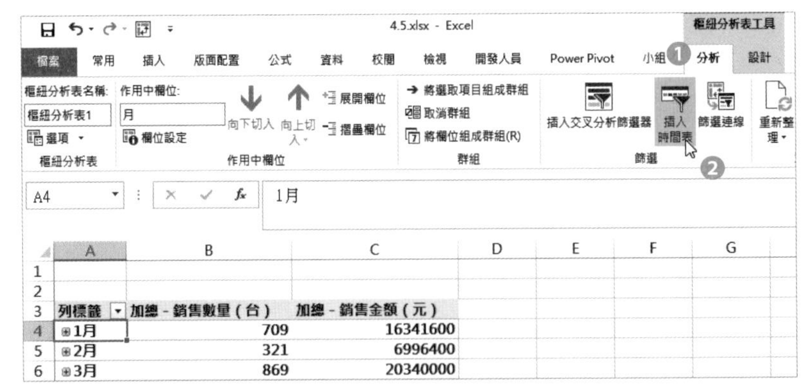

列標籤	加總 - 銷售數量（台）	加總 - 銷售金額（元）
1月	709	16341600
2月	321	6996400
3月	869	20340000

圖 4-165 插入時間表

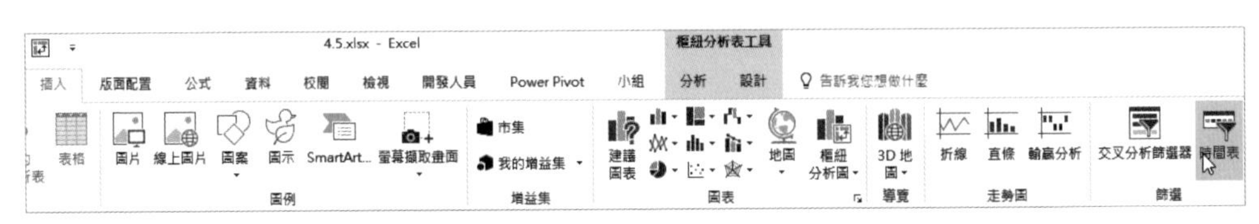

圖 4-166 插入時間表

STEP 05 插入時間表。彈出「插入時間表」對話方塊，❶勾選「訂單日期」核取方塊，❷按一下「確定」按鈕，如圖 4-167 所示。

STEP 06 移動時間表。隨後可看到插入的時間表效果，如果對時間表的位置不滿意，可將滑鼠放置在時間表上，當其變為 形狀時，按住滑鼠左鍵拖曳至合適的位置即可，如圖 4-168 所示。

圖 4-167 勾選日期欄位

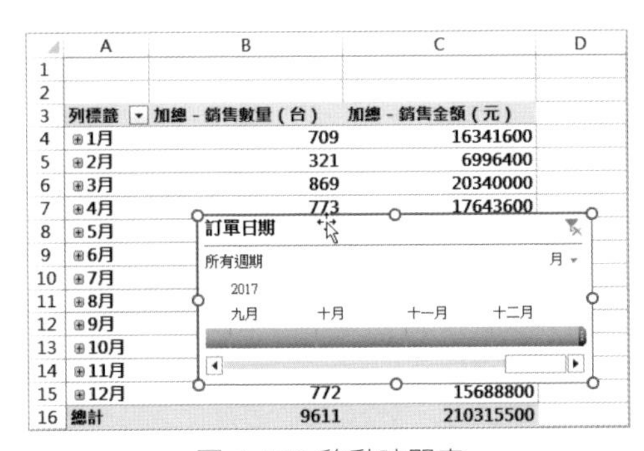

列標籤	加總 - 銷售數量（台）	加總 - 銷售金額（元）
1月	709	16341600
2月	321	6996400
3月	869	20340000
4月	773	17643600
5月		
6月		
7月		
8月		
9月		
10月		
11月		
12月	772	15688800
總計	9611	210315500

圖 4-168 移動時間表

07 STEP 拖曳捲軸選擇日期。插入時間表後，由於日期較多，可能並不能看到全部的日期，❶此時就可以將滑鼠放置在時間表中的捲軸上，按住滑鼠左鍵向左或者向右拖曳，可完全看到日期標籤，如圖 4-169 所示。❷隨後在時間表中按一下 7 月份，❸在樞紐分析表中就會出現 7 月份的資料，如圖 4-170 所示。

	A	B	C
3	列標籤	加總 - 銷售數量(台)	加總 - 銷售金額(元)
4	⊞1月	709	16341600
5	⊞2月	321	6996400
6	⊞3月	869	20340000
7	⊞4月	773	17643600
8	⊞5月	762	16540400
9	⊞6月	1048	24253400
10	⊞7月	867	18688400
11	⊞8月	875	19077000
12	⊞9月	858	18220800
13	⊞10月	917	20665600
14	⊞11月	840	15859500
15	⊞12月	772	15688800
16	總計	9611	210315500

圖 4-169 拖曳捲軸

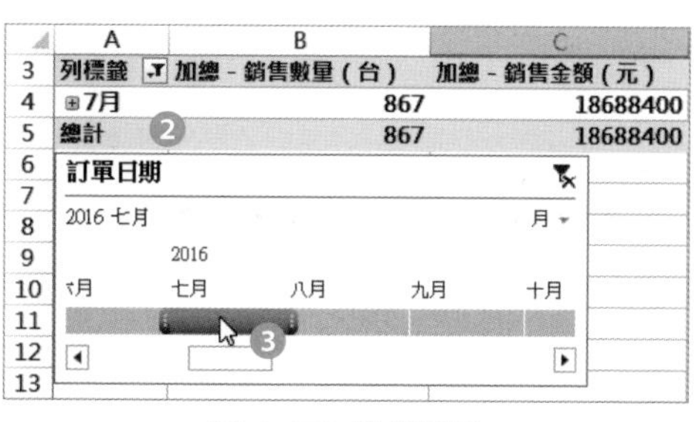

	A	B	C
3	列標籤	加總 - 銷售數量(台)	加總 - 銷售金額(元)
4	⊞7月	867	18688400
5	總計	867	18688400

圖 4-170 選擇日期

08 STEP 套用時間表樣式。❶要改變選擇日期範圍，可以按一下其他時間段、拖曳所選時間段兩側的控點或按住【Shift】鍵選擇其他的日期，如圖 4-171 所示，❷然後選取時間表，❸在「時間表工具 - 選項」頁籤按一下「時間表樣式」群組中的下拉選單按鈕。❹在展開的樣式庫中選擇合適的樣式，如圖 4-172 所示。

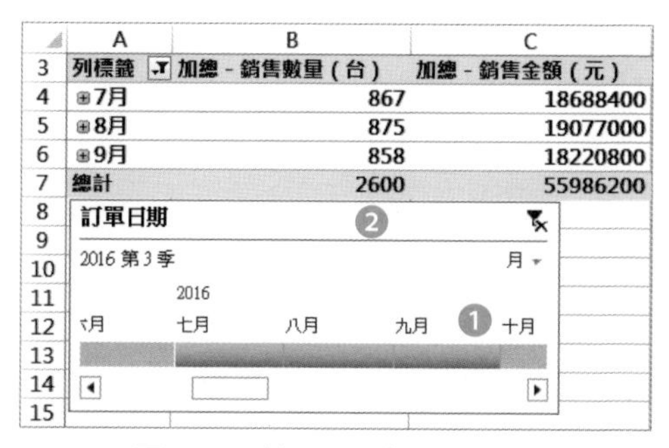

	A	B	C
3	列標籤	加總 - 銷售數量(台)	加總 - 銷售金額(元)
4	⊞7月	867	18688400
5	⊞8月	875	19077000
6	⊞9月	858	18220800
7	總計	2600	55986200

圖 4-171 按一下下拉選單按鈕

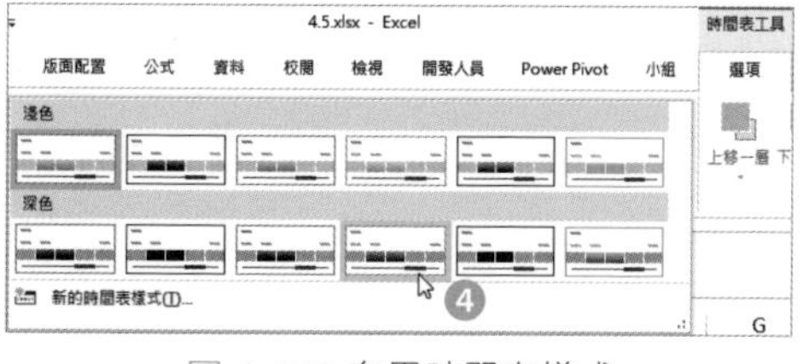

圖 4-172 套用時間表樣式

09 STEP 更改時間級別。預設情況下，時間表是以月來顯示，其實還可以以其他時間段顯示，如年、季、日。❶按一下時間表右上角的下三角按鈕，❷在展開的清單中點選「季」，如圖 4-173 所示。❸隨後在時間表中按一下「第 2 季」按鈕，❹即可看到 4 月、5 月和 6 月的資料內容，如圖 4-174 所示。

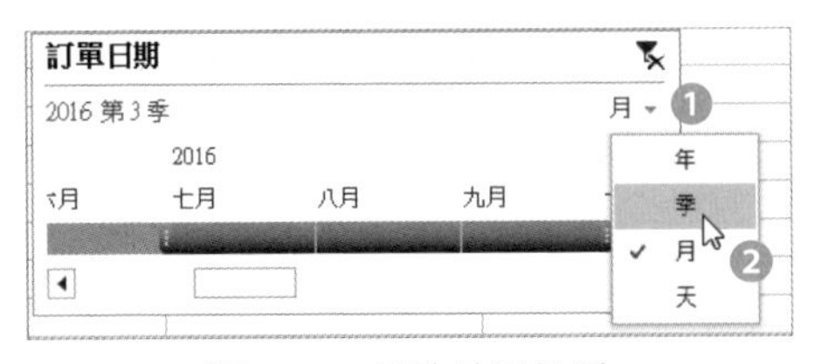

圖 4-173 更改時間級別

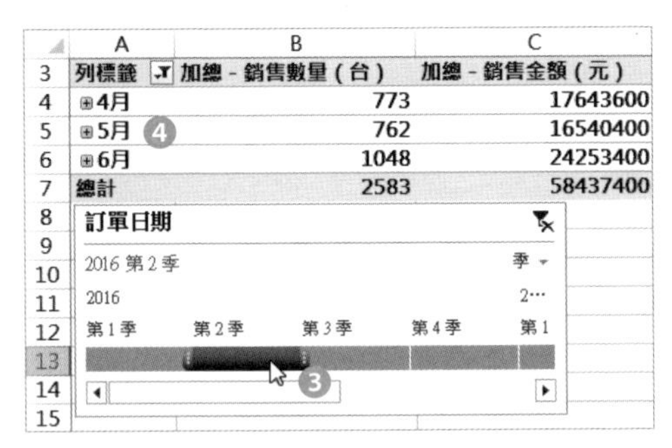

圖 4-174 選擇其他日期的標籤

10 STEP 隱藏捲軸。❶切換至「時間表工具 - 選項」頁籤，❷在「顯示」群組中取消勾選「捲軸」核取方塊，如圖 4-175 所示。隨後即可看到時間表中的捲軸被隱藏，如圖 4-176 所示。應用相同的方法可隱藏時間表中的標題、選取範圍標籤和時間層級。

圖 4-175 隱藏捲軸

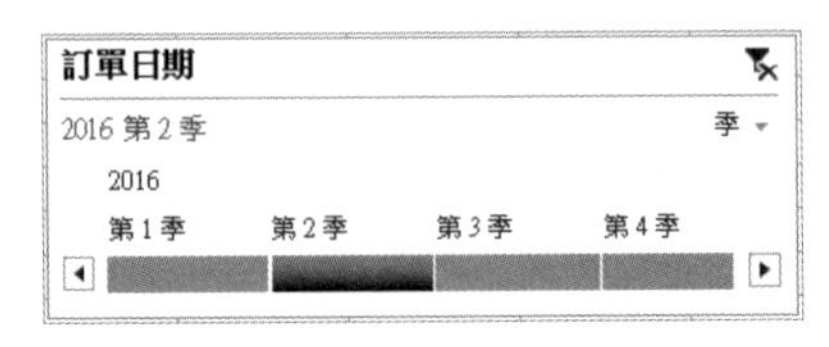

圖 4-176 顯示最終的時間表效果

11 STEP 清除日期篩選。如果想要回到未進行日期篩選前的效果，可按一下時間表中的「清除篩選」按鈕，如圖 4-177 所示。或是❶在時間表上按右鍵，❷在彈出的快顯功能表中點選「清除 " 訂單日期 " 的篩選」命令，如圖 4-178 所示。

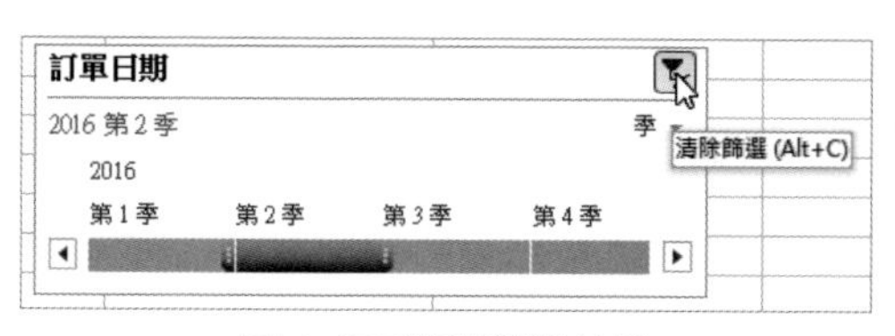

圖 4-177 取消篩選效果

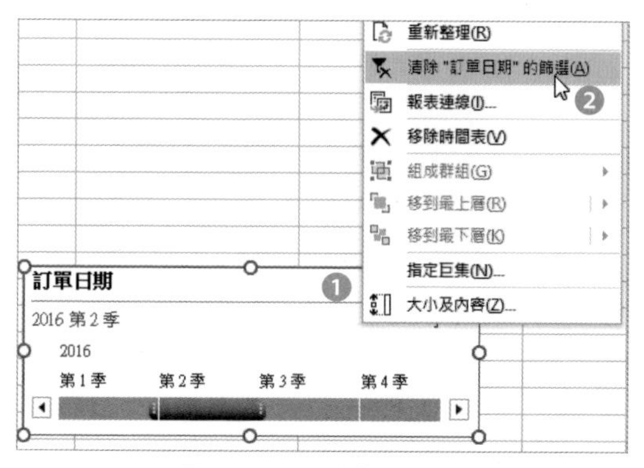

圖 4-178 取消篩選效果

1 2 3 4 排序與篩選 5 6 7 8

5 資料群組與多重彙總

雖然透過前面的學習，小言已經掌握了大部分的樞紐分析表功能，但是，他覺得還是不夠。因為，在實際的工作中，總會出現一些他無法解決的樞紐分析表問題，如群組欄位、計算欄位這些看起來有點難的功能。所以，為了對樞紐分析表的瞭解更上一層樓，小言請前輩對他進行一個詳細的指導。

5.1 群組功能

小言：前輩，這個群組欄位有什麼用啊？又該怎麼用？

老譚：想瞭解群組欄位功能有什麼用，首先就需要瞭解什麼是項目分組。在企業中，項目分組是一種常用的管理手段，無論是對人還是對事，它使用一種有效的方式，將單一個體串起來形成有組織的團體，其反應出來的威力將遠遠大於原來數量巨大的群體，也可以說是「團結力量大」。

其實樞紐分析表本身就是對資料進行分析和挖掘用的，但是在樞紐分析表裡還是有很多單個的個體的情況，這時就需要對已經在樞紐分析表裡存在的項目對它進一步分組，從而將隱藏在多個資料項目後面的資訊進一步挖掘出來。

小言：聽起來很厲害！但還是有點似懂非懂。

老譚：不用擔心，看看以下幾個案例，你就絕對會恍然大悟了。

5.1.1 群組日期欄位

老譚：由於在樞紐分析表中，欄位有日期型、文字型和數值型，所以在群組欄位時，也要分別對其進行群組，也就是說，不能將這三種欄位混合性地群組。

小言：那如果我在群組日期欄位時，只想群組月份或者是進行一週的群組，那該怎麼辦？

老譚：那你就可以分別進行按月群組或者是按週群組，而且不僅如此，你還可以按季或是年進行群組。此外，還可以同時進行月份和年份、或者是月份和季的混合群組等。

小言：感覺好多啊，看來要想完全瞭解樞紐分析表，也不是那麼簡單的事！

1. 按月群組日期

01 STEP 組成群組。❶在樞紐分析表中「訂單日期」欄位中任意的儲存格按右鍵，❷在彈出的快顯功能表中點選「組成群組」命令，如圖 5-1 所示。

還可以透過另外一種方法啟動組的建立，❶選取「訂單日期」欄位中的任意儲存格，❷切換至「樞紐分析表工具 - 分析」頁籤，❸在「群組」中按一下「將欄位組成群組」按鈕，如圖 5-2 所示。

圖 5-1 組成群組

圖 5-2 將欄位組成群組

02 STEP 按月群組日期。彈出「群組」對話方塊，❶在「間距值」群組下的清單方塊中按一下「月」，❷按一下「確定」按鈕，如圖 5-3 所示。回到報表中，❸即可看到按月群組後的報表效果，如圖 5-4 所示。在按月或季群組時，要注意的是，如果資料來源中年份相同，就只需在對話方塊中選取「月」或是「季」選項即可。但是如果不相同，則需要先選取「年」，然後再選取「月」或「季」選項，否則會出現相同月或季但不同年份的資料被群組在一起的情況。

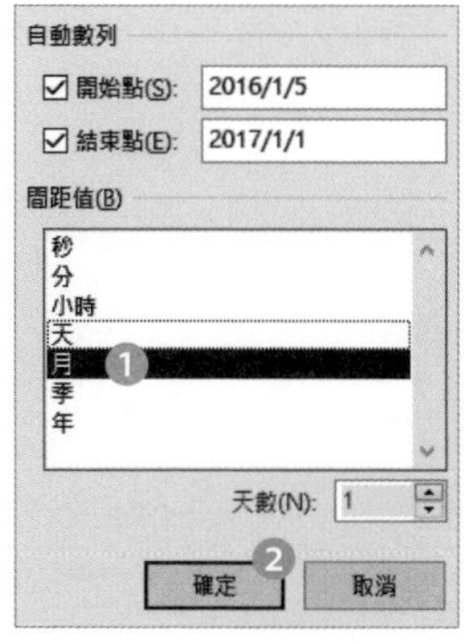

圖 5-3 按月群組日期

	A	B	C
1			
2			
3	訂單日期	加總 - 銷售金額（元）	加總 - 銷售數量（台）
4	1月	16341600	709
5	2月	6996400	321
6	3月	20340000	869
7	4月	17643600	773
8	5月	16540400	762
9	6月	24253400	1048
10	7月	18688400	867
11	8月	19077000	875
12	9月	18220800	858
13	10月	20665600	917
14	11月	15859500	840
15	12月	15688800	772
16	總計	210315500	9611

圖 5-4 顯示群組效果

2. 按週群組日期

STEP 01 取消群組。如果對上節中的按月群組不滿意，可取消群組，取消的方法也有兩種，第一種，❶選取已經分組的欄位中任意資料項目，❷在「樞紐分析表工具 - 分析」頁籤的「分組」群組中按一下「取消群組」按鈕，如圖 5-5 所示。第二種方法，❶在已經分組的欄位中任意項按右鍵，❷在彈出的快顯功能表中點選「取消群組」命令，如圖 5-6 所示。

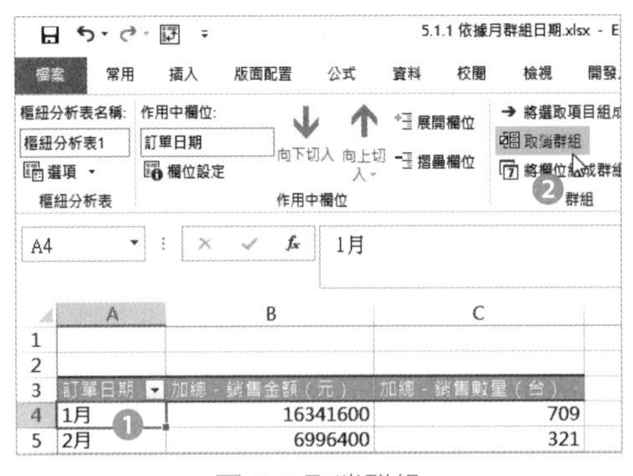

圖 5-5 取消群組

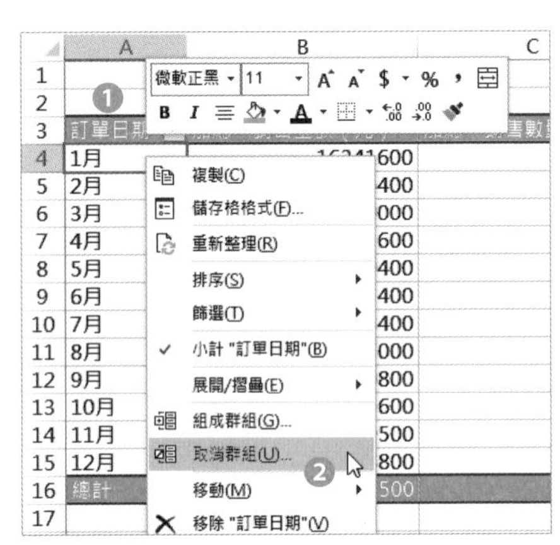

圖 5-6 取消群組

STEP 02 計算欄位星期數。❶隨後可看到取消群組後的報表效果，❷在 A1 儲存格中輸入公式「=TEXT(A4，” aaaa”)」，按下【Enter】鍵，❸即可看到 A4 儲存格中的日期為星期二，如圖 5-7 所示。

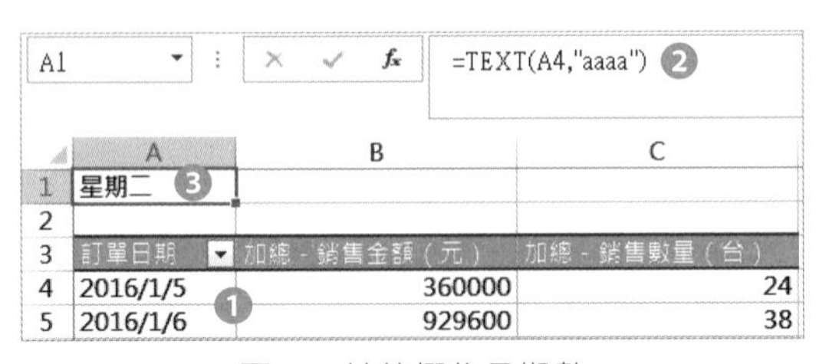

圖 5-7 計算欄位星期數

03 STEP 按週群組日期。應用相同的方法開啟「群組」對話方塊，由於資料來源中的日期為最小到最大排列，且從「2016/1/5」開始，而該日期卻又並非為星期一，❶故需要在「群組」對話方塊中將「開始點」的日期設定為「2016/1/5」前的第一個星期一，本例為「2016/1/4」，保持「結束點」後的日期不變，❷然後在「間距值」群組的清單方塊中點選「天」選項，❸在「天數」後的文字方塊中輸入「7」，❹按一下「確定」按鈕，如圖 5-8 所示。回到報表中，❺可看到按週群組後的效果，如圖 5-9 所示。

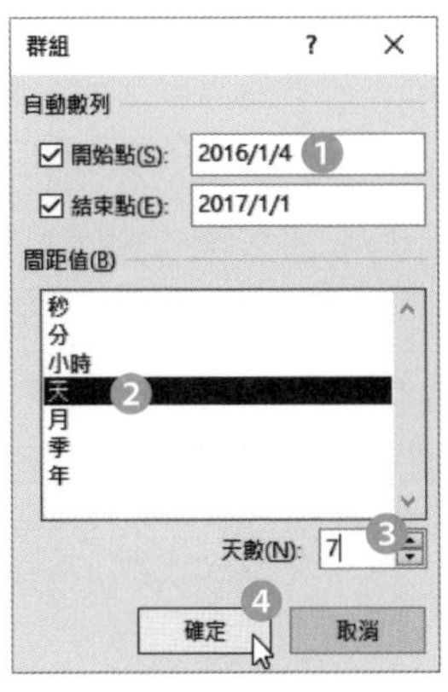

圖 5-8 按週群組日期

	A	B	
1			
2			
3	訂單日期	加總 - 銷售金額（元）	加總 - 銷
4	2016/1/5 - 2016/1/11	3941800	
5	2016/1/12 - 2016/1/18	8830800	
6	2016/1/19 - 2016/1/25	2465000	
7	2016/1/26 - 2016/2/1	1404000	
8	2016/2/2 - 2016/2/8	1118400	
9	2016/2/9 - 2016/2/15	1563000	
10	2016/2/16 - 2016/2/22	2425000	
11	2016/2/23 - 2016/2/29	1590000	
12	2016/3/1 - 2016/3/7	2838000	
13	2016/3/8 - 2016/3/14	3793000	
14	2016/3/15 - 2016/3/21	7584000	

圖 5-9 顯示群組效果

3. 按季和月同時群組顯示

01 STEP 按季和月同時群組。開啟「群組」對話方塊，❶在「間距值」群組下的清單方塊中點選「月」和「季」選項，❷按一下「確定」按鈕，如圖 5-10 所示。

02 STEP 顯示群組效果。回到工作表中，可看到報表中的訂單日期按照「季」和「月」同時群組顯示，如圖 5-11 所示。

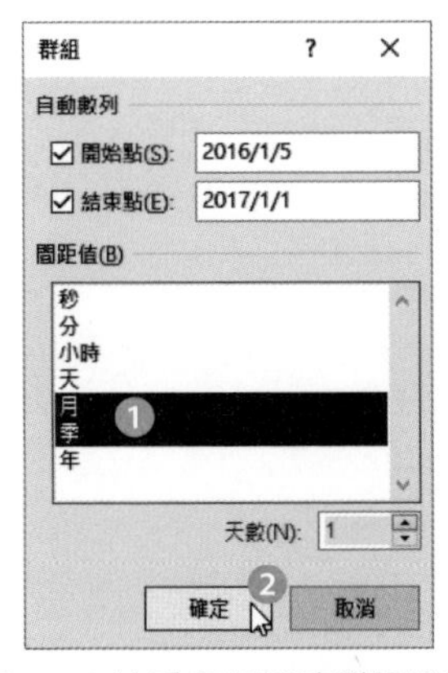

圖 5-10 按季和月同時群組顯示

	A	B	C	
3	季	訂單日期	加總 - 銷售金額（元）	加總 - 銷售
4	第一季	1月	16341600	
5		2月	6996400	
6		3月	20340000	
7	第二季	4月	17643600	
8		5月	16540400	
9		6月	24253400	
10	第三季	7月	18688400	
11		8月	19077000	
12		9月	18220800	
13	第四季	10月	20665600	
14		11月	15859500	
15		12月	15688800	
16	總計		210315500	

圖 5-11 顯示群組效果

5.1.2 群組值欄位

小言：前輩，群組值欄位是不是就是對在「值」標籤中的欄位進行群組？

老譚：完全錯誤！群組值欄位並不就是對數值型欄位進行群組。也就是說，就算該欄位是數值型，但是只有當其位於「欄」標籤或者是「列」標籤中，才能進行群組，而當其在「值」標籤中時，該數值欄位是不能進行群組的。而群組值欄位還可以分為按等距間距值群組和按不等距間距值群組。

1. 按等距間距值群組

01 STEP 建立樞紐分析表。建立好樞紐分析表範本後，在「樞紐分析表欄位」任務窗格中勾選要顯示的欄位，如圖5-12所示。即可看到報表效果，如圖5-13所示。

圖 5-12 勾選欄位

	A	B
1	產品名稱	(全部)
2		
3	銷售數量（台）	加總 - 銷售金額（元）
4	5	150000
5	10	3000000
6	11	2486000
7	12	708000
8	13	3393000
9	14	210000
10	15	9709500
11	18	5940000
12	19	4770900
13	20	12104000
14	21	315000
15	22	5929000
16	24	1080000
17	25	16027500
18	26	17713800
19	27	7281900

圖 5-13 顯示報表效果

STEP 02 群組值欄位。❶在要群組的值欄位按右鍵，❷在彈出的快顯功能表中點選「組成群組」命令，如圖 5-14 所示。彈出「群組」對話方塊，❸於「自動數列」群組設定「開始點」為「0」，「結束點」為「98」，「間距值」為「20」，❹按一下「確定」按鈕，如圖 5-15 所示。

圖 5-14 組成群組

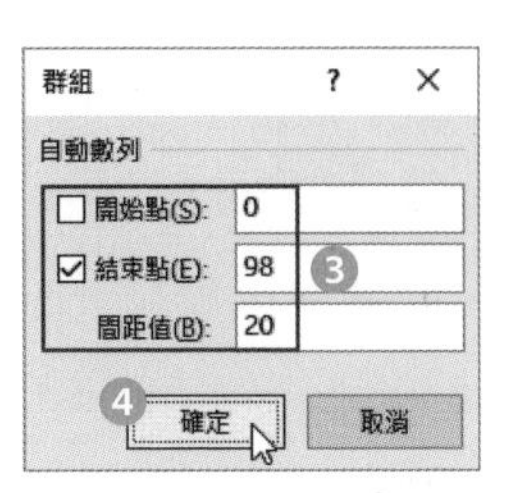

圖 5-15 設定群組條件

STEP 03 顯示群組效果。回到工作表中，可看到等距間距值群組後的報表效果，如圖 5-16 所示。從圖中可以看出，銷售數量在「20-39」之間的金額幾乎占所有產品銷售金額的一半，銷售數量在「0-59」之間的金額幾乎占所有產品銷售金額的 90% 以上。所以，企業的決策層就應該更重視銷售數量在 60 以下、看起來比較小的產品訂單，而那些產品訂單數量很高、看起來單次的銷量很大，卻由於訂單數有限，占總銷售金額的百分比反而不高。

	A	B
1	產品名稱	(全部)
2		
3	銷售數量（台）	加總 - 銷售金額（元）
4	0-19	30367400
5	20-39	96772100
6	40-59	59672400
7	60-79	14083600
8	80-99	9420000
9	總計	210315500

圖 5-16 顯示群組效果

2. 按不等距間距值群組

老譚：根據以上案例，可以直觀地瞭解到按等距間距值群組的含義，也就是說該方法是將欄位按照相同的個數進行群組的。而對於按不等距間距值群組操作，其實按照其字面也可以清楚地瞭解該操作的含義。

小言：喔！有點明白了，是不是就像統計年齡層時，將年齡分為 18 歲以下、18~24 歲、24~40 歲、40~60 歲、60 歲以上這幾個沒有相同等距的年齡層。

老譚：嗯，就是這種情況，而且由於不等距，這個操作就需要進行手動方式進行群組。還需注意的是，如果想要群組的欄位區域不相鄰，需先調整行或列欄位下各項目位置後再進行群組。其可以直接用滑鼠拖曳到目標位置或是用排序的方法，也可配合【Ctrl】鍵進行多個區域的選擇群組。

01 STEP 組成群組。❶選取要群組的值區域並按右鍵，❷在彈出的快顯功能表中點選「組成群組」命令，如圖 5-17 所示。❸即可看到該欄位的前面插入了一列資料，在該列中可看到選取的區域被組成一個群組，如圖 5-18 所示。

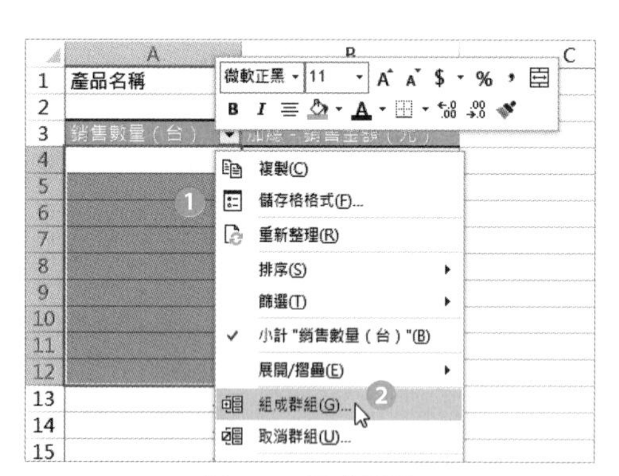

圖 5-17 組成群組

	A	B	C
1	產品名稱	(全部)	
2			
3	銷售數量（台）2	銷售數量（台）	加總 - 銷售金額（元）
4	⊟資料組1		30367400
5		5	150000
6		10	3000000
7		11	2486000
8		12	708000
9		13	3393000
10		14	210000
11		15	9709500
12		18	5940000

圖 5-18 顯示建立效果

02 STEP 繼續組成群組。❶繼續在值欄位中選取要群組的區域並按右鍵，❷在彈出的快顯功能表中點選「組成群組」命令，如圖 5-19 所示。隨後應用相同的方法為其他值欄位項進行群組，即可看到群組後的值欄位效果，如圖 5-20 所示。

	A	B	C
1	產品名稱	(全部)	
2			
3	銷售數量（台）2	銷售數量（台）	加總 - 銷售金額（元）
4	⊞資料組1		30367400
5			12104000
6			12104000
7			315000
8			315000
9			5929000
10			5929000
11			1080000
12			1080000
13			16027500
14			16027500
15			17713800
16			17713800
17			7281900
18			7281900
19			840000
20			840000
21			14472000
22			14472000
23			682000
24			682000
25			819200

複製(C)
儲存格格式(F)...
重新整理(R)
排序(S)
篩選(T)
小計 "銷售數量（台）2"(B)
展開/摺疊(E)
組成群組(G)...
取消群組(U)...
移動(M)
移除 "銷售數量（台）2"(V)
欄位設定(N)...
樞紐分析表選項(O)...
隱藏欄位清單(D)

圖 5-19 繼續組成群組

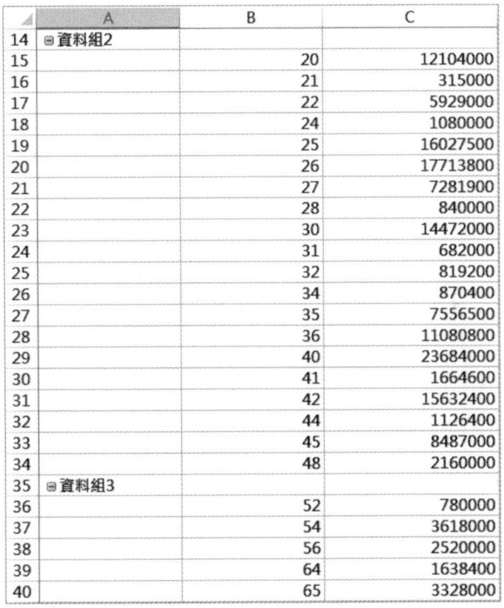

	A	B	C
14	⊟資料組2		
15		20	12104000
16		21	315000
17		22	5929000
18		24	1080000
19		25	16027500
20		26	17713800
21		27	7281900
22		28	840000
23		30	14472000
24		31	682000
25		32	819200
26		34	870400
27		35	7556500
28		36	11080800
29		40	23684000
30		41	1664600
31		42	15632400
32		44	1126400
33		45	8487000
34		48	2160000
35	⊟資料組3		
36		52	780000
37		54	3618000
38		56	2520000
39		64	1638400
40		65	3328000

圖 5-20 顯示組成群組效果

03 STEP 更改組名。❶選取 A4 儲存格，❷在編輯欄中將「資料組 1」更改為「銷量 20 台以下」，按下【Enter】鍵後，即可完成組名的更改，如圖 5-21 所示。

04 STEP 折疊數據組。應用相同的方法更改其他資料組名，然後按一下 A4 儲存格左側的折疊按鈕，如圖 5-22 所示。

A4 | 銷量20台以下

	A	B	C
1	產品名稱	(全部)	
2			
3	銷售數量（台）2	銷售數量（台）	加總 - 銷售金額（元）
4	銷量20台以下		
5		5	150000
6		10	3000000
7		11	2486000
8		12	708000
9		13	3393000
10		14	210000
11		15	9709500
12		18	5940000
13		19	4770900

圖 5-21 更改組名

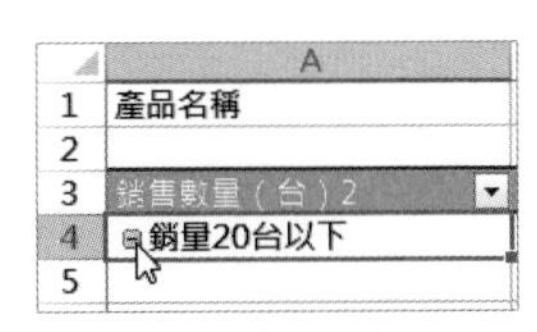

	A
1	產品名稱
2	
3	銷售數量（台）2
4	⊟銷量20台以下
5	

圖 5-22 折疊數據組

STEP 05 顯示組成群組並折疊的效果。隨後應用相同的方法折疊其他資料組，即可得到如圖 5-23 所示的效果。

	A	B	C
1	產品名稱	(全部)	
2			
3	銷售數量（台）2	銷售數量（台）	加總 - 銷售金額（元）
4	⊞銷量20台以下		30367400
5	⊞銷量20～50台之間		149526500
6	⊞銷量50～70台之間		16664800
7	⊞銷量70台以上		13756800
8	總計		210315500

圖 5-23 顯示組成群組並折疊後的效果

5.1.3 手動群組文字欄位

老譚：除了以上所介紹日期欄位和數值欄位的群組以外，還可以對文字類欄位進行群組分類。由於文字型資料沒有間距值，也就是說沒有一定的規律可循，所以，也就無法用自動群組的方式進行，只能用手動群組的方式。

小言：感覺是最簡單的欄位群組了。

老譚：的確是這樣，但是在群組文字欄位時，需先把想要群組的項目進行排序，以便於將想要群組的項目排在一起，然後才能進行群組。

STEP 01 顯示文字欄位位置。在設定欄位位置時，將「訂單編號」欄位放置在「列」標籤中，因為只有放置在「列」標籤中的欄位才屬於文字型欄位，如圖 5-24 所示。

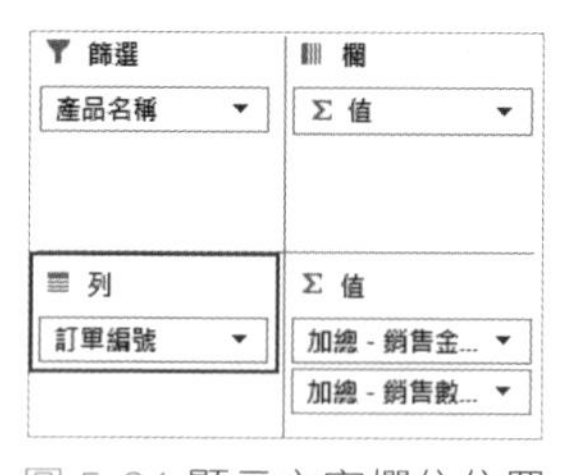

圖 5-24 顯示文字欄位位置

STEP 02 排序文字欄位。❶選取「訂單編號」欄位中的任意儲存格並按右鍵，❷在彈出的快顯功能表中點選「排序 > 從 Z 到 A 排序」命令，如圖 5-25 所示。

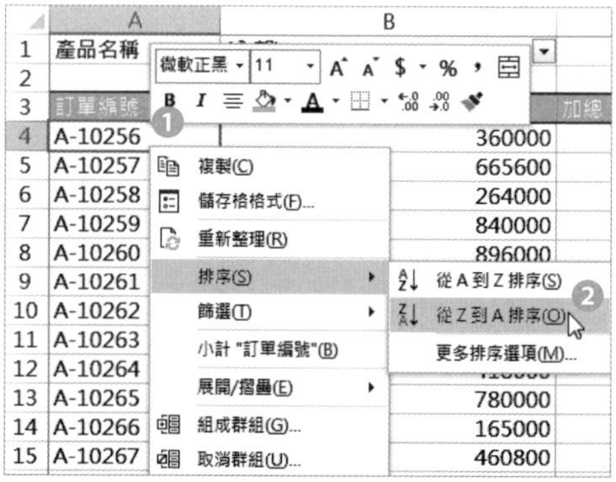

	A	B
1	產品名稱	
2		
3	訂單編號	加總
4	A-10256	360000
5	A-10257	665600
6	A-10258	264000
7	A-10259	840000
8	A-10260	896000
9	A-10261	
10	A-10262	
11	A-10263	
12	A-10264	
13	A-10265	780000
14	A-10266	165000
15	A-10267	460800

微軟正黑 11
複製(C)
儲存格格式(F)...
重新整理(R)
排序(S) ▸ 從 A 到 Z 排序(S) / 從 Z 到 A 排序(O) / 更多排序選項(M)...
篩選(T)
小計 "訂單編號"(B)
展開/摺疊(E)
組成群組(G)...
取消群組(U)...

圖 5-25 排序文字欄位

03 STEP 組成群組。可看到降冪排序後的報表效果，❶選取要群組的儲存格區域並按右鍵，❷在彈出的快顯功能表中點選「組成群組」命令，如圖 5-26 所示。

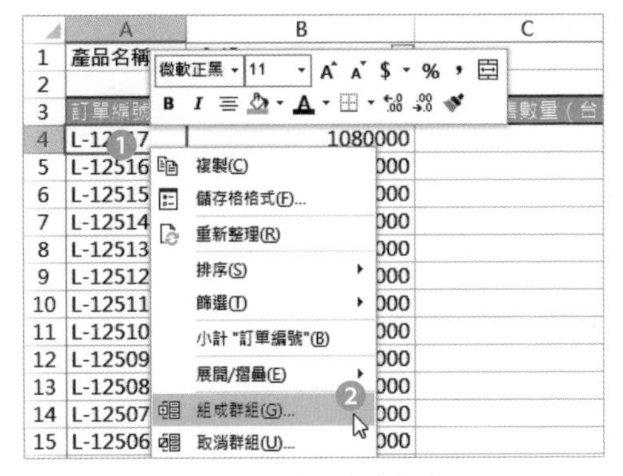

圖 5-26 群組文字欄位

04 STEP 顯示組成群組效果。隨後可看到組成群組後的效果，如圖 5-27 所示。

	A	B	C	D
1	產品名稱	(全部)		
2				
3	訂單編號2	訂單編號	加總 - 銷售金額（元）	加總 - 銷售數量（台）
4	⊟資料組1		15688800	772
5		L-12517	1080000	36
6		L-12516	375000	25
7		L-12515	390000	26
8		L-12514	220000	10
9		L-12513	195000	13
10		L-12512	540000	18
11		L-12511	165000	11
12		L-12510	780000	26
13		L-12509	660000	22
14		L-12508	375000	25
15		L-12507	512000	20

圖 5-27 顯示組成群組效果

05 STEP 顯示最終的群組效果。應用相同的方法為其他資料進行分析，並更改組名和折疊資料組，即可得到如圖 5-28 所示的效果。

	A	B	C	D
1	產品名稱	(全部)		
2				
3	訂單編號2	訂單編號	加總 - 銷售金額（元）	加總 - 銷售數量（台）
4	⊞L組		15688800	772
5	⊞K組		15859500	840
6	⊞J組		20665600	917
7	⊞I組		18220800	858
8	⊞H組		19077000	875
9	⊞G組		18688400	867
10	⊞F組		24253400	1048
11	⊞E組		16540400	762
12	⊞D組		17643600	773
13	⊞C組		20340000	869
14	⊞B組		6996400	321
15	⊞A組		16341600	709
16	總計		210315500	9611

圖 5-28 顯示最終的群組效果

5.2 使用多重彙總資料範圍

老譚：在某些情況下，要建立樞紐分析表的資料來源有可能並不在同一個活頁簿的同一個工作表中，或者是在同一個工作表，但是卻存在於不同的資料區域中。此時透過以往的方法是無法直接建立樞紐分析表的，這時就需要用到多重合併計算。多重彙總資料範圍的作用就如同其名，是將具備多個屬性的多個區域資料進行合併的一種方法，其結果將以樞紐分析的方式展現。

小言：可是為什麼不直接將這些位於不同工作表或者是不同資料區域的資料透過手動的方式將其製作成正確的資料集，然後再建立樞紐分析表進行分析呢？

老譚：實際上，如果有時間，或者是在未來的一段時間內都要用到這些資料區域，使用你所說的方法是最佳選擇。但是，如果這只是一次性的分析或是製作者比較忙時，可能更希望不花費時間在手動的資料製作上。

小言：的確是這樣，但是這些不同工作表或不同儲存格區域的資料來源有沒有什麼要求呢？

老譚：嗯！問到點子上了。的確還有要求，用多重彙總資料範圍樞紐分析表可以對結構相同、行列數及行列順序不同的多工作表進行小計工作。結構相同指的是列欄位均相同，在使用多重彙總資料範圍樞紐分析表時，要求各個區域首列為文字，其他列均為數值，也就是要求各個區域為常說的二維表。

5.2.1 啟動樞紐分析表精靈工具

小言：前輩，既然要進行多重合併計算，那我應該透過什麼工具來操作呢？為什麼我總是找不到可以進行該操作的工具？

老譚：這不能怪你找不到，因為在Excel中，系統在預設情況下會隱藏不常用的工具。而當我們想要使用這些工具時，需要先啟動這些工具。如在此，需先啟動「樞紐分析表和樞紐分析圖精靈」工具才能進行多重合併計算。此外，還可以直接在鍵盤上按【Alt+D+P】複合鍵來啟動該工具。

STEP 01 啟動「Excel 選項」對話方塊。開啟任意一個 Excel 活頁簿，按一下「檔案」按鈕，❶在彈出的功能表中點選「選項」命令，如圖 5-29 所示。彈出「Excel 選項」對話方塊，❷在對話方塊的左側按一下「快速存取工具列」選項，切換至該面板後，❸按一下「由此選擇命令」的下三角按鈕，❹在展開的清單中點選「所有命令」選項，如圖 5-30 所示。

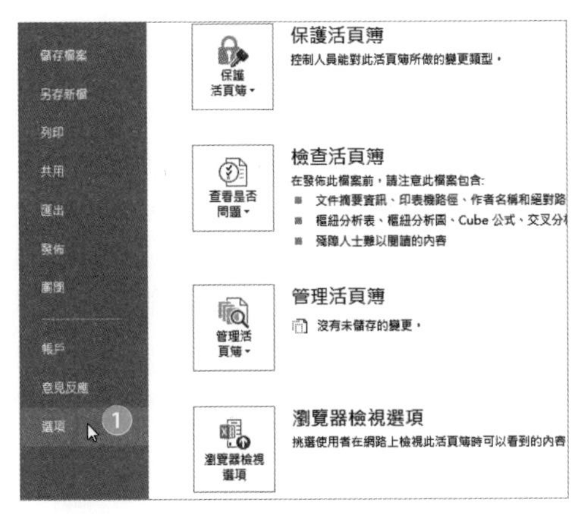

圖 5-29 啟動「Excel 選項」對話方塊

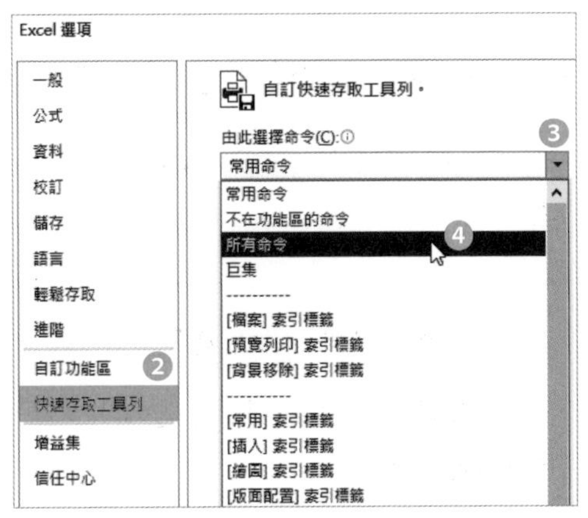

圖 5-30 選擇「所有命令」選項

STEP 02 加入「樞紐分析表和樞紐分析圖精靈」工具。❶拖曳「所有命令」清單方塊中的捲軸，❷在清單方塊中選擇「樞紐分析表和樞紐分析圖精靈」命令，❸然後按一下「新增」按鈕，如圖 5-31 所示。❹此時可看到該工具加入到「自訂快速存取工具列」中，❺按一下「確定」按鈕，如圖 5-32 所示。

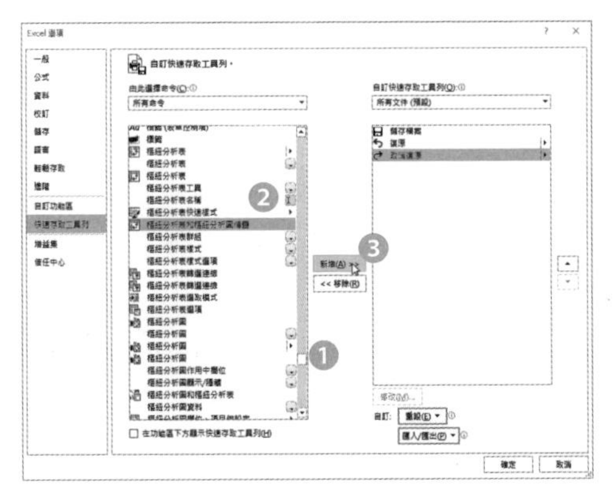

圖 5-31 加入工具

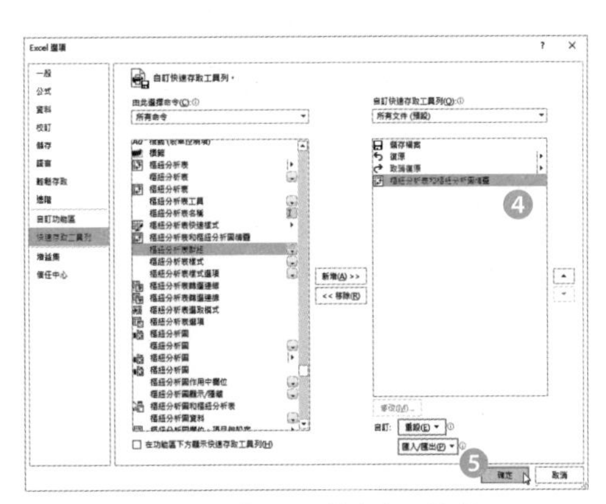

圖 5-32 按一下「確定」按鈕

03 STEP 顯示加入效果。回到活頁簿中，可看到自訂存取工具列中加入的「樞紐分析表和樞紐分析圖精靈」工具，如圖 5-33 所示。

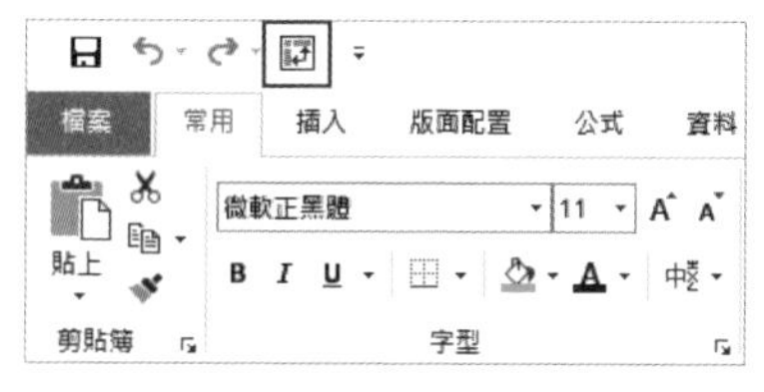

圖 5-33 顯示加入效果

5.2.2 建立單頁欄位

老譚：在啟動工具後就可以開始進行合併計算了，如果資料來源簡單，使用「建立單頁欄位」就能滿足需求。如果是較多內容的資料來源時，可以使用「自訂頁欄位」。

小言：他們的區別只是這樣嗎？

老譚：當然不是！區別並不僅僅只是如此，但是你可以透過以下案例來看看這兩種方法的區別。

01 STEP 顯示原始資料表。圖 5-34 為一個工作表中的四個資料來源，顯示出四個銷售地區的各個產品在各個月份的銷售情況。想要將這四個資料來源進行合併小計並建立樞紐分析表，可使用多重合併計算工具。

	A	B	C	D	E	F	G	H	I	J	K	L	M	N
1	華北銷售區													
2	產品名稱	銷售員工	1月	2月	3月	4月	5月	6月	7月	8月	9月	10月	11月	12月
3	產品A	閔晃	$2,450,024	$2,684,500	$3,457,800	$2,652,400	$3,657,480	$2,457,841	$3,612,000	$3,254,000	$2,645,100	$3,654,000	$2,652,000	$2,555,500
4	產品B	何龍	$1,578,420	$2,654,780	$1,578,400	$3,654,210	$1,548,520	$1,478,520	$4,154,200	$2,658,450	$3,650,000	$2,541,220	$3,254,100	$3,654,200
5	產品C	畢晶晶	$3,652,500	$1,548,752	$3,654,850	$2,654,100	$2,847,500	$3,256,420	$2,556,400	$2,888,500	$2,989,500	$3,654,000	$2,787,000	$2,650,000
6	產品D	程東	$2,412,450	$2,898,800	$1,245,220	$2,584,510	$4,102,100	$2,654,500	$3,652,100	$2,545,020	$3,654,212	$2,578,780	$2,412,000	$3,210,000
8	華中銷售區													
9	產品名稱	銷售員工	1月	2月	3月	4月	5月	6月	7月	8月	9月	10月	11月	12月
10	產品A	閔晃	$2,452,400	$4,557,480	$2,407,841	$3,610,000	$2,685,100	$3,054,000	$2,642,000	$2,055,500	$2,050,024	$2,664,500	$3,457,100	$2,452,400
11	產品B	何龍	$3,687,210	$2,548,520	$1,448,520	$4,354,200	$3,450,000	$1,541,220	$2,254,100	$3,614,200	$2,578,420	$2,054,780	$2,578,400	$3,604,210
12	產品C	畢晶晶	$2,654,600	$1,847,500	$3,056,420	$2,456,400	$2,949,500	$1,654,000	$2,654,000	$2,610,000	$1,652,500	$1,508,752	$2,654,850	$2,254,100
13	產品D	程東	$2,554,510	$2,102,100	$2,644,500	$3,622,100	$3,554,212	$2,572,780	$2,452,000	$2,210,000	$3,412,450	$2,898,805	$1,245,520	$2,524,510
15	華南銷售區													
16	產品名稱	銷售員工	1月	2月	3月	4月	5月	6月	7月	8月	9月	10月	11月	12月
17	產品A	閔晃	$2,450,524	$2,684,500	$3,457,800	$2,652,400	$2,452,400	$4,557,484	$2,407,841	$3,610,000	$2,685,106	$3,054,005	$2,642,000	$2,055,500
18	產品B	何龍	$1,528,420	$2,654,780	$1,578,405	$3,654,210	$3,687,214	$2,548,523	$1,448,529	$4,354,200	$3,450,006	$1,541,221	$2,254,100	$3,614,200
19	產品C	畢晶晶	$2,652,500	$1,548,552	$3,654,850	$2,654,150	$2,654,600	$1,847,500	$3,056,426	$2,456,400	$2,949,508	$1,654,000	$2,654,000	$2,610,000
20	產品D	程東	$2,012,450	$2,098,800	$1,245,220	$2,584,515	$2,554,510	$2,102,100	$2,644,501	$3,622,104	$3,554,212	$2,572,780	$2,452,000	$2,210,000
22	華東銷售區													
23	產品名稱	銷售員工	1月	2月	3月	4月	5月	6月	7月	8月	9月	10月	11月	12月
24	產品A	閔晃	$1,450,024	$2,684,500	$3,457,800	$2,652,405	$2,685,101	$3,054,000	$2,642,000	$2,055,500	$2,452,400	$4,557,480	$2,407,841	$3,610,000
25	產品B	何龍	$1,528,420	$2,654,780	$1,578,401	$3,654,216	$3,450,000	$1,541,229	$2,254,104	$3,614,200	$3,687,219	$2,548,520	$1,448,526	$4,354,200
26	產品C	畢晶晶	$3,652,500	$1,548,752	$3,654,850	$2,654,100	$2,949,506	$1,654,000	$2,654,000	$2,610,005	$2,654,600	$1,847,505	$3,056,420	$2,456,401
27	產品D	程東	$2,412,457	$2,898,800	$1,245,225	$2,584,510	$3,554,212	$2,572,780	$2,452,002	$2,210,000	$2,554,511	$2,102,100	$2,644,508	$3,622,100

圖 5-34 顯示原始資料來源

02 STEP 啟動工具。在自訂快速存取工具列中按一下「樞紐分析表和樞紐分析圖精靈」按鈕，如圖 5-35 所示。

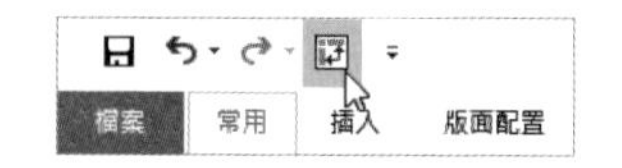

圖 5-35 啟動工具

03 STEP 選擇資料來源類型。彈出「樞紐分析表和樞紐分析圖精靈－步驟 3 之 1」對話方塊，❶在「請問您要分析的資料的來源」選項群組下選擇「多重彙總資料範圍」選項，❷保持「請問您要建立何種型式的報表」選項群組下預設的「樞紐分析表」，❸按「下一步」按鈕，如圖 5-36 所示。

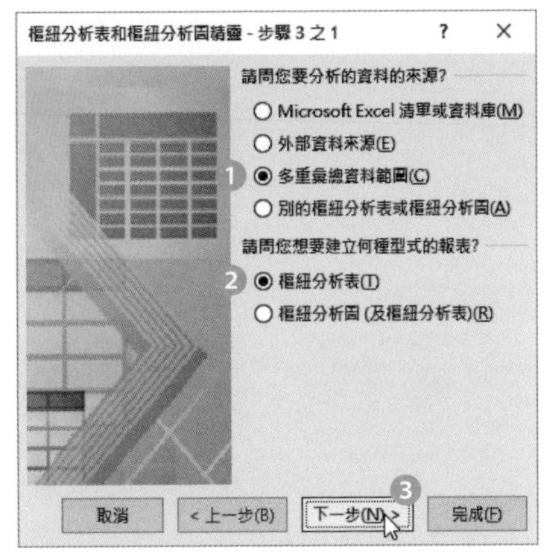

圖 5-36 選擇資料來源類型

04 STEP 建立單頁欄位。❶在彈出的「樞紐分析表和樞紐分析圖精靈－步驟 3 之 2a」對話方塊中保持「您要幾個分頁欄位」群組預設的「請幫我建立一個分頁欄位」選項設定，❷然後按「下一步」按鈕，如圖 5-37 所示。開啟「樞紐分析表和樞紐分析圖精靈－步驟 3 之 2b」對話方塊，❸按一下「範圍」文字方塊右側的儲存格參照按鈕，如圖 5-38 所示。

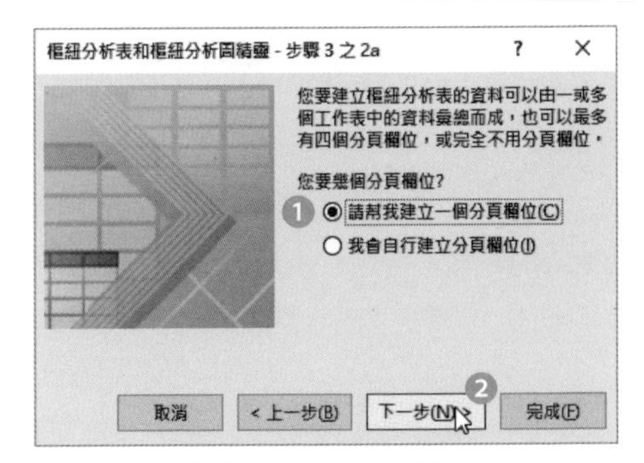

圖 5-37 建立單頁欄位

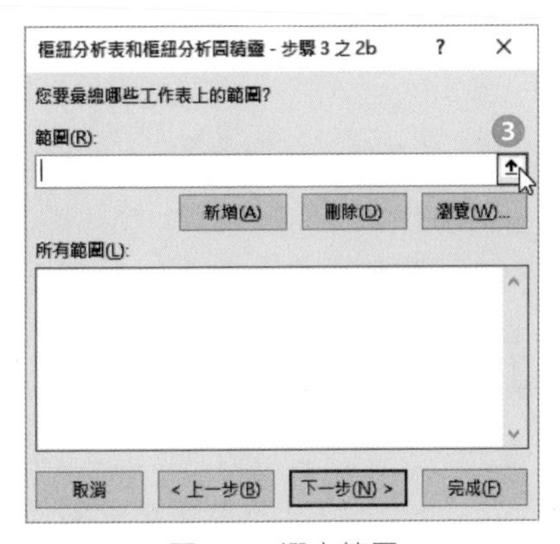

圖 5-38 選定範圍

05 STEP 選擇範圍。❶在工作表選取各地區產品銷售統計表工作表中的儲存格區域 A2:N6，❷再次按一下儲存格參照按鈕，如圖 5-39 所示。

圖 5-39 選擇區域

06 STEP 加入選定區域。❶此時「選定區域」文字方塊中已經出現待合併的資料區域「各地區產品銷售統計表!$A$2:$N$6」，❷然後按一下「新增」按鈕完成第一個待合併資料區域的加入，如圖 5-40 所示。隨後應用相同的方法加入其他資料區域，完成後，❸可在「所有範圍」清單方塊中看到加入區域後的效果，❹最後按「下一步」按鈕，如圖 5-41 所示。

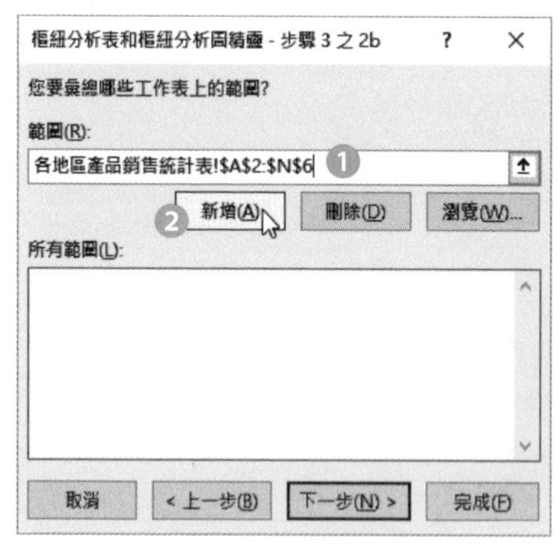

圖 5-40 加入選定區域

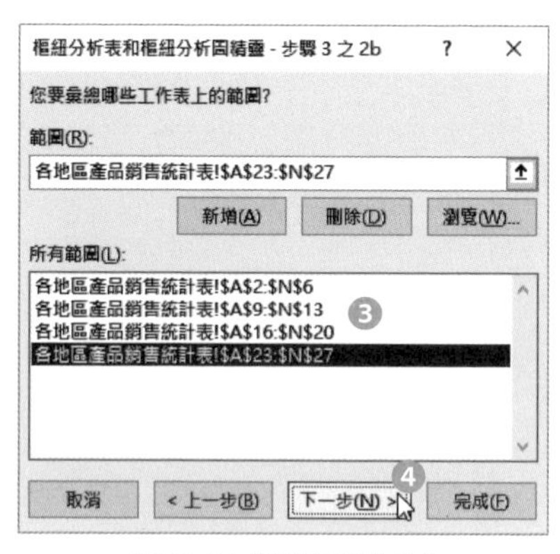

圖 5-41 繼續加入區域

07 STEP 設定樞紐分析表顯示位置。彈出「樞紐分析表和樞紐分析圖精靈－步驟 3 之 3」對話方塊，❶在「您要將所產生的樞紐分析表放在哪裡」群組按一下「新工作表」選項按鈕，❷然後按一下「完成」按鈕，如圖 5-42 所示。

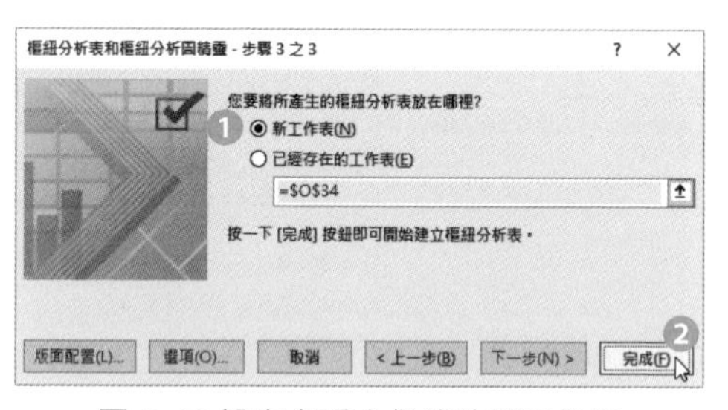

圖 5-42 設定多重合併後的顯示位置

08 STEP 拖曳列標籤。隨後可看到多重合併後效果，可發現列標籤的月份並未按照順序進行排序，❶此時可以選取儲存格區域 B4:D4，❷當滑鼠變為 形狀時，將列標籤拖曳到 9 月後，如圖 5-43 所示。月份就將從 1 月排到 12 月了。

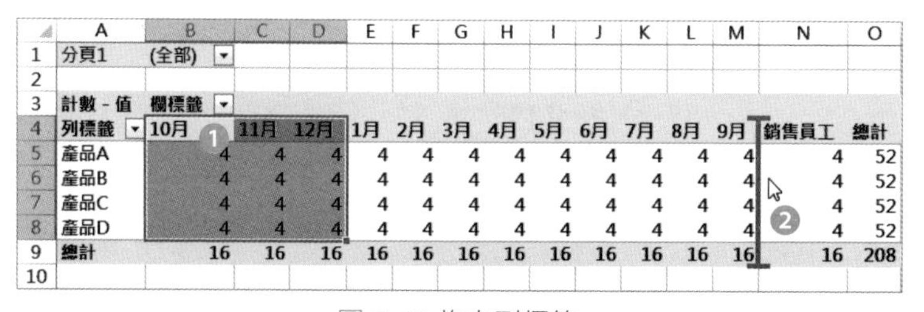

	A	B	C	D	E	F	G	H	I	J	K	L	M	N	O
1	分頁1	(全部)													
2															
3	計數 - 值	欄標籤													
4	列標籤	10月	11月	12月	1月	2月	3月	4月	5月	6月	7月	8月	9月	銷售員工	總計
5	產品A	4	4	4	4	4	4	4	4	4	4	4	4	4	52
6	產品B	4	4	4	4	4	4	4	4	4	4	4	4	4	52
7	產品C	4	4	4	4	4	4	4	4	4	4	4	4	4	52
8	產品D	4	4	4	4	4	4	4	4	4	4	4	4	4	52
9	總計	16	16	16	16	16	16	16	16	16	16	16	16	16	208
10															

圖 5-43 拖曳列標籤

STEP 09 改變小計方式。❶在儲存格 A3 按右鍵，❷在彈出的快顯功能表中點選「摘要值方式 > 加總」命令，如圖 5-44 所示。

STEP 10 刪除欄標籤。❶按一下「欄標籤」欄位的下拉三角按鈕，❷取消勾選下拉清單中的「銷售員工」核取方塊，❸然後按一下「確定」按鈕，如圖 5-45 所示。

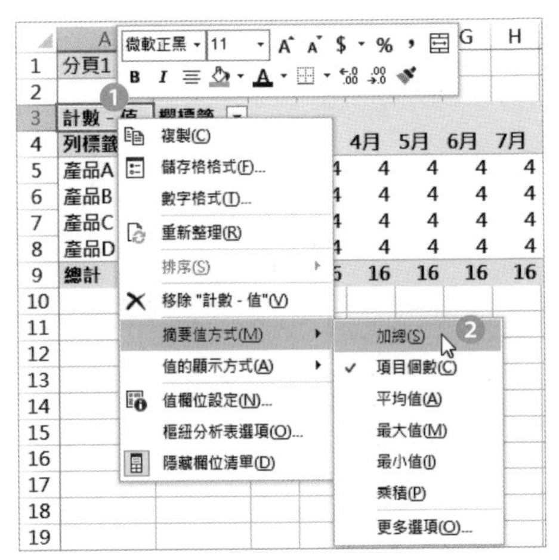

圖 5-44 改變小計方式

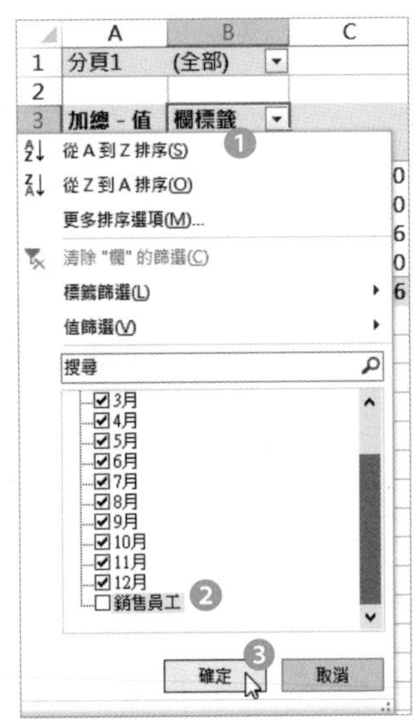

圖 5-45 取消勾選銷售員工欄位

STEP 11 顯示建立單頁欄位後的報表效果。隨後為合併後的報表資料設定數值格式、更改報表版面配置效果和填滿色彩，即可得到如圖 5-46 所示的報表效果。此外，可看到報表篩選欄位的顯示項為「（全部）」，顯示出活頁簿中所有月份的銷售額小計。如果在報表篩選欄位中選擇其他選項，則可單獨顯示各個月份的銷售資料。

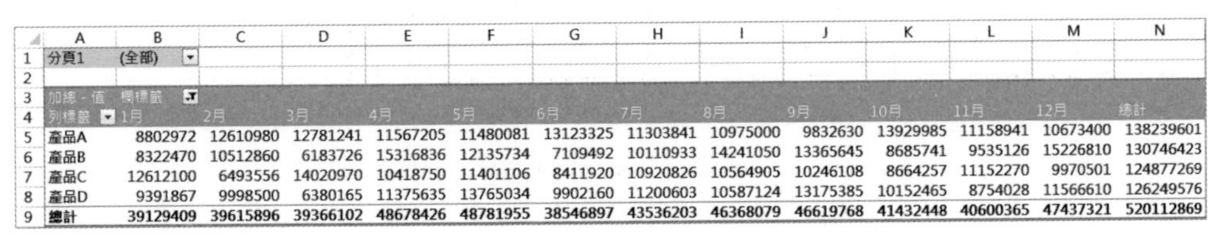

分頁1	(全部)												
加總 - 值	欄標籤												
列標籤	1月	2月	3月	4月	5月	6月	7月	8月	9月	10月	11月	12月	總計
產品A	8802972	12610980	12781241	11567205	11480081	13123325	11303841	10975000	9832630	13929985	11158941	10673400	138239601
產品B	8322470	10512860	6183726	15316836	12135734	7109492	10110933	14241050	13365645	8685741	9535126	15226810	130746423
產品C	12612100	6493556	14020970	10418750	11401106	8411920	10920826	10564905	10246108	8664257	11152270	9970501	124877269
產品D	9391867	9998500	6380165	11375635	13765034	9902160	11200603	10587124	13175385	10152465	8754028	11566610	126249576
總計	39129409	39615896	39366102	48678426	48781955	38546897	43536203	46368079	46619768	41432448	40600365	47437321	520112869

圖 5-46 顯示建立單頁欄位後的報表效果

5.2.3 建立多頁欄位

老譚：在自訂頁欄位時，可以根據實際情況來建立欄位的個數，如果建立雙頁欄位，樞紐分析表就會事先為待合併的多重資料來源命名兩個名稱，在將來建立好的樞紐分析表中會出現兩個報表篩選欄位，每個報表篩選欄位的下拉清單中都會出現使用者已經命名的選項。話不多說，來看看實際案例吧。

01 STEP 顯示各個工作表中的銷售資料。如圖 5-47、5-48、5-49、5-50 所示，展示出同一個活頁簿中的 16 張資料清單，分別位於「1 月」、「2 月」、「3 月」和「4 月」工作表中，這些資料清單記錄了某公司每月在四個地區的銷售資料。

	A	B	C	D	E	F	G	H	I	J	K
1	華北			華中			華南			華東	
2	產品名稱	銷售額		產品名稱	銷售額		產品名稱	銷售額		產品名稱	銷售額
3	產品A	$2,450,024		產品A	$2,452,400		產品A	$2,450,524		產品A	$1,450,024
4	產品B	$1,578,420		產品B	$3,687,210		產品B	$1,528,420		產品B	$1,528,420
5	產品C	$3,652,500		產品C	$2,654,600		產品C	$2,652,500		產品C	$3,652,500
6	產品D	$2,412,450		產品D	$2,554,510		產品D	$2,012,450		產品D	$2,412,457
7											

彙整 | 1月 | 2月 | 3月 | 4月

圖 5-47 1 月工作表中的銷售資料來源

	A	B	C	D	E	F	G	H	I	J	K	L
1	華北			華中			華南			華東		
2	產品名稱	銷售額		產品名稱	銷售額		產品名稱	銷售額		產品名稱	銷售額	
3	產品A	$2,684,500		產品A	$4,557,480		產品A	$2,684,500		產品A	$2,684,500	
4	產品B	$2,654,780		產品B	$2,548,520		產品B	$2,654,780		產品B	$2,654,780	
5	產品C	$1,548,752		產品C	$1,847,500		產品C	$1,548,552		產品C	$1,548,752	
6	產品D	$2,898,800		產品D	$2,102,100		產品D	$2,098,800		產品D	$2,898,800	
7												

彙整 | 1月 | 2月 | 3月 | 4月

圖 5-48 2 月工作表中的銷售資料來源

	A	B	C	D	E	F	G	H	I	J	K	L
1	華北			華中			華南			華東		
2	產品名稱	銷售額		產品名稱	銷售額		產品名稱	銷售額		產品名稱	銷售額	
3	產品A	$3,457,800		產品A	$2,407,841		產品A	$3,457,800		產品A	$3,457,800	
4	產品B	$1,578,400		產品B	$1,448,520		產品B	$1,578,405		產品B	$1,578,401	
5	產品C	$3,654,850		產品C	$3,056,420		產品C	$3,654,850		產品C	$3,654,850	
6	產品D	$1,245,220		產品D	$2,644,500		產品D	$1,245,220		產品D	$1,245,225	
7												

彙整 | 1月 | 2月 | 3月 | 4月

圖 5-49 3 月工作表中的銷售資料來源

	A	B	C	D	E	F	G	H	I	J	K	L
1	華北			華中			華南			華東		
2	產品名稱	銷售額		產品名稱	銷售額		產品名稱	銷售額		產品名稱	銷售額	
3	產品A	$2,652,400		產品A	$3,610,000		產品A	$2,652,400		產品A	$2,652,405	
4	產品B	$3,654,210		產品B	$4,354,200		產品B	$3,654,210		產品B	$3,654,216	
5	產品C	$2,654,100		產品C	$2,456,400		產品C	$2,654,150		產品C	$2,654,100	
6	產品D	$2,584,510		產品D	$3,622,100		產品D	$2,584,515		產品D	$2,584,510	
7												

彙整 | 1月 | 2月 | 3月 | 4月

圖 5-50 4 月工作表中的銷售資料來源

STEP 02 自訂頁欄位。應用前一節介紹的方法啟動樞紐分析表和樞紐分析圖精靈工具，並設定好資料類型，❶在彈出的「樞紐分析表和樞紐分析圖精靈－步驟 3 之 2a」對話方塊中選擇「我會自行建立分頁欄位」按鈕，❷然後按一下「下一步」按鈕，如圖 5-51 所示。

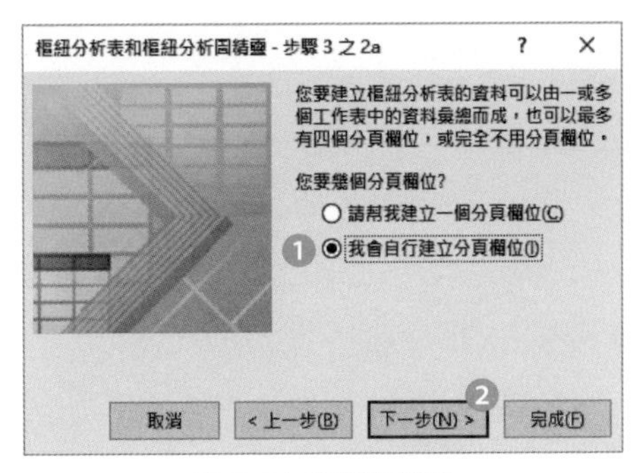

圖 5-51 自訂頁欄位

STEP 03 設定 1 月資料區域和欄位。彈出「樞紐分析表和樞紐分析圖精靈－步驟 3 之 2b」對話方塊，❶設定好選定範圍，❷按一下「新增」按鈕，❸在「您要幾個分頁欄位」選項中選擇「2」，❹在「第一欄」下的文字方塊中輸入「1 月」，❺在「第二欄」下的文字方塊中輸入「華北」，如圖 5-52 所示，即可完成第一個待合併範圍的加入。❻使用同樣的方法，加入「1 月」工作表中另外一個資料清單「'1 月 '!$D$2:$E$6」，❼在「第二欄」下的文字方塊中輸入「華中」，如圖 5-53 所示。

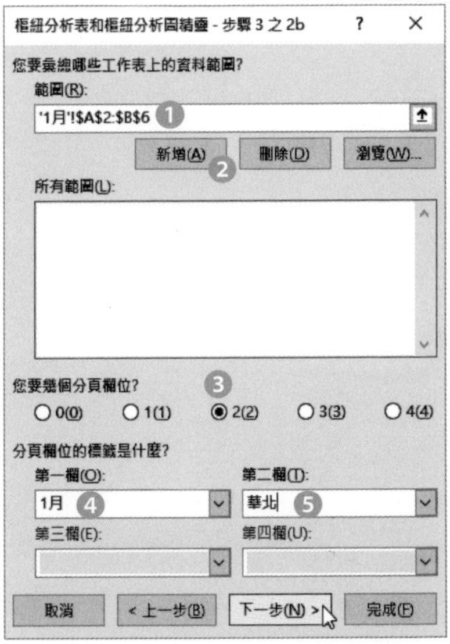

圖 5-52 設定 1 月資料區域和欄位

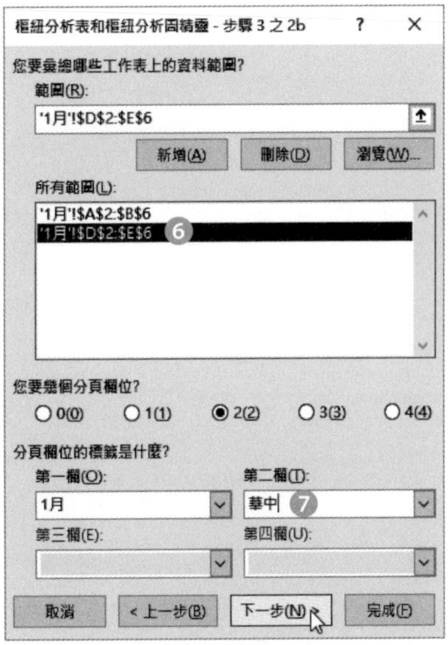

圖 5-53 繼續設定

04 STEP 繼續設定區域。隨後應用相同的方法繼續加入「1 月」工作表中的範圍及欄位，如圖 5-54 和 5-55 所示。

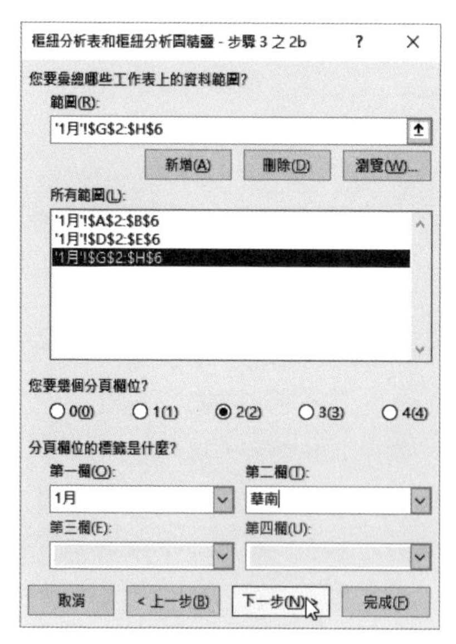

圖 5-54 繼續設定

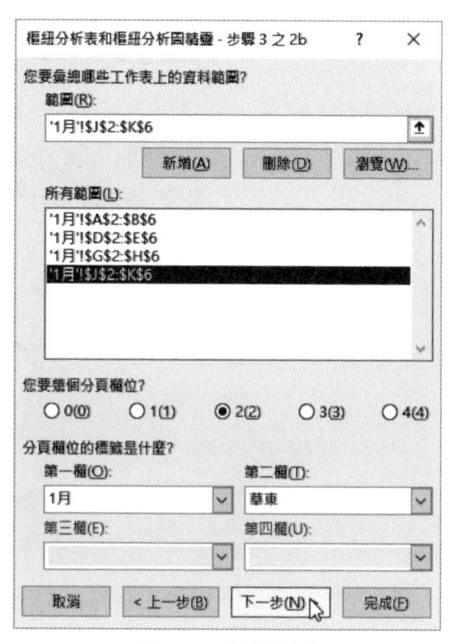

圖 5-55 繼續設定

05 STEP 設定 2 月資料區域和欄位。❶繼續在對話方塊中設定「2 月」工作表中的選定區域和欄位，如圖 5-56 所示。❷隨後在對話方塊中設定「3 月」和「4 月」工作表中的範圍和欄位，❸最後按一下「下一步」按鈕，如圖 5-57 所示。

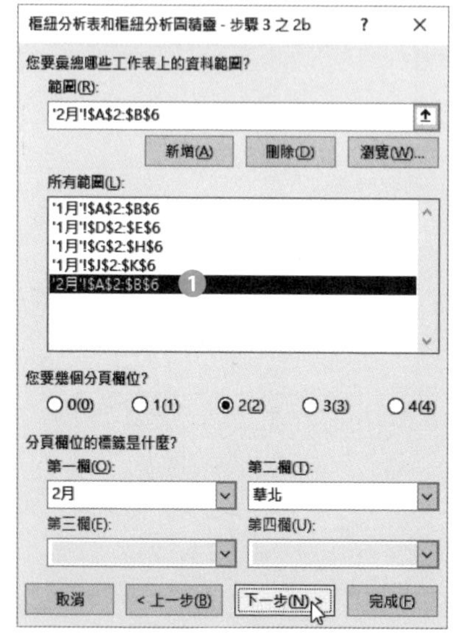

圖 5-56 設定 2 月資料範圍和欄位

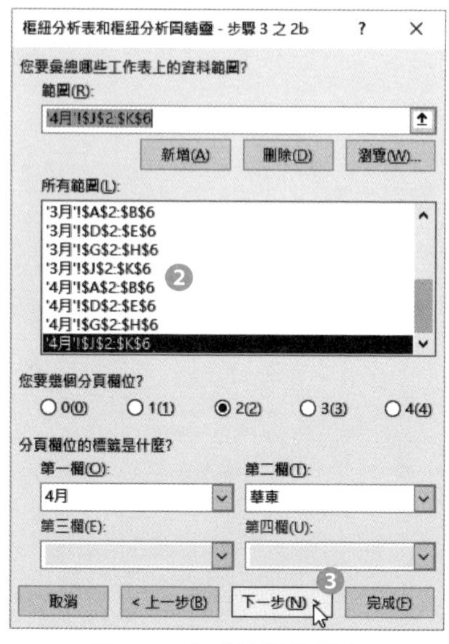

圖 5-57 完成範圍的選定

06 STEP 設定樞紐分析表顯示位置。在「樞紐分析表和樞紐分析圖精靈－步驟 3 之 3」對話方塊中，❶按一下「您要將所產生的樞紐分析表放在哪裡」群組的「已經存在的工作表」選項按鈕，❷設定指定樞紐分析表的顯示位置為「彙整 !$A$1」，❸按一下「完成」按鈕建立樞紐分析表，如圖 5-58 所示。

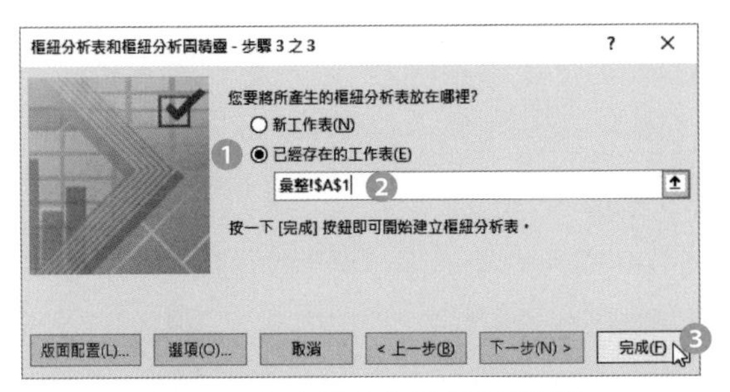

圖 5-58 設定樞紐分析表顯示位置

07 STEP 顯示報表效果。回到工作表中，即可看到建立多頁欄位的報表效果，如圖 5-59 所示。

	A	B	C
1	分頁1	(全部)	
2	分頁2	(全部)	
3			
4	加總 - 值	欄標籤	
5	列標籤	銷售額	總計
6	產品A	45762398	45762398
7	產品B	40335892	40335892
8	產品C	43545376	43545376
9	產品D	37146167	37146167
10	總計	166789833	166789833

圖 5-59 顯示報表效果

08 STEP 刪除行小計。在上圖中可以發現「總計」欄和「銷售額」欄中的資料相同，沒有很大的意義，所以可以刪除該列，❶切換至「樞紐分析表工具 - 設計」頁籤，❷在「版面配置」群組中按一下「總計」下三角按鈕，❸在展開的清單中點選「僅開啟欄」選項，如圖 5-60 所示。

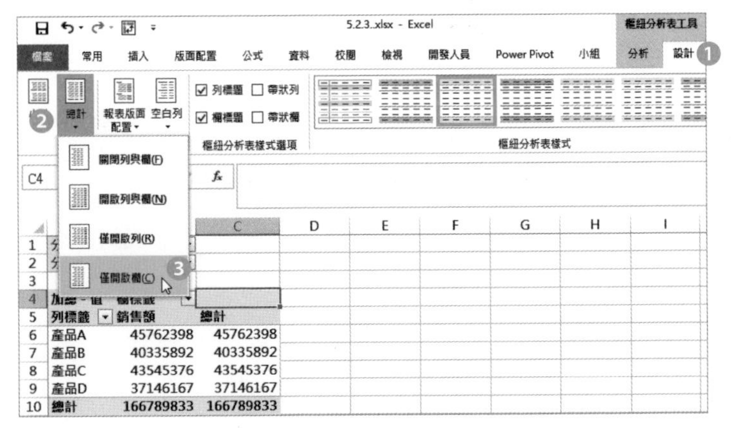

圖 5-60 刪除列小計

09 STEP 選擇欄位 1。❶按一下報表篩選「分頁 1」右側的下三角按鈕，❷在展開的清單中可看到在「樞紐分析表和樞紐分析圖精靈」對話方塊中設定的「欄位 1」，在該清單中點選「2 月」，❸然後按一下「確定」按鈕，如圖 5-61 所示。

10 STEP 選擇欄位 2。❶應用相同的方法按一下「分頁 2」右側的下三角按鈕，❷在展開的清單中可看到設定的「欄位 2」，在該列表中按一下「華中」，❸然後按一下「確定」按鈕，如圖 5-62 所示。

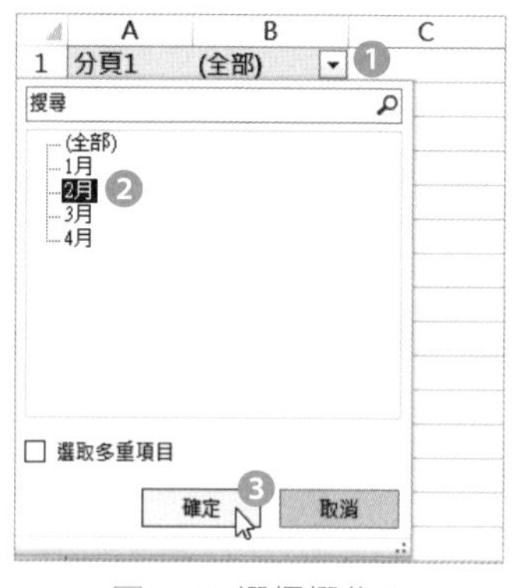

圖 5-61 選擇欄位 1

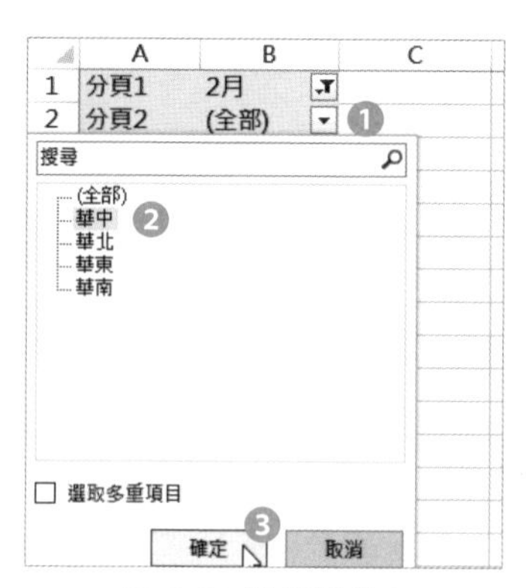

圖 5-62 選擇欄位 2

11 STEP 顯示最終效果。最後為報表設定填滿色彩和數值格式，即可得到如圖 5-63 所示的建立雙頁欄位的報表合併計算效果。

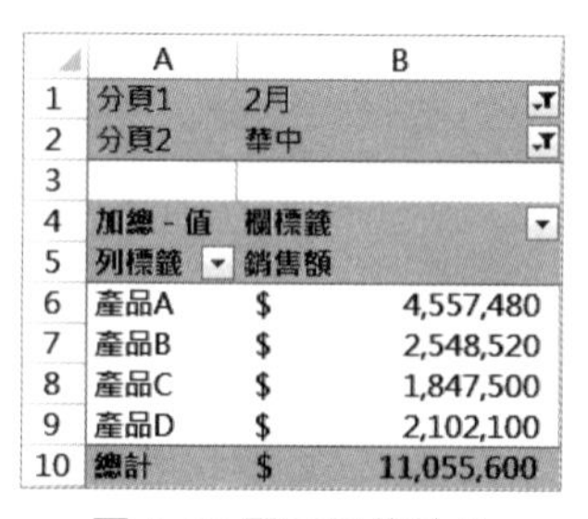

	A	B
1	分頁1	2月
2	分頁2	華中
3		
4	加總 - 值	欄標籤
5	列標籤	銷售額
6	產品A	$ 4,557,480
7	產品B	$ 2,548,520
8	產品C	$ 1,847,500
9	產品D	$ 2,102,100
10	總計	$ 11,055,600

圖 5-63 顯示最終效果

5.3 在樞紐分析表中執行計算

小言：前輩，我發現樞紐分析表中的數值項小計方式，不外乎加總或計數這兩種，有沒有其他的小計方式呢？

老譚：加總和計數是樞紐分析表中預設情況下的小計顯示方式。如果想要對資料項目使用其他的小計，如最大值、最小值或者是平均值等，就可以更改欄位的小計方式。

在樞紐分析表中，欄位的小計顯示方式有 11 種，分別為加總、計數、平均值、最大值、最小值、乘積、數字項個數、標準差、母體標準差、變異數、母體變異數。各個小計方式的含義如下：

- 加總：計算所有數值資料的累加和。
- 計數：對所有儲存格進行計數，包括數值、文字和錯誤的儲存格，如果儲存格內有空格也會計算在內，效果跟 Excel 函數「=COUNTA()」相同。
- 平均值：求數值資料的平均值。
- 最大值：顯示數值資料的最大值。
- 最小值：顯示數值資料的最小值。
- 乘積：將所有儲存格的數值相乘。
- 數字項個數：只計算數值儲存格的個數，效果等同於 Excel 函數「=COUNT()」。
- 標準差和母體標準差：標準差指的是描述各資料偏離平均數的距離的平均數，如果資料集包含全部成員，則要用「母體標準差」。如果資料集包含成員的一些樣本，則使用「標準差」。
- 變異數和母體變異數：如果資料集包含全部成員，要使用「母體變異數」。如果資料集只是全體成員的抽樣，則使用「變異數」估計變異數。

此外，需注意的是，「計數」和「數字項個數」的區別在於：「計數」是只要不是空值的項目就會進行計數的統計，而「數字項個數」則是只對是數值型的項目進行計數統計。另外，樞紐分析表的小計方式預設情況下是以加總方式小計，但是如果資料來源中有空白或是非數數值型別的資料，則使用計數方式小計。

5.3.1 同時顯示欄位的加總、最大值和最小值

小言：前輩，我知道最大值和最小值的小計顯示方式，因為由名字就可以知道其所表達的含義，但是，如果想要同時顯示多個小計，那該怎麼操作呢？

老譚：同時顯示多個小計，指的是為一個欄位加入多種小計，要滿足該操作，首先要確認該欄位在「欄」標籤或者是「列」標籤上，位於其他標籤上的欄位是不能同時顯示多個小計的。

STEP 01 開啟「欄位設定」對話方塊。❶按一下「銷售員工」欄位中的任意欄位項，❷切換至「樞紐分析表工具 - 分析」頁籤，❸在「作用中欄位」群組中按一下「欄位設定」按鈕，如圖 5-64 所示，即可開啟「欄位設定」對話方塊。❶還可以在「銷售員工」欄位中的任意欄位項按右鍵，❷在彈出的快顯功能表中點選「欄位設定」命令，如圖 5-65 所示。

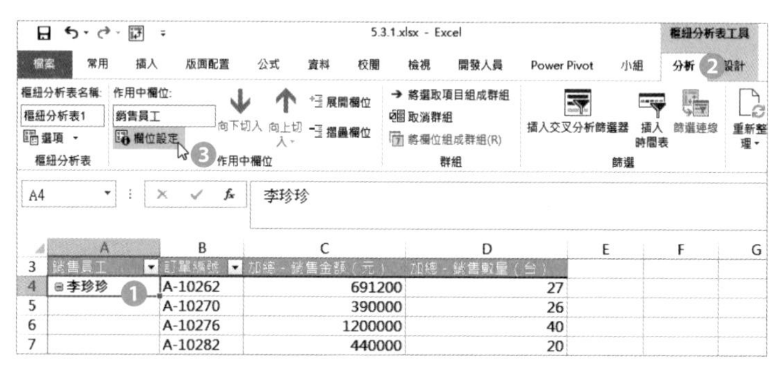

圖 5-64 按一下「欄位設定」按鈕

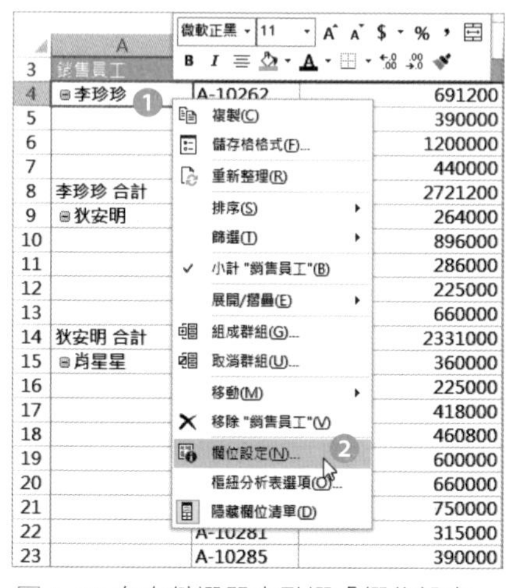

圖 5-65 在右鍵選單中點選「欄位設定」

STEP 02 禁止小計。彈出「欄位設定」對話方塊，❶預設「小計和篩選」頁籤，❷在「小計」選項群組中選擇「無」選項按鈕，如圖 5-66 所示。按一下「確定」按鈕，回到報表中，❸即可看到禁止顯示報表中的小計資料效果，如圖 5-67 所示。

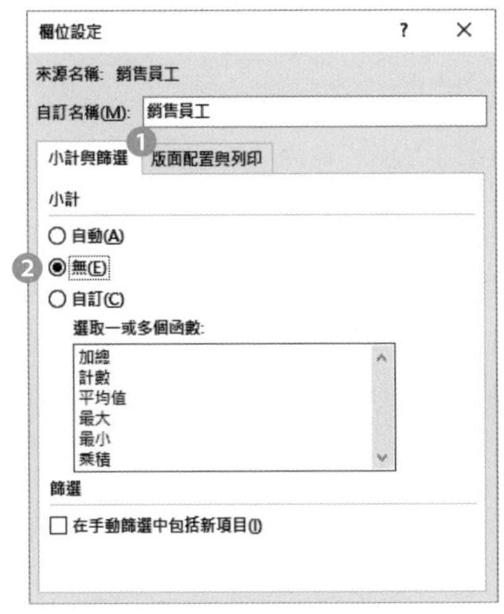

圖 5-66 禁止小計

	A	B	C	D
3	銷售員工	訂單編號	加總 - 銷售金額（元）	加總 - 銷售數量（台）
4	⊟李珍珍	A-10262	691200	27
5		A-10270	390000	26
6		A-10276	1200000	40
7		A-10282	440000	20
8	⊟狄安明 ❸	A-10258	264000	12
9		A-10260	896000	35
10		A-10268	286000	13
11		A-10275	225000	15
12		A-10280	660000	22
13	⊟肖星星	A-10256	360000	24
14		A-10261	225000	15
15		A-10264	418000	19
16		A-10267	460800	18
17		A-10273	600000	40
18		A-10277	660000	30
19		A-10279	750000	25
20		A-10281	315000	21

圖 5-67 顯示禁止小計效果

STEP 03 一個欄位設定多種小計。應用步驟 01 中的任意一種方法開啟「欄位設定」對話方塊，❶在「小計和篩選」頁籤按一下「自訂」選項按鈕，❷在「選擇一個或多個函數」清單方塊中點選「加總」、「最大值」和「最小值」選項，如圖 5-68 所示。按一下「確定」按鈕，回到報表中，❸即可看到一個欄位顯示多個小計的效果，如圖 5-69 所示。

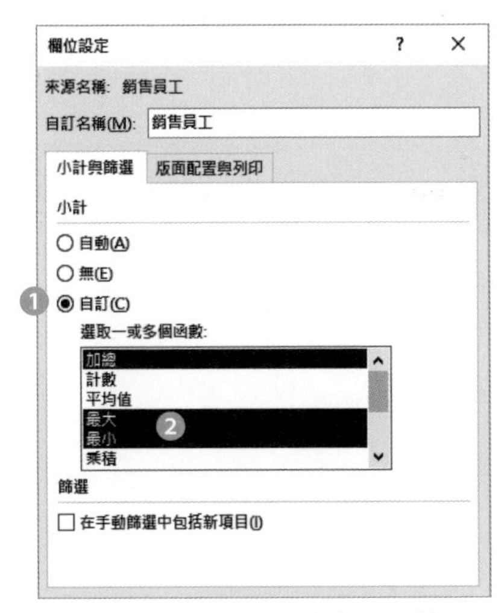

圖 5-68 一個欄位設定多種小計

	A	B	C	D
3	銷售員工	訂單編號	加總 - 銷售金額（元）	加總 - 銷售數量（台）
4	⊟李珍珍	A-10262	691200	27
5		A-10270	390000	26
6		A-10276	1200000	40
7		A-10282	440000	20
8	李珍珍 加總		2721200	113
9	李珍珍 最大 ❸		1200000	40
10	李珍珍 最小		390000	20
11	⊟狄安明	A-10258	264000	12
12		A-10260	896000	35
13		A-10268	286000	13
14		A-10275	225000	15
15		A-10280	660000	22
16	狄安明 加總		2331000	97
17	狄安明 最大		896000	35
18	狄安明 最小		225000	12

圖 5-69 顯示多種小計效果

5.3.2 將值的加總更改為計數和平均值

小言：前輩！當我想要對數值欄位更改小計方式時，方法是不是一樣呢？

老譚：方法可能差不多，但是需注意的是，更改值的小計方式可以直接在已有的值欄位上進行更改，還可以增加一個相同的值欄位，然後再更改增加的值欄位小計方式。在本案例中，將會介紹這兩種方式的異同之處。

1. 增加值欄位並更改小計依據

STEP 01 拖曳加入值欄位。❶在「樞紐分析表欄位」任務窗格中選取「銷售金額（元）」，❷然後拖曳至欄位設定區域的「值」標籤中，如圖 5-70 所示。❸即可發現「值」標籤中增加了一個「加總項：銷售金額（元）2」欄位，如圖 5-71 所示。

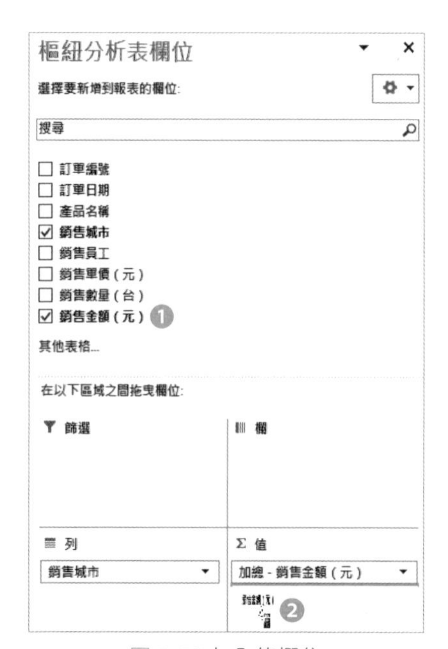

圖 5-70 加入值欄位

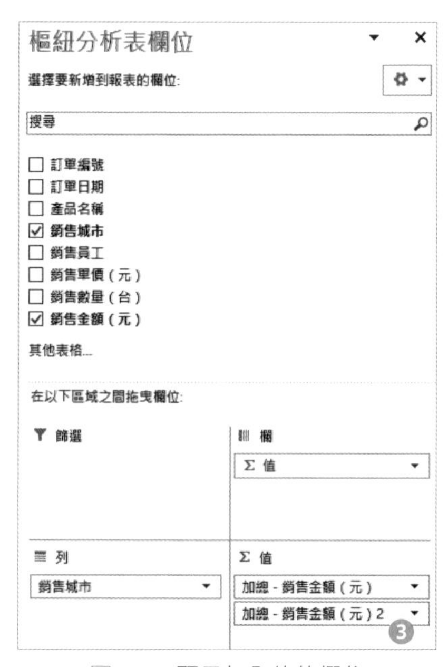

圖 5-71 顯示加入的值欄位

STEP 02 按右鍵加入值欄位。❶在「銷售金額（元）」欄位按右鍵，❷在彈出的快顯功能表中點選「新增至值」命令，如圖 5-72 所示。❸也可以在欄位設定區域中加入值欄位，如圖 5-73 所示。

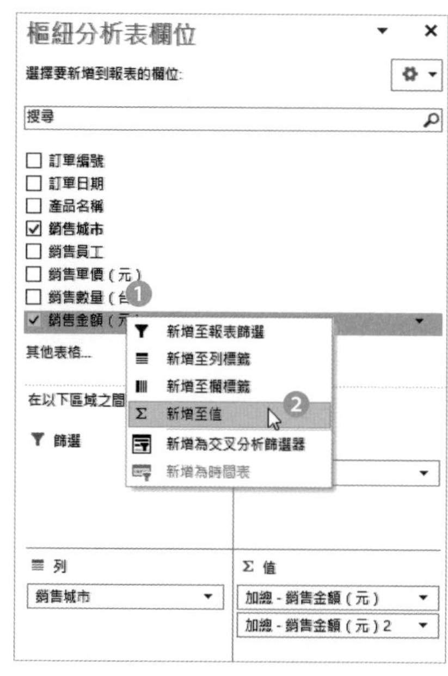

圖 5-72 繼續加入值欄位

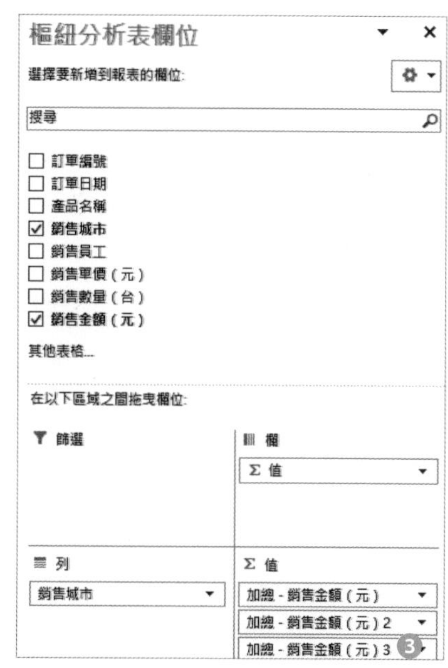

圖 5-73 顯示加入效果

STEP 03 顯示加入值欄位的報表效果。隨後即可在工作表中看到加入值欄位後的報表效果，如圖 5-74 所示。

	A	B	C	D
3	銷售城市	加總 - 銷售金額（元）	加總 - 銷售金額（元）2	加總 - 銷售金額（元）3
4	台北	2800200	2800200	2800200
5	新竹	2558800	2558800	2558800
6	台中	2084000	2084000	2084000
7	嘉義	2372000	2372000	2372000
8	台南	2891000	2891000	2891000
9	高雄	3635600	3635600	3635600
10	總計	16341600	16341600	16341600

圖 5-74 顯示新增值欄位的報表效果

04 STEP 更改值小計方式。❶選取「加總項：銷售金額（元）2」欄位中的任意欄位項儲存格，❷切換至「樞紐分析表工具 - 分析」頁籤，❸在「欄位設定」群組中按一下「欄位設定」按鈕，如圖 5-75 所示。彈出「值欄位設定」對話方塊，❹預設在「摘要值方式」頁籤，❺在「摘要值欄位方式」下的清單方塊中點選「計數」選項，❻按一下「確定」按鈕，如圖 5-76 所示。

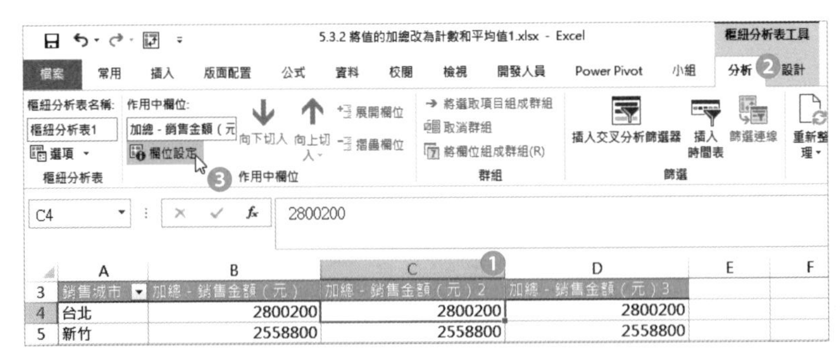

圖 5-75 開啟「欄位設定」對話方塊

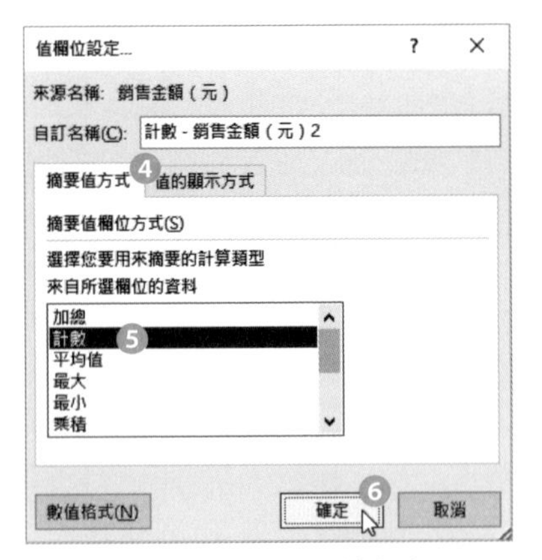

圖 5-76 更改值小計方式

05 STEP 更改值小計方式。除了可以透過以上步驟來開啟「值欄位設定」對話方塊，❶還可以在欄位設定區域中按一下「加總項：銷售金額（元）3」欄位，❷在展開的清單中點選「值欄位設定」選項，如圖 5-77 所示。彈出「值欄位設定」對話方塊，❸在「摘要值欄位方式」清單方塊中選擇「平均值」選項，❹按一下「確定」按鈕，如圖 5-78 所示。

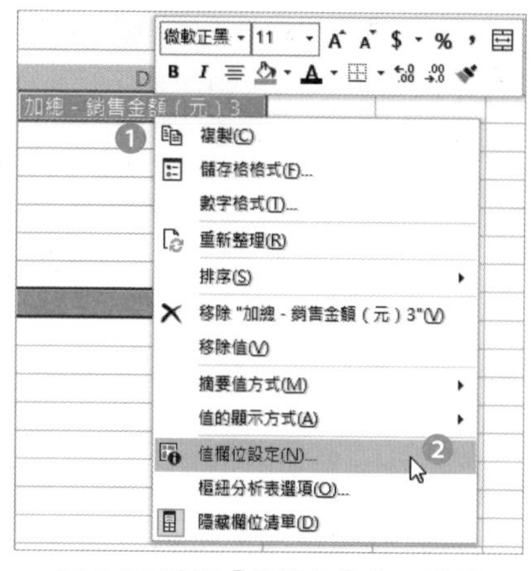

圖 5-77 點選「值欄位設定」選項

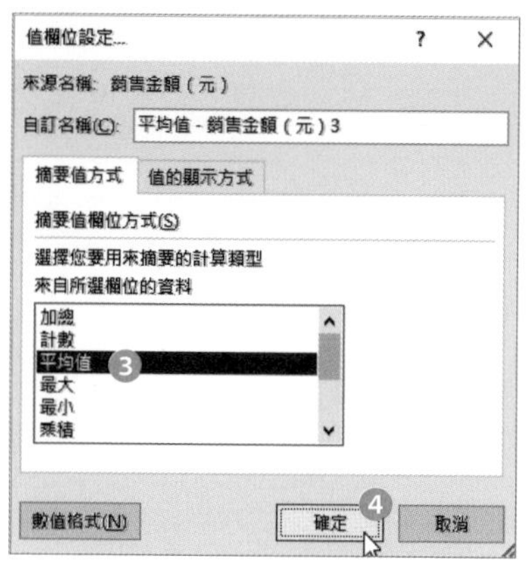

圖 5-78 更改值小計方式

06 STEP 顯示更改值欄位的報表效果。回到報表中，即可看到更改值欄位後的報表效果，如圖 5-79 所示。

	A	B	C	D
3	銷售城市	加總 - 銷售金額（元）	計數 - 銷售金額（元）2	平均值 - 銷售金額（元）3
4	台北	2800200	5	560040
5	新竹	2558800	4	639700
6	台中	2084000	5	416800
7	嘉義	2372000	5	474400
8	台南	2891000	6	481833.3333
9	高雄	3635600	5	727120
10	總計	16341600	30	544720

圖 5-79 顯示更改值欄位的報表效果

2. 在不增加欄位的前提下更改小計依據

01 STEP 按右鍵更改摘要值方式。❶在報表中的任意資料值儲存格按右鍵，❷在彈出的快顯功能表中點選「摘要值方式 > 項目個數」命令，如圖 5-80 所示。

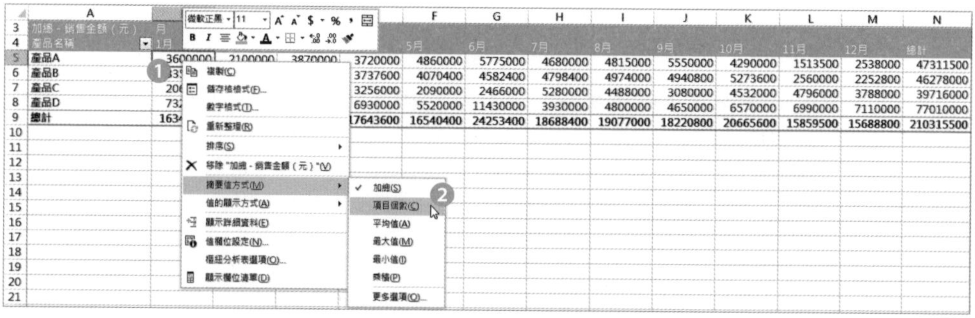

	A	B	C	D	E	F	G	H	I	J	K	L	M	N
3	加總 - 銷售金額（元）	月												
4	產品名稱	1月	[illegible]	[illegible]	[illegible]	5月	6月	7月	8月	9月	10月	11月	12月	總計
5	產品A	3600000	2100000	3870000	3720000	4860000	5775000	4680000	4815000	5550000	4290000	1513500	2538000	47311500
6	產品B	[illegible]	[illegible]	[illegible]	3737600	4070400	4582400	4798400	4974000	4940800	5273600	2560000	2252800	46278000
7	產品C	[illegible]	[illegible]	[illegible]	3256000	2090000	2466000	5280000	4488000	3080000	4532000	4796000	3788000	39716000
8	產品D	[illegible]	[illegible]	[illegible]	6930000	5520000	11430000	3930000	4800000	4650000	6570000	6990000	7110000	77010000
9	總計	[illegible]	[illegible]	[illegible]	17643600	16540400	24253400	18688400	19077000	18220800	20665600	15859500	15688800	210315500

複製(C)
儲存格格式(F)...
數字格式(T)...
重新整理(R)
排序(S)
移除 "加總 - 銷售金額（元）"(V)
摘要值方式(M)
值的顯示方式(A)
顯示詳細資料(E)
值欄位設定(N)...
樞紐分析表選項(O)...
顯示欄位清單(D)
加總(S)
項目個數(C)
平均值(A)
最大值(M)
最小值(I)
乘積(P)
更多選項(O)...

圖 5-80 在右鍵選單更改摘要值方式

STEP 02 顯示更改後的小計效果。隨後可看到更改小計依據後的報表效果，如圖 5-81 所示。銷售金額的計數項表示為各個產品在每個月的銷售金額天數。

	A	B	C	D	E	F	G	H	I	J	K	L	M	N
3	計數 - 銷售金額（元）	月												
4	產品名稱	1月	2月	3月	4月	5月	6月	7月	8月	9月	10月	11月	12月	總計
5	產品A	11	6	10	10	12	10	13	11	12	11	11	12	129
6	產品B	6	3	4	5	5	3	6	8	5	7	2	4	58
7	產品C	5	2	5	5	5	4	6	6	6	7	8	7	66
8	產品D	8	5	8	8	7	13	6	6	7	6	9	8	91
9	總計	30	16	27	28	29	30	31	31	30	31	30	31	344

圖 5-81 顯示更改後的小計效果

STEP 03 更改值小計方式。❶在儲存格 A3 按右鍵，❷在彈出的快顯功能表中點選「值欄位設定」命令，如圖 5-82 所示。彈出「值欄位設定」對話方塊，❸在「摘要值欄位方式」清單方塊中選擇「平均值」選項，❹按一下「確定」按鈕，如圖 5-83 所示。

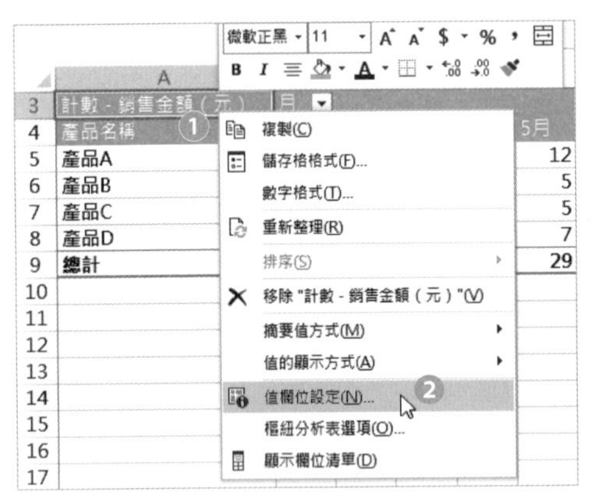

圖 5-82 按一下「值欄位設定」命令

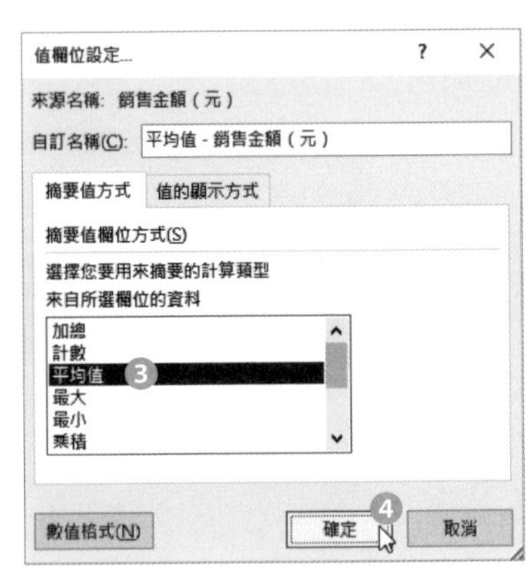

圖 5-83 更改摘要值方式

STEP 04 顯示更改摘要值方式後的報表效果。回到報表中，可看到資料區域顯示的是各個產品在各個月份的銷售金額平均值情況，如圖 5-84 所示。

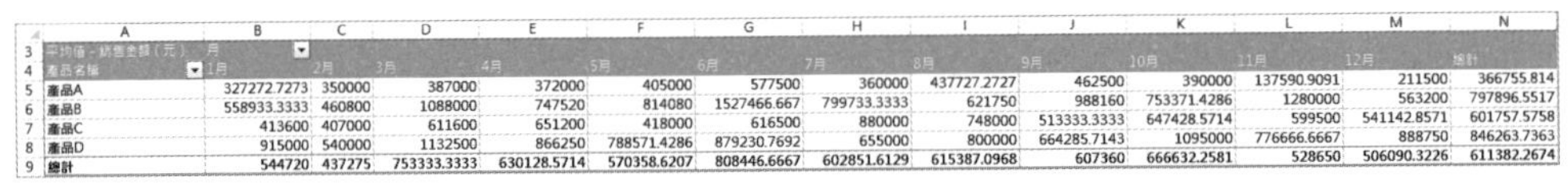

	A	B	C	D	E	F	G	H	I	J	K	L	M	N
3	平均值 - 銷售金額（元）	月												
4	產品名稱	1月	2月	3月	4月	5月	6月	7月	8月	9月	10月	11月	12月	總計
5	產品A	327272.7273	350000	387000	372000	405000	577500	360000	437727.2727	462500	390000	137590.9091	211500	366755.814
6	產品B	558933.3333	460800	1088000	747520	814080	1527466.667	799733.3333	621750	988160	753371.4286	1280000	563200	797896.5517
7	產品C	413600	407000	611600	651200	418000	616500	880000	748000	513333.3333	647428.5714	599500	541142.8571	601757.5758
8	產品D	915000	540000	1132500	866250	788571.4286	879230.7692	655000	800000	664285.7143	1095000	776666.6667	888750	846263.7363
9	總計	544720	437275	753333.3333	630128.5714	570358.6207	808446.6667	602851.6129	615387.0968	607360	666632.2581	528650	506090.3226	611382.2674

圖 5-84 顯示更改摘要值方式後的報表效果

5.3.3 利用占比查看產品在各個城市的銷售行情

老譚：在前面介紹的內容中，我們已瞭解到改變樞紐分析表欄位的摘要方式，其實就相當於使用工作表函數對資料的統計摘要。其實我們還可以改變樞紐分析表值的顯示方式，對資料按照不同的欄位進行相對比較，以方便對資料進行分析。

在樞紐分析表中，有 15 種值顯示方式，分別為無計算、總計百分比、欄總和百分比、列總和百分比、百分比、父項列總和百分比、父項欄總和百分比、父項總和百分比、差異、差異百分比、計算加總至、計算加總至百分比、最小到最大排列、最大到最小排列和索引。

- 無計算：資料區域欄位預設的小計方式計算，預設的小計方式一般為加總或計數。
- 總計百分比：占總和的百分比：資料區域欄位顯示為每個資料項目占該欄位所有項目總和的百分比。
- 欄總和百分比：占同列資料總和的百分比，資料區域欄位顯示為每個資料項目占該列所有項目總和的百分比。
- 列總和百分比：占同行資料總和的百分比，資料區域欄位顯示為每個資料項目占該行所有項目總和的百分比。
- 百分比：資料區域顯示為基本欄位和基本項的百分比，一般用來分析完成率和達成占比。此時的「基本欄位」的意思就是計算百分比時作為分母的欄位。
- 父項列總和百分比：在上一級行欄位中計算百分比。
- 父項欄總和百分比：在上一級列欄位中計算百分比。
- 父項總和百分比：其較之於前面兩個值顯示方式更為抽象，在進行該值顯示方式時，Excel 會彈出一個對話方塊要求選擇「基本欄位」，出現在選項中的既有行欄位，也有列欄位。如果我們選擇的「基本欄位」是一個行欄位，則類似父行小計百分比，在行欄位之間計算百分比，不同點在於各級行欄位均會比上我們選擇的「基本欄位」而不是依次比上上一級行欄位。選擇列欄位同理。
- 差異：資料區域欄位與指定的基本欄位和基本項的差值，一般用於展現與基礎比較項之間的絕對差額，如期末實績與年度計畫之間的差額。
- 差異百分比：資料區域欄位顯示為與基本欄位項的差異百分比，用於展現與基礎比較項的差額相對值，即增長率。

● 計算加總至：對某一欄位進行累加，一般用於累計和排名等。

● 計算加總至百分比：將根據欄位小計的結果顯示為百分比。

● 最小到最大排列：對某一欄位進行昇冪排名。

● 最大到最小排列：對某一欄位進行降冪排名。

● 索引：使用公式：
(儲存格的值 * 總體小計之和)/(行小計 * 列小計)
主要反映資料區域欄位項的相對重要性。通常用於展現資料在總體中的重要程度。

STEP 01 啟動「值欄位設定」對話方塊。在報表中任意含有資料值的儲存格按右鍵，❶或者是按一下儲存格 A3 並按右鍵，❷在彈出快顯功能表中點選「值欄位設定」命令，如圖 5-85 所示。

	A	D	E	F	G	H
3	加總 - 銷售金額（元）					
4	產品名稱	中	嘉義	台南	高雄	總計
5	產品A	540000	390000	1245000	360000	3600000
6	產品B		256000	896000	665600	3353600
7	產品C	704000	946000			2068000
8	產品D	840000	780000	750000	2610000	7320000
9	總計	2084000	2372000	2891000	3635600	16341600

複製(C)
儲存格格式(F)...
數字格式(T)...
重新整理(R)
排序(S)
移除 "加總 - 銷售金額（元）"(V)
摘要值方式(M)
值的顯示方式(A)
值欄位設定(N)...
樞紐分析表選項(O)...
隱藏欄位清單(D)

圖 5-85 啟動「值欄位設定」對話方塊

STEP 02 選擇值顯示方式。彈出「值欄位設定」對話方塊，❶切換至「值的顯示方式」頁籤，❷按一下「值的顯示方式」選項群組右側的下三角按鈕，❸在展開的列表中點選「列總和百分比」選項，如圖 5-86 所示。最後按一下「確定」按鈕。

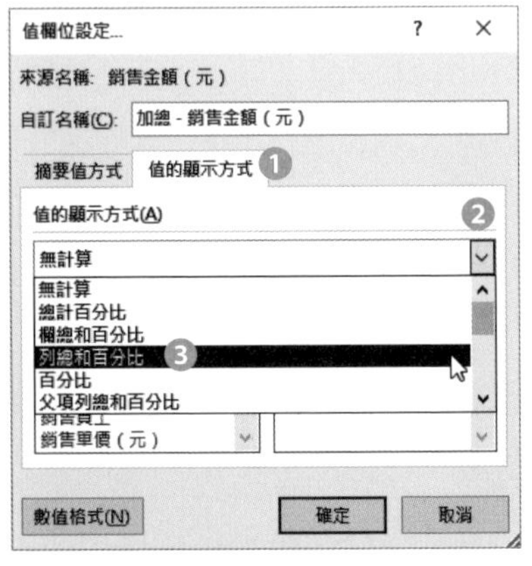

圖 5-86 選擇值顯示方式

STEP 03 顯示列總和百分比的報表效果。回到工作表中，即可看到顯示列總和百分比的樞紐分析表效果，如圖 5-87 所示。

	A	B	C	D	E	F	G	H
3	加總 - 銷售金額（元）	銷售城市						
4	產品名稱	台北	新竹	台中	嘉義	台南	高雄	總計
5	產品A	12.92%	16.67%	15.00%	10.83%	34.58%	10.00%	100.00%
6	產品B	32.06%	13.74%	0.00%	7.63%	26.72%	19.85%	100.00%
7	產品C	0.00%	20.21%	34.04%	45.74%	0.00%	0.00%	100.00%
8	產品D	17.21%	14.75%	11.48%	10.66%	10.25%	35.66%	100.00%
9	總計	17.14%	15.66%	12.75%	14.52%	17.69%	22.25%	100.00%

圖 5-87 顯示列總和百分比的報表效果

STEP 04 選擇值顯示方式。應用相同的方法開啟「值欄位設定」對話方塊，❶切換至「值的顯示方式」頁籤，❷按一下「值的顯示方式」選項群組右側的下三角按鈕，❸在展開的清單中點選「欄總和百分比」選項，如圖 5-88 所示。最後按一下「確定」按鈕。

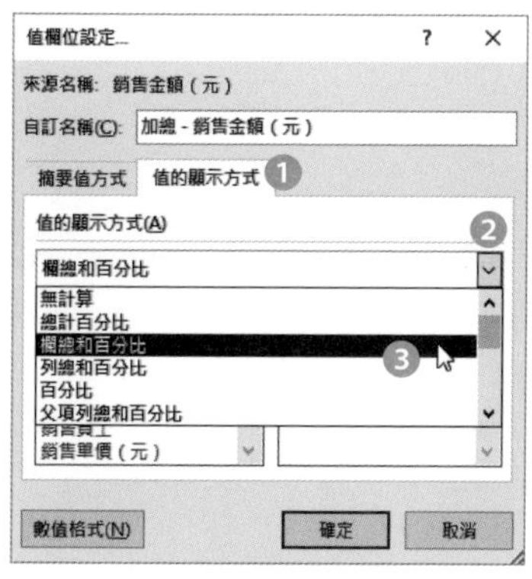

圖 5-88 選擇值的顯示方式

STEP 05 顯示欄總和百分比的報表效果。回到工作表中，即可看到顯示欄總和百分比的報表效果，如圖 5-89 所示。

	A	B	C	D	E	F	G	H
3	加總 - 銷售金額（元）	銷售城市						
4	產品名稱	台北	新竹	台中	嘉義	台南	高雄	總計
5	產品A	16.61%	23.45%	25.91%	16.44%	43.06%	9.90%	22.03%
6	產品B	38.40%	18.01%	0.00%	10.79%	30.99%	18.31%	20.52%
7	產品C	0.00%	16.34%	33.78%	39.88%	0.00%	0.00%	12.65%
8	產品D	45.00%	42.21%	40.31%	32.88%	25.94%	71.79%	44.79%
9	總計	100.00%	100.00%	100.00%	100.00%	100.00%	100.00%	100.00%

圖 5-89 顯示欄總和百分比的報表效果

5.3.4 利用排名查看產品在各個城市的銷售狀況

小言：唉，我有點分不清這些值的顯示方式到底有什麼區別了。

老譚：既然如此，那我們再舉一個例子，讓你更容易理解值的顯示方式功能。但是也別擔心，慢慢地把一個弄清楚了，再去操作另外一個，就能很快掌握全部的值顯示方式了。而且看起來值的顯示方式很多，但是我們常用的也就那幾個，只要把這些常用的瞭解清楚，便無需擔心了。

01 STEP 加入值欄位。圖 5-90 為建立好的樞紐分析表，❶可看到該報表中只有一個值欄位。❷在「樞紐分析表欄位」任務窗格的欄位清單中的「銷售金額（元）」欄位按右鍵，❸在彈出的快顯功能表中點選「新增至值」命令，如圖 5-91 所示。

	A	B	C
3	產品名稱	銷售城市	加總 - 銷售金額（元）
4	⊟產品A	台北	$8,040,000
5		新竹	$12,031,500
6		台中	$4,648,500
7		嘉義	$5,926,500
8		台南	$9,552,000
9		高雄	$7,113,000
10	產品A 合計		$47,311,500
11	⊟產品B	台北	$8,678,400
12		新竹	$5,998,000
13		台中	$3,993,600
14		嘉義	$9,651,200
15		台南	$11,801,600
16		高雄	$6,155,200
17	產品B 合計		$46,278,000

圖 5-90 只有一個值欄位的報表效果

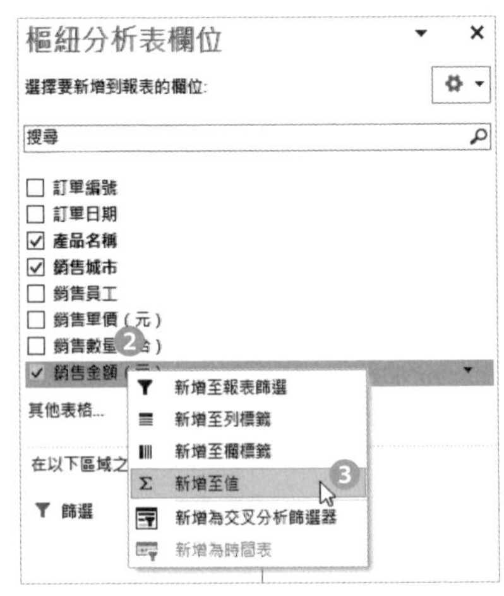

圖 5-91 將欄位新增至值

02 STEP 更改值的顯示方式。隨後可看到報表中加入該欄位，❶在加入欄位的任意儲存格中按右鍵，❷在彈出的快顯功能表中點選「值的顯示方式 > 最小到最大排列」命令，如圖 5-92 所示。

	A	B	C	D
3	產品名稱	銷售城市	加總 - 銷售金額（元）	加總 - 銷售金
4	⊟產品A	台北	$8,040,000	
5		新竹	$12,031,500	
6		台中	$4,648,500	
7		嘉義	$5,926,500	
8		台南	$9,552,000	
9		高雄	$7,113,000	
10	產品A 合計		$47,311,500	
11	⊟產品B	台北	$8,678,400	
12		新竹	$5,998,000	
13		台中	$3,993,600	
14		嘉義	$9,651,200	
15		台南	$11,801,600	
16		高雄	$6,155,200	
17	產品B 合計		$46,278,000	
18	⊟產品C	台北	$7,164,000	7164000
19		新竹	$5,676,000	5676000
20		台中	$5,148,000	5148000
21		嘉義	$14,082,000	14082000
22		台南	$3,674,000	3674000
23		高雄	$3,972,000	3972000
24	產品C 合計		$39,716,000	39716000
25	⊟產品D	台北	$17,160,000	17160000
26		新竹	$14,190,000	14190000
27		台中	$4,680,000	4680000
28		嘉義	$22,500,000	22500000
29		台南	$7,050,000	7050000
30		高雄	$11,430,000	11430000

圖 5-92 更改值的顯示方式

03 STEP 設定基本欄位。彈出「值顯示方式（加總項：銷售金額（元）2）」對話方塊，❶設定「基本欄位」為預設的「銷售城市」，❷按一下「確定」按鈕，如圖 5-93 所示。

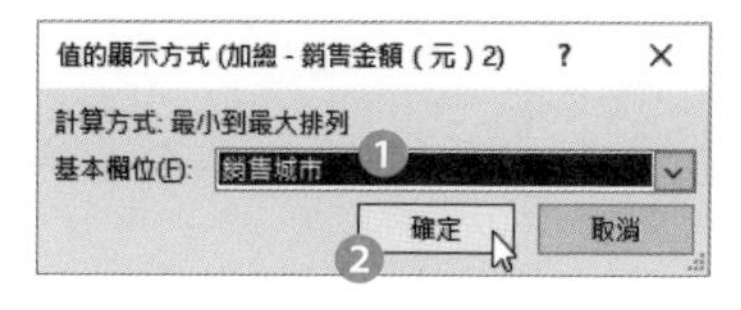

圖 5-93 設定基本欄位

04 STEP 顯示最小到最大排序效果並更改欄位名稱。回到工作表中，❶即可看到最小到最大排序銷售城市欄位銷售金額的報表效果，如圖 5-94 所示。❷隨後選取儲存格 D3，更改加入的欄位名稱為「排名」，以便於更直覺了解該欄位的意義，按下【Enter】鍵，即可完成值顯示方式的更改，如圖 5-95 所示。

	A	B	C	D
3	產品名稱	銷售城市	加總 - 銷售金額 (元)	加總 - 銷售金額 (元) 2
4	⊟產品A	台北	$8,040,000	4
5		新竹	$12,031,500	6
6		台中	$4,648,500	1
7		嘉義	$5,926,500	2
8		台南	$9,552,000	5
9		高雄	$7,113,000	3
10	產品A 合計		$47,311,500	
11	⊟產品B	台北	$8,678,400	4
12		新竹	$5,998,000	2
13		台中	$3,993,600	1
14		嘉義	$9,651,200	5
15		台南	$11,801,600	6
16		高雄	$6,155,200	3
17	產品B 合計		$46,278,000	

圖 5-94 顯示昇冪排序銷售城市的效果

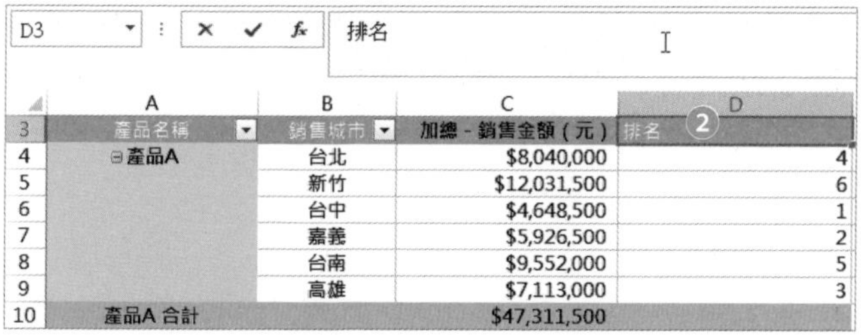

D3   排名

	A	B	C	D
3	產品名稱	銷售城市	加總 - 銷售金額 (元)	排名
4	⊟產品A	台北	$8,040,000	4
5		新竹	$12,031,500	6
6		台中	$4,648,500	1
7		嘉義	$5,926,500	2
8		台南	$9,552,000	5
9		高雄	$7,113,000	3
10	產品A 合計		$47,311,500	

圖 5-95 更改欄位名稱

5.4 在樞紐分析表中加入計算欄位和計算項目

老譚：如果多重摘要和自訂值的顯示方式仍無法滿足我們對樞紐分析表資料處理的要求，還可以透過加入計算欄位和計算項目來達到需求。這種要求一般是指在用樞紐分析表分析資料時，可能會碰到需要將分析擴展到要包括基於不在原資料集內的計算結果之資料。例如，我們已知道各員工的銷售金額，若想取得他們的抽成金額，就需要加入計算欄位。

小言：哦！樞紐分析表還可以這樣啊！

老譚：在樞紐分析表中不僅可以加入計算欄位，還可以加入計算項目。其中計算欄位是透過已有欄位進行計算得出的一個新欄位，即對資料區域的有關欄位進行重新計算得出新欄位。而計算項目指的是在某一欄位計算項目下，在某一計算項目或不同計算項目之間進行計算後得出的新資料項目，即對行欄位或者列欄位下的具體資料項目進行重新計算得出新計算項目。

5.4.1 建立各個員工的抽成計算欄位

老譚：在樞紐分析表中，所謂的計算欄位是一種根據使用者建立的公式來進行計算的欄位，該欄位可以使用樞紐分析表中其他欄位的內容來進行計算。計算欄位中可以進行加、減、乘、除四則運算，還可以使用函數來進行各種複雜的計算。這裡要注意，在建立計算公式時，不能使用儲存格參照或以定義的名稱作為變數。

小言：感覺又學到了！沒想到樞紐分析表還可以這樣進行計算。

01 STEP 加入計算欄位。圖 5-96 為未加入欄位的報表效果。❶在樞紐分析表中選擇任意一個儲存格，❷切換至「樞紐分析表工具 - 分析」頁籤，❸按一下「計算」群組中的「欄位、項目和集」下三角按鈕，❹在展開的清單中點選「計算欄位」選項，如圖 5-97 所示。

	A	B ❶
3	銷售員工	加總 - 銷售金額（元）
4	李珍珍	2721200
5	狄安明	2331000
6	肖星星	4178800
7	程志成	3104600
8	趙鳳元	4006000
9	總計	16341600

圖 5-96 顯示未加入計算欄位的報表

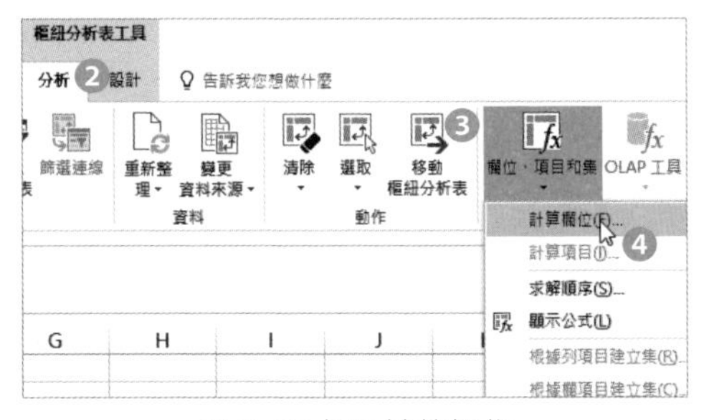

圖 5-97 加入計算欄位

STEP 02 輸入欄位名稱。彈出「插入計算欄位」對話方塊，❶在對話方塊的「名稱」文字方塊中輸入欄位名稱「抽成」，❷按一下「新增」按鈕，如圖 5-98 所示。

STEP 03 插入欄位。❶此時可看到「插入計算欄位」下的清單方塊中加入了「抽成」欄位，在預設情況下，「插入計算欄位」對話方塊中的「公式」輸入框中會包含「= 0」，❷所以首先刪除「0」，❸然後在「欄位」清單方塊中按一下「銷售金額 (元)」，❹按一下「插入欄位」按鈕，如圖 5-99 所示。

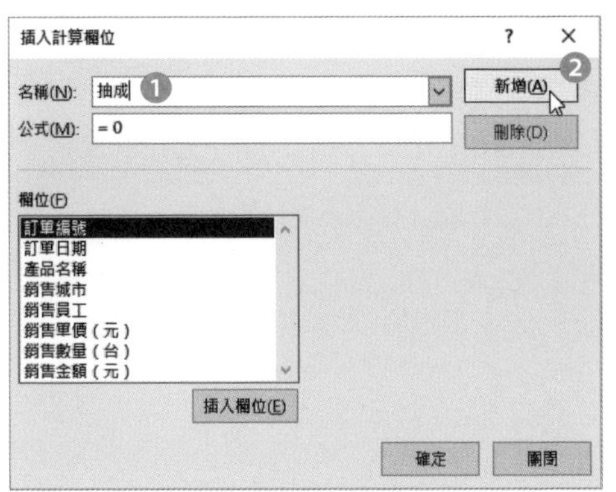

圖 5-98 輸入欄位名稱

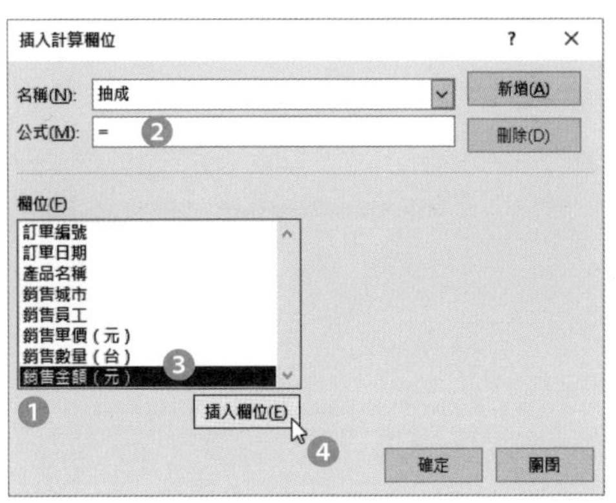

圖 5-99 插入欄位

STEP 04 完成公式的輸入。❶可看到「公式」後的文字方塊中出現插入的欄位，繼續在公式後的文字方塊中輸入「*0.02」，❷完成公式的輸入後按一下「確定」按鈕，如圖 5-100 所示。

STEP 05 顯示加入的計算欄位。回到報表中，可發現加入的計算欄位，可看到增加的欄位資料結果保留了兩位小數，選取加入欄位中的資料區域，如圖 5-101 所示。

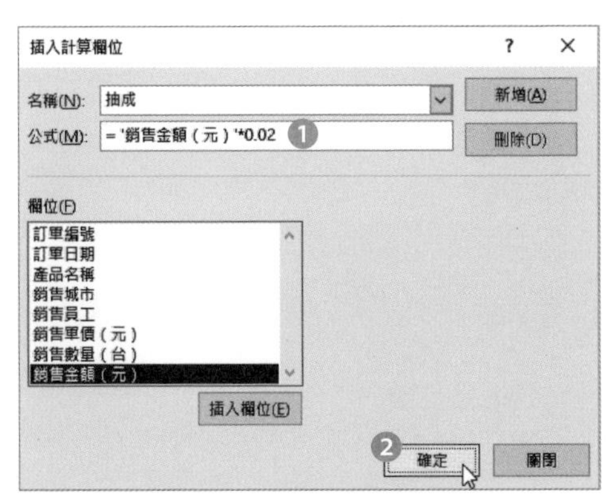

圖 5-100 完成公式的輸入

	A	B	C
3	銷售員工	加總 - 銷售金額 (元)	加總 - 抽成
4	李珍珍	2721200	$54,424.00
5	狄安明	2331000	$46,620.00
6	肖星星	4178800	$83,576.00
7	程志成	3104600	$62,092.00
8	趙鳳元	4006000	$80,120.00
9	總計	16341600	$326,832.00

圖 5-101 顯示加入的計算欄位

06 STEP 更改資料的小數位數。開啟「儲存格格式」對話方塊，❶點選「數值」頁籤「類別」群組下的「貨幣」，❷按一下「小數位數」右側的數值調節按鈕，將小數位數設為「0」，如圖 5-102 所示，按一下「確定」按鈕。

07 STEP 顯示最終的欄位加入效果。回到報表中，可看到最終的樞紐分析表加入欄位效果，如圖 5-103 所示。

圖 5-102 更改資料的小數位數

	A	B	C
3	銷售員工	加總 - 銷售金額（元）	加總 - 抽成
4	李珍珍	2721200	$54,424
5	狄安明	2331000	$46,620
6	肖星星	4178800	$83,576
7	程志成	3104600	$62,092
8	趙鳳元	4006000	$80,120
9	**總計**	**16341600**	**$326,832**

圖 5-103 顯示最終的欄位加入效果

如果想要刪除加入的計算欄位，❶可在「插入計算欄位」對話方塊中的「名稱」文字方塊中輸入要刪除的計算欄位，如「抽成」，❷按一下「刪除」按鈕，如圖 5-104 所示，隨後按一下「確定」按鈕，即可刪除加入的計算欄位。需注意的是，該方法只能刪除加入的計算欄位，不能刪除報表中本來就存在的欄位。如果想要修改已經加入的計算欄位，則可按一下「修改」按鈕。

圖 5-104 刪除和修改加入的欄位

5.4.2 建立銷售平均水準計算項目

老譚：雖說計算項目的加入與計算欄位很類似，但還是有些不一樣。雖說上文已經介紹了它們之間的差別，但還不如直接透過實際操作更能了解其不同之處，所以在本小節中，我將介紹計算項目的加入方法。

小言：好的！透過前面的解釋，我也的確沒有看出它們的區別在哪裡。

老譚：計算項目具有一定的局限性，因為加入計算項目後會導致欄總計或列總計不正確，詳細情況見案例。

STEP 01 建立計算項目。❶選取「銷售員工」欄位中的任意資料儲存格，❷切換至「樞紐分析表工具 - 分析」頁籤，❸按一下「計算」群組中的「欄位、項目和集」下三角按鈕，❹在展開的清單中點選「計算項目」選項，如圖 5-105 所示。

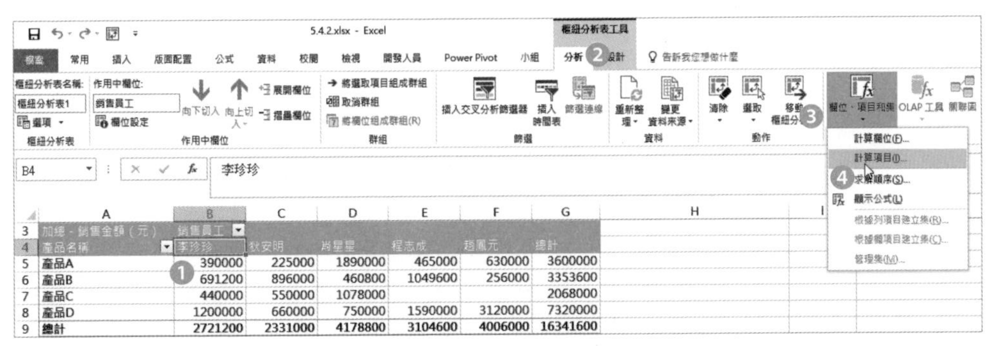

圖 5-105 建立計算項目

STEP 02 設定計算項目的名稱。彈出「將欲計算的項目加入到 " 銷售員工 "」對話方塊，❶在「名稱」後的文字方塊中輸入「銷售員工的平均水準」，❷在「公式」後的文字方塊中先刪除「0」，然後輸入「AVERAGE()」，並將游標定位在括弧內，如圖 5-106 所示。

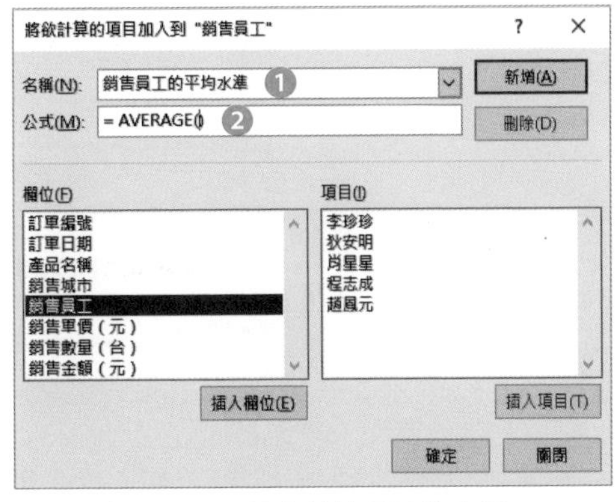

圖 5-106 設定計算項目的名稱

03 STEP 插入項目。❶在「項目」下的清單方塊中按一下任一個項目，❷按一下「插入項目」按鈕，如圖 5-107 所示。

04 STEP 完成計算項目的加入。應用與上步驟相同的方法完成計算項目的插入，❶即可看到「公式」文字方塊中的公式，❷隨後按一下「新增」按鈕，如圖 5-108 所示，就完成了計算項目的加入。

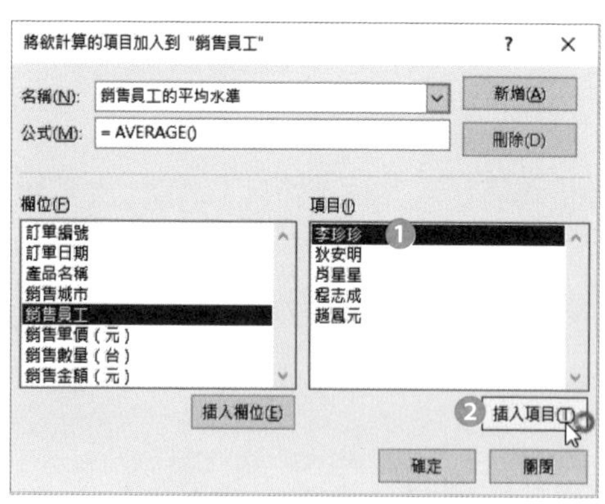

圖 5-107 插入項目

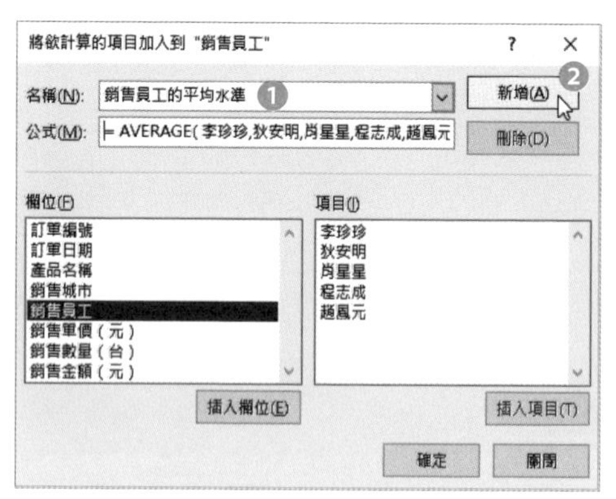

圖 5-108 加入計算項目

05 STEP 繼續加入計算項目。在完成一個計算項目的加入後，還可以繼續加入，❶在「名稱」後的文字方塊中輸入「未銷售每個產品的員工平均水準」，❷在「公式」文字方塊中輸入「=AVERAGE(」，❸點選「項目」清單方塊中的「李珍珍」，❹按一下「插入項目」按鈕，如圖 5-109 所示。

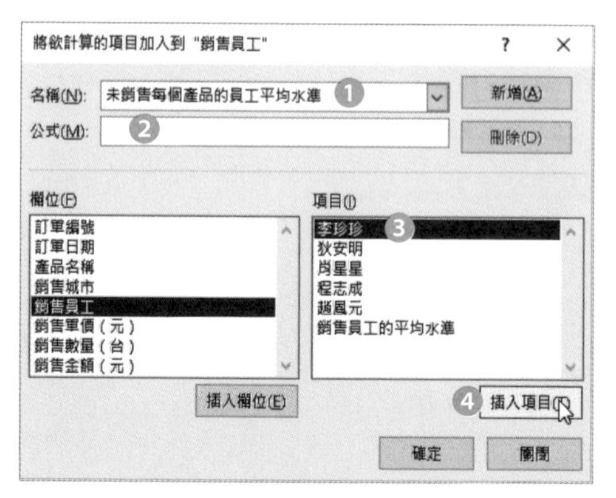

圖 5-109 繼續加入計算項目

06 STEP 完成加入第二個計算項目。❶隨後繼續在公式中插入項目，完成公式的輸入，❷按一下「新增」按鈕，如圖 5-110 所示。

07 STEP 顯示加入的計算項目。❶隨後切換至「銷售員工」欄位中，❸可看到新加入的兩個項目，❸按一下「確定」按鈕，如圖 5-111 所示。

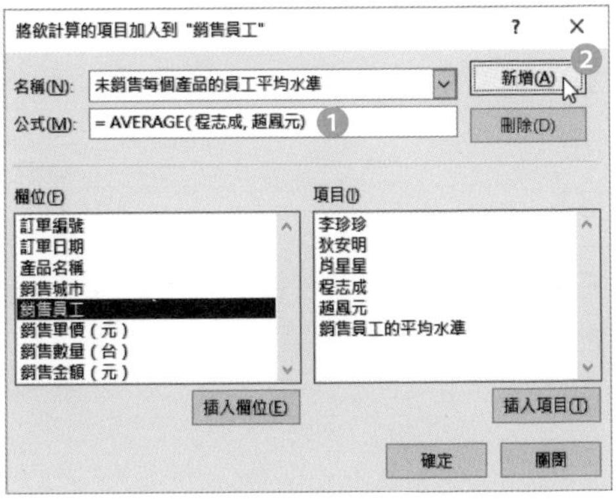

將欲計算的項目加入到 "銷售員工"

名稱(N): 未銷售每個產品的員工平均水準 新增(A) ❷

公式(M): = AVERAGE(程志成, 趙鳳元) ❶ 刪除(D)

欄位(F): 訂單編號、訂單日期、產品名稱、銷售城市、銷售員工、銷售單價（元）、銷售數量（台）、銷售金額（元）

項目(I): 李珍珍、狄安明、肖星星、程志成、趙鳳元、銷售員工的平均水準

插入欄位(E) 插入項目(T) 確定 關閉

圖 5-110 加入計算項目

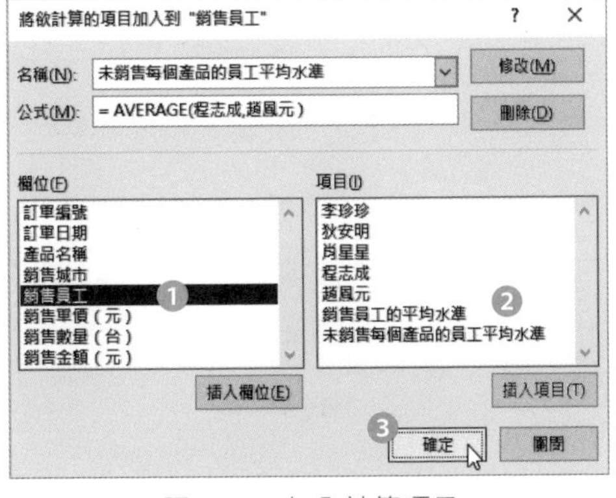

圖 5-111 加入計算項目

08 STEP 加入計算項目後的報表效果。回到工作表中，即可看到加入兩個計算項目後的報表效果，如圖 5-112 所示。若要刪除加入的計算項目，其刪除方法與刪除計算欄位類似。

	A	B	C	D	E	F	G	H	I
3	加總 - 銷售金額（元）	銷售員工							
4	產品名稱	李珍珍	狄安明	肖星星	程志成	趙鳳元	銷售員工的平均水準	未銷售每個產品的員工平均水準	總計
5	產品A	390000	225000	1890000	465000	630000	720000	547500	4867500
6	產品B	691200	896000	460800	1049600	256000	670720	652800	4677120
7	產品C	440000	550000	1078000			413600	0	2481600
8	產品D	1200000	660000	750000	1590000	3120000	1464000	2355000	11139000
9	總計	2721200	2331000	4178800	3104600	4006000	3268320	3555300	23165220

圖 5-112 加入計算項目後的報表效果

資料群組與多重彙總

5.4.3 改變計算項目的求解順序

小言：前輩！改變計算項目的求解順序有什麼用啊？看不出改變次序後的樞紐分析表有什麼變化啊！

老譚：如果樞紐分析表中某個儲存格的值取決於兩個或者多個計算項目的計算結果，樞紐分析表中就會出現求解順序的選項，也就是說，我們可以指定進行單個計算的次序。而且透過對話方塊內的上移、下移按鈕，可改變樞紐分析表內計算項目的求解順序，使用刪除按鈕還可以將計算項目刪除。

STEP 01 啟動「求解順序」對話方塊。切換到「樞紐分析表工具 - 分析」頁籤，❶按一下「計算」群組中的「欄位、項目和集」下三角按鈕，❷在展開的清單中點選「求解順序」選項，如圖 5-113 所示。

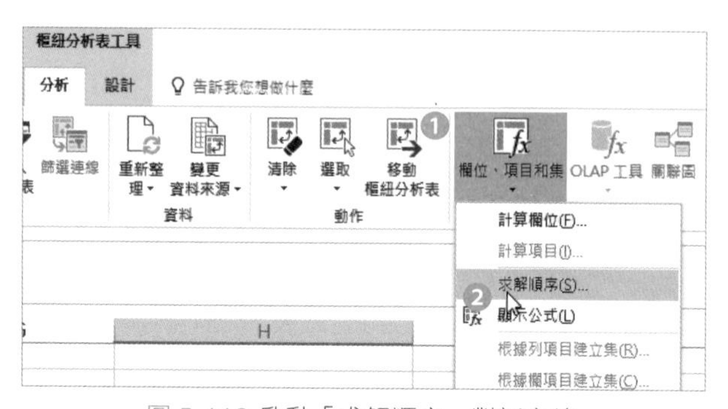

圖 5-113 啟動「求解順序」對話方塊

STEP 02 更改求解順序。彈出「計算項目的求解順序」對話方塊，❶選取第一個計算項目，❷按一下「往下移」按鈕，如圖 5-114 所示。❸可看到該計算項目下移了，❹隨後按一下「關閉」按鈕，如圖 5-115 所示。

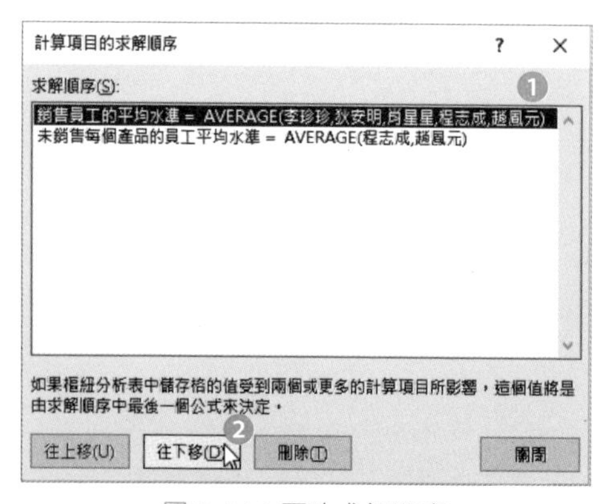

圖 5-114 更改求解順序

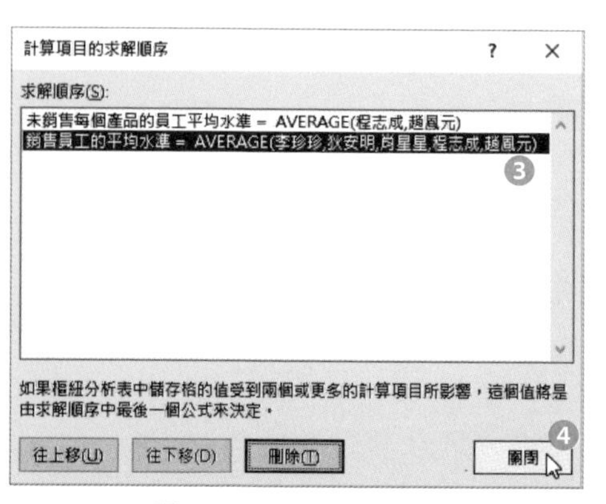

圖 5-115 關閉對話方塊

5.4.4 為計算欄位和計算項目顯示公式的說明

小言：前輩！顯示公式功能是不是就是列出以上我們在建立計算欄位和計算項目時所建立的公式啊！

老譚：其功能不僅僅如此。在 Excel 中，該功能列出樞紐分析表中所使用的計算項目和計算欄位，以及關於求解順序和公式的詳細說明。當我們想要快速確定某個樞紐分析表中正在應用什麼計算，或者是這些計算會影響哪些計算欄位或計算項目時，使用該功能就特別方便。

01 STEP 顯示公式。切換至「樞紐分析表工具 - 分析」頁籤，❶按一下「計算」群組中的「欄位、項目和集」下三角按鈕，❷在展開的清單中點選「顯示公式」選項，如圖 5-116 所示。

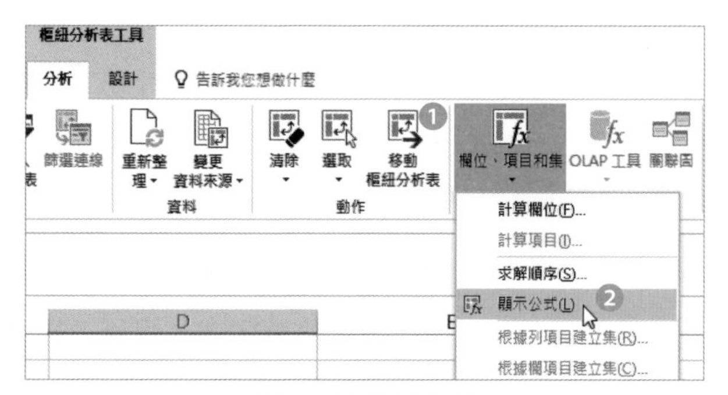

圖 5-116 顯示公式

02 STEP 顯示公式的說明。隨後會在活頁簿中插入一個新的工作表，在該工作表中可看到公式的說明，如圖 5-117 所示。

	A	B	C
1	*計算欄位*		
2	求解順序	欄位	公式
3	1	抽成	='銷售金額（元）'*0.02
4			
5	*計算項目*		
6	求解順序	項目	公式
7	1	銷售員工的平均水準	= AVERAGE(李珍珍,狄安明,肖星星,程志成,趙鳳元)
8			
9			
10	*備註:*	當有多個公式更新一個儲存格時，	
11		儲存格的值是由求解順序最後的公式來決定。	
12			
13		若要變更多個計算項目或欄位的求解順序，	
14		在 [選項] 索引標籤的 [計算] 群組中，按一下 [欄位、項目和集]，再按一下 [求解順序]。	

工作表2　工作表1　產品銷售記錄表

圖 5-117 顯示公式的說明

6 樞紐分析表的圖表化

透過前面系統式的學習方式，小言已瞭解樞紐分析表如何分析資料，但是他又仔細思考了一下，想讓這些資料立體化，以便於能更直接地發現企業的問題。基於此問題，老譚給出了肯定的答案。在實際工作中，樞紐分析表可以快速計算大量資料，還可以進行深入的分析，並回答一些預料不到的資料問題 而使用 Excel 樞紐分析圖則可以將樞紐分析表中的資料視覺化，以便於查看、比較和預測，協助企業管理者做出關鍵資料的決策。

6.1 讓樞紐分析圖的建立不再單一

老譚：樞紐分析表為我們提供靈活、快捷的資料計算和組織工具。如果要將樞紐分析表的資料直觀、動態地展現出來，則需要使用樞紐分析圖。需注意的是，樞紐分析圖的建立是在樞紐分析表的基礎之上，且以圖形方式展示資料，它能使樞紐分析表更為生動。從另一角度說，樞紐分析圖也是 Excel 建立動態圖表的主要方法之一。

小言：那就是說，樞紐分析圖的建立是以現有的樞紐分析表為基礎的了。

老譚：可以這樣說，但不是絕對的。樞紐分析圖的建立一般可以根據現有的樞紐分析表來建立，但是也可以以資料來源或者是其他工具直接建立，還可以直接使用鍵盤上的【F11】鍵一步建立，以下我將一一介紹這四種方法。

6.1.1 根據現有樞紐分析表建立

老譚：一般情況下，如果已經建立好樞紐分析表，就可以直接利用樞紐分析表建立樞紐分析圖。但是需注意的是，使用該方法建立圖表的程序並不只有一種。

小言：這個我注意到了，沒想到就這樣一個簡單的圖表建立操作，方法都可以那麼多，我真的對 Excel 發明者佩服的五體投地了。

01 STEP 顯示要建立樞紐分析圖的樞紐分析表效果。如圖 6-1 所示，為一張根據產品銷售記錄表建立的樞紐分析表，若要直觀地分析資料，則可根據該樞紐分析表建立樞紐分析圖。

	A	B	C	D	E	F
1						
2						
3	加總 - 銷售金額（元）	產品名稱				
4	銷售員工	產品A	產品B	產品C	產品D	總計
5	李珍珍	$6,196,500	$7,321,600	$5,060,000	$10,740,000	$29,318,100
6	狄安明	$7,356,000	$7,808,000	$3,740,000	$16,650,000	$35,554,000
7	尚星星	$14,886,000	$11,776,000	$14,382,000	$16,830,000	$57,874,000
8	程志成	$8,340,000	$9,633,200	$6,138,000	$12,720,000	$36,831,200
9	趙鳳元	$10,533,000	$9,739,200	$10,396,000	$20,070,000	$50,738,200
10	總計	$47,311,500	$46,278,000	$39,716,000	$77,010,000	$210,315,500

圖 6-1 顯示要建立樞紐分析圖的樞紐分析表

STEP 02 建立樞紐分析圖。❶選取樞紐分析表中的任意儲存格，❷切換至「插入」頁籤，❸在「圖表」群組中按一下「樞紐分析圖」下三角按鈕，❹在展開的清單中點選「樞紐分析圖」選項，如圖 6-2 所示。❶或者在選取樞紐分析表中任意儲存格後，❷切換至「樞紐分析表工具 - 分析」頁籤，❸在「工具」群組中按一下「樞紐分析圖」按鈕，如圖 6-3 所示。

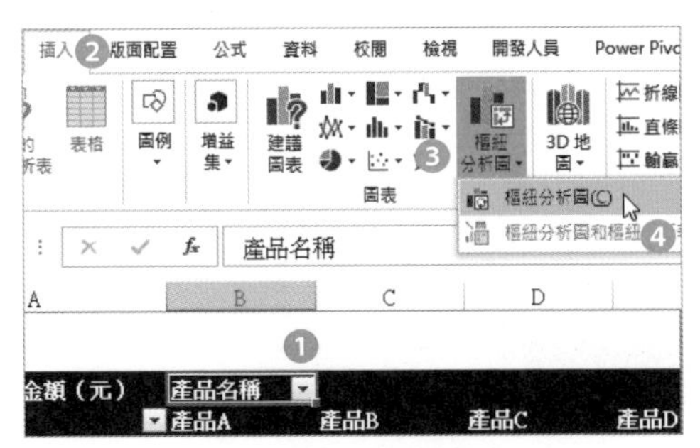

圖 6-2 建立樞紐分析圖

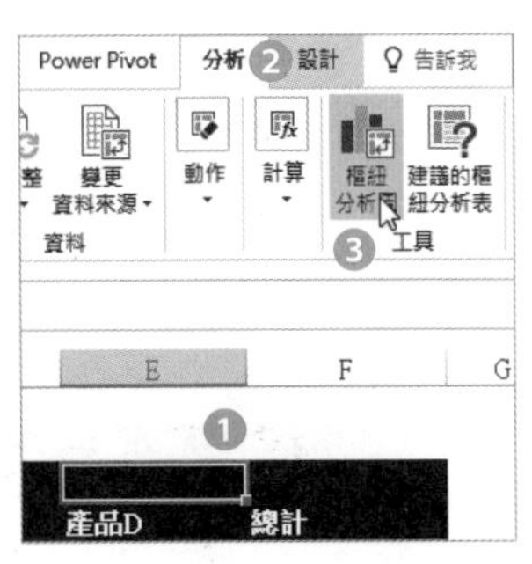

圖 6-3 建立樞紐分析圖

STEP 03 選擇要插入的圖表類型。彈出「插入圖表」對話方塊，❶在「所有圖表」頁籤按一下「直條圖」，❷然後在右側的面板中點選「群組直條圖」圖示，如圖 6-4 所示，最後按一下「確定」按鈕。

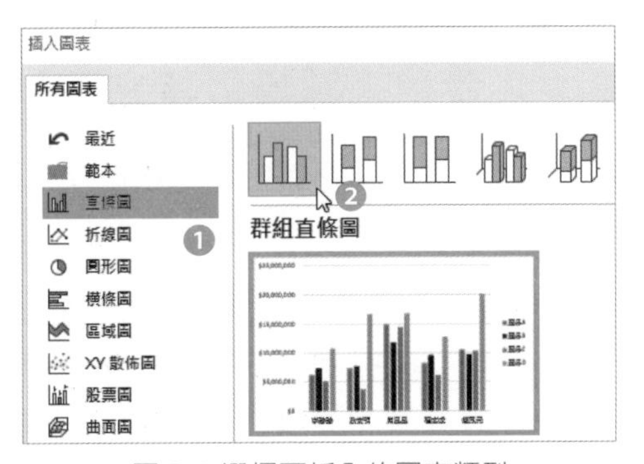

圖 6-4 選擇要插入的圖表類型

STEP 04 顯示建立的樞紐分析圖。回到工作表中，即可看到樞紐分析表中插入的樞紐分析圖效果，如圖 6-5 所示。

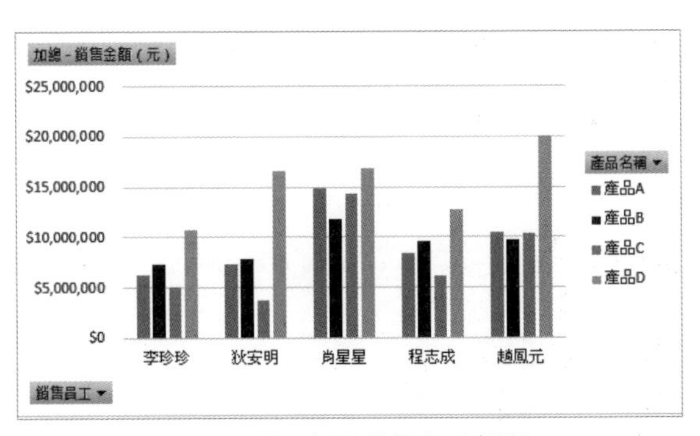

圖 6-5 顯示插入的樞紐分析圖

除了可以透過以上兩種根據樞紐分析表建立樞紐分析圖的方法以外，還可以透過以下方法。❶選取樞紐分析表中的任意儲存格，❷切換至「插入」頁籤，❸在「圖表」群組中按一下「插入直條圖或橫條圖」右側的下三角按鈕，❹在展開的列表中點選「平面直條圖」選項群組下的「群組直條圖」選項，如圖 6-6 所示。隨後建立的樞紐分析圖與圖 6-5 是一樣的。

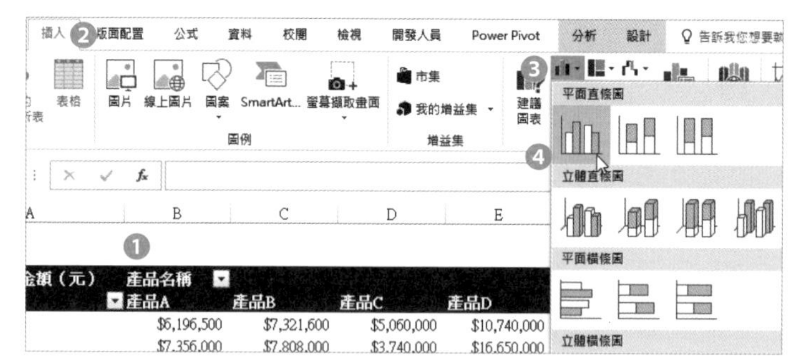

圖 6-6 直接插入圖表

6.1.2 使用來源資料建立

小言：前輩、前輩，既然有根據現有樞紐分析表的建立方式，為什麼還要使用來源資料建立呢？

老譚：其實，和建立 Excel 圖表一樣，樞紐分析表也可以直接以原有的資料內容建立，使用該方法建立樞紐分析圖後，會在同時建立好樞紐分析表，也就是說其實該方法的根本和上小節中的類似，只不過是同時建立好圖和表而已。

01 STEP 插入樞紐分析圖。❶選取「產品銷售記錄表」中的任意資料儲存格，❷切換至「插入」頁籤，❸在「圖表」群組中按一下「樞紐分析圖」按鈕，❹在展開的清單中點選「樞紐分析圖」選項，如圖 6-7 所示。

	A	B	C	D	E	F	G
1	訂單編號	訂單日期	產品名稱	銷售城市	銷售員工	銷售單價（元）	銷售數量（台）
2	A-10256	201[illegible]5	產品A	高雄	尚星星	$15,000.00	24
3	A-10257	2016/1/6	產品B	高雄	程志成	$25,600.00	26
4	A-10258	2016/1/6	產品C	台中	狄安明	$22,000.00	12
5	A-10259	2016/1/7	產品D	台中	程志成	$30,000.00	28
6	A-10260	2016/1/7	產品B	台南	狄安明	$25,600.00	35
7	A-10261	2016/1/11	產品A	台南	尚星星	$15,000.00	15
8	A-10262	2016/1/11	產品B	台北	李珍珍	$25,600.00	27

圖 6-7 插入樞紐分析圖

02 STEP 保留預設的設定。彈出「建立樞紐分析圖」對話方塊，❶保留對話方塊中預設的區域和放置位置，❷按一下「確定」按鈕，如圖 6-8 所示。如果預設範圍不正確，可自行更改。

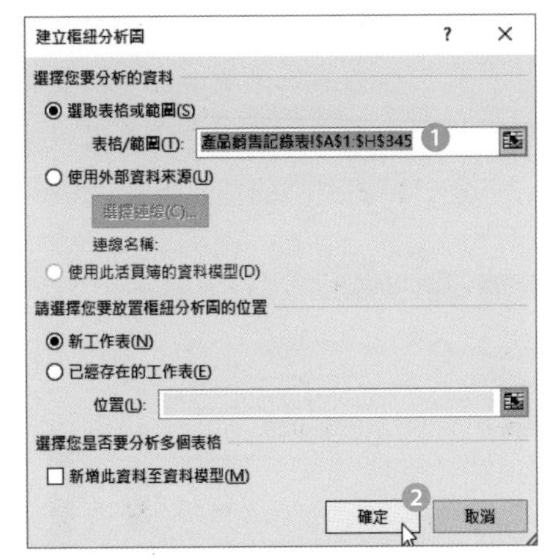

圖 6-8 保留預設的設定

03 STEP 顯示建立的空白表和圖。回到工作表中，❶可看到「產品銷售記錄表」前插入了一個工作表，❷在該工作表中可看到左側空白的樞紐分析表，❸中間是空白的樞紐分析圖，❹右側是「樞紐分析表欄位」任務窗格，如圖 6-9 所示。

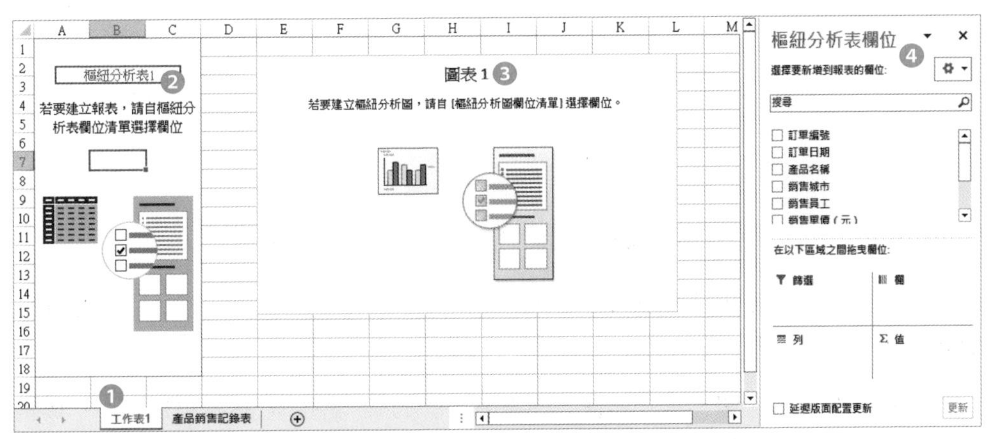

圖 6-9 顯示建立的空白樞紐分析表和樞紐分析圖

樞紐分析表的圖表化

04 STEP 勾選欄位建立樞紐分析表和樞紐分析圖。❶在工作表右側的「樞紐分析表欄位」任務窗格中勾選需要的欄位核取方塊，❷並可以在欄位設定區域中設定欄位的合適位置，❸隨後即可看到建立的樞紐分析表，❹以及同時產生與樞紐分析表對應的預設類型之樞紐分析圖效果，如圖 6-10 所示。

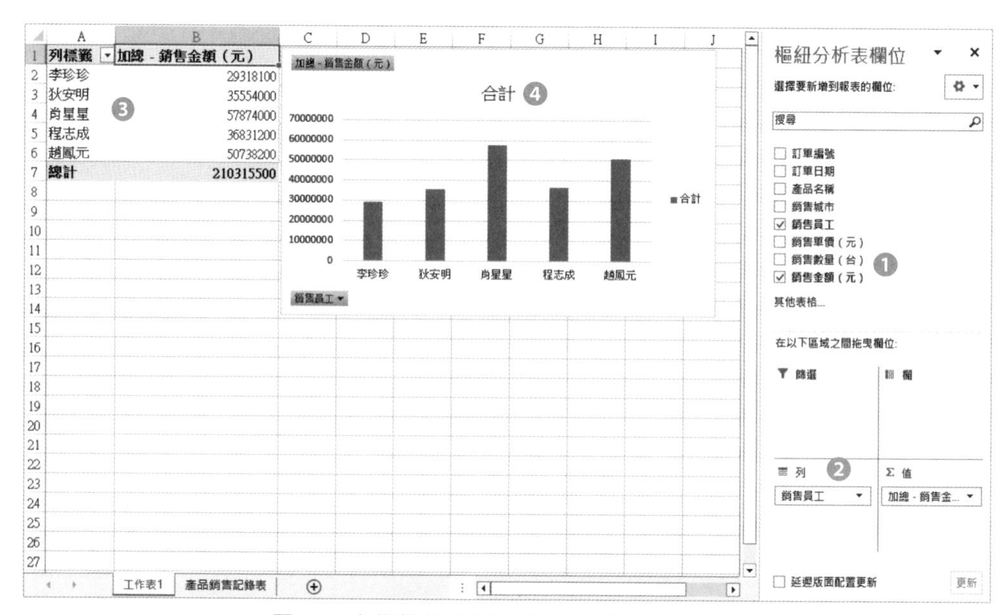

圖 6-10 勾選欄位建立樞紐分析表和樞紐分析圖

6.1.3 根據樞紐分析表和樞紐分析圖精靈工具建立

小言：前輩，你前面所說的使用工具建立樞紐分析圖不會是在上一章中介紹合併計算時所使用的工具吧？

老譚：就是你想的那個工具，其實，如果你細心的話，應該早就會發現了。「樞紐分析表和樞紐分析圖精靈」是 Excel 2003 版本建立樞紐分析表和樞紐分析圖的重要工具，雖然從 Excel 2007 以後，就提供了更為便捷的建立樞紐分析表和樞紐分析圖方法，但仍然保留了「樞紐分析表和樞紐分析圖精靈」工具。所以，使用者可以使用該工具來建立樞紐分析表和樞紐分析圖。

STEP 01 啟動工具。選取「產品銷售記錄表」工作表中的任意資料儲存格，在「自訂快速存取工具列」中按一下「樞紐分析表和樞紐分析圖精靈」按鈕，如圖 6-11 所示。

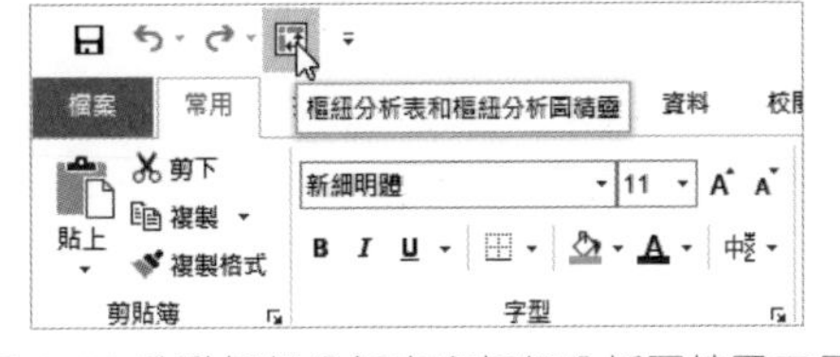

圖 6-11 啟動樞紐分析表和樞紐分析圖精靈工具

STEP 02 建立樞紐分析圖。彈出「樞紐分析表和樞紐分析圖精靈 - 步驟 3 之 1」對話方塊，❶點選「請問您想要建立何種型式的報表？」選項群組的「樞紐分析圖（及樞紐分析表）」，❷按一下「下一步」按鈕，如圖 6-12 所示。

STEP 03 設定範圍。彈出「樞紐分析表和樞紐分析圖精靈 – 步驟 3 之 2」對話方塊，❶保持預設的「範圍」，❷按「下一步」按鈕，如圖 6-13 所示。

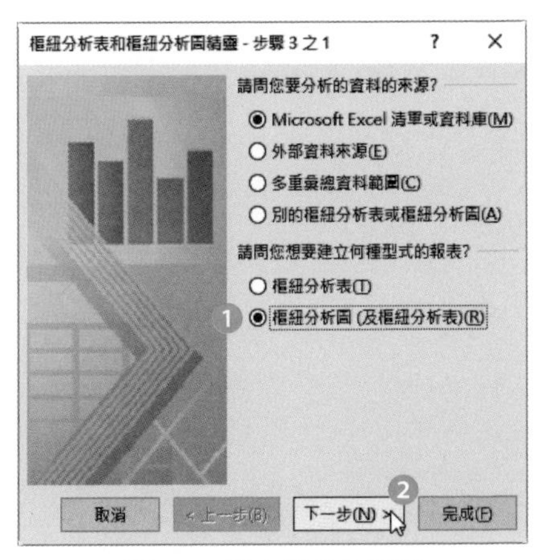

圖 6-12 建立樞紐分析圖

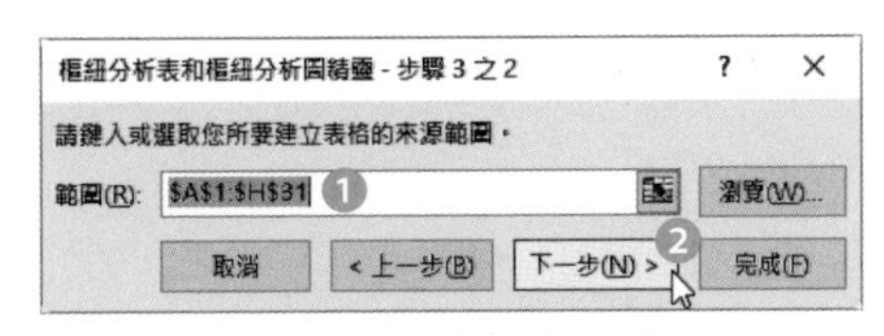

圖 6-13 設定選定區域

STEP 04 完成建立樞紐分析圖的操作。彈出「樞紐分析表和樞紐分析圖精靈 - 步驟 3 之 3」對話方塊，❶點選「新工作表」選項按鈕，❷按一下「完成」按鈕，如圖 6-14 所示。

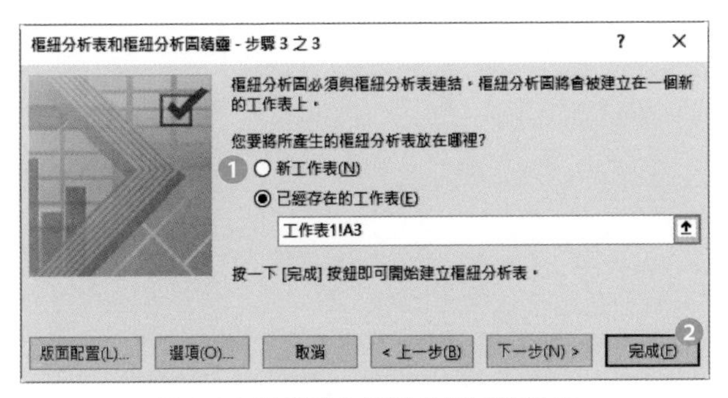

圖 6-14 完成建立樞紐分析圖的操作

05 STEP 顯示最終的建立效果。回到工作表中，可看到「工作表 1」中的樞紐分析表和樞紐分析圖空白效果，在「樞紐分析表欄位」任務窗格中勾選欄位，即可同時建立樞紐分析表和樞紐分析圖的操作，如圖 6-15 所示。

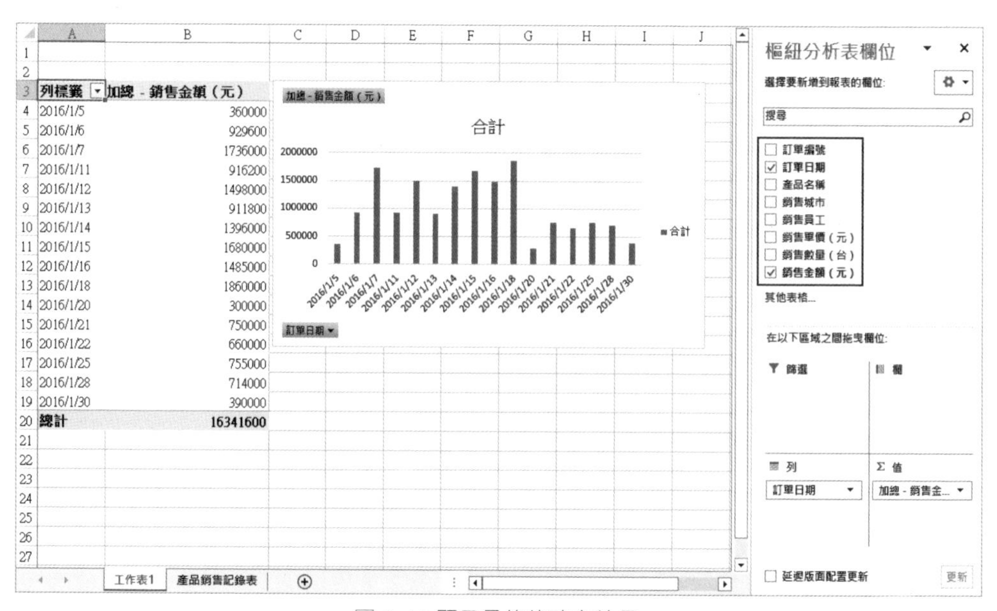

列標籤	加總 - 銷售金額（元）
2016/1/5	360000
2016/1/6	929600
2016/1/7	1736000
2016/1/11	916200
2016/1/12	1498000
2016/1/13	911800
2016/1/14	1396000
2016/1/15	1680000
2016/1/16	1485000
2016/1/18	1860000
2016/1/20	300000
2016/1/21	750000
2016/1/22	660000
2016/1/25	755000
2016/1/28	714000
2016/1/30	390000
總計	16341600

圖 6-15 顯示最終的建立效果

6.1.4 一步建立樞紐分析圖

小言：前輩，你所說的最後一種方法真的可以一步就建立好樞紐分析圖嗎？怎麼可能會這麼簡單呢？

老譚：難道我會騙你，其實預設情況下，Excel 會將樞紐分析圖與樞紐分析表建立在同一個工作表中。但是，透過鍵盤上的【F11】鍵，Excel 可以直接根據樞紐分析表將樞紐分析圖直接建立在另外一個圖表工作表。

STEP 01 顯示建立的樞紐分析表。在「工作表 1」工作表中可看到未建立樞紐分析圖的表格效果，然後在該樞紐分析表中選取任意儲存格，如圖 6-16 所示。

	A	B	C	D	E	F	G
1							
2							
3	加總 - 銷售金額（元）	銷售員工					
4	產品名稱	李珍珍	狄安明	肖星星	程志成	趙風元	總計
5	產品A	$390,000	$225,000	$1,890,000	$465,000	$630,000	$3,600,000
6	產品B	$691,200	$896,000	$460,800	$1,049,600	$256,000	$3,353,600
7	產品C	$440,000	$550,000	$1,078,000			$2,068,000
8	產品D	$1,200,000	$660,000	$750,000	$1,590,000	$3,120,000	$7,320,000
9	**總計**	**$2,721,200**	**$2,331,000**	**$4,178,800**	**$3,104,600**	**$4,006,000**	**$16,341,600**
10							
11							

工作表1 | 產品銷售記錄表

圖 6-16 顯示已建立的樞紐分析表

STEP 02 一步建立樞紐分析圖。在鍵盤上按下【F11】功能鍵，❶即可發現「工作表 1」前插入了一個名為「Chart1」的工作表，❷在該工作表中可看到建立的樞紐分析圖，如圖 6-17 所示。

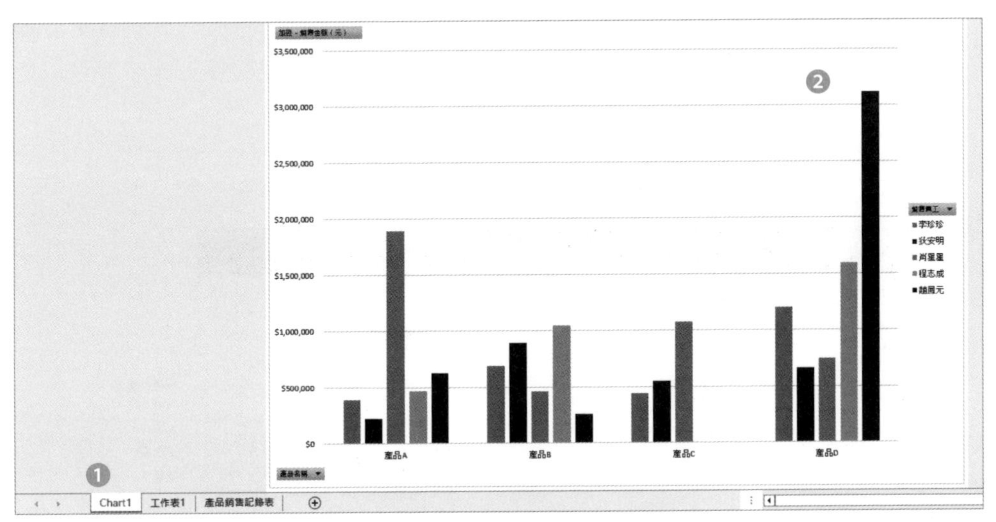

圖 6-17 一步建立樞紐分析圖的效果

6.2 對樞紐分析圖進行改造

老譚：不知道你有沒有發現，在建立好樞紐分析表後，可能其位置和大小並不符合你所想要的效果，或者是樞紐分析表的類型不能直接進行資料決策等。

小言：嗯，其實我之前也擔心過，但是自己操作後，發現其實樞紐分析圖在移動和改變類型等方面的操作和 Excel 圖表有相同之處。

老譚：的確是這樣，所以掌握了圖表的操作功能，樞紐分析圖的操作就很簡單了。

6.2.1 移動和更改樞紐分析圖大小

老譚：首先介紹最簡單的操作方法，即移動和改變大小，該操作的目的是為了避免樞紐分析圖擋住想要查看的樞紐分析表內容和樞紐分析圖內容。

STEP 01 顯示未移動和改變大小前的樞紐分析圖效果。圖 6-18 為未移動和改變大小前的圖表效果，可發現該樞紐分析圖擋住一部分的樞紐分析表內容，且由於欄位內容較多，使得樞紐分析圖中各個欄位的顯示效果很緊湊。此時就可以對樞紐分析圖進行移動和改變大小的操作。

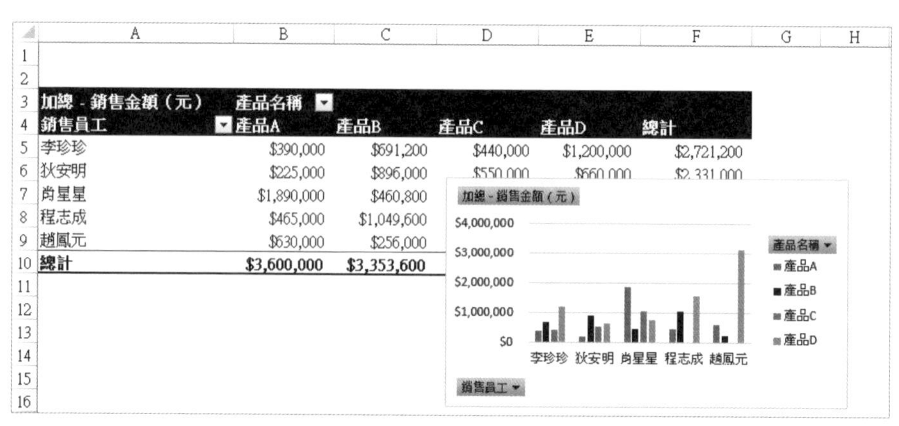

圖 6-18 顯示未移動和改變大小前的樞紐分析圖

02 STEP 移動樞紐分析圖。將滑鼠放置在樞紐分析圖上，當滑鼠變為 形狀時，按住滑鼠左鍵，將圖表拖到所需的位置，如圖 6-19 所示。

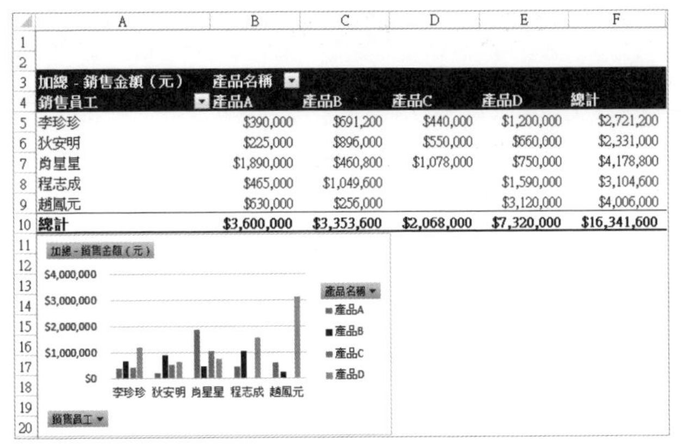

加總 - 銷售金額（元）	產品名稱				
銷售員工	產品A	產品B	產品C	產品D	總計
李珍珍	$390,000	$691,200	$440,000	$1,200,000	$2,721,200
狄安明	$225,000	$896,000	$550,000	$660,000	$2,331,000
肖星星	$1,890,000	$460,800	$1,078,000	$750,000	$4,178,800
程志成	$465,000	$1,049,600		$1,590,000	$3,104,600
趙鳳元	$630,000	$256,000		$3,120,000	$4,006,000
總計	$3,600,000	$3,353,600	$2,068,000	$7,320,000	$16,341,600

圖 6-19 移動樞紐分析圖

03 STEP 更改樞紐分析圖大小。按一下框紐分析圖將其選定，使它的四邊出現 8 個控點，將滑鼠指標移到某個控點上，如右外框線上的控點處，當滑鼠指標變成 形狀時，按住滑鼠左鍵拖曳，即可調整圖的大小，如圖 6-20 所示。

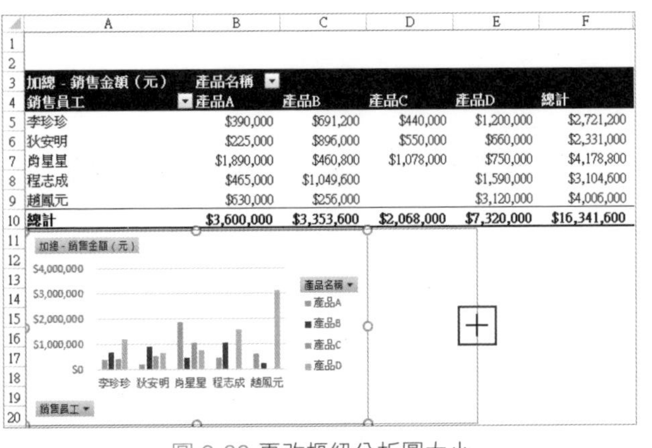

加總 - 銷售金額（元）	產品名稱				
銷售員工	產品A	產品B	產品C	產品D	總計
李珍珍	$390,000	$691,200	$440,000	$1,200,000	$2,721,200
狄安明	$225,000	$896,000	$550,000	$660,000	$2,331,000
肖星星	$1,890,000	$460,800	$1,078,000	$750,000	$4,178,800
程志成	$465,000	$1,049,600		$1,590,000	$3,104,600
趙鳳元	$630,000	$256,000		$3,120,000	$4,006,000
總計	$3,600,000	$3,353,600	$2,068,000	$7,320,000	$16,341,600

圖 6-20 更改樞紐分析圖大小

04 STEP 顯示移動和更改後的樞紐分析圖效果。隨後即可看到移動位置和更改大小後的樞紐分析圖效果，如圖 6-21 所示。

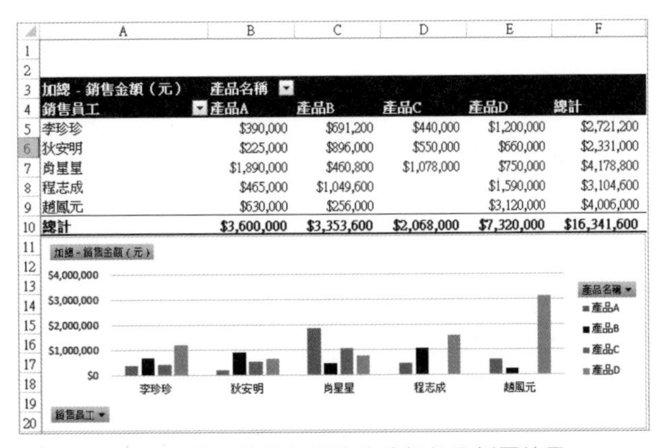

加總 - 銷售金額（元）	產品名稱				
銷售員工	產品A	產品B	產品C	產品D	總計
李珍珍	$390,000	$691,200	$440,000	$1,200,000	$2,721,200
狄安明	$225,000	$896,000	$550,000	$660,000	$2,331,000
肖星星	$1,890,000	$460,800	$1,078,000	$750,000	$4,178,800
程志成	$465,000	$1,049,600		$1,590,000	$3,104,600
趙鳳元	$630,000	$256,000		$3,120,000	$4,006,000
總計	$3,600,000	$3,353,600	$2,068,000	$7,320,000	$16,341,600

圖 6-21 顯示移動和更改後的樞紐分析圖效果

6.2.2 隱藏圖表欄位和更改圖表類型

老譚：在建立樞紐分析圖後，預設的欄位標題會顯示在樞紐分析圖中，同時還提供一個下拉箭頭以便進行篩選，但有時這些欄位標題會顯得多餘，如列印該樞紐分析圖時。此外，建立好的樞紐分析圖並不一定會符合所需，所以就需改變圖表類型。

STEP 01 隱藏樞紐分析圖中的欄位按鈕。❶選取樞紐分析圖，❷切換至「樞紐分析圖工具 - 分析」頁籤，❸在「顯示」群組中按一下「欄位按鈕」下三角按鈕，❹在展開的清單中按一下「全部隱藏」選項，如圖 6-22 所示。如果只想要隱藏某個欄位，則可在展開的清單中按一下該欄位選項即可。

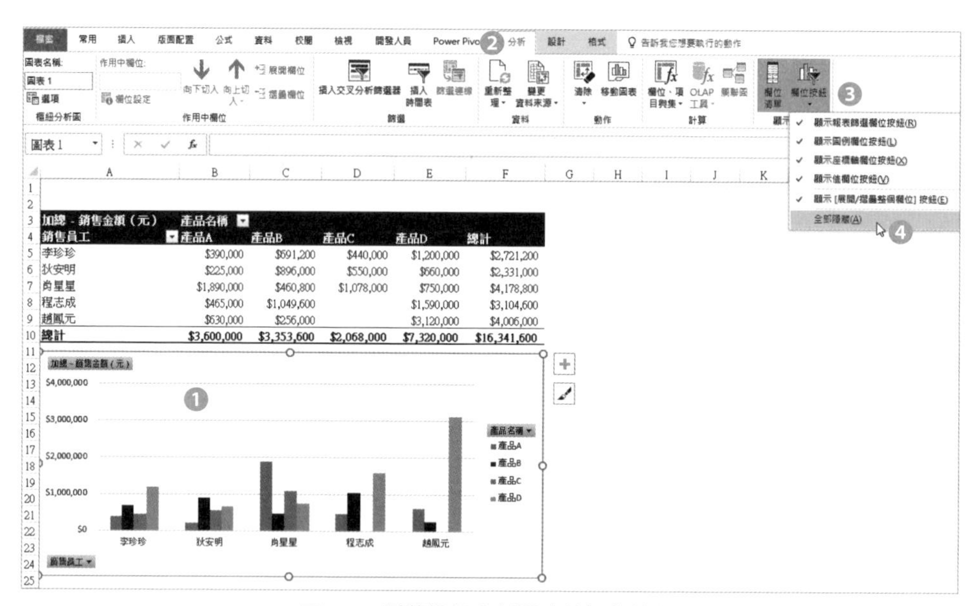

圖 6-22 隱藏樞紐分析圖中的欄位按鈕

STEP 02 顯示隱藏欄位按鈕效果。隨後即可發現樞紐分析圖中的欄位按鈕全部被隱藏，如圖 6-23 所示。

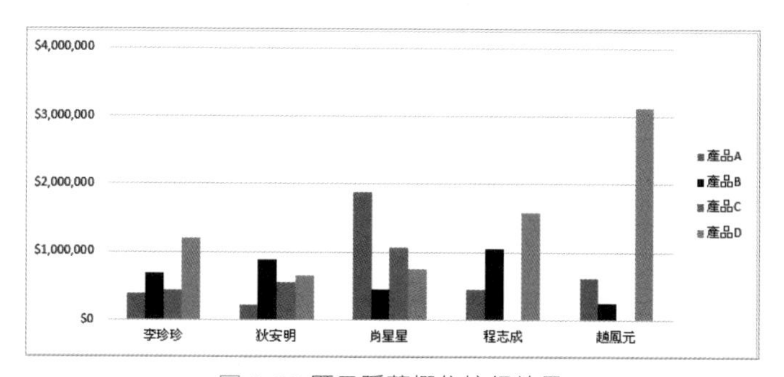

圖 6-23 顯示隱藏欄位按鈕效果

03 STEP 更改樞紐分析圖類型。❶選取樞紐分析圖，❷在「樞紐分析圖工具 - 設計」頁籤的「類型」群組中按一下「變更圖表類型」按鈕，如圖 6-24 所示。❶或在樞紐分析圖按右鍵，❷在彈出的快顯功能表中點選「變更圖表類型」命令，如圖 6-25 所示。

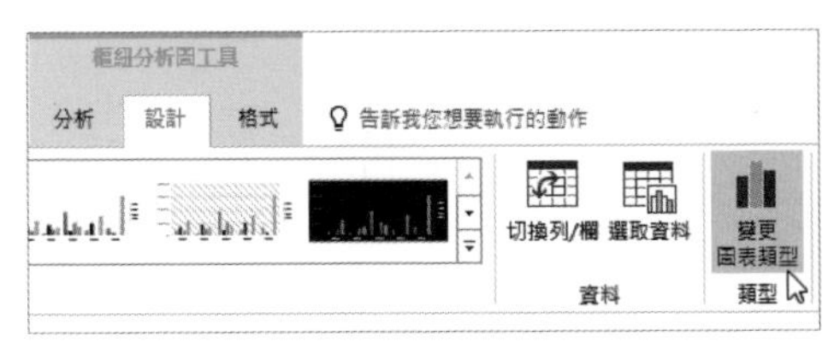

圖 6-24 更改樞紐分析圖類型

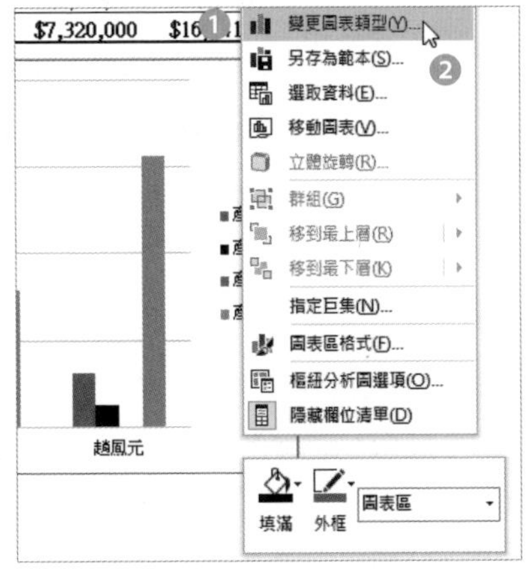

圖 6-25 更改樞紐分析圖類型

04 STEP 選擇新的樞紐分析圖類型。彈出「變更圖表類型」對話方塊，❶在「所有圖表」頁籤按一下「橫條圖」選項，❷然後在右側面板中選擇「堆積橫條圖」圖示，如圖 6-26 所示，最後按一下「確定」按鈕。

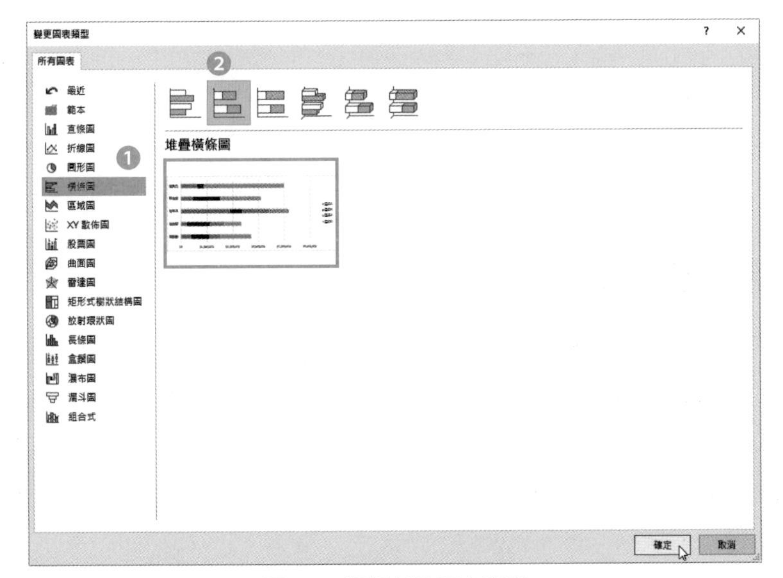

圖 6-26 選擇新的圖表類型

05 STEP 顯示更改圖表類型後的效果。回到工作表中，即可看到更改圖表類型後的樞紐分析圖效果，如圖 6-27 所示。

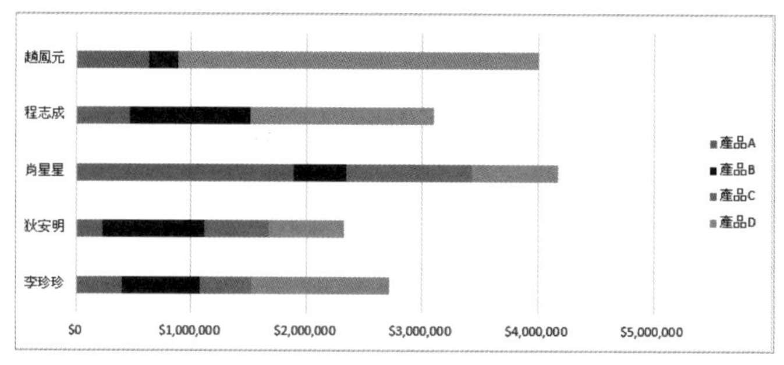

圖 6-27 顯示更改後的效果

在隱藏樞紐分析圖中的欄位按鈕後，如果又想要顯示欄位按鈕，❶可在「樞紐分析圖工具 - 分析」頁籤的「顯示」群組中按一下「欄位按鈕」下三角按鈕，❷在展開的清單中按一下「全部隱藏」選項，如圖 6-28 所示。即可將隱藏的全部欄位按鈕顯示出來。

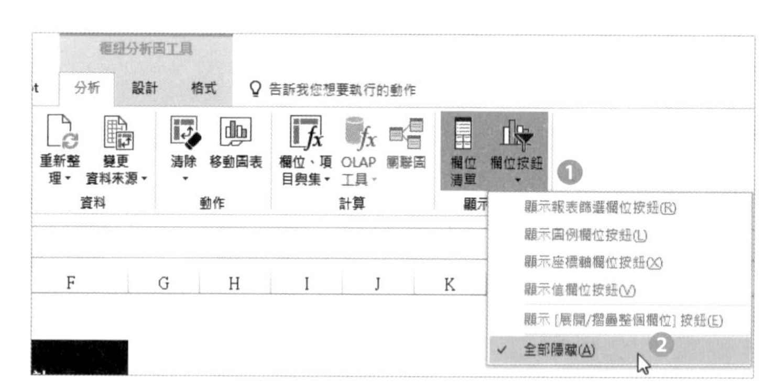

圖 6-28 顯示圖表中的欄位按鈕

6.2.3 篩選樞紐分析圖內容

小言：前輩，既然樞紐分析表可以進行篩選，那如果我覺得樞紐分析圖中所要表達的內容太多，想要只查看某些部分的圖表內容，那是不是也可以對樞紐分析圖進行篩選呢？

老譚：當然可以，其實和樞紐分析表的篩選方法差不多的。在樞紐分析圖中進行篩選也是透過圖中的欄位按鈕來篩選的。

01 STEP 顯示未篩選前的報表和圖表效果。圖 6-29 為未篩選前的樞紐分析表和樞紐分析圖效果。於圖中可發現由於各個產品下的銷售城市不一樣，使得樞紐分析圖中某些產品的城市銷售金額之對比情況不是很直觀。

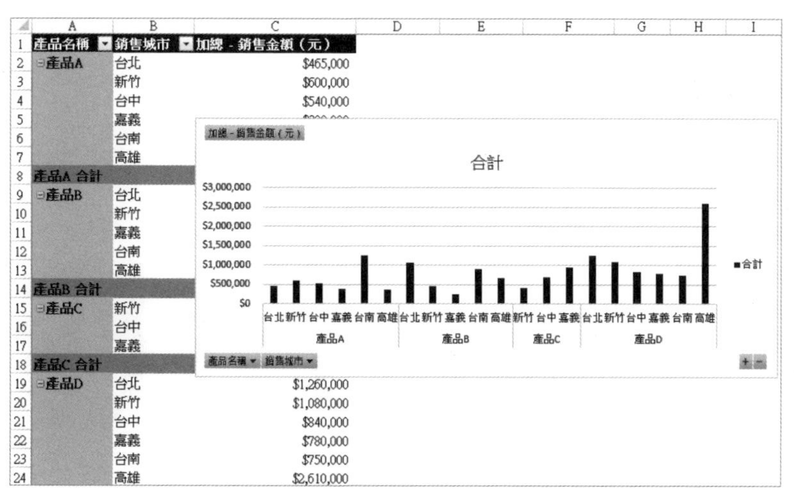

圖 6-29 顯示未篩選前的樞紐分析表和樞紐分析圖

02 STEP 篩選銷售城市。❶按一下樞紐分析圖中的「銷售城市」欄位按鈕，❷在展開的清單中取消勾選「全部」核取方塊，❸然後勾選「嘉義」和「新竹」核取方塊，❹按一下「確定」按鈕，如圖 6-30 所示。

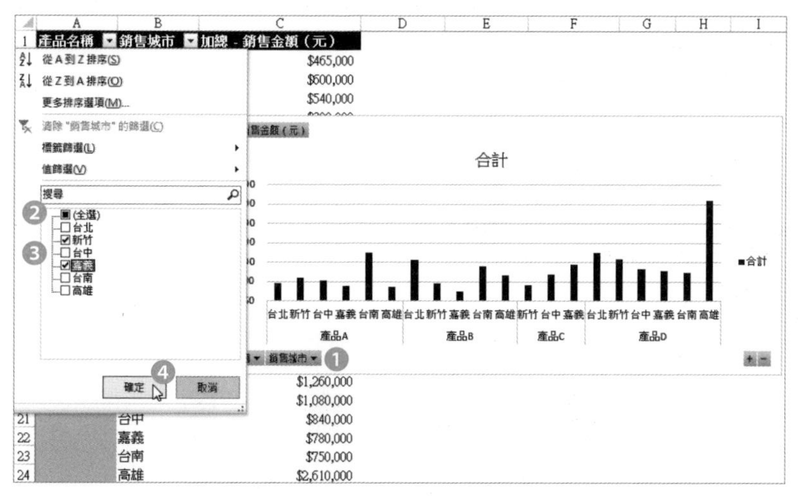

圖 6-30 篩選銷售城市

03 STEP 篩選產品名稱。即可看到篩選銷售城市後的樞紐分析圖效果，❶隨後繼續按一下「產品名稱」欄位按鈕，❷在展開的清單中取消勾選「全部」核取方塊，❸然後勾選「產品 A」和「產品 D」核取方塊，❹按一下「確定」按鈕，如圖 6-31 所示。

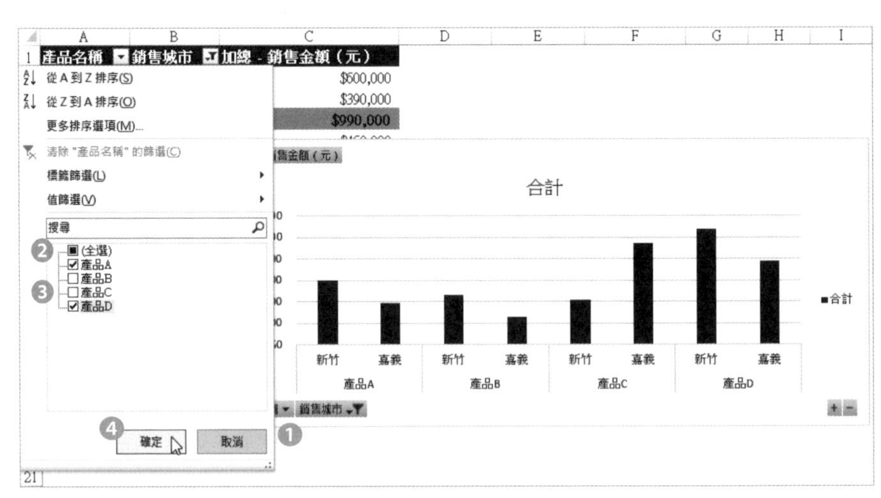

圖 6-31 篩選產品名稱

04 STEP 折疊整個欄位。篩選樞紐分析圖後，可發現樞紐分析表也會隨著圖中的篩選而篩選，且篩選完成後，可直接看到產品 A 和產品 D 在嘉義和新竹這兩個城市中的銷售金額比較。如果想要直接查看產品 A 和產品 D 這兩種產品的總銷售金額對比情況，則按一下樞紐分析圖中右下角的「折疊整個欄位」按鈕，如圖 6-32 所示。

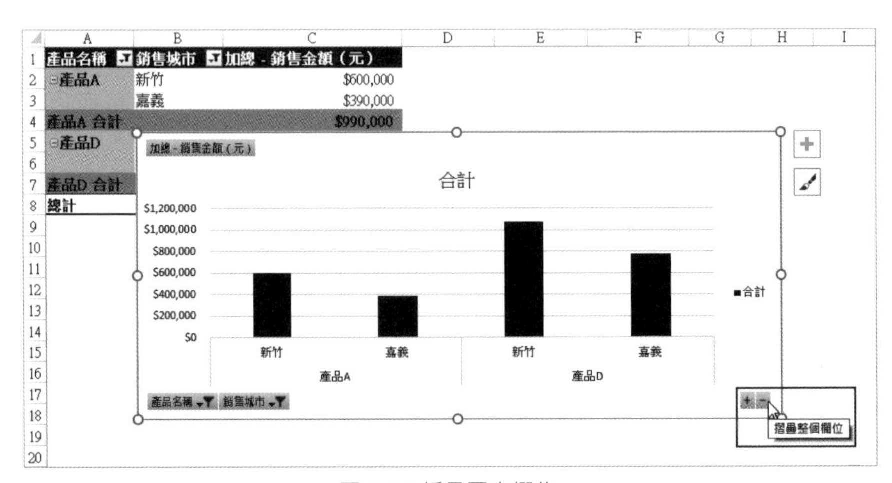

圖 6-32 折疊圖表欄位

顯示折疊後的報表和圖表效果。可發現樞紐分析圖直接顯示出產品 A 和產品 D 的銷售金額對比直條圖，得到產品 D 的銷售情況比較樂觀的結果，同時，樞紐分析表的內容也隨著樞紐分析圖的折疊而折疊，如圖 6-33 所示。

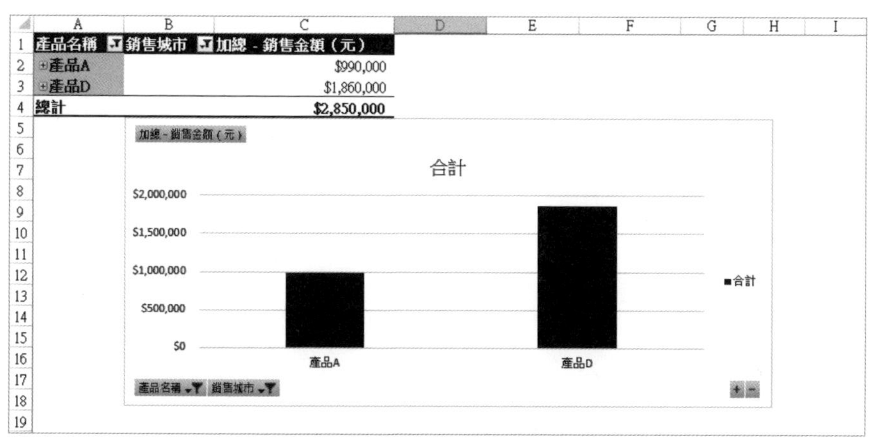

圖 6-33 顯示折疊後的效果

6.3 讓樞紐分析圖五臟俱全

小言：前輩，在建立好樞紐分析圖後，如果想要加入一些圖表項目，或者是改變圖表格式，是不是也可以直接在圖表中進行設定呢？

老譚：沒錯，樞紐分析圖在元素的加入與格式的設定方面與 Excel 圖表的設定有異曲同工之處，也就是說，只要掌握 Excel 圖表的相關操作，樞紐分析圖的操作也就很簡單啦！

01 STEP 顯示未加工的樞紐分析圖。在樞紐分析表中建立樞紐分析圖後，可看到該圖表比較單一，很多圖表項目都未加入，如圖 6-34 所示。

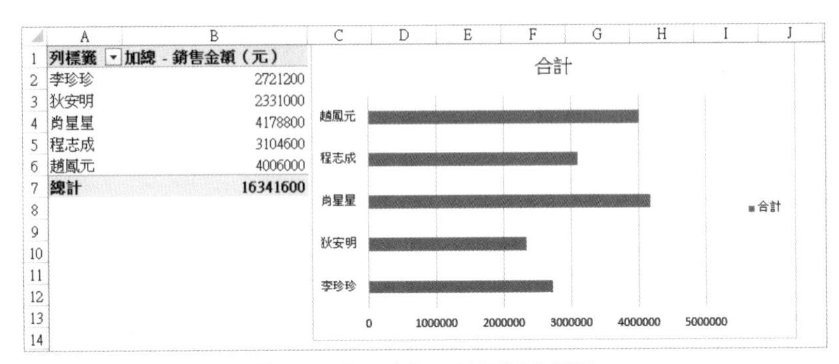

列標籤	加總 - 銷售金額（元）
李珍珍	2721200
狄安明	2331000
尚星星	4178800
程志成	3104600
趙鳳元	4006000
總計	16341600

圖 6-34 顯示未加工的樞紐分析圖

02 STEP 套用圖表樣式。❶選取圖表，❷切換至「樞紐分析圖工具 - 設計」頁籤，按一下「圖表樣式」群組中的快翻按鈕，❸在展開的樣式庫中選擇合適的樣式，如圖 6-35 所示。

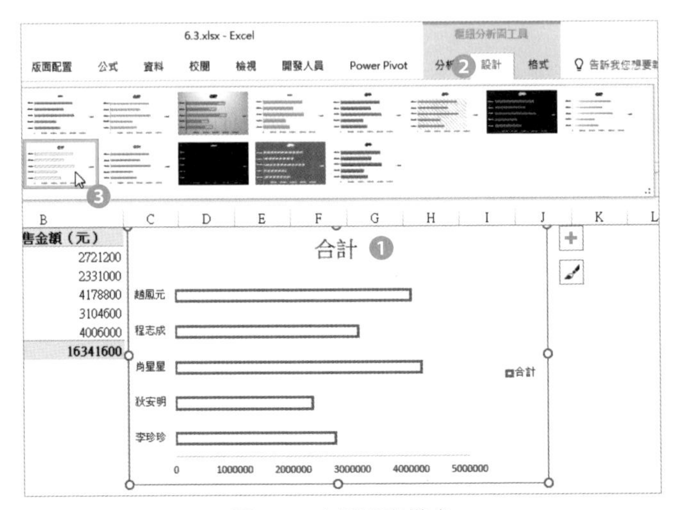

圖 6-35 套用圖表樣式

03 STEP 加入座標軸標題和資料標籤。隨後可看到套用樣式後的效果，由於圖表樣式有限，所以套用後的圖表也不一定很美觀，某些圖表項目可能也還是不存在。❶此時就可以更改「圖表標題」為「員工 1 月份業績狀況」，❷按一下圖表右上角的「圖表項目」按鈕，❸在展開的清單中勾選「座標軸標題」核取方塊，❹然後按一下「資料標籤 > 終點外側」選項，如圖 6-36 所示。

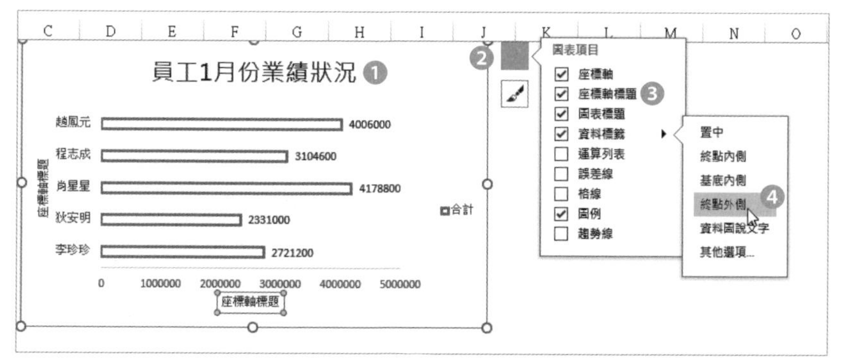

圖 6-36 加入座標軸標題和資料標籤

04 STEP 設定座標軸標題格式。完成加入座標軸標題後更改座標軸標題內容，可看到縱座標軸中的文字方向無法讓瀏覽者很直觀地查看。❶在縱座標軸標題按右鍵，❷在彈出的快顯功能表中點選「座標軸標題格式」命令，如圖 6-37 所示。

05 STEP 設定座標軸標題的文字方向。在右側彈出「座標軸標題格式」任務窗格，❶切換至「大小與屬性」頁籤，❷按一下「文字方向」右側的下三角按鈕，❸在展開的清單中點選「堆疊方式」選項，如圖 6-38 所示。

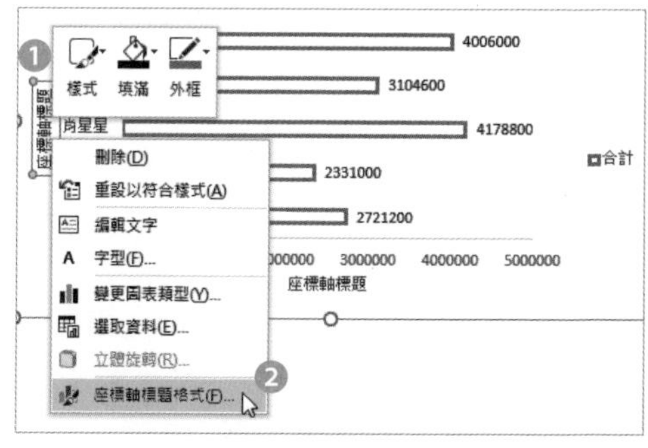

圖 6-37 設定座標軸標題格式

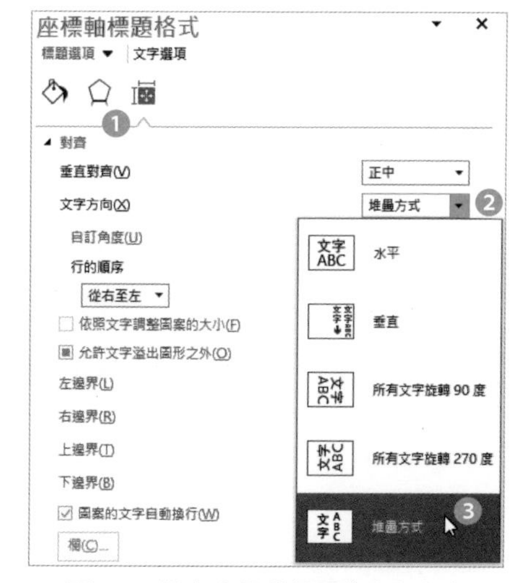

圖 6-38 設定座標軸標題的文字方向

06 STEP 設定資料數列格式。隨後即可看到縱座標軸標題的文字變為直排，❶在圖表中的資料數列按右鍵，❷在彈出的快顯功能表中點選「資料數列格式」命令，如圖 6-39 所示。

07 STEP 設定資料數列填滿色彩。❶切換至「資料數列格式」任務窗格中的「填滿與線條」頁籤，❷按一下「填滿」選項群組下的「實心填滿」選項按鈕，❸按一下「色彩」右側的下三角按鈕，❹在展開的清單中點選「其他色彩」選項，如圖 6-40 所示。

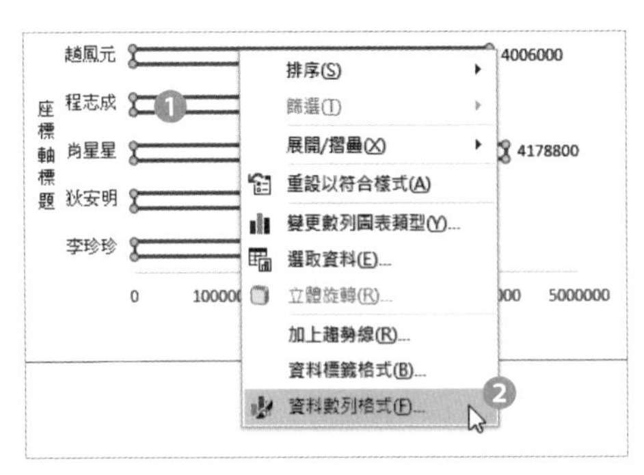

圖 6-39 設定資料數列格式

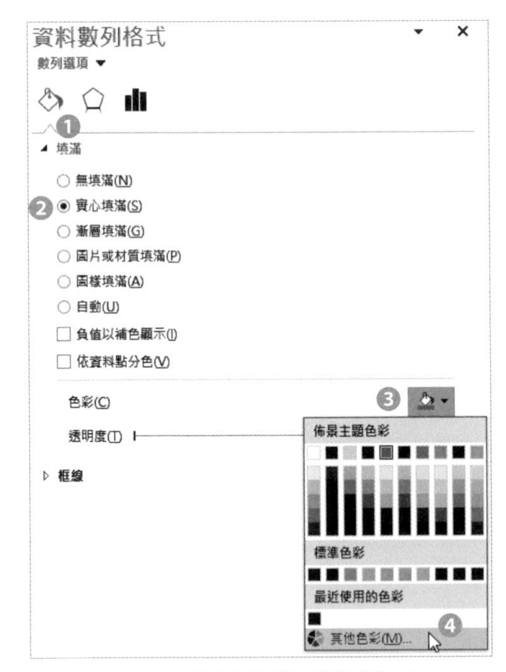

圖 6-40 設定資料數列填滿色彩

08 STEP 自訂填滿色彩。彈出「色彩」對話方塊，❶切換至「自訂」頁籤，❷選擇想要使用的色彩，❸按一下「確定」按鈕，如圖 6-41 所示。

09 STEP 設定資料數列外框。回到工作表中，❶在「資料數列格式」任務窗格下的「框線」選項群組中按一下「實心線條」選項按鈕，❷設定合適的色彩，❸按一下「寬度」右側的數值調整按鈕，設定為「0.75 pt」，如圖 6-42 所示。

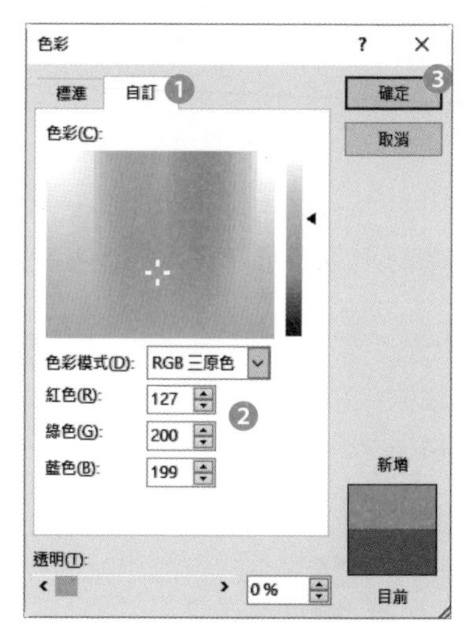

圖 6-41 自訂填滿色彩

圖 6-42 設定資料數列外框

10 STEP 設定數列的類別間距。❶切換至「數列選項」頁籤，❷拖曳「類別間距」右側的滑桿，或者直接在文字方塊中輸入類別間距百分比，如圖 6-43 所示。

11 STEP 設定座標軸格式。即可看到設定數列填滿色彩、外框色彩和類別間距後的圖表效果，❶在「水平（值）軸」按右鍵，❷在彈出的快顯功能表中點選「座標軸格式」命令，如圖 6-44 所示。

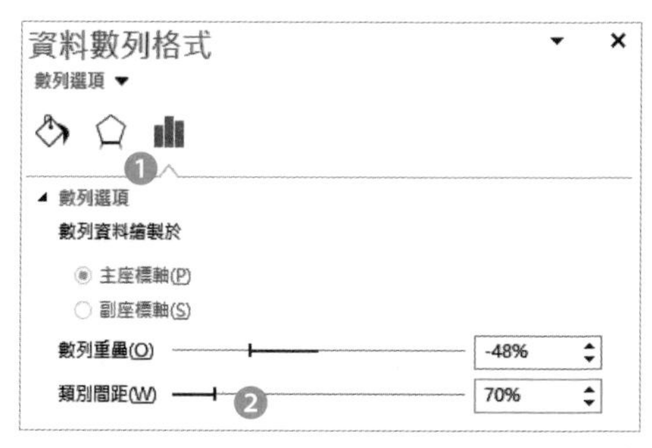

圖 6-43 設定數列的類別間距

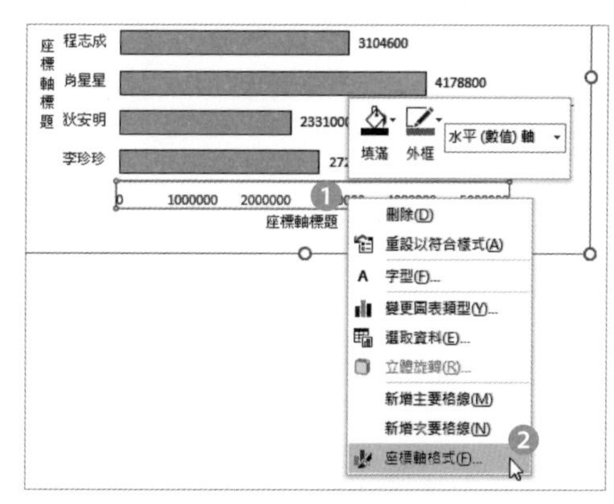

圖 6-44 設定座標軸格式

12 STEP 設定水平值軸的邊界和單位。❶切換至「座標軸格式」任務窗格下的「座標軸選項」頁籤，❷設定最小值、最大值和主要單位分別為「1000000、5000000、1000000」，設定後，其自動變為「1.0E6、5.0E6、1.0E6」，其中 1.0E6=1*10 的 6 次方，當資料超出該儲存格允許字元時會出現這種情況，❸按一下「顯示單位」右側的下三角按鈕，❹在展開的清單中點選「100000」選項，如圖 6-45 所示。

13 STEP 設定水平值軸的標籤位置。❶按一下「標籤位置」右側的下三角按鈕，❷在展開的清單中點選「無」選項，如圖 6-46 所示。

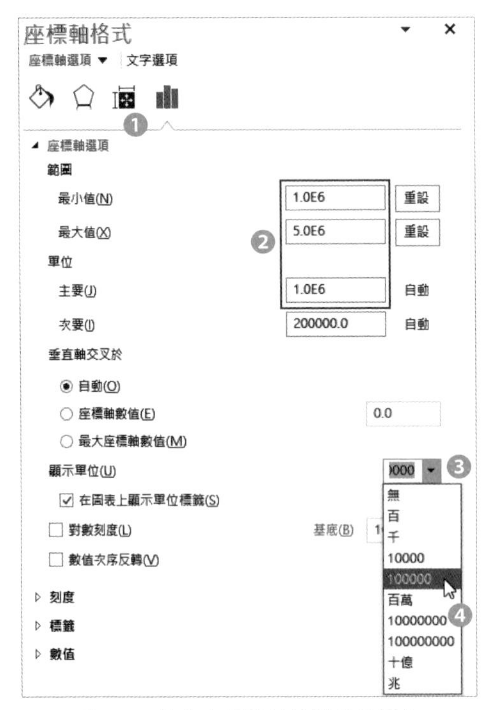

圖 6-45 設定水平值軸的邊界和單位

圖 6-46 設定水平值軸的標籤位置

14 STEP 設定座標軸線條。❶切換至「填滿與線條」頁籤，❷在「線條」選項群組按一下「實心線條」選項按鈕，❸設定合適的線條色彩和寬度，❹按一下「終點箭頭類型」右側的下三角按鈕，❺在展開的清單中點選「箭簇形箭頭」，如圖 6-47 所示。

15 STEP 設定終點箭頭的大小。❶按一下「終點箭頭大小」右側的下三角按鈕，❷在展開的清單中點選「右箭頭大小 9」，如圖 6-48 所示。

圖 6-47 設定座標軸的線條

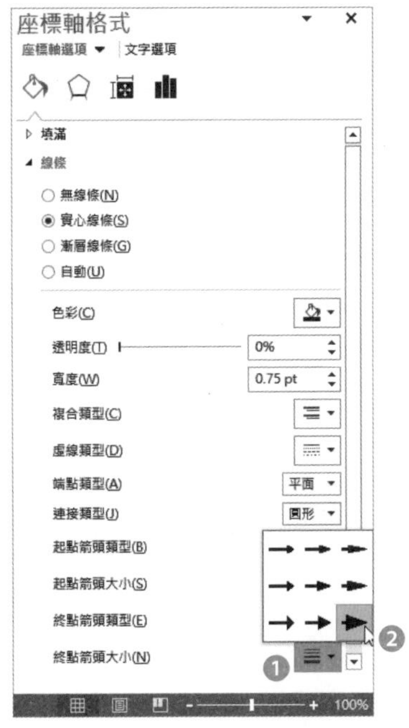

圖 6-48 設定終點箭頭的大小

16 STEP 顯示設定後的效果。隨後，即可看到設定座標軸格式後的樞紐分析圖效果，如圖 6-49 所示。

17 STEP 隱藏縱座標軸的刻度線。❶切換至「設定座標軸格式」任務窗格中的「座標軸選項」頁籤，❷按一下「刻度」選項群組「主要刻度類型」右側的下三角按鈕，❸在展開的清單中點選「無」選項，如圖 6-50 所示。

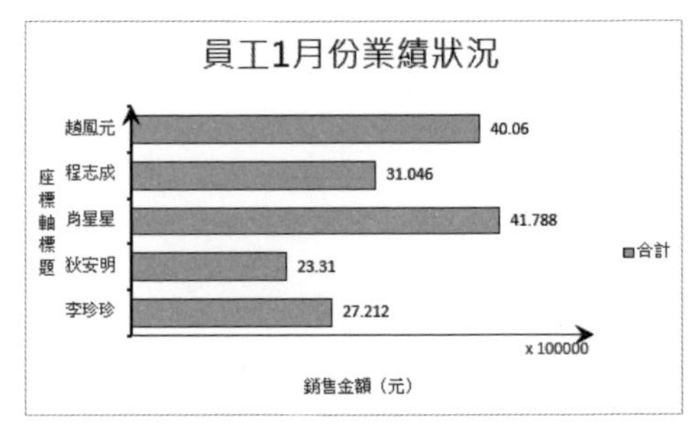

圖 6-49 顯示設定效果

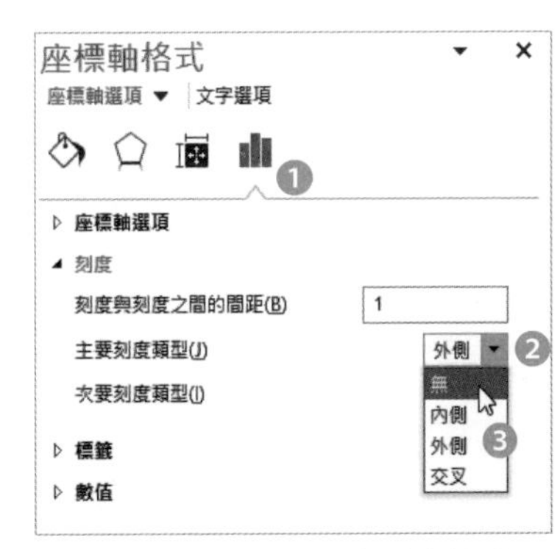

圖 6-50 隱藏縱座標軸的刻度線

18 STEP 刪除圖例。按一下任務窗格中的「關閉」按鈕，可看到隱藏刻度後的效果，❶在圖表中的圖例按右鍵，❷在彈出的快顯功能表中點選「刪除」命令，如圖 6-51 所示。

19 STEP 顯示最終的樞紐分析圖效果。完成上述步驟後，即可得到如圖 6-52 所示的樞紐分析圖效果。

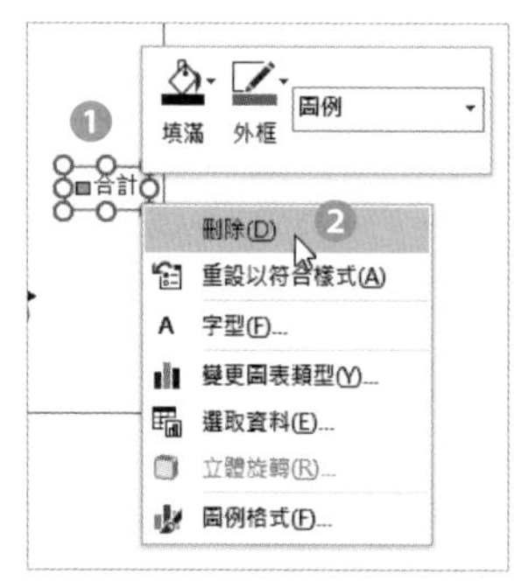

圖 6-51 刪除圖例

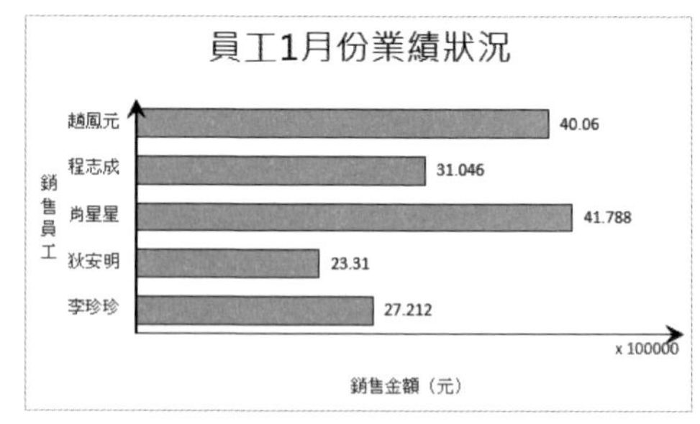

圖 6-52 顯示最終的樞紐分析圖效果

6.4 將樞紐分析圖轉化為圖片形式

老譚：你可能已經發現，當樞紐分析表欄位移動或者是篩選後，樞紐分析圖的顯示效果也會隨之改變。

小言：的確，但是我一直沒有找到一種方法能夠既看到想要的樞紐分析表效果，又能看到另外一種想要的樞紐分析圖效果。

老譚：其實很簡單，將想要的樞紐分析圖效果轉換為圖片形式即可，而且在轉化為圖片後，還可以對圖片進行格式設定。

STEP 01 複製樞紐分析圖。❶切換至含有樞紐分析圖的工作表，❷在樞紐分析圖按右鍵，❸在彈出的快顯功能表中點選「複製」命令，如圖 6-53 所示。

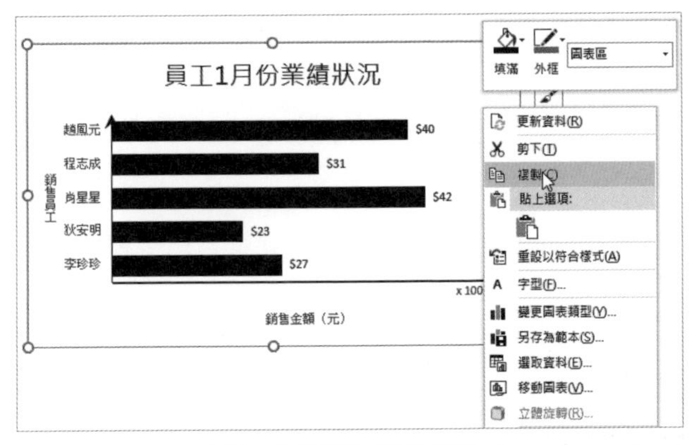

圖 6-53 複製樞紐分析圖

STEP 02 選擇性貼上圖表。❶新增一空白工作表，❷在該表格中的任意儲存格按右鍵，如儲存格 A1，❸在彈出的快顯功能表中點選「選擇性貼上」命令，如圖 6-54 所示。

圖 6-54 選擇性貼上圖表

03 STEP 選擇圖片的貼上方式。彈出「選擇性貼上」對話方塊，在❶「貼上成為」清單方塊中選擇要貼上的圖片格式，如圖 6-55 所示，❷最後按一下「確定」按鈕。

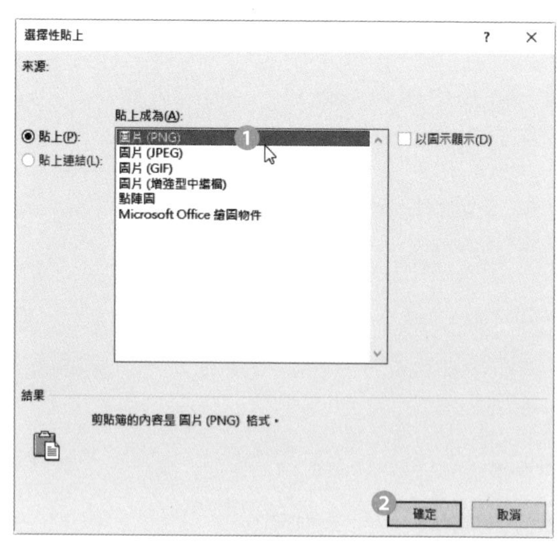

圖 6-55 選擇圖片的貼上方式

04 STEP 設定圖片格式。此時可看到貼上後的圖片效果，❶在圖片按右鍵，❷在彈出的快顯功能表中點選「設定圖片格式」命令，如圖 6-56 所示。

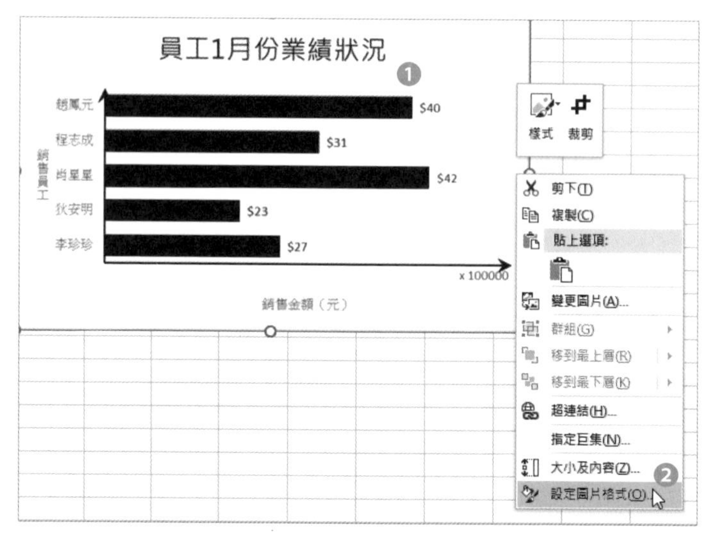

圖 6-56 設定圖片格式

05 STEP 更改圖片大小。在右側彈出「設定圖片格式」任務窗格，❶切換至「大小與屬性」頁籤，❷按一下「高度」右側的數值調整按鈕，即可改變圖片大小。由於系統自動勾選了「鎖定長寬比」核取方塊，所以在調整高度的同時，寬度也會隨之改變。如果對改變後的大小不滿意，則可按一下「重設」按鈕，如圖 6-57 所示。

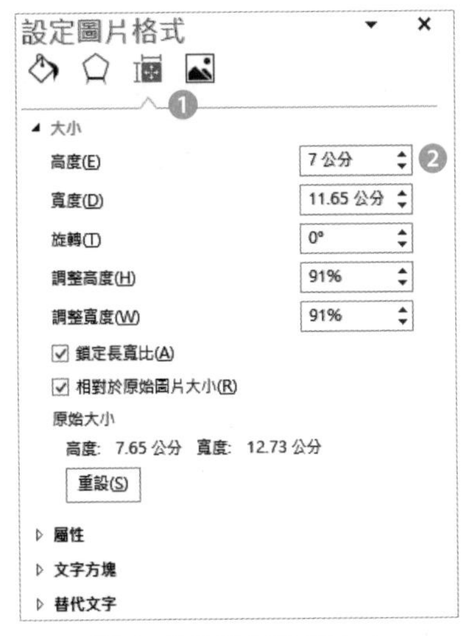

圖 6-57 更改圖片的大小

06 STEP 設定圖片的鋭利度。❶切換至「圖片」頁籤，❷在「圖片更正」選項群組下拖曳「鋭利度」右側的滑桿，即可調整圖片的鋭利度，如圖 6-58 所示。

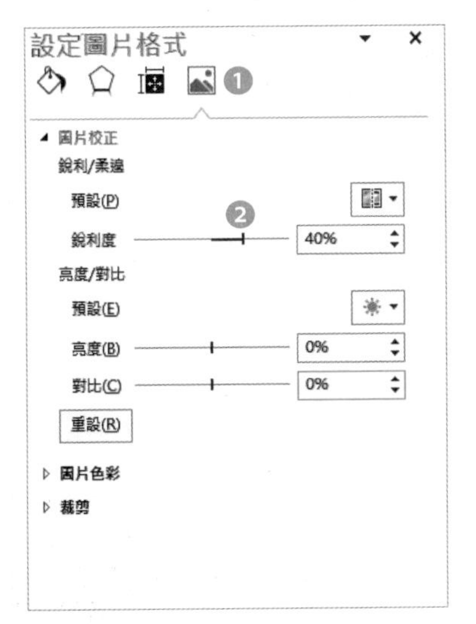

圖 6-58 設定圖片的鋭利度

樞紐分析表的圖表化

STEP 07 設定圖片的亮度和對比度。❶在「亮度 / 對比」群組按一下「預設」右側的下三角按鈕，❷在展開的清單中重新選擇預設樣式，如圖 6-59 所示。

STEP 08 為圖片重新著色。❶在「圖片色彩」選項群組按一下「重新著色」右側的下三角按鈕，❷在展開的清單中點選「灰色，強調色 3 深色」，如圖 6-60 所示。

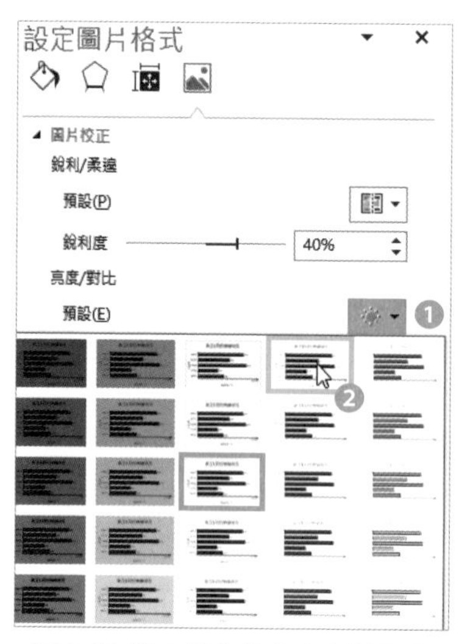

圖 6-59 設定圖片的亮度和對比度

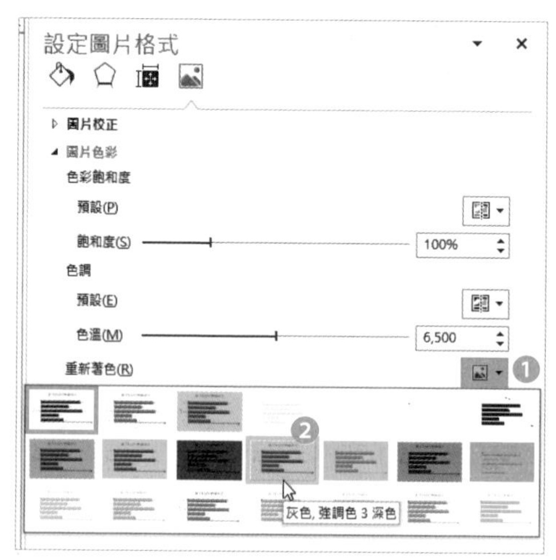

圖 6-60 為圖片重新著色

STEP 09 顯示最終的圖片設定效果。最後即可看到設定圖片格式後的效果，如圖 6-61 所示。

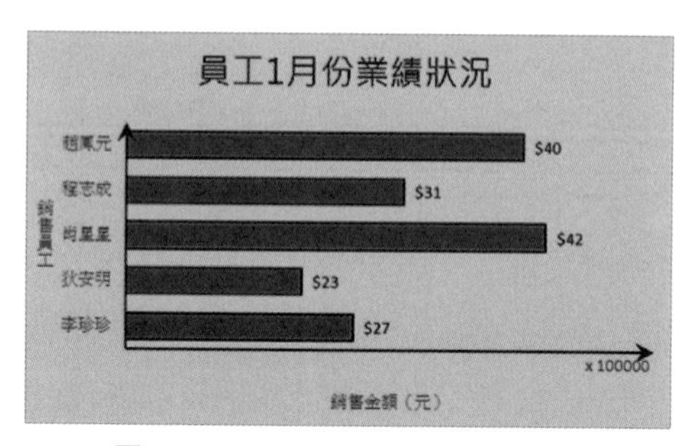

圖 6-61 顯示最終的圖片設定效果

7 匯入外部資料

透過前面幾章的學習，可以毫無疑問地說，Excel 在處理和分析資料方面是一個非常出色的工具，而樞紐分析表的出現就是 Excel 具有強大分析能力的最好證明。而且隨著深入的學習和實踐操作，小言還發現了樞紐分析表的其他強大功能，如引用外部資料建立樞紐分析表；在外部資料來源中增加資料內容時，如何讓樞紐分析表同時變化；以及如何在電腦沒有 Office 軟體的時候查看樞紐分析表內容。

7.1 讓建立樞紐分析表的來源突破束縛

老譚：透過前面的操作，我想你可能已經發現，資料的來源一直都是易於使用的 Excel 表格資料。

小言：嗯，但是我也一直很想問，萬一資料來源不在 Excel 表格中，該怎麼辦？

老譚：在實際工作中，遇到的資料不可能總是源自於一種資料來源，即資料有可能會儲存在 Excel 表格，也可能會儲存在文字檔或是 Access 資料庫。雖然可以將儲存在 Excel 外的資料匯入 Excel 表格中，然後再進行樞紐分析表分析，但是可以明顯發現此種方法將會顯得累贅。此時，為了便於操作和簡化外部資料來源建立樞紐分析表，可以直接使用 Excel 中提供的其他資料來源建立樞紐分析表工具。這裡的其他資料來源，並不僅僅只是我們常見的文字檔資料，還可以是 Access 資料或是 SQL 資料。

在本小節中，我主要將介紹如何使用 Access 資料和文字檔資料這兩種外部資料建立樞紐分析表。

7.1.1 匯入外部資料建立 Access 表

小言：前輩，雖然在使用 Access 資料來源建立樞紐分析表時，是不需重新製作的，但我還是想大致瞭解一下 Access 資料表的製作方法。

老譚：製作 Access 資料表除了可以直接在資料表中輸入資料，還可以匯入 Excel 的資料。我先大概介紹一下在 Access 中匯入 Excel 資料的方法。不用擔心不熟悉 Access 元件，其實和 Excel 元件一樣，資料表格的製作都很簡單。

01 STEP 啟動 Access 2016。透過左下角的「開始」啟動「Access 2016」，如圖 7-1 所示。

02 STEP 建立空白資料表。啟動 Access 2016 後，在介面中按一下「空白桌面資料庫」圖示，如圖 7-2 所示。

圖 7-1 啟動 Access 2016

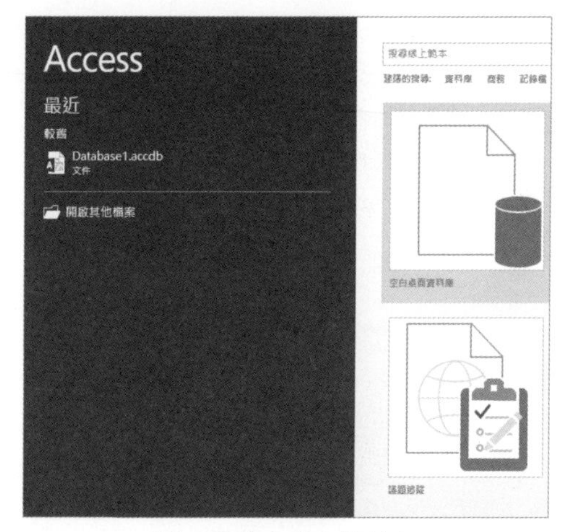

圖 7-2 建立空白資料表

03 STEP 按一下「瀏覽」按鈕。彈出對話方塊，按一下「檔案名稱」右側的「瀏覽」按鈕，如圖 7-3 所示。

04 STEP 開啟一個 Access 空白資料表。彈出「開新資料庫」對話方塊，❶設定空白資料庫的儲存位置，❷然後在「檔案名稱」後的文字方塊中輸入資料庫名稱，如圖 7-4 所示，最後按一下「確定」按鈕儲存該空白資料庫。

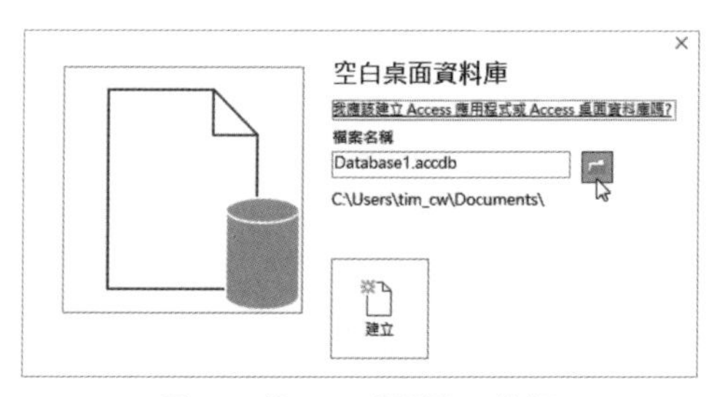

圖 7-3 按一下「瀏覽」按鈕

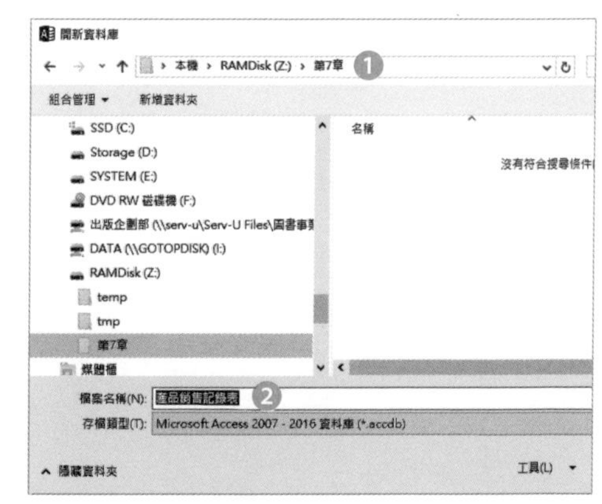

圖 7-4 更改並儲存 Access 空白資料庫

STEP 05 建立資料表。回到建立資料庫的對話方塊，❶可發現該空白資料庫的儲存位置和檔名都已更改，❷然後按一下「建立」按鈕，如圖 7-5 所示。

STEP 06 匯入 Excel 資料。隨後可看到建立的空白資料庫效果，❶切換至「外部資料」頁籤，❷在「匯入與連結」群組中按一下「Excel」按鈕，如圖 7-6 所示。

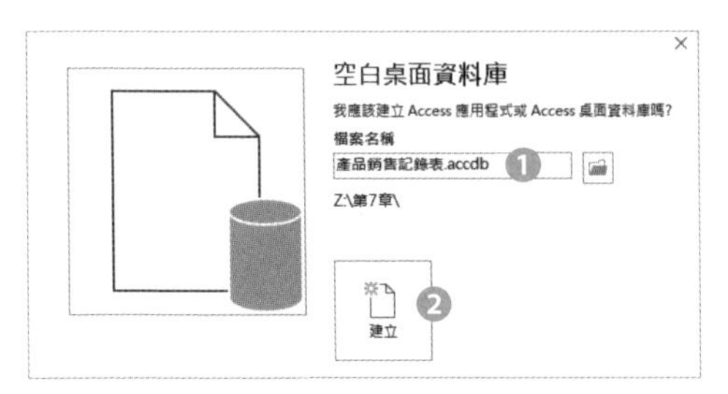

圖 7-5 建立資料表

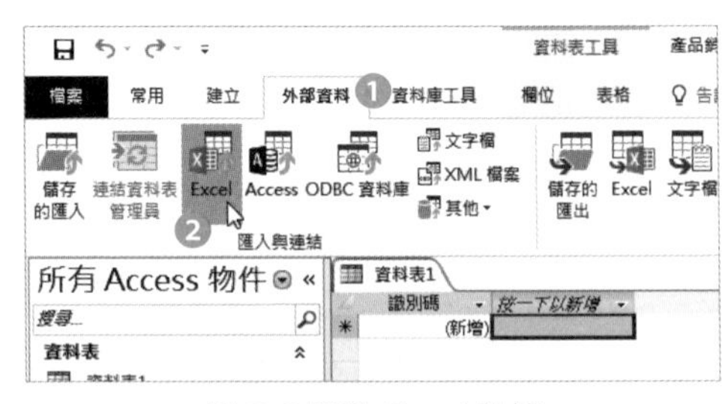

圖 7-6 匯入 Excel 數據

STEP 07 指定資料來源。彈出「取得外部資料 -Excel 試算表」對話方塊，按一下檔案名稱右側的「瀏覽」按鈕，如圖 7-7 所示。

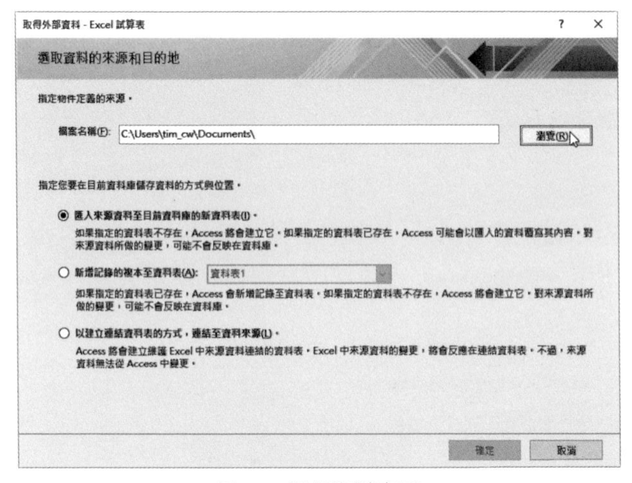

圖 7-7 指定資料來源

08 STEP 選擇匯入的 Excel 活頁簿。彈出「開啟舊檔」對話方塊，❶選擇需要匯入的試算表儲存位置，❷選取需要匯入的試算表，❸按一下「開啟」按鈕，如圖 7-8 所示。

圖 7-8 選擇匯入的 Excel 活頁簿

09 STEP 確認匯入的文件。回到「取得外部資料 -Excel 試算表」對話方塊，❶在「檔案名稱」文字方塊中顯示出匯入的檔案路徑，❷按一下「確定」按鈕，如圖 7-9 所示。

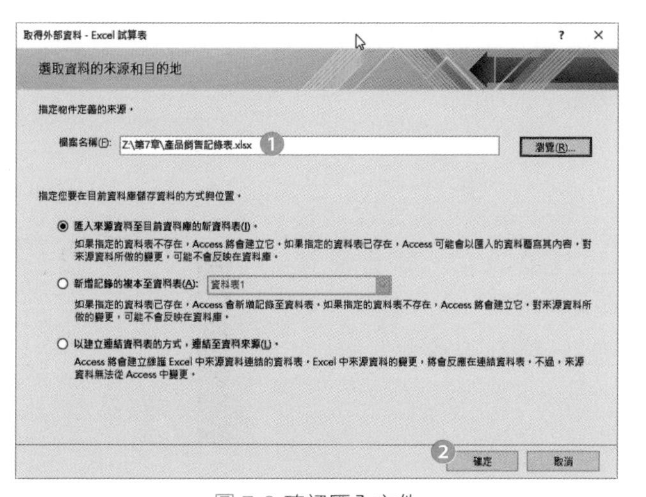

圖 7-9 確認匯入文件

10 STEP 選擇合適的工作表區域。彈出「匯入試算表精靈」對話方塊，❶預設選取「顯示工作表」選項，❷在清單方塊中選擇合適的工作表，如「產品銷售記錄表」，❸按一下「下一步」按鈕，如圖 7-10 所示。

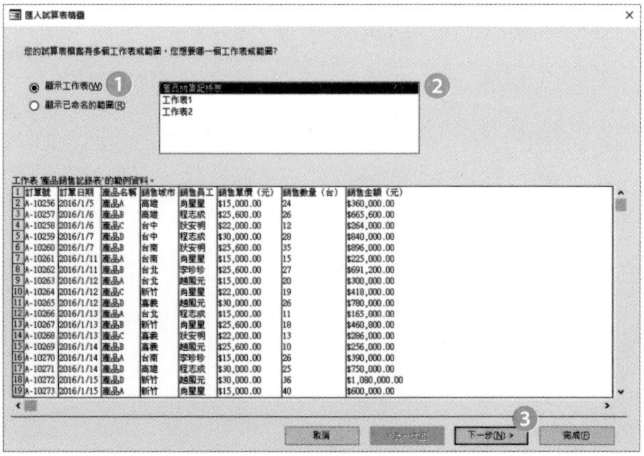

圖 7-10 選擇合適的工作表區域

11 STEP 確定第一列是欄名。在下一步驟中確定指定的資料範圍是否包含欄名，❶此時保持預設的設定，❷按一下「下一步」按鈕，如圖 7-11 所示。

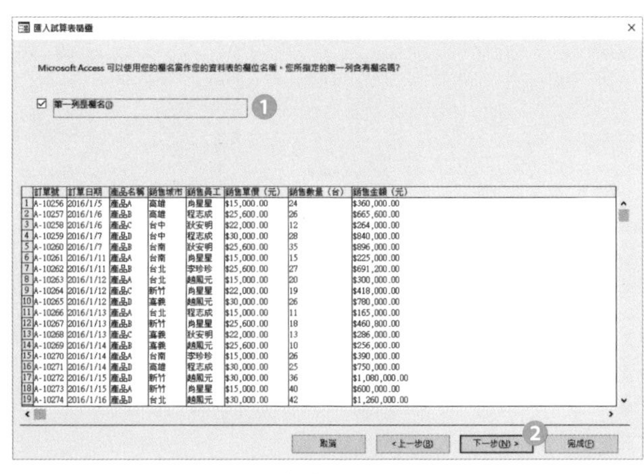

圖 7-11 確定第一列是欄位名稱

12 STEP 指定欄位資訊。❶在接下來的步驟中指定正在匯入的每一欄位的資訊，此時保持預設設定，❷直接按「下一步」按鈕，如圖 7-12 所示。

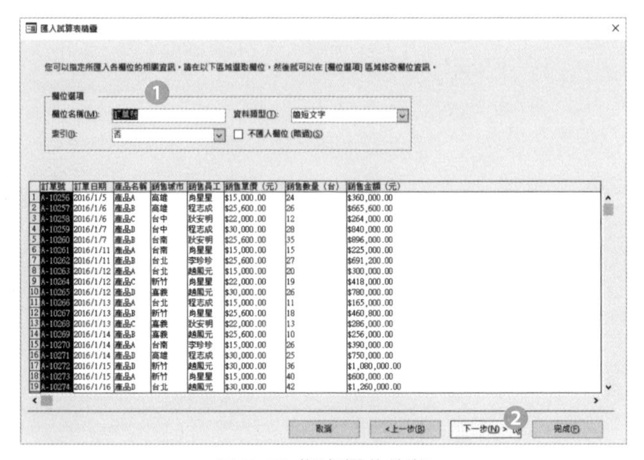

圖 7-12 指定欄位資訊

13 STEP 定義主鍵。切換至下一步驟，在本例中不建議為其定義一個主鍵，❶所以點選「不要主索引鍵」選項，❷按一下「下一步」按鈕，如圖 7-13 所示。

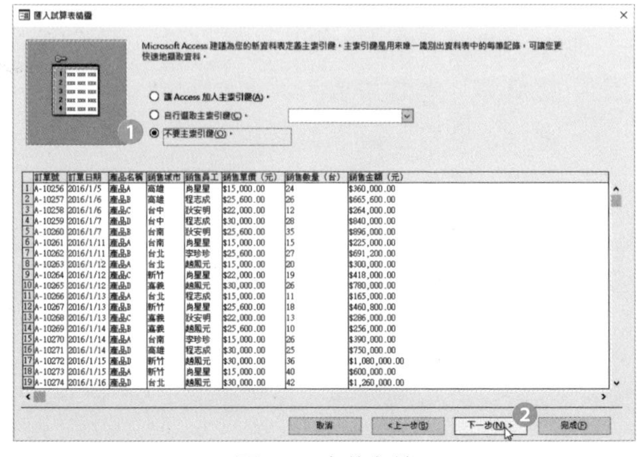

圖 7-13 定義主鍵

14 STEP 完成匯入到資料表。在下一步驟中的「匯入至資料表」下的文字方塊中可更改資料表名稱，❶此時保持預設的名稱，❷按一下「完成」按鈕，如圖 7-14 所示。

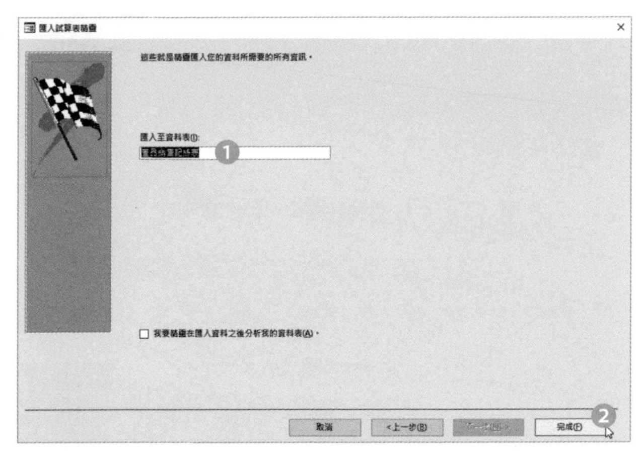

圖 7-14 完成匯入至資料表

15 STEP 完成外部資料來源的匯入。回到「取得外部資料 -Excel 試算表」對話方塊，直接按一下「關閉」按鈕，如圖 7-15 所示。

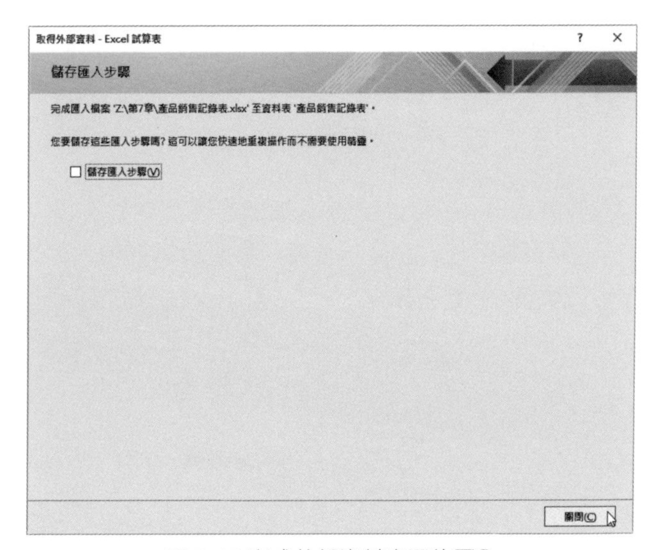

圖 7-15 完成外部資料來源的匯入

16 STEP 查看匯入的資料表。回到 Access 資料庫表中，即可看到匯入「產品銷售記錄表」後的資料表效果，如圖 7-16 所示。

所有 Access 物件
資料表
產品銷售記錄表
資料表1

訂單號	訂單日期	產品名稱	銷售城市	銷售員工	銷售單價（元	銷售數量（台	銷售金額（元
A-10256	2016/1/5	產品A	高雄	冉星星	$15,000.00	24	$360,000.00
A-10257	2016/1/6	產品B	高雄	程志成	$25,600.00	26	$665,600.00
A-10258	2016/1/6	產品C	台中	狄安明	$22,000.00	12	$264,000.00
A-10259	2016/1/7	產品D	台中	程志成	$30,000.00	28	$840,000.00
A-10260	2016/1/7	產品B	台南	狄安明	$25,600.00	35	$896,000.00
A-10261	2016/1/11	產品A	台南	冉星星	$15,000.00	15	$225,000.00
A-10262	2016/1/11	產品B	台北	李珍珍	$25,600.00	27	$691,200.00
A-10263	2016/1/12	產品A	台北	趙鳳元	$15,000.00	20	$300,000.00
A-10264	2016/1/12	產品C	新竹	冉星星	$22,000.00	19	$418,000.00
A-10265	2016/1/12	產品D	嘉義	趙鳳元	$30,000.00	26	$780,000.00
A-10266	2016/1/13	產品A	台北	程志成	$15,000.00	11	$165,000.00
A-10267	2016/1/13	產品B	新竹	冉星星	$25,600.00	18	$460,800.00
A-10268	2016/1/13	產品C	嘉義	狄安明	$22,000.00	13	$286,000.00
A-10269	2016/1/14	產品B	嘉義	趙鳳元	$25,600.00	10	$256,000.00
A-10270	2016/1/14	產品A	台南	李珍珍	$15,000.00	26	$390,000.00
A-10271	2016/1/14	產品D	高雄	程志成	$30,000.00	25	$750,000.00
A-10272	2016/1/15	產品D	新竹	趙鳳元	$30,000.00	36	$1,080,000.00
A-10273	2016/1/15	產品A	新竹	冉星星	$15,000.00	40	$600,000.00
A-10274	2016/1/16	產品D	台北	趙鳳元	$30,000.00	42	$1,260,000.00
A-10275	2016/1/16	產品A	台中	狄安明	$15,000.00	15	$225,000.00
A-10276	2016/1/18	產品D	高雄	李珍珍	$30,000.00	40	$1,200,000.00
A-10277	2016/1/18	產品C	嘉義	冉星星	$22,000.00	30	$660,000.00
A-10278	2016/1/20	產品A	台南	程志成	$15,000.00	20	$300,000.00
A-10279	2016/1/21	產品D	台南	冉星星	$30,000.00	25	$750,000.00
A-10280	2016/1/22	產品D	高雄	狄安明	$30,000.00	22	$660,000.00
A-10281	2016/1/25	產品A	台中	冉星星	$15,000.00	21	$315,000.00
A-10282	2016/1/25	產品C	台中	李珍珍	$22,000.00	20	$440,000.00
A-10283	2016/1/28	產品B	台北	程志成	$25,600.00	15	$384,000.00
A-10284	2016/1/28	產品A	台南	趙鳳元	$15,000.00	22	$330,000.00
A-10285	2016/1/30	產品A	嘉義	冉星星	$15,000.00	26	$390,000.00

圖 7-16 查看匯入的資料表

7.1.2 使用 Access 資料庫建立樞紐分析表

老譚：在學習 Access 的匯入資料方法後，可以開始使用 Access 資料庫中的資料建立樞紐分析表了。

小言：前輩，是不是很難啊？總感覺用外部資料建立樞紐分析表要複雜很多！

老譚：我可以給你肯定的答案，你的感覺完全錯誤，使用 Access 外部資料建立樞紐分析表和使用 Excel 建立樞紐分析表的難度都可以用一個詞概括：非常簡單！

01 STEP 取得 Access 資料。開啟一個空白的 Excel 活頁簿，❶切換至「資料」頁籤，❷在「取得外部資料」群組中按一下「從 Access」按鈕，如圖 7-17 所示。

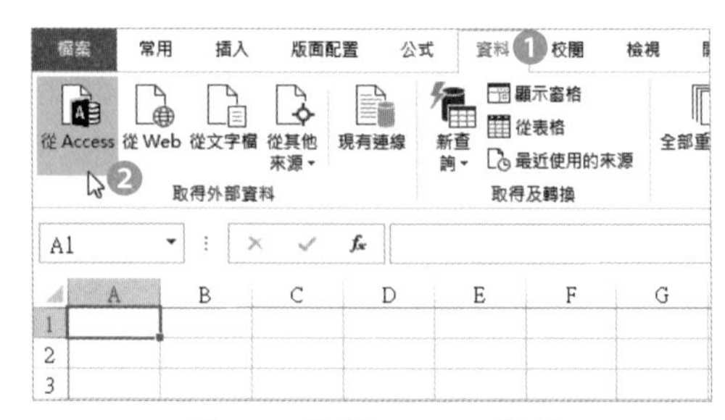

圖 7-17 取得 Access 資料

02 STEP 開啟 Access 資料表。彈出「選取資料來源」對話方塊，❶選擇需要匯入的 Access 資料表儲存位置，❷選取需要匯入的資料表，❸按一下「開啟」按鈕，如圖 7-18 所示。

圖 7-18 開啟 Access 資料表

STEP 03 建立樞紐分析表。彈出「匯入資料」對話方塊，❶在「選取你要在活頁簿中檢視此資料的方式」選項群組中點選「樞紐分析表」選項，❷在「將資料放在」選項群組中按一下「現有工作表」選項，❸並設定好樞紐分析表的位置，❹按一下「確定」按鈕，如圖 7-19 所示。

STEP 04 顯示建立的空白樞紐分析表。隨後回到工作表中，即可看到建立的空白樞紐分析表和「樞紐分析表欄位」任務窗格，如圖 7-20 所示。

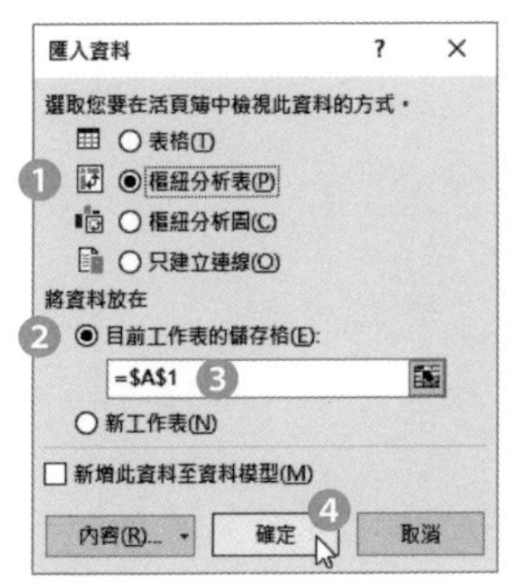

圖 7-19 建立樞紐分析表

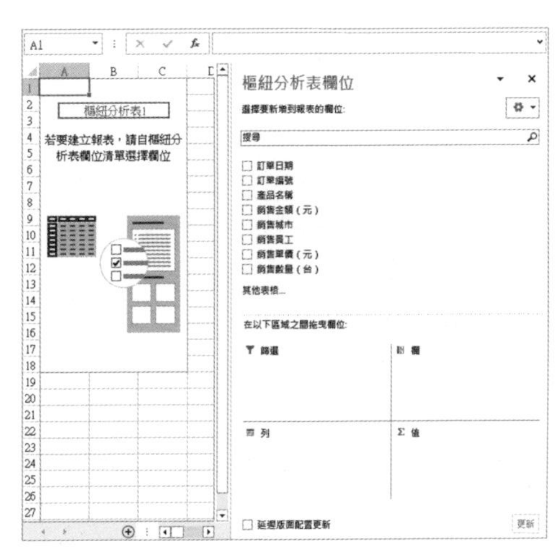

圖 7-20 顯示建立的空白樞紐分析表

STEP 05 勾選欄位建立樞紐分析表。在「樞紐分析表欄位」任務窗格的欄位清單中勾選欄位，在欄位設定區域設定好欄位的位置，並設定好樞紐分析表的版面配置效果和數字格式，即可看到建立的樞紐分析表效果，如圖 7-21 所示。最後將該樞紐分析表儲存至合適的檔案中即可。

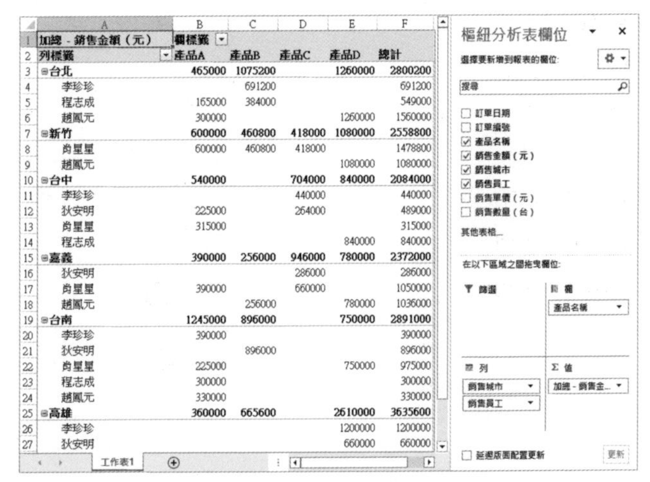

加總 - 銷售金額（元）	欄標籤				
列標籤	產品A	產品B	產品C	產品D	總計
⊟台北	465000	1075200		1260000	2800200
李珍珍		691200			691200
程志成	165000	384000			549000
趙鳳元	300000			1260000	1560000
⊟新竹	600000	460800	418000	1080000	2558800
尚星星	600000	460800	418000		1478800
趙鳳元				1080000	1080000
⊟台中	540000		704000	840000	2084000
李珍珍			440000		440000
狄安明	225000		264000		489000
尚星星	315000				315000
程志成				840000	840000
⊟嘉義	390000	256000	946000	780000	2372000
狄安明			286000		286000
尚星星	390000		660000		1050000
趙鳳元		256000		780000	1036000
⊟台南	1245000	896000		750000	2891000
李珍珍	390000				390000
狄安明		896000			896000
尚星星	225000			750000	975000
程志成	300000				300000
趙鳳元	330000				330000
⊟高雄	360000	665600		2610000	3635600
李珍珍				1200000	1200000
狄安明				660000	660000

圖 7-21 勾選欄位建立樞紐分析表

7.1.3 使用文字檔建立樞紐分析表

老譚：在實際工作中，有些企業可能喜歡使用 Access 儲存資料，也可能會使用文字檔案儲存資料，但是無論是哪種儲存方法，都可以不用先匯入資料到 Excel 再建立樞紐分析表。

小言：哦，這兩種資料來源建立樞紐分析表的方法應該都差不多吧！為什麼還要另外介紹呢？

老譚：方法可以說完全不一樣，使用文字檔建立樞紐分析表要更複雜一些，所以，你要注意以下的講解過程！

STEP 01 顯示原始文字檔資料。圖 7-22 為在記事本中輸入的資料，其中，各項資料之間使用【Tab】鍵進行分欄。

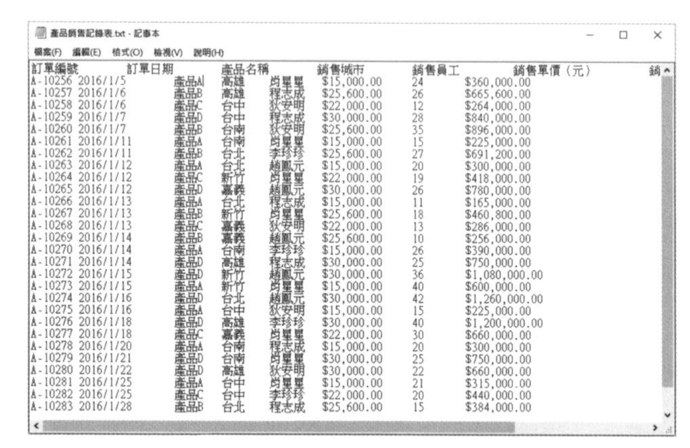

訂單編號	訂單日期	產品名稱	銷售城市	銷售員工	銷售單價（元）	銷	
A-10256	2016/1/5	產品A	高雄	肖星星	$15,000.00	24	$360,000.00
A-10257	2016/1/6	產品B	高雄	程志成	$25,600.00	26	$665,600.00
A-10258	2016/1/6	產品C	台中	狄安明	$22,000.00	12	$264,000.00
A-10259	2016/1/7	產品D	台中	程志成	$30,000.00	28	$840,000.00
A-10260	2016/1/7	產品B	台南	狄安明	$25,600.00	35	$896,000.00
A-10261	2016/1/11	產品A	台南	肖星星	$15,000.00	15	$225,000.00
A-10262	2016/1/11	產品B	台北	李珍珍	$25,600.00	27	$691,200.00
A-10263	2016/1/12	產品A	台北	趙鳳元	$15,000.00	20	$300,000.00
A-10264	2016/1/12	產品C	新竹	肖星星	$22,000.00	19	$418,000.00
A-10265	2016/1/12	產品D	嘉義	趙鳳元	$30,000.00	26	$780,000.00
A-10266	2016/1/13	產品A	台北	程志成	$15,000.00	11	$165,000.00
A-10267	2016/1/13	產品B	新竹	肖星星	$25,600.00	18	$460,800.00
A-10268	2016/1/13	產品C	嘉義	狄安明	$22,000.00	13	$286,000.00
A-10269	2016/1/14	產品B	嘉義	趙鳳元	$25,600.00	10	$256,000.00
A-10270	2016/1/14	產品A	台南	李珍珍	$15,000.00	26	$390,000.00
A-10271	2016/1/14	產品D	高雄	程志成	$30,000.00	25	$750,000.00
A-10272	2016/1/15	產品D	新竹	趙鳳元	$30,000.00	36	$1,080,000.00
A-10273	2016/1/15	產品A	新竹	肖星星	$15,000.00	40	$600,000.00
A-10274	2016/1/16	產品D	台北	趙鳳元	$30,000.00	42	$1,260,000.00
A-10275	2016/1/16	產品A	台中	狄安明	$15,000.00	15	$225,000.00
A-10276	2016/1/18	產品D	高雄	李珍珍	$30,000.00	40	$1,200,000.00
A-10277	2016/1/18	產品C	嘉義	肖星星	$22,000.00	30	$660,000.00
A-10278	2016/1/20	產品A	台南	程志成	$15,000.00	20	$300,000.00
A-10279	2016/1/21	產品D	台南	肖星星	$30,000.00	25	$750,000.00
A-10280	2016/1/22	產品D	高雄	狄安明	$30,000.00	22	$660,000.00
A-10281	2016/1/25	產品A	台中	肖星星	$15,000.00	21	$315,000.00
A-10282	2016/1/25	產品C	台中	李珍珍	$22,000.00	20	$440,000.00
A-10283	2016/1/28	產品B	台北	程志成	$25,600.00	15	$384,000.00

圖 7-22 顯示原始文字檔資料

STEP 02 取得外部資料來源。開啟一個空白 Excel 活頁簿，❶ 切換至「資料」頁籤，❷ 在「取得外部資料」群組中按一下「從其他來源」下三角按鈕，❸ 在展開的清單中點選「從 Microsoft Query」選項，如圖 7-23 所示。

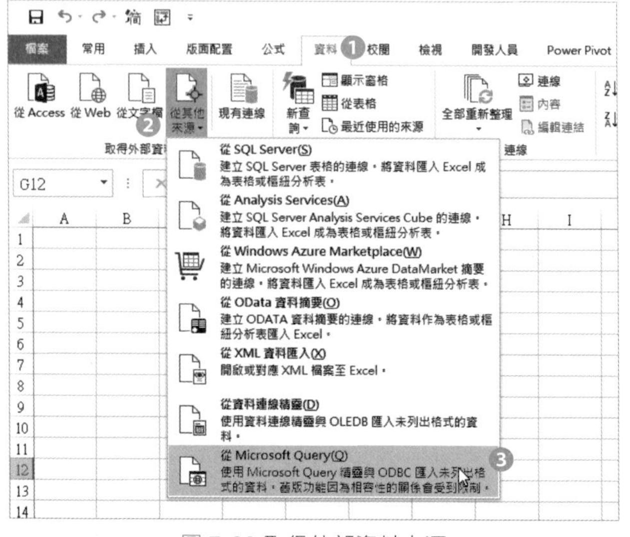

圖 7-23 取得外部資料來源

STEP 03 選擇新資料來源。彈出「選擇資料來源」對話方塊，❶在「資料庫」頁籤中點選「< 新資料來源 >」選項，❷按一下「確定」按鈕建立新資料來源，如圖 7-24 所示。

STEP 04 輸入資料來源名稱和選擇驅動程式。彈出「建立新資料來源」對話方塊，❶在「您的資料來源要取什麼名字」的文字方塊中輸入新增資料來源的名稱，如「產品銷售記錄表文字檔」。在「為您要存取的資料庫選取驅動程式類型」中選定一個驅動程式，❶按一下右側的下三角按鈕，❸在展開的清單中點選「Microsoft Access Text Driver（*.txt;*.csv）」選項，如圖 7-25 所示。

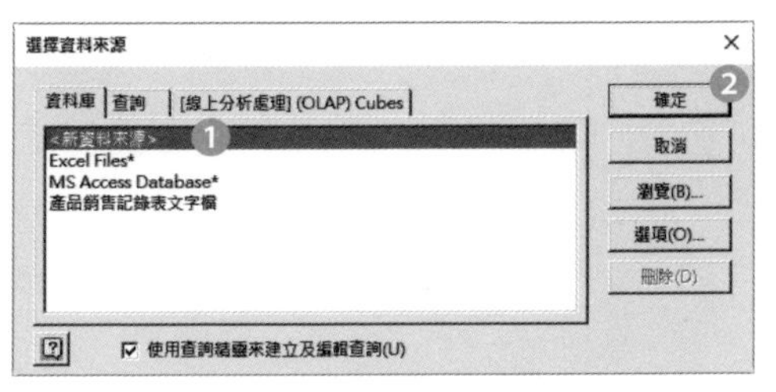

圖 7-24 選擇新資料來源

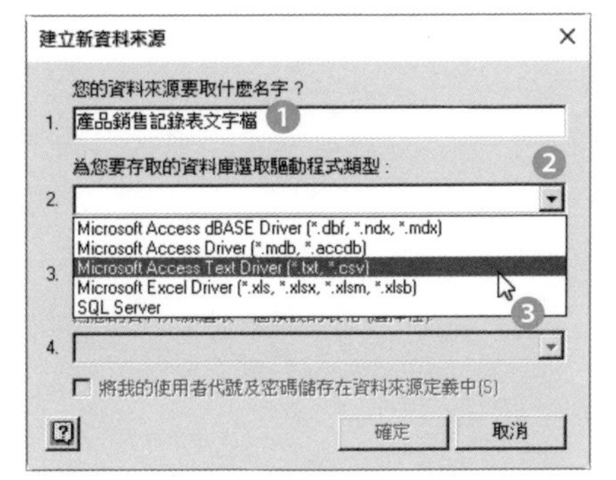

圖 7-25 輸入資料來源名稱和選擇驅動程式

STEP 05 連接資料來源。設定好資料來源名稱和驅動程式後，按一下對話方塊中的「連接」按鈕，如圖 7-26 所示。

STEP 06 選取目錄。彈出「ODBC Text 設定」對話方塊，❶取消勾選「使用目前工作目錄」核取方塊，❷然後按一下「選取目錄」按鈕，如圖 7-27 所示。

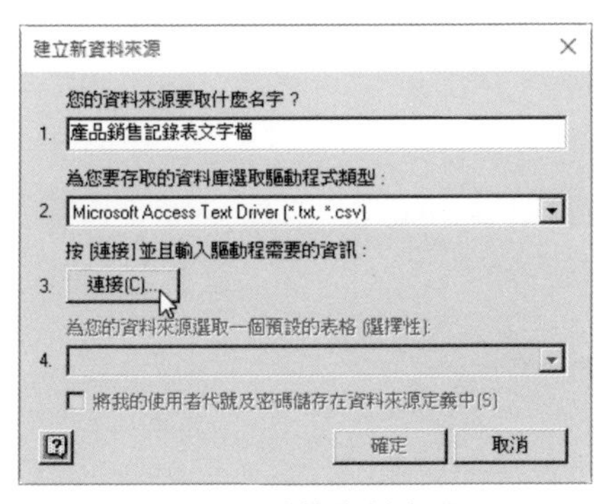

圖 7-26 連接資料來源

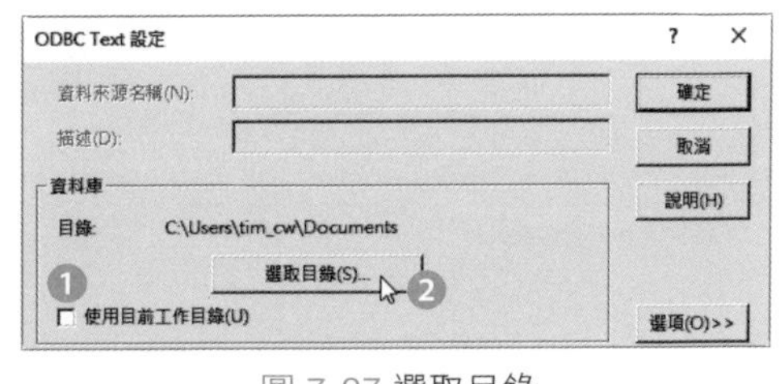

圖 7-27 選取目錄

07 STEP 選擇文字檔。彈出「選取目錄」對話方塊，❶在「磁碟機」選項群組選擇文字檔的儲存磁碟，❷然後在「資料夾」選項群組取得文字檔的所在路徑，❸在「檔案名稱」選項群組選擇要插入的資料來源文字檔，如「產品銷售記錄表」，❹按一下「確定」按鈕，關閉「選取目錄」對話方塊，如圖 7-28 所示。

08 STEP 設定副檔名。回到「ODBC Text 設定」對話方塊，❶按一下「選項」按鈕，❷取消勾選「預設值（*.*）（L）」核取方塊，❸在「副檔名清單」下的清單方塊中選擇「*.txt」類型，❹然後按一下「定義格式」按鈕，如圖 7-29 所示。

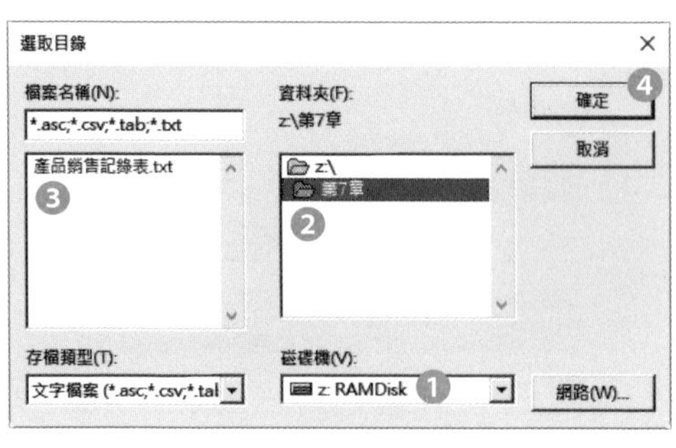

圖 7-28 選擇文字檔

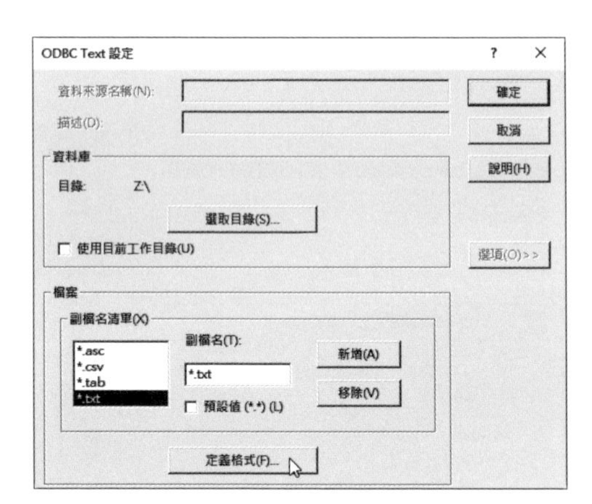

圖 7-29 設定副檔名

09 STEP 定義格式。彈出「定義文字格式」對話方塊，❶在「資料表（B）」清單方塊中選擇「產品銷售記錄表 .txt」文字檔，❷勾選「資料欄名稱頁首」核取方塊，❸按一下「格式」右側的下三角按鈕，❹在展開的清單中點選「定位點分隔符號」選項，如圖 7-30 所示。

10 STEP 猜測資料欄。在對話方塊右側按一下「猜測」按鈕，如圖 7-31 所示。

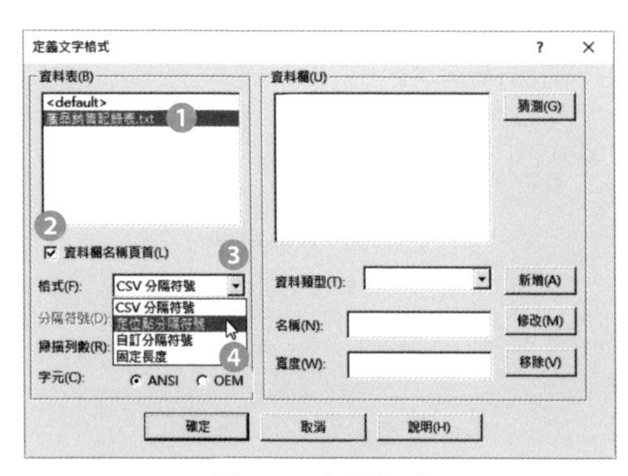

圖 7-30 定義格式

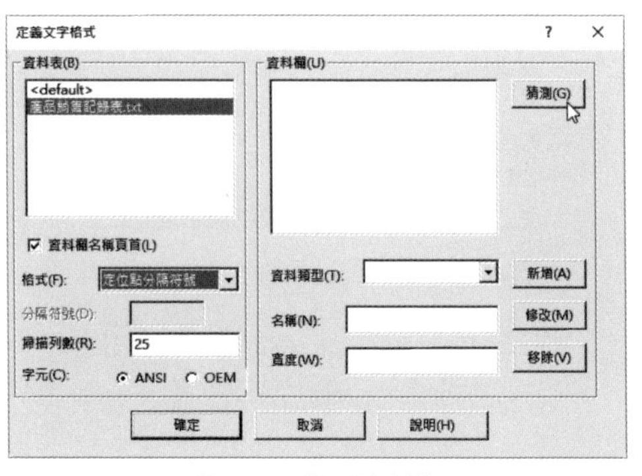

圖 7-31 猜測資料欄

11 STEP 設定欄位的資料類型。❶隨後在「資料欄」選項群組下的清單方塊中出現了將要加入的欄位標題，按一下「訂單編號」，❷按一下「資料類型」右側的下三角按鈕，❸在展開的清單中點選「LongChar」，如圖 7-32 所示。

12 STEP 確定資料欄的資料類型。在對話方塊中按一下「修改」按鈕，即可對「訂單編號」的資料類型重新設定，如圖 7-33 所示。隨後依序對「訂單日期」、「產品名稱」、「銷售城市」、「銷售員工」重複進行設定。

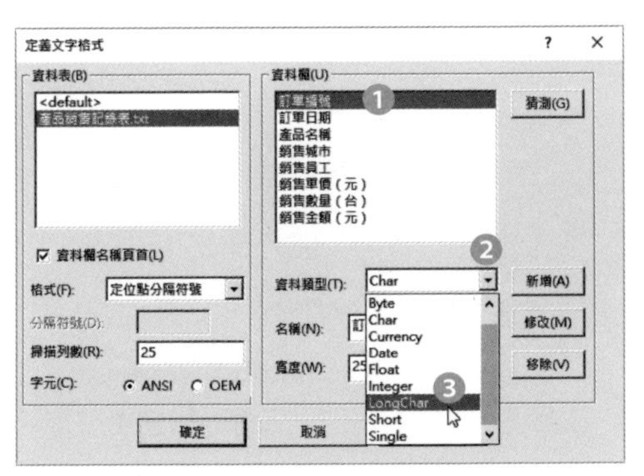

圖 7-32 設定欄位的資料類型

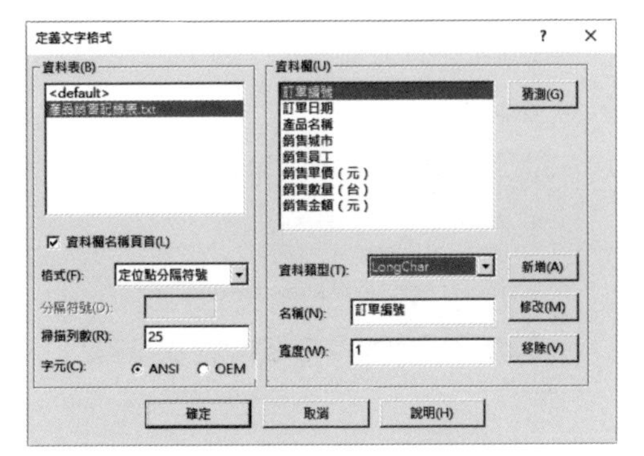

圖 7-33 確定欄位的資料類型

13 STEP 繼續確定資料欄的資料類型。❶在「資料欄」選項群組下的清單方塊中點選「銷售數量（元）」，❷設定「資料類型」為「Integer」，❸按一下「修改」按鈕，如圖 7-34 所示。此外，單價和金額的「資料類型」可設定為「Integer」或「Currency」。

14 STEP 完成資料類型的修改。❶應用相同的方法將「銷售金額（元）」的「資料類型」設定為「Currency」，❷按一下「確定」按鈕，如圖 7-35 所示。需注意的是 Excel 要求把每個欄位的 Char 資料類型改為 LongChar 或 Integer、Currency 後，必須要按一下「修改」按鈕，否則該修改就不能得到處理。

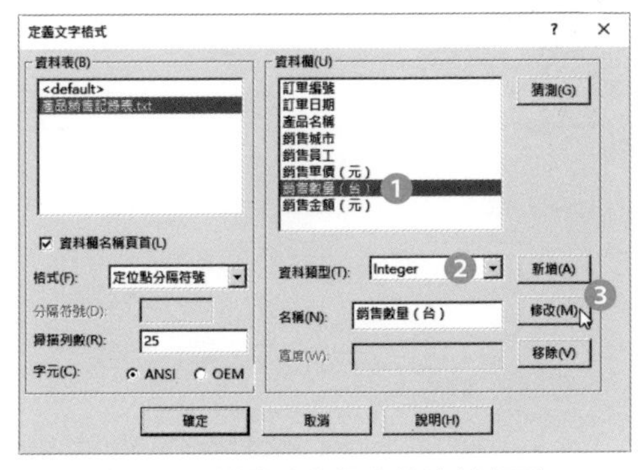

圖 7-34 繼續確定欄位的資料類型

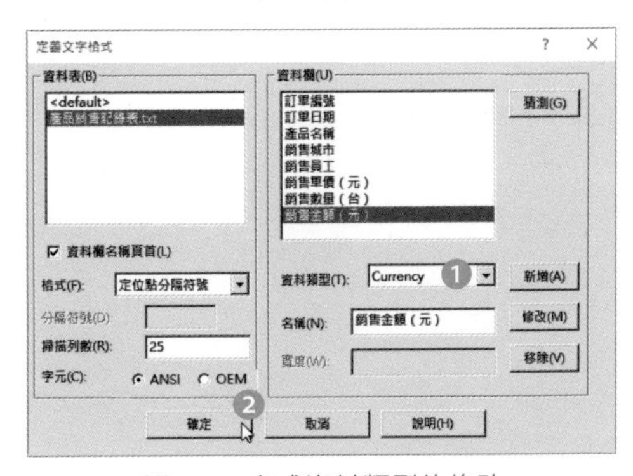

圖 7-35 完成資料類型的修改

15 STEP 選擇資料來源選定預設表。回到「ODBC 文字設定」對話方塊，按一下「確定」按鈕，回到「建立新資料來源」對話方塊，❶按一下「為您的資料來源選取一個預設的表格（選擇性）」下框右側的下三角按鈕，❷在展開的清單中選擇「產品銷售記錄表」選項，如圖 7-36 所示。

16 STEP 按一下「確定」按鈕。隨後按一下「確定」按鈕，如圖 7-37 所示。回到「選擇資料來源」對話方塊中。

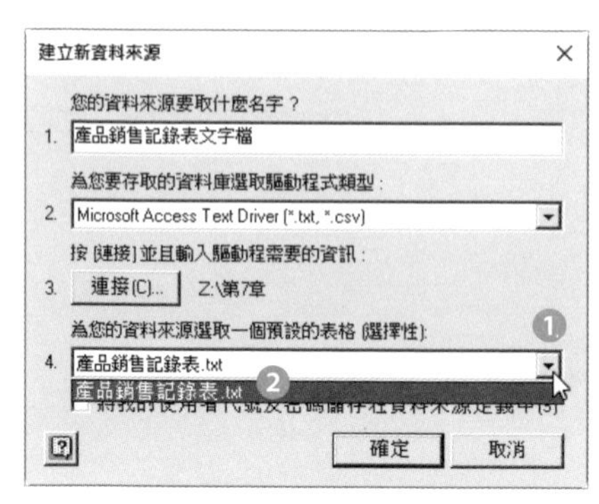

圖 7-36 為資料來源選定預設表

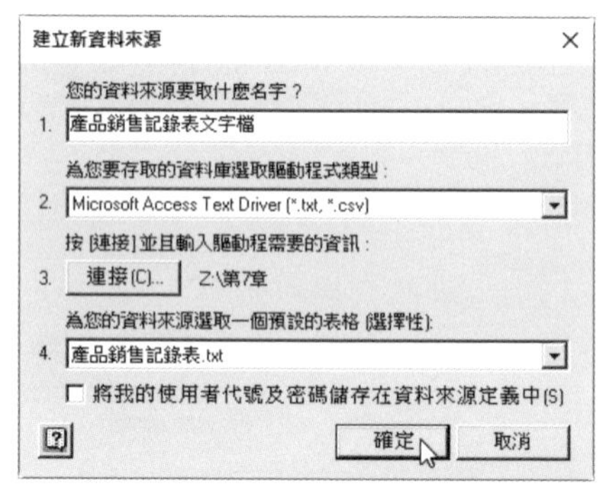

圖 7-37 按一下「確定」按鈕

17 STEP 顯示新加入的資料來源文字檔。❶隨後可看到對話方塊中「資料庫」頁籤下新加入了一個資料來源文字檔，❷按一下「確定」按鈕，如圖 7-38 所示。

18 STEP 加入查詢資訊。此時出現了一個「Microsoft Query」查詢對話方塊，然後按兩下「來自產品銷售記錄表文字檔的查詢」中「產品銷售記錄表」選擇清單內的「*」號，如圖 7-39 所示。

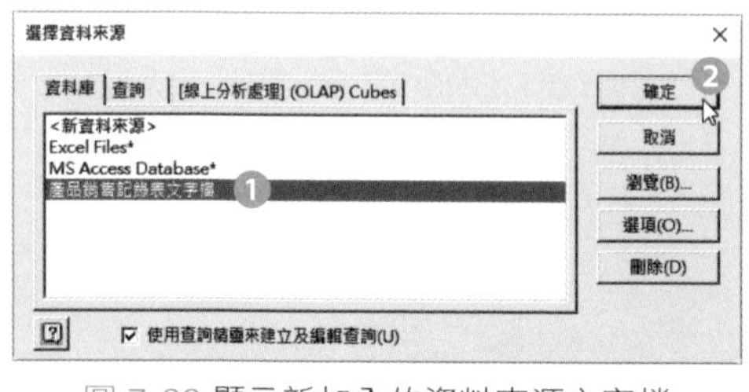

圖 7-38 顯示新加入的資料來源文字檔

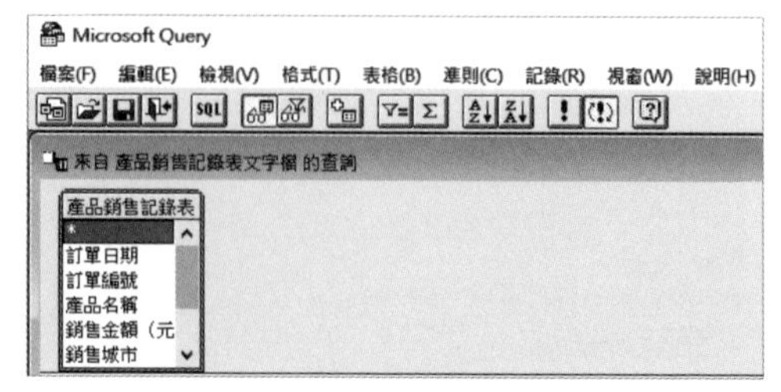

圖 7-39 加入查詢資訊

19 STEP 顯示資料資訊。隨後即可看到匯入查詢對話方塊內的資料效果，如圖 7-40 所示。

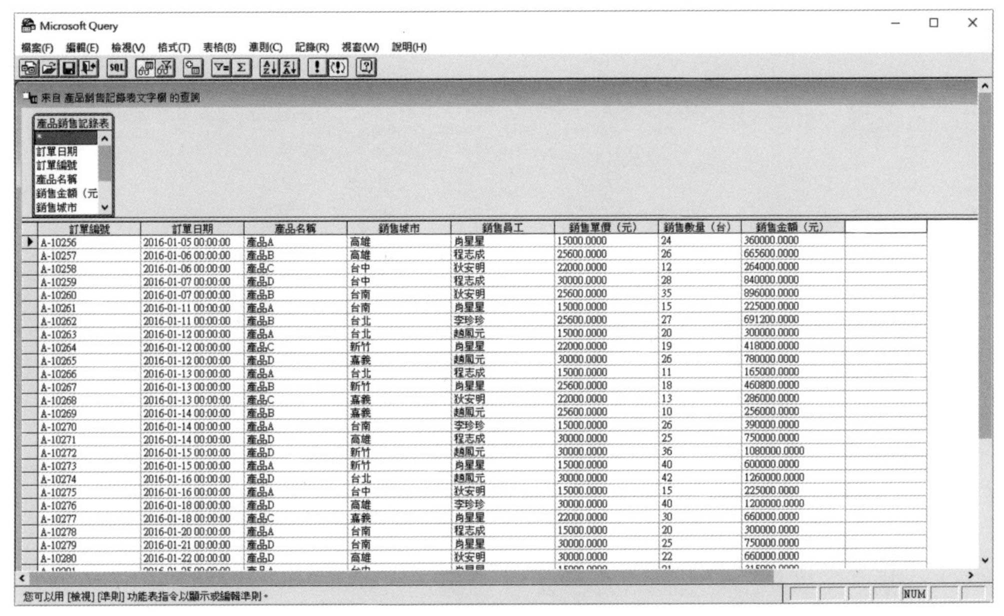

圖 7-40 顯示資料資訊

20 STEP 將資料傳回 Excel。❶在查詢對話方塊的工具列中按一下「檔案」按鈕，❷在彈出的功能表中點選「將資料傳回 Microsoft Excel」選項，如圖 7-41 所示。

21 STEP 建立樞紐分析表。彈出「匯入資料」對話方塊，❶在「選取你要在活頁簿中檢視此資料的方式」選項群組中點選「樞紐分析表」，❷在「將資料放在」選項群組按一下「目前工作表的儲存格」，❸並在清單方塊中設定樞紐分析表的放置位置為儲存格 A1，❹然後按一下「確定」按鈕，即可建立一張空白的樞紐分析表，如圖 7-42 所示。

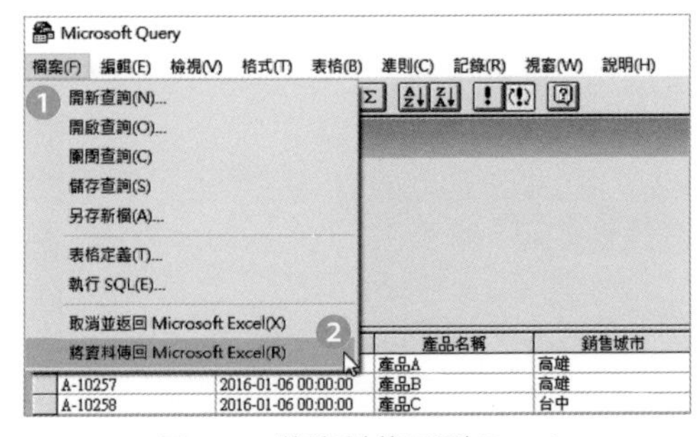

圖 7-41 將資料傳回到 Excel

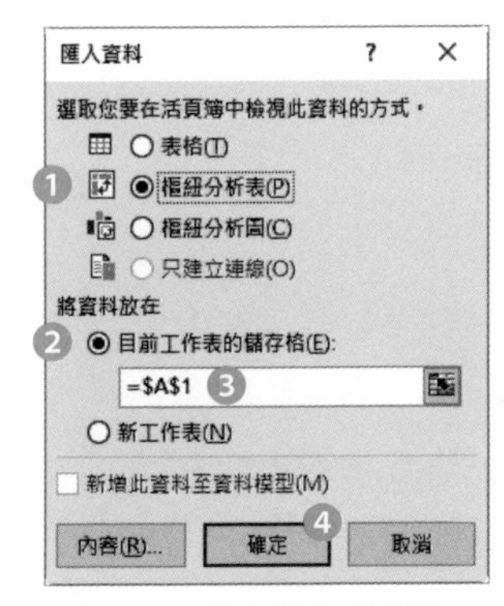

圖 7-42 建立樞紐分析表

22 STEP 顯示建立的樞紐分析表效果。回到工作表中，在建立的空白工作表右側任務窗格中勾選欄位，並設定好欄位的位置，隨後為樞紐分析表設定好版面配置效果和格式，即可得到如圖 7-43 所示的樞紐分析表效果。

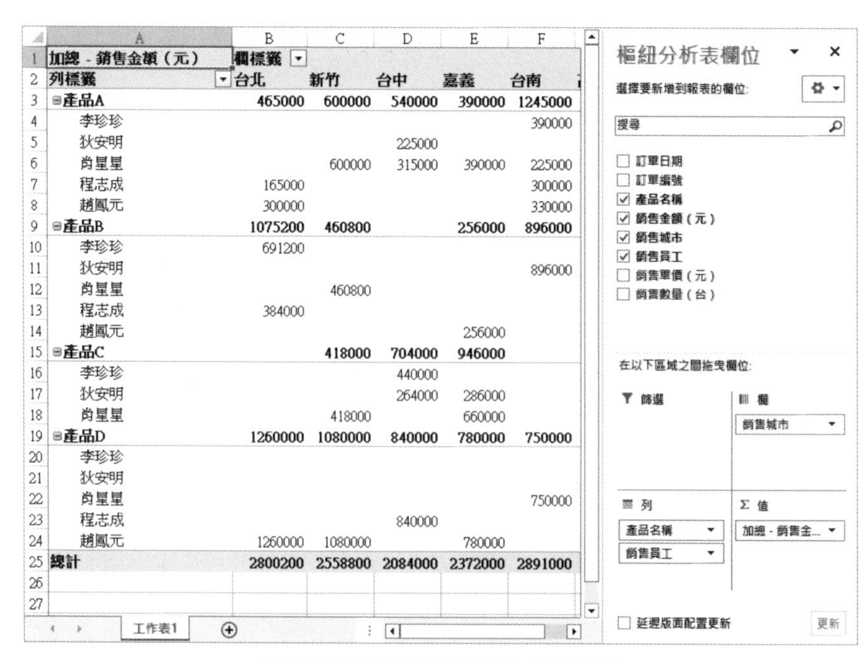

加總 - 銷售金額（元）	欄標籤				
列標籤	台北	新竹	台中	嘉義	台南
⊟產品A	**465000**	**600000**	**540000**	**390000**	**1245000**
李珍珍					390000
狄安明			225000		
尚星星		600000	315000	390000	225000
程志成	165000				300000
趙鳳元	300000				330000
⊟產品B	**1075200**	**460800**		**256000**	**896000**
李珍珍	691200				
狄安明					896000
尚星星		460800			
程志成	384000				
趙鳳元				256000	
⊟產品C		**418000**	**704000**	**946000**	
李珍珍			440000		
狄安明			264000	286000	
尚星星		418000		660000	
⊟產品D	**1260000**	**1080000**	**840000**	**780000**	**750000**
李珍珍					
狄安明					
尚星星					750000
程志成			840000		
趙鳳元	1260000	1080000		780000	
總計	**2800200**	**2558800**	**2084000**	**2372000**	**2891000**

圖 7-43 顯示建立的樞紐分析表效果

Excel 每次連接外部文字檔資料時，都透過讀取保存在同一個目錄下的「schema.ini」檔來確定每個域的資料類型和名稱，可以用「記事本」加入或編輯該檔中的值。檔案中各項名稱的說明如下：

```
[ 產品銷售記錄表 .txt]
ColNameHeader=True
Format=TabDelimited
MaxScanRows=25
CharacterSet=ANSI
Col1= 訂單編號 LongChar
Col2= 訂單日期 Date
Col3= 產品名稱 LongChar
Col4= 銷售城市 LongChar
```

```
Col5= 銷售員工 LongChar
Col6= 銷售單價（元） Currency
Col7= 銷售數量（台） Integer
Col8= 銷售金額（元） Currency
```

修改 schema.ini 檔會在下次重新整理樞紐分析表時立即有效，在本例中也可以不進行格式設定，而是在產生樞紐分析表後修改 Col 資料類型，關閉 schema.ini，重新整理樞紐分析表也會自動更新。

7.2 有「資料」同享，有「變化」同當

小言：前輩，重新整理樞紐分析表在前面不是已經做了詳細的介紹嗎？

老譚：的確，但是，在本小節中要介紹的重新整理和前面的有一定的區別，在本小節中，將主要介紹定時重新整理功能，即可以根據需要設定幾分鐘後再重新整理，聽起來是不是很厲害！

STEP 01 顯示原始文字檔建立的樞紐分析表。開啟根據「產品銷售記錄表 1」建立的樞紐分析表，即可看到如圖 7-44 所示的樞紐分析表效果。

	A	B	C	D	E	F	G
1	**加總 - 銷售金額（元）**	**欄標籤**					
2	**列標籤**	**李珍珍**	**狄安明**	**肖星星**	**程志成**	**趙風元**	**總計**
3	**⊟產品A**	**390000**	**225000**	**1890000**	**465000**	**630000**	**3600000**
4	台北				165000	300000	465000
5	新竹			600000			600000
6	台中		225000	315000			540000
7	嘉義			390000			390000
8	台南	390000		225000	300000	330000	1245000
9	高雄			360000			360000
10	**⊟產品B**	**691200**	**896000**	**460800**	**1049600**	**256000**	**3353600**
11	台北	691200			384000		1075200
12	新竹			460800			460800
13	嘉義					256000	256000
14	台南		896000				896000
15	高雄				665600		665600
16	**⊟產品C**	**440000**	**550000**	**1078000**			**2068000**
17	新竹			418000			418000
18	台中	440000	264000				704000
19	嘉義		286000	660000			946000
20	**⊟產品D**	**1200000**	**660000**	**750000**	**1590000**	**3120000**	**7320000**
21	台北					1260000	1260000
22	新竹					1080000	1080000
23	台中				840000		840000
24	嘉義					780000	780000
25	台南			750000			750000
26	高雄	1200000	660000		750000		2610000
27	**總計**	**2721200**	**2331000**	**4178800**	**3104600**	**4006000**	**16341600**

圖 7-44 顯示原始文字檔建立的樞紐分析表效果

STEP 02 加入文字檔內容。開啟「產品銷售記錄表 1」文字檔，然後在該文字檔中加入 2 月份的資料，如圖 7-45 所示。

產品銷售記錄表1.txt - 記事本

檔案(F) 編輯(E) 格式(O) 檢視(V) 說明(H)

A-10274	42385	產品D	台北	趙鳳元	30000	42	1260000
A-10275	42385	產品A	台中	狄安明	15000	15	225000
A-10276	42387	產品D	高雄	李珍珍	30000	40	1200000
A-10277	42387	產品C	嘉義	肖星星	22000	30	660000
A-10278	42389	產品A	台南	程志成	15000	20	300000
A-10279	42390	產品D	台南	肖星星	30000	25	750000
A-10280	42391	產品D	高雄	狄安明	30000	22	660000
A-10281	42394	產品A	台中	肖星星	15000	21	315000
A-10282	42394	產品C	台中	李珍珍	22000	20	440000
A-10283	42397	產品B	台北	程志成	25600	15	384000
A-10284	42397	產品A	台南	趙鳳元	15000	22	330000
A-10285	42399	產品A	嘉義	肖星星	15000	26	390000
B-20201	42401	產品A	高雄	肖星星	15000	20	300000
B-20202	42403	產品B	新竹	程志成	25600	19	486400
B-20203	42405	產品A	新竹	狄安明	15000	26	390000
B-20204	42407	產品C	台北	肖星星	22000	11	242000
B-20205	42409	產品D	台中	李珍珍	30000	18	540000
B-20206	42411	產品A	高雄	趙鳳元	15000	13	195000
B-20207	42411	產品B	嘉義	肖星星	25600	10	256000
B-20208	42415	產品C	台南	趙鳳元	22000	26	572000
B-20209	42416	產品B	台南	程志成	25600	25	640000
B-20210	42416	產品A	高雄	肖星星	15000	35	525000
B-20211	42421	產品D	台中	狄安明	30000	15	450000
B-20212	42422	產品D	台中	程志成	30000	27	810000
B-20213	42425	產品A	新竹	狄安明	15000	20	300000
B-20214	42426	產品D	台北	程志成	30000	19	570000
B-20215	42427	產品A	台中	狄安明	15000	26	390000
B-20216	42427	產品D	高雄	肖星星	30000	11	330000

圖 7-45 在文字檔中加入內容

STEP 03 開啟「連線內容」選項。切換至樞紐分析表工作表中，❶選取樞紐分析表的任意儲存格，❷切換到「樞紐分析表工具 - 分析」頁籤，❸在「資料」群組按一下「變更資料來源」下三角按鈕，❹在展開的清單中點選「連線內容」選項，如圖 7-46 所示。

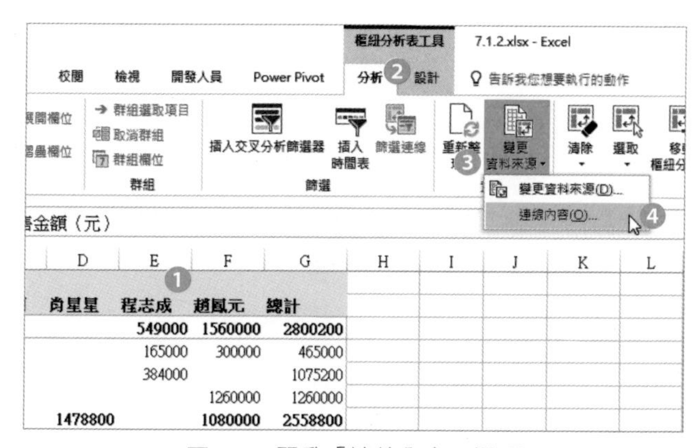

圖 7-46 開啟「連線內容」選項

除了可以使用前述方法開啟「連線內容」對話方塊，❶還可以按一下「資料」群組中的「重新整理」下三角按鈕，❷在展開的清單中點選「連線內容」選項，如圖 7-47 所示。

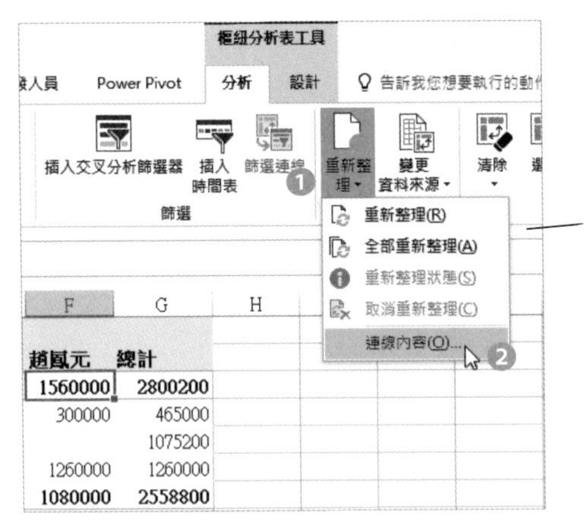

圖 7-47 開啟「連線內容」選項

04 STEP 設定自動更新頻率。彈出「連線內容」對話方塊，❶在「使用方式」頁籤的「更新」選項群組下勾選「每隔分鐘自動更新一次」核取方塊，❷設定重新整理頻率為 1 分鐘，也就是每隔 1 分鐘，樞紐分析表就會進行重新整理。如果想要在開啟檔案時重新整理資料，❸則勾選「檔案開啟時自動更新」核取方塊，如圖 7-48 所示。按一下「確定」按鈕。

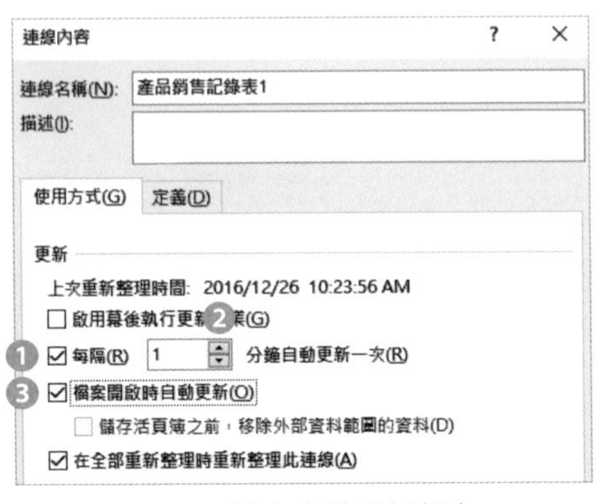

圖 7-48 設定自動更新頻率

05 STEP 顯示重新整理後的樞紐分析表。按一下「確定」按鈕，回到工作表中，即可看到 1 分鐘後的重新整理效果，或者是重新開啟後的樞紐分析表效果，如圖 7-49 所示。

	A	B	C	D	E	F	G	H
1	加總 - 銷售金額（元）		銷售員工					
2	產品名稱	銷售城市	李珍珍	狄安明	尚星星	程志成	趙鳳元	總計
3	⊟產品A	台北				$165,000.00	$300,000.00	$465,000.00
4		新竹		$690,000.00	$600,000.00			$1,290,000.00
5		台中		$615,000.00	$315,000.00			$930,000.00
6		嘉義			$390,000.00			$390,000.00
7		台南	$390,000.00		$225,000.00	$300,000.00	$330,000.00	$1,245,000.00
8		高雄			$1,185,000.00		$195,000.00	$1,380,000.00
9	產品A 合計		$390,000.00	$1,305,000.00	$2,715,000.00	$465,000.00	$825,000.00	$5,700,000.00
10	⊟產品B	台北	$691,200.00			$384,000.00		$1,075,200.00
11		新竹			$460,800.00	$486,400.00		$947,200.00
12		嘉義			$256,000.00		$256,000.00	$512,000.00
13		台南		$896,000.00		$640,000.00		$1,536,000.00
14		高雄				$665,600.00		$665,600.00
15	產品B 合計		$691,200.00	$896,000.00	$716,800.00	$2,176,000.00	$256,000.00	$4,736,000.00
16	⊟產品C	台北			$242,000.00			$242,000.00
17		新竹			$418,000.00			$418,000.00
18		台中	$440,000.00	$264,000.00				$704,000.00
19		嘉義		$286,000.00	$660,000.00			$946,000.00
20		台南					$572,000.00	$572,000.00
21	產品C 合計		$440,000.00	$550,000.00	$1,320,000.00		$572,000.00	$2,882,000.00
22	⊟產品D	台北				$570,000.00	$1,260,000.00	$1,830,000.00
23		新竹					$1,080,000.00	$1,080,000.00
24		台中	$540,000.00	$450,000.00		$1,650,000.00		$2,640,000.00
25		嘉義					$780,000.00	$780,000.00
26		台南			$750,000.00			$750,000.00
27		高雄	$1,200,000.00	$660,000.00	$330,000.00	$750,000.00		$2,940,000.00
28	產品D 合計		$1,740,000.00	$1,110,000.00	$1,080,000.00	$2,970,000.00	$3,120,000.00	$10,020,000.00
29	總計		$3,261,200.00	$3,861,000.00	$5,831,800.00	$5,611,000.00	$4,773,000.00	$23,338,000.00

圖 7-49 更新後的樞紐分析表

7.3 將樞紐分析表發佈為網頁

小言：前輩，說實話，我覺得將樞紐分析表發佈為網頁沒有多大的作用，它到底對實際工作有什麼用呢？

老譚：將樞紐分析表發佈為網頁的作用在於使用者可以透過網路，直接使用電腦上的瀏覽器來觀看樞紐分析表中的資料，無需動用到 Excel。也就是說，萬一對方的電腦未安裝 Office 軟體，但想查看你製作的樞紐分析表時，就可以使用該方法來儲存和查看樞紐分析表。

01 STEP 另存樞紐分析表。開啟含有樞紐分析表的活頁簿，按一下「檔案」按鈕，❶在彈出的清單中按一下「另存新檔」命令，❷然後在該面板中點選「瀏覽」選項，如圖 7-50 所示。

02 STEP 另存為網頁。彈出「另存新檔」對話方塊，❶按一下「存檔類型」右側的下三角按鈕，❷在展開的清單中按一下「網頁（*.htm；*.html）」檔案類型，如圖 7-51 所示。

圖 7-50 另存樞紐分析表

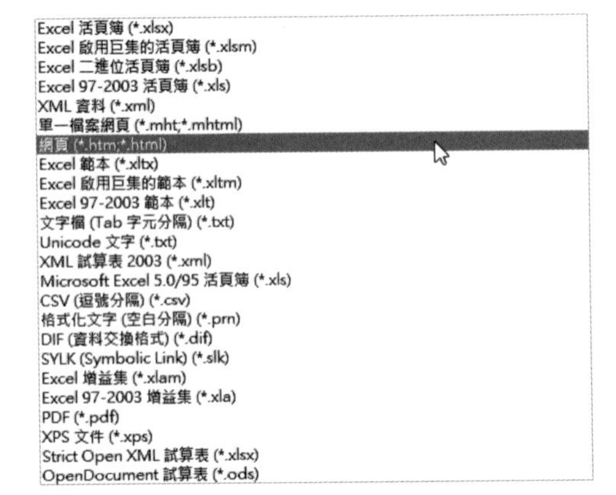

圖 7-51 另存為網頁

03 STEP 更改標題。如果想要指定網頁的標題，可在「另存新檔」對話方塊中按一下「更改標題」按鈕，如圖 7-52 所示。

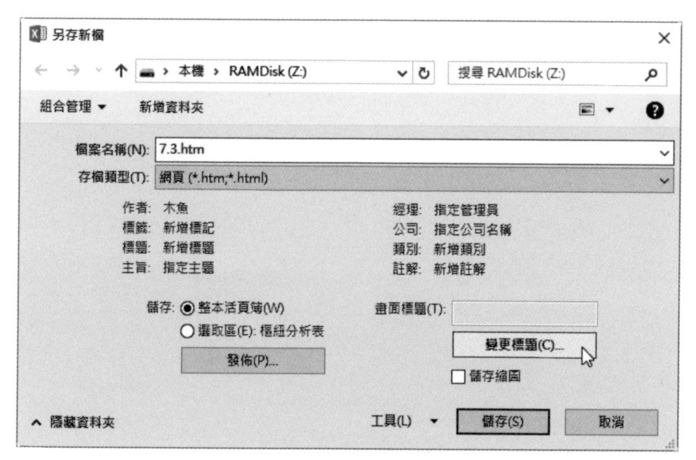

圖 7-52 更改標題

04 STEP 輸入標題名稱。彈出「輸入文字」對話方塊，❶在「畫面標題」的文字方塊中輸入「產品銷售記錄表」，❷按一下「確定」按鈕，如圖 7-53 所示。

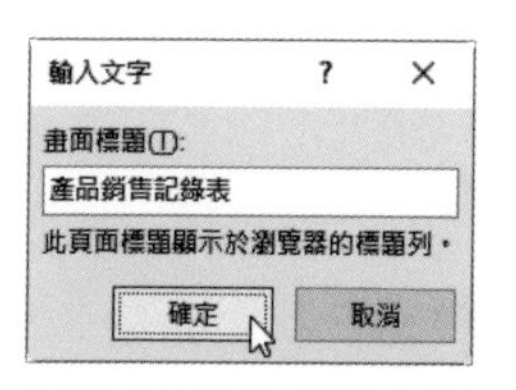

圖 7-53 輸入標題名稱

05 STEP 發佈樞紐分析表。回到「另存新檔」對話方塊，按一下「發佈」按鈕，如圖 7-54 所示。

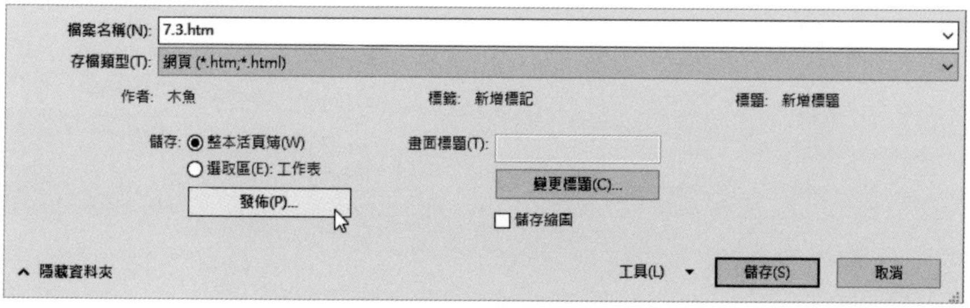

圖 7-54 發佈樞紐分析表

06 STEP 選擇要發佈的內容。彈出「發佈為網頁」對話方塊，❶在「發佈項目 - 類型」下的清單方塊中選擇想要顯示的內容，如只想要顯示樞紐分析表中的區域，則按一下「樞紐分析表」，❷在「發佈為」選項群組下勾選「每次儲存此活頁簿即自動重新發佈」核取方塊，即可在每次存檔時都更新網頁，❸按一下「發佈」按鈕，如圖 7-55 所示。

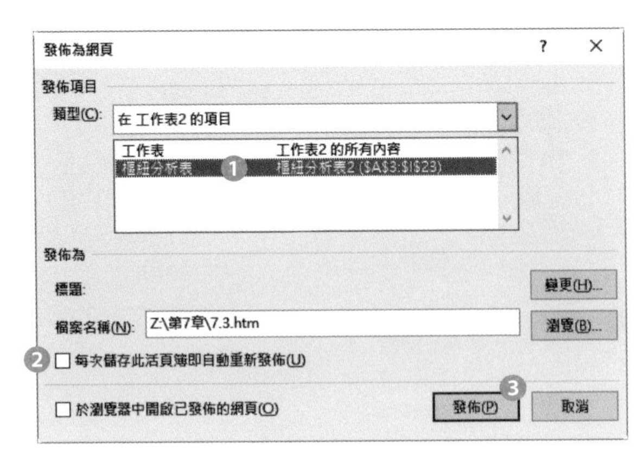

圖 7-55 選擇要發佈的內容

07 STEP 顯示發佈為網頁的樞紐分析表效果。隨後自動彈出含有樞紐分析表的網頁，其效果如圖 7-56 所示。需注意的是，保存為網頁的樞紐分析表為靜態圖表，無法在其中對樞紐分析表進行資料更改。

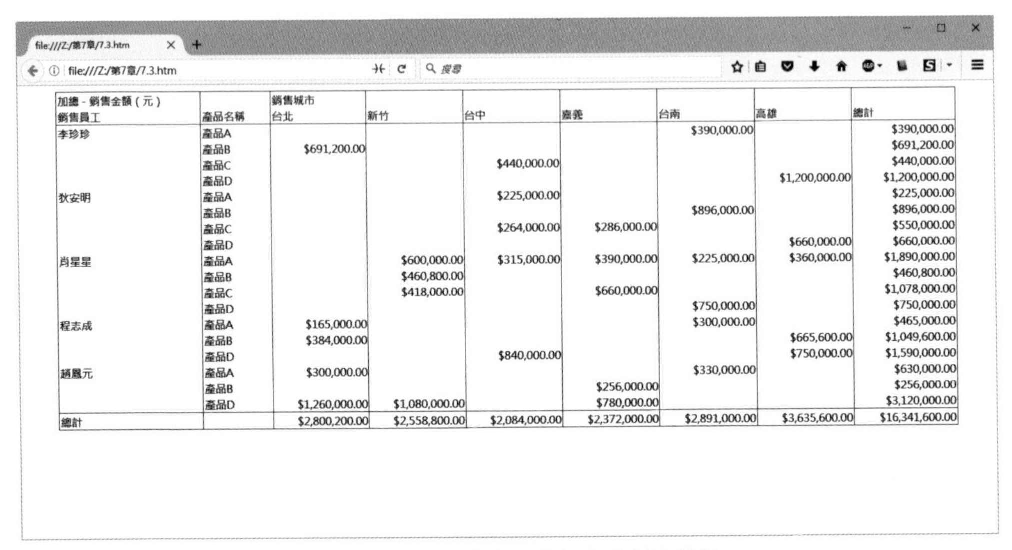

加總 - 銷售金額（元） 銷售員工	產品名稱	銷售城市 台北	新竹	台中	嘉義	台南	高雄	總計
李珍珍	產品A					$390,000.00		$390,000.00
	產品B	$691,200.00						$691,200.00
	產品C			$440,000.00				$440,000.00
	產品D						$1,200,000.00	$1,200,000.00
狄安明	產品A			$225,000.00				$225,000.00
	產品B					$896,000.00		$896,000.00
	產品C			$264,000.00	$286,000.00			$550,000.00
	產品D						$660,000.00	$660,000.00
肖星星	產品A		$600,000.00	$315,000.00	$390,000.00	$225,000.00	$360,000.00	$1,890,000.00
	產品B		$460,800.00					$460,800.00
	產品C		$418,000.00		$660,000.00			$1,078,000.00
	產品D					$750,000.00		$750,000.00
程志成	產品A	$165,000.00				$300,000.00		$465,000.00
	產品B	$384,000.00					$665,600.00	$1,049,600.00
	產品D			$840,000.00			$750,000.00	$1,590,000.00
趙鳳元	產品A	$300,000.00				$330,000.00		$630,000.00
	產品B				$256,000.00			$256,000.00
	產品D	$1,260,000.00	$1,080,000.00		$780,000.00			$3,120,000.00
總計		$2,800,200.00	$2,558,800.00	$2,084,000.00	$2,372,000.00	$2,891,000.00	$3,635,600.00	$16,341,600.00

圖 7-56 顯示發佈為網頁的樞紐分析表效果

8 可處理大數據的 Power Pivot

從 Excel 2013 開始，Power Pivot 就成為 Excel 的內建功能，無需安裝任何增益集即可使用。在實際工作中，運用 Power Pivot，可以從多個不同類型的資料來源將資料匯入到 Excel 的資料模型中並建立關聯性，從而完成複雜的資料分析工作。此外，該工具不僅強化了 Excel 的資料分析功能，在資料的處理速度上也遠超過 Excel，而對於一般公司來說，幾百萬筆的銷售記錄是稀鬆平常的事情，使用 Excel 也許可以做到，但是在處理速度就遠遠不及 Power Pivot 了。

8.1 新增 Power Pivot 頁籤

小言：前輩，那為什麼我在頁籤找不到 Power Pivot 工具呢？

老譚：一般情況下，Excel 中出現的頁籤和選項工具都是使用者常用的工具，對於大多數使用者來說，Power Pivot 屬於不常用的那種，其實它一直都在，只是被隱藏罷了。以下我將說明如何讓 Power Pivot 工具現形。

01 STEP 按一下「選項」命令。開啟一個空白的活頁簿，按一下「檔案」按鈕，在彈出的視圖功能表中點選「選項」命令，如圖 8-1 所示。

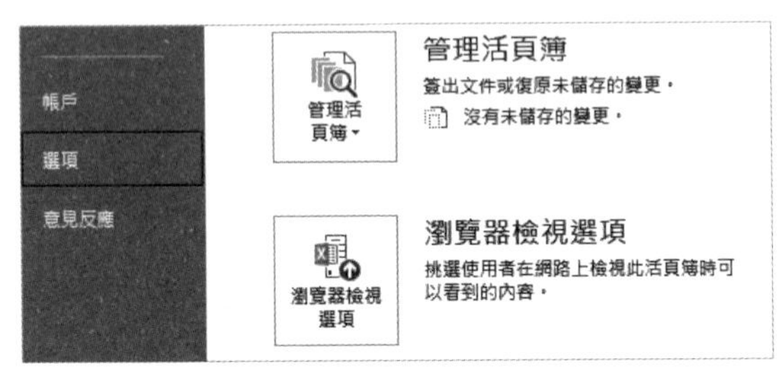

圖 8-1 點選「選項」命令

02 STEP 切換至「自訂功能區」。彈出「Excel 選項」對話方塊，按一下「自訂功能區」選項，切換至該面板中，如圖 8-2 所示。

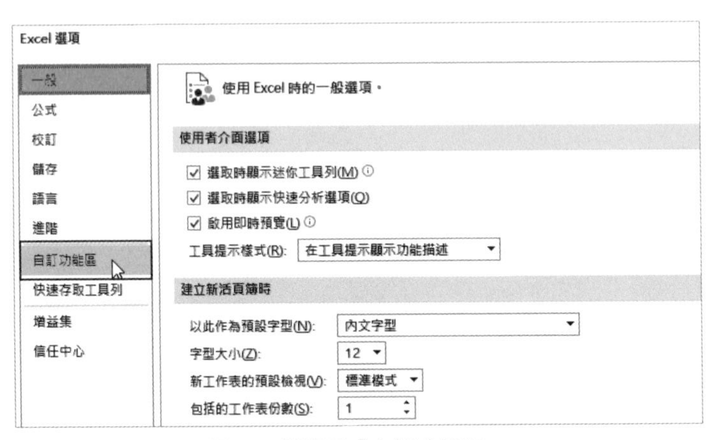

圖 8-2 切換至「自訂功能區」

STEP 03 加入「Power Pivot」頁籤。❶在該面板右側的「自訂功能區」清單方塊中勾選「Power Pivot」核取方塊，❷按一下「確定」按鈕，如圖 8-3 所示。

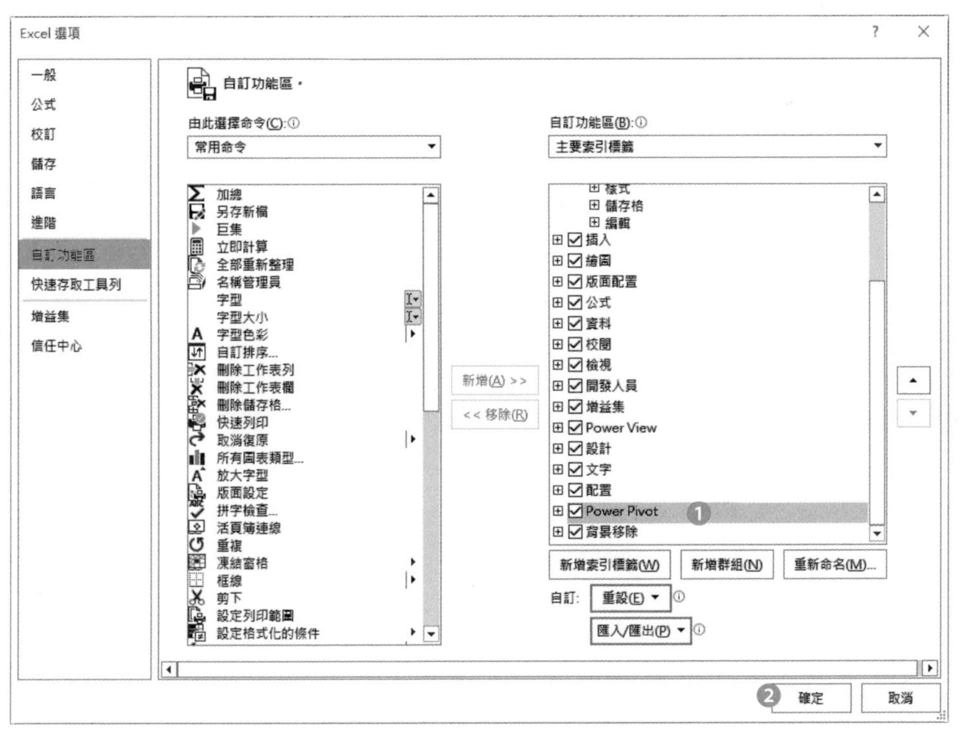

圖 8-3 加入「Power Pivot」頁籤

STEP 04 顯示加入的「PowerPivot」選項。回到活頁簿中，即可看到「視圖」頁籤後增加了一個「Power Pivot」頁籤，❶切換至該頁籤可看到該頁籤中的工具，❷隨後按一下「資料模型」群組中的「管理」按鈕，如圖 8-4 所示。

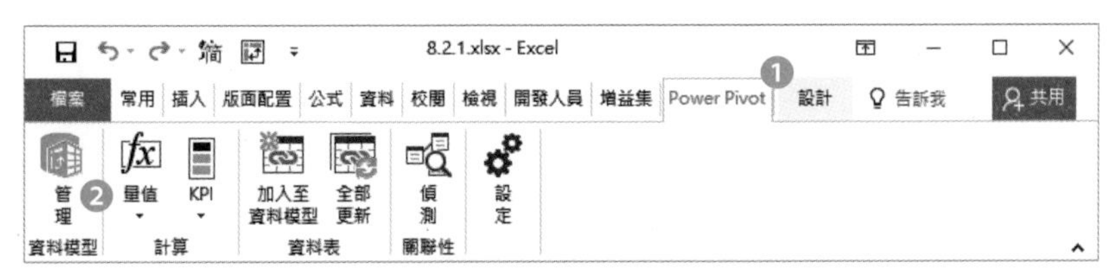

圖 8-4 顯示「Power Pivot」選項

05 STEP 顯示 Power Pivot 視窗。在該視窗中可發現「樞紐分析表」按鈕呈灰色不可用狀態，如圖 8-5 所示。

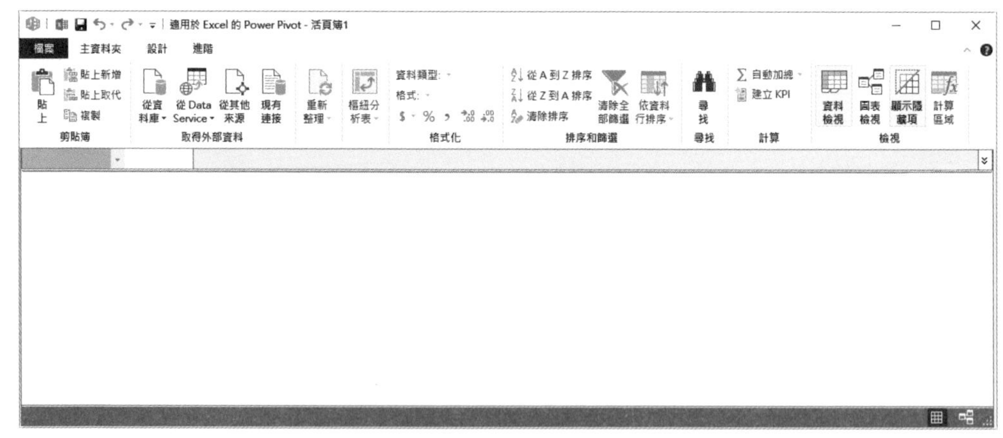

圖 8-5 顯示 Power Pivot for Excel 視窗

8.2 數據的準備有學問

老譚：在 8.1 小節中可發現，當我們開啟加入 Power Pivot 的 Excel 檔後，即使按一下「管理」按鈕都不能建立 Power Pivot 樞紐分析表，因為「樞紐分析表」按鈕呈現灰色不可用狀態。

小言：嗯，我之前就很想問了，就算是我表格中有資料也不能使用該按鈕，那該怎麼辦？

老譚：要想利用 Power Pivot 建立樞紐分析表，就必須先「建立表格」，即為 Power Pivot 準備資料。和使用 Excel 中的資料建立資料表一樣，如果 Excel 中含有資料，則可直接使用該資料，如果資料來源於其他方式，則可連結外部資料使用 Power Pivot 建立樞紐分析表。

8.2.1 為 Power Pivot 連結本活頁簿內的資料

老譚：利用已經存在的資料來源和 Power Pivot 進行連結是比較簡便的方法，如下所示。

STEP 01 加入資料到資料模型。開啟含有資料的 Excel 活頁簿，❶按一下資料來源表中的任意儲存格，❷切換至「Power Pivot」頁籤，❸在「資料表」群組中按一下「加入至資料模型」按鈕，如圖 8-6 所示。

STEP 02 建立資料表。彈出「建立資料表」對話方塊，❶預設表格的資料區域，❷勾選「我的資料表（含標題）」，❸按一下「確定」按鈕，如圖 8-7 所示。

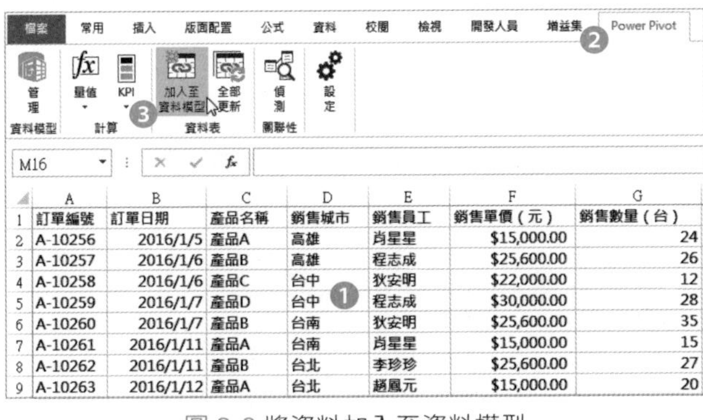

	A	B	C	D	E	F	G
1	訂單編號	訂單日期	產品名稱	銷售城市	銷售員工	銷售單價（元）	銷售數量（台）
2	A-10256	2016/1/5	產品A	高雄	肖星星	$15,000.00	24
3	A-10257	2016/1/6	產品B	高雄	程志成	$25,600.00	26
4	A-10258	2016/1/6	產品C	台中	狄安明	$22,000.00	12
5	A-10259	2016/1/7	產品D	台中	程志成	$30,000.00	28
6	A-10260	2016/1/7	產品B	台南	狄安明	$25,600.00	35
7	A-10261	2016/1/11	產品A	台南	肖星星	$15,000.00	15
8	A-10262	2016/1/11	產品B	台北	李珍珍	$25,600.00	27
9	A-10263	2016/1/12	產品A	台北	趙鳳元	$15,000.00	20

圖 8-6 將資料加入至資料模型

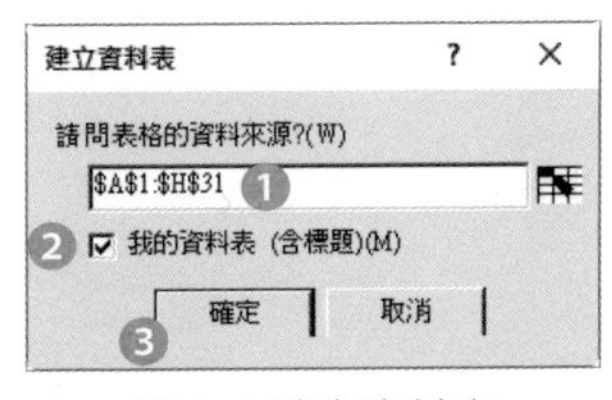

圖 8-7 建立資料表

顯示建立的資料表。經過幾秒鐘的連結配置後，自動彈出了「Power Pivot for Excel」視窗，❶並出現已經配置好的資料表「表格 1」。此時，「樞紐分析表」按鈕呈可用狀態，❷在該視窗的左上方快速存取工具列上按一下「切換到活頁簿」按鈕，如圖 8-8 所示。

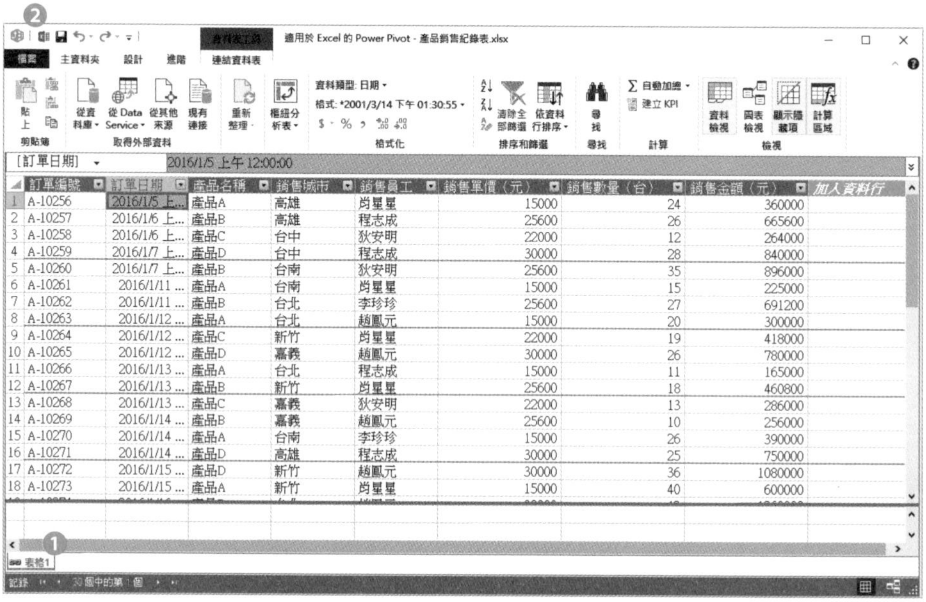

	訂單編號	訂單日期	產品名稱	銷售城市	銷售員工	銷售單價（元）	銷售數量（台）	銷售金額（元）	加入資料行
1	A-10256	2016/1/5 上...	產品A	高雄	肖星星	15000	24	360000	
2	A-10257	2016/1/6 上...	產品B	高雄	程志成	25600	26	665600	
3	A-10258	2016/1/6 上...	產品C	台中	狄安明	22000	12	264000	
4	A-10259	2016/1/7 上...	產品D	台中	程志成	30000	28	840000	
5	A-10260	2016/1/7 上...	產品B	台南	狄安明	25600	35	896000	
6	A-10261	2016/1/11 ...	產品A	台南	肖星星	15000	15	225000	
7	A-10262	2016/1/11 ...	產品B	台北	李珍珍	25600	27	691200	
8	A-10263	2016/1/12 ...	產品A	台北	趙鳳元	15000	20	300000	
9	A-10264	2016/1/12 ...	產品C	新竹	肖星星	22000	19	418000	
10	A-10265	2016/1/12 ...	產品D	嘉義	趙鳳元	30000	26	780000	
11	A-10266	2016/1/13 ...	產品A	台北	程志成	15000	11	165000	
12	A-10267	2016/1/13 ...	產品B	新竹	肖星星	25600	18	460800	
13	A-10268	2016/1/13 ...	產品C	嘉義	狄安明	22000	13	286000	
14	A-10269	2016/1/14 ...	產品B	嘉義	趙鳳元	25600	10	256000	
15	A-10270	2016/1/14 ...	產品A	台南	李珍珍	15000	26	390000	
16	A-10271	2016/1/14 ...	產品D	高雄	程志成	30000	25	750000	
17	A-10272	2016/1/15 ...	產品D	新竹	趙鳳元	30000	36	1080000	
18	A-10273	2016/1/15 ...	產品A	新竹	肖星星	15000	40	600000	

圖 8-8 顯示建立的資料表

顯示建立資料表後原始資料的效果。即可發現視窗切換到活頁簿中，在活頁簿中可發現建立資料模型時的單純資料表格變為表格，如圖 8-9 所示。

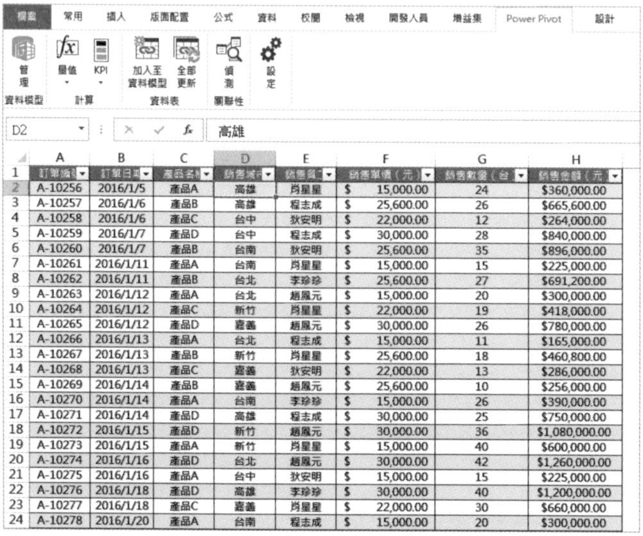

	A	B	C	D	E	F	G	H
1	訂單編	訂單日	產品名	銷售城	銷售員	銷售單價（元）	銷售數量（台	銷售金額（元
2	A-10256	2016/1/5	產品A	高雄	肖星星	$ 15,000.00	24	$360,000.00
3	A-10257	2016/1/6	產品B	高雄	程志成	$ 25,600.00	26	$665,600.00
4	A-10258	2016/1/6	產品C	台中	狄安明	$ 22,000.00	12	$264,000.00
5	A-10259	2016/1/7	產品D	台中	程志成	$ 30,000.00	28	$840,000.00
6	A-10260	2016/1/7	產品B	台南	狄安明	$ 25,600.00	35	$896,000.00
7	A-10261	2016/1/11	產品A	台南	肖星星	$ 15,000.00	15	$225,000.00
8	A-10262	2016/1/11	產品B	台北	李珍珍	$ 25,600.00	27	$691,200.00
9	A-10263	2016/1/12	產品A	台北	趙鳳元	$ 15,000.00	20	$300,000.00
10	A-10264	2016/1/12	產品C	新竹	肖星星	$ 22,000.00	19	$418,000.00
11	A-10265	2016/1/12	產品D	嘉義	趙鳳元	$ 30,000.00	26	$780,000.00
12	A-10266	2016/1/13	產品A	台北	程志成	$ 15,000.00	11	$165,000.00
13	A-10267	2016/1/13	產品B	新竹	肖星星	$ 25,600.00	18	$460,800.00
14	A-10268	2016/1/13	產品C	嘉義	狄安明	$ 22,000.00	13	$286,000.00
15	A-10269	2016/1/14	產品B	嘉義	趙鳳元	$ 25,600.00	10	$256,000.00
16	A-10270	2016/1/14	產品A	台南	李珍珍	$ 15,000.00	26	$390,000.00
17	A-10271	2016/1/14	產品D	高雄	程志成	$ 30,000.00	25	$750,000.00
18	A-10272	2016/1/15	產品D	新竹	趙鳳元	$ 30,000.00	36	$1,080,000.00
19	A-10273	2016/1/15	產品A	新竹	肖星星	$ 15,000.00	40	$600,000.00
20	A-10274	2016/1/16	產品D	台北	趙鳳元	$ 30,000.00	42	$1,260,000.00
21	A-10275	2016/1/16	產品A	台中	狄安明	$ 15,000.00	15	$225,000.00
22	A-10276	2016/1/18	產品D	高雄	李珍珍	$ 30,000.00	40	$1,200,000.00
23	A-10277	2016/1/18	產品C	嘉義	肖星星	$ 22,000.00	30	$660,000.00
24	A-10278	2016/1/20	產品A	台南	程志成	$ 15,000.00	20	$300,000.00

圖 8-9 顯示建立資料表後原始資料的效果

8.2.2 為 Power Pivot 取得外部資料來源

小言：那如果資料來源是其他外部資料來源，也和使用其他資料建立 Excel 樞紐分析表的方法一樣嗎？

老譚：不能說完全一樣，只能說某些地方有相同之處，而且可供 Power Pivot 取得外部資料的資料原始檔案類型很多，但是在本小節將主要介紹 Power Pivot 取得文字檔類型外部資料的方法。

STEP 01 在 Power Pivot 中開啟一個空白活頁簿。❶切換至「Power Pivot」頁籤，❷在「資料模型」群組中按一下「管理」按鈕，如圖 8-10 所示。

圖 8-10 按一下「管理」按鈕

STEP 02 取得外部資料。彈出「Power Pivot for Excel」視窗，在「取得外部資料」群組中按一下「從其他來源」按鈕，如圖 8-11 所示。

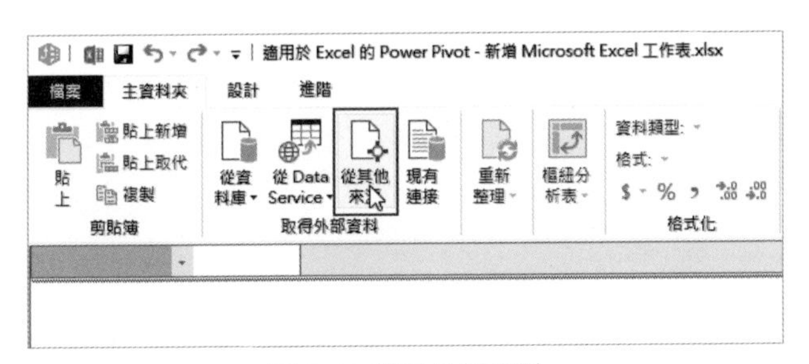

圖 8-11 取得外部資料

STEP 03 從文字檔匯入資料。彈出「資料表匯入精靈」對話方塊，❶捲動對話方塊右側的捲軸選擇「文字檔」選項群組下的「文字檔」選項，❷按「下一步」按鈕，如圖 8-12 所示。

STEP 04 選擇檔案路徑。❶隨後可看到「易記連接名稱」後的文字方塊中顯示出連接的資料類型為「Text」，❷按一下「檔案路徑」後的「瀏覽」按鈕，如圖 8-13 所示。

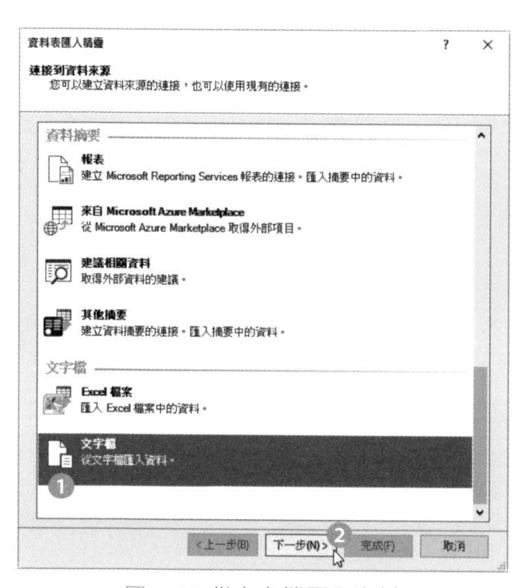

圖 8-12 從文字檔匯入資料

圖 8-13 選擇檔案路徑

STEP 05 選擇要匯入的文字檔。❶在「開啟」對話方塊中點選要匯入的資料來源「產品銷售記錄表 .txt」，❷按一下「開啟」按鈕，如圖 8-14 所示。

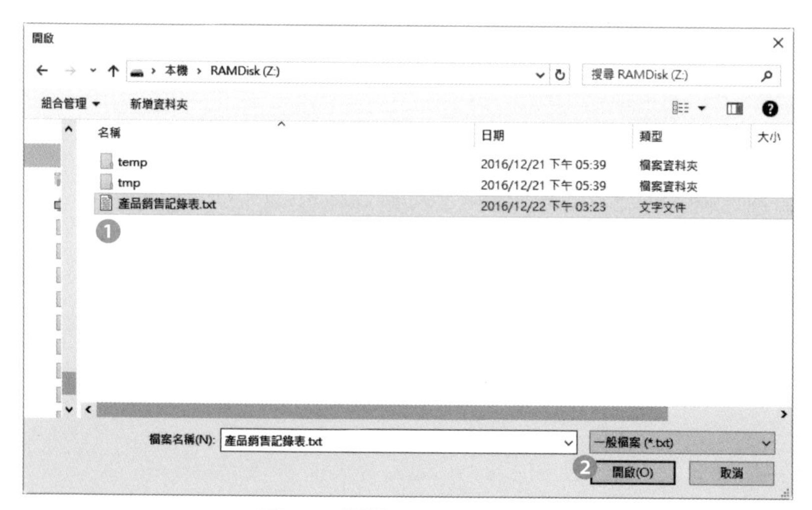

圖 8-14 選擇要匯入的文字檔

06 STEP 選擇資料行分隔符號。回到「資料表匯入精靈」對話方塊，❶按一下「資料行分隔符號」右側框的下三角按鈕，❷在展開的清單中按一下「Tab」選項，如圖 8-15 所示。需注意的是，欄分隔符號的選擇是根據文字檔中資料分割的符號來選擇，即如果資料之間使用【Tab】鍵來分欄，則選擇「Tab」，如果是使用逗號來分割，則使用「逗號」，依此類推。

07 STEP 完成文字檔的匯入。❶勾選「使用第一個資料列做為資料行標頭」核取方塊，❷按一下「完成」按鈕，如圖 8-16 所示。

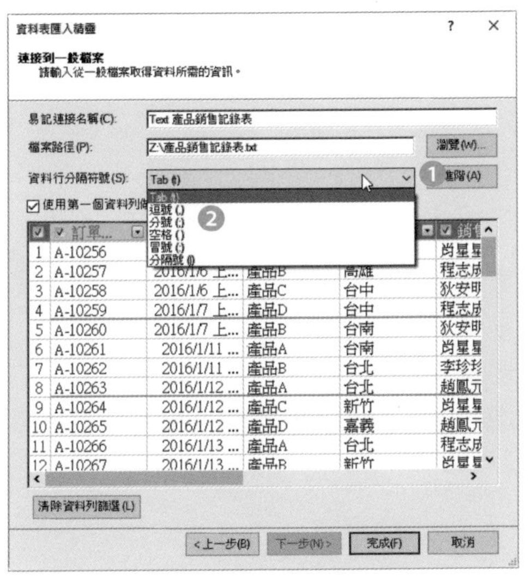

圖 8-15 選擇資料行分隔符號

圖 8-16 文字檔的匯入

08 STEP 成功匯入文字檔。隨後文字檔資料匯入成功，按一下「關閉」按鈕，如圖 8-17 所示。

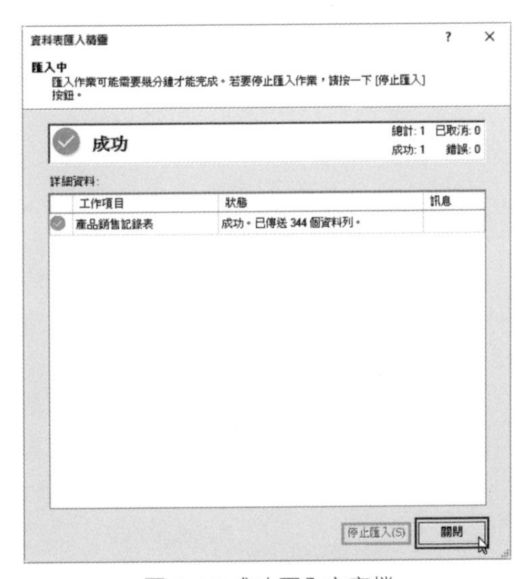

圖 8-17 成功匯入文字檔

09 STEP 顯示匯入後的資料效果。PowerPivot 自動彈出並出現已經配置好的資料表資料來源，此時，「樞紐分析表」按鈕呈可用狀態，如圖 8-18 所示。

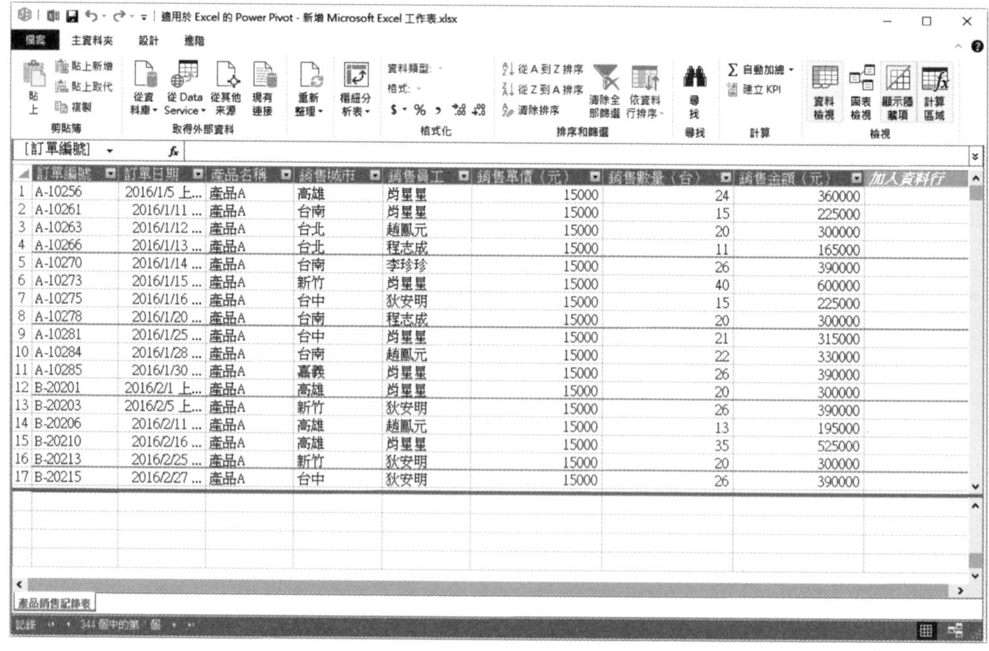

	訂單編號	訂單日期	產品名稱	銷售城市	銷售員工	銷售單價（元）	銷售數量（台）	銷售金額（元）	加入資料行
1	A-10256	2016/1/5 上...	產品A	高雄	肖星星	15000	24	360000	
2	A-10261	2016/1/11 ...	產品A	台南	肖星星	15000	15	225000	
3	A-10263	2016/1/12 ...	產品A	台北	趙鳳元	15000	20	300000	
4	A-10266	2016/1/13 ...	產品A	台北	程志成	15000	11	165000	
5	A-10270	2016/1/14 ...	產品A	台南	李珍珍	15000	26	390000	
6	A-10273	2016/1/15 ...	產品A	新竹	肖星星	15000	40	600000	
7	A-10275	2016/1/16 ...	產品A	台中	狄安明	15000	15	225000	
8	A-10278	2016/1/20 ...	產品A	台南	程志成	15000	20	300000	
9	A-10281	2016/1/25 ...	產品A	台中	肖星星	15000	21	315000	
10	A-10284	2016/1/28 ...	產品A	台南	趙鳳元	15000	22	330000	
11	A-10285	2016/1/30 ...	產品A	嘉義	肖星星	15000	26	390000	
12	B-20201	2016/2/1 上...	產品A	高雄	肖星星	15000	20	300000	
13	B-20203	2016/2/5 上...	產品A	新竹	狄安明	15000	26	390000	
14	B-20206	2016/2/11 ...	產品A	高雄	趙鳳元	15000	13	195000	
15	B-20210	2016/2/16 ...	產品A	高雄	肖星星	15000	35	525000	
16	B-20213	2016/2/25 ...	產品A	新竹	狄安明	15000	20	300000	
17	B-20215	2016/2/27 ...	產品A	台中	狄安明	15000	26	390000	

圖 8-18 顯示匯入後的資料效果

8.3 建立資料的好伴侶

小言：前輩，在為 Power Pivot 建立資料表後，我們就可以利用 Power Pivot 建立樞紐分析表了，但就只能建立樞紐分析表嗎？

老譚：當然不僅僅只是建立樞紐分析表，樞紐分析圖或是圖和表也都可以。表 1 為可以使用 Power Pivot 建立的各種樞紐分析表或樞紐分析圖。

表 1

樞紐分析表	在新工作表或選擇的工作表上建立一個空白樞紐分析表。
樞紐分析圖	在新工作表或選擇的工作表上建立一個空白樞紐分析圖。
圖和表 (水平)	在新工作表或選擇的工作表上建立一個空白樞紐分析圖和一個空白樞紐分析表，並將其並排放置。圖和表中的資料相互獨立。但是，交叉分析篩選器同時應用於這兩者。
圖和表 (垂直)	在新工作表或選擇的工作表上建立一個空白樞紐分析圖和一個空白樞紐分析表，並將它們放在表上方，圖和表中的資料相互獨立。但是，交叉分析篩選器同時應用於這兩者。
兩個圖 (水平)	在新工作表或選擇的工作表上建立兩個空白樞紐分析圖，並將其並排放置。這些圖相互獨立。
兩個圖 (垂直)	在新工作表或選擇的工作表上建立兩個空白樞紐分析圖，並將兩個圖垂直放置，這些圖相互獨立。
四份圖表	在新的工作表或您選擇的工作表上建立四個空白樞紐分析圖。這些圖相互獨立。
扁平化樞紐分析表	建立一個空白樞紐分析表。為加入的每個欄位加入一個新行，並在每個群組後插入一個總計列，而不是將一些資料值排列為資料行標題並將其他資料值排列為資料列標題。

8.3.1 使用 Power Pivot 建立扁平化樞紐分析表

小言：前輩，我發現 Power Pivot 可以建立扁平化樞紐分析表，這種表相較於一般的樞紐分析表有什麼優勢呢？

老譚：在製作樞紐分析表時，如果直接在 Excel 表製作，得到的結果都是一般的樞紐分析表，往往需要再對樞紐分析表進行重新版面配置和設計。但是使用 Power Pivot 製作的扁平樞紐分析表，資料是可以直接複製出來使用的，而且扁平化樞紐分析表會比一般的樞紐分析表更加漂亮。

STEP 01 建立扁平化樞紐分析表。開啟活頁簿，並開啟「Power Pivot for Excel」視窗後，❶按一下「主資料夾」頁籤的「樞紐分析表」下三角按鈕，❷在展開的清單中點選「扁平化樞紐分析表」選項，如圖 8-19 所示。

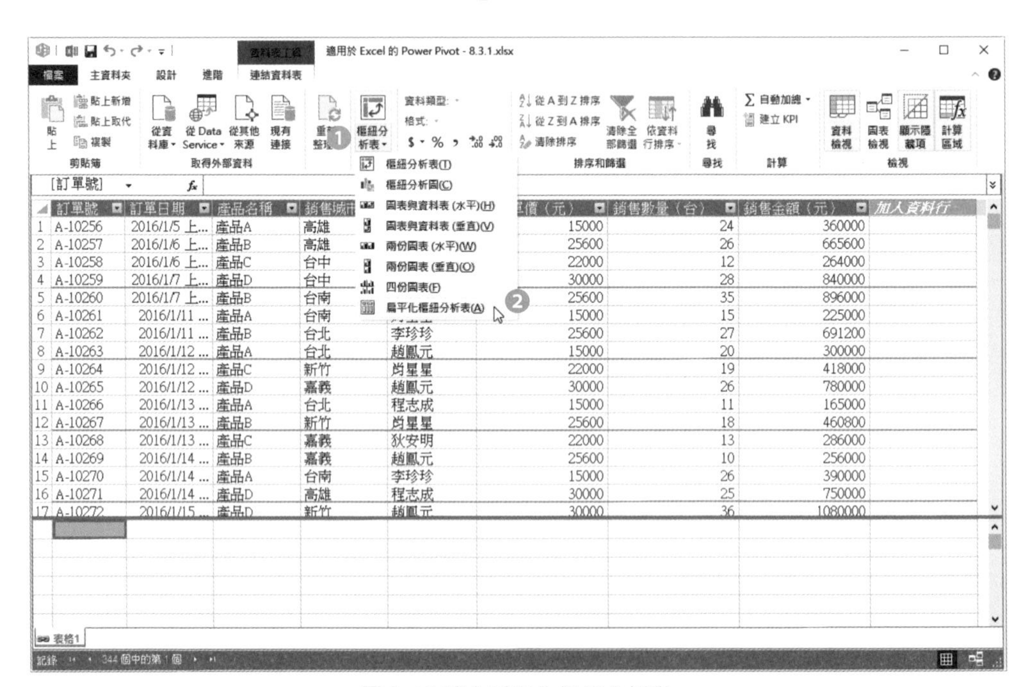

圖 8-19 建立扁平化樞紐分析表

STEP 02 設定建立樞紐分析表的位置。彈出「建立扁平化樞紐分析表」對話方塊，❶保持「新工作表」選項不變，❷按下「確定」按鈕，建立一張空白的樞紐分析表，如圖 8-20 所示。

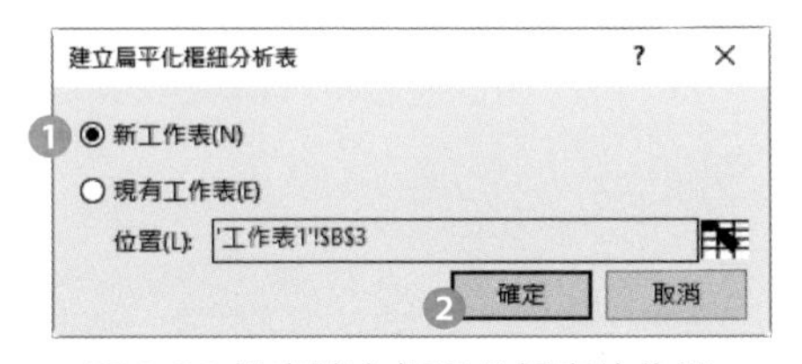

圖 8-20 設定建立樞紐分析表的位置

STEP 03 顯示建立的空白樞紐分析表。❶ Excel 會將空的樞紐分析表加入到新的工作表中，❷並且在工作表右側顯示 Power Pivot 樞紐分析表欄位任務窗格，按一下「表格 1」左側的三角按鈕，展開欄位清單，如圖 8-21 所示。

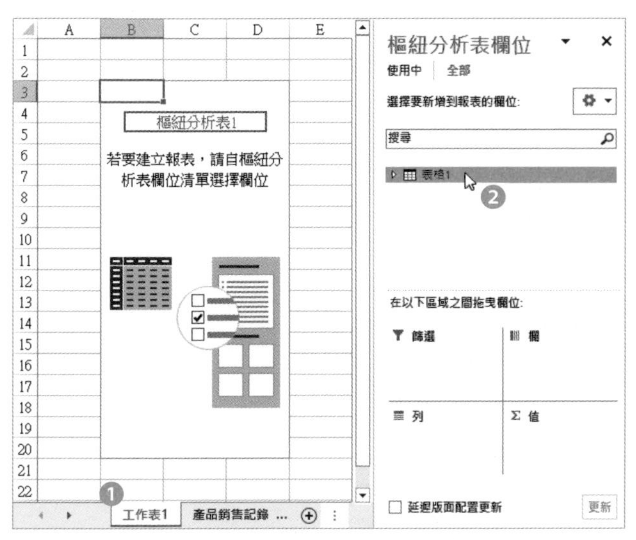

圖 8-21 顯示建立的空白樞紐分析表

STEP 04 勾選欄位設定樞紐分析表。❶在「樞紐分析表欄位」任務窗格的欄位清單中勾選欄位，❷並在下方的欄位設定區域設定欄位的位置，❸即可得到左側的樞紐分析表效果，如圖 8-22 所示。

	B	C	D	E	F	G	H	I
3	以下資料的總		銷售城市					
4	銷售員工	產品名稱	台中	台北	台南	高雄	新竹	嘉義
5	李珍珍	產品A	525000	885000	3375000	300000	465000	646500
6	李珍珍	產品B		691200	1740800	921600	3200000	768000
7	李珍珍	產品C	2156000	484000	792000		792000	836000
8	李珍珍	產品D	870000	2610000	2070000	4410000		780000
9	李珍珍 合計		3551000	4670200	7977800	5631600	4457000	3030500
10	狄安明	產品A	1888500	1140000		195000	3217500	915000
11	狄安明	產品B	896000	1792000	896000	2073600		2150400
12	狄安明	產品C	264000				1254000	2222000
13	狄安明	產品D	450000	2610000		1440000	5370000	6780000
14	狄安明 合計		3498500	5542000	896000	3708600	9841500	12067400
15	尚星星	產品A	1185000	2430000	1509000	4158000	3579000	2025000
16	尚星星	產品B	768000	768000	2867200	1894400	1100800	4377600
17	尚星星	產品C	2046000	2192000	2310000	1738000	1540000	4556000
18	尚星星	產品D	1260000	2460000	2400000	1230000	3270000	6210000
19	尚星星 合計		5259000	7850000	9086200	9020400	9489800	17168600
20	程志成	產品A	375000	2865000	3075000		1530000	495000
21	程志成	產品B	1024000	2790400	2124800	665600	1697200	1331200
22	程志成	產品C	682000	902000		286000	1804000	2464000
23	程志成	產品D	1650000	1920000	750000	2100000	690000	5610000

樞紐分析表欄位
使用中 全部
選擇要新增到報表的欄位:
搜尋
表格1
訂單編號
訂單日期
產品名稱
銷售城市
在以下區域之間拖曳欄位:
篩選 | 欄：銷售城市
列：銷售員工、產品名稱 | 值：以下資料的總...

圖 8-22 勾選欄位設定樞紐分析表

8.3.2 使用 Power Pivot 同時建立多個樞紐分析圖

小言：前輩，我發現 Power Pivot 中可以建立兩個或四個樞紐分析圖，這有必要嗎？

老譚：當然有必要，在實際工作中，我們經常有可能需要多個樞紐分析圖來分析不同的情況，雖然可以重複製作樞紐分析圖或者直接複製貼上，但是在 Power Pivot 中，卻可以直接同時建立多個樞紐分析圖，然後透過不同的欄位設定來分析不同的資料。

STEP 01 同時建立多個樞紐分析圖。開啟活頁簿，並開啟該活頁簿的「Power Pivot for Excel」視窗，❶按一下「主資料夾」頁籤的「樞紐分析表」下三角按鈕，❷在展開的清單中點選「四份圖表」選項，如圖 8-23 所示。

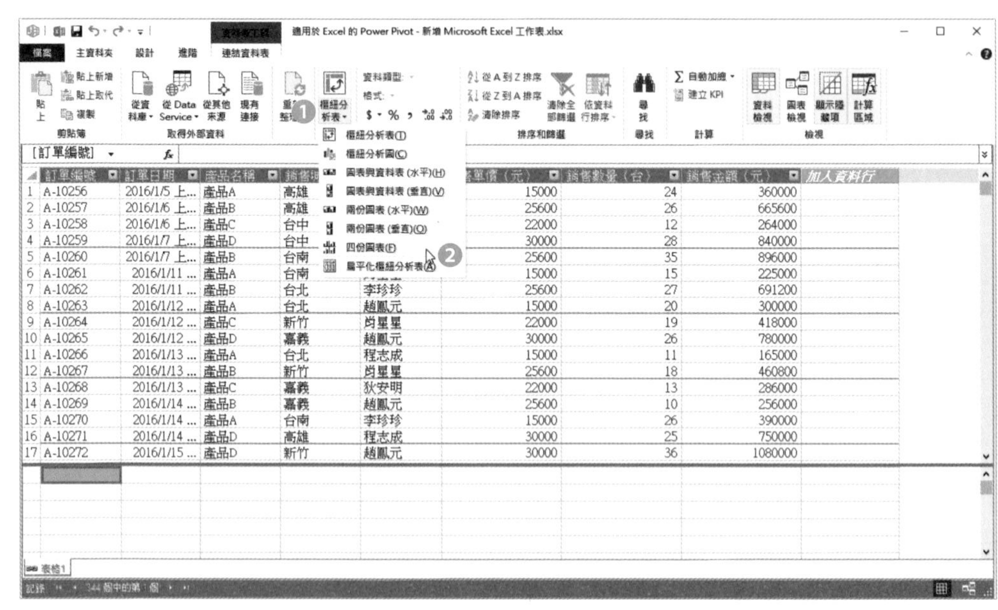

圖 8-23 同時建立多個樞紐分析圖

STEP 02 設定樞紐分析圖位置。彈出「建立四份樞紐分析圖」對話方塊，❶保持「新工作表」選項不變，❷按下「確定」按鈕，如圖 8-24 所示。

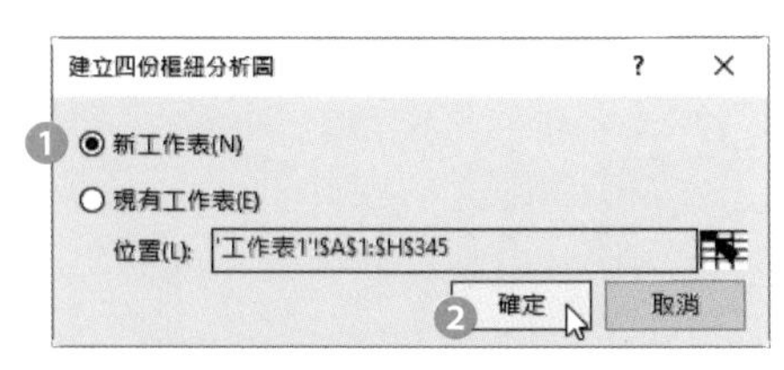

圖 8-24 設定樞紐分析圖位置

03 STEP 顯示建立的多個空白樞紐分析圖。回到工作表中，可看到新增工作表中建立的四個空白樞紐分析圖，如圖 8-25 所示。

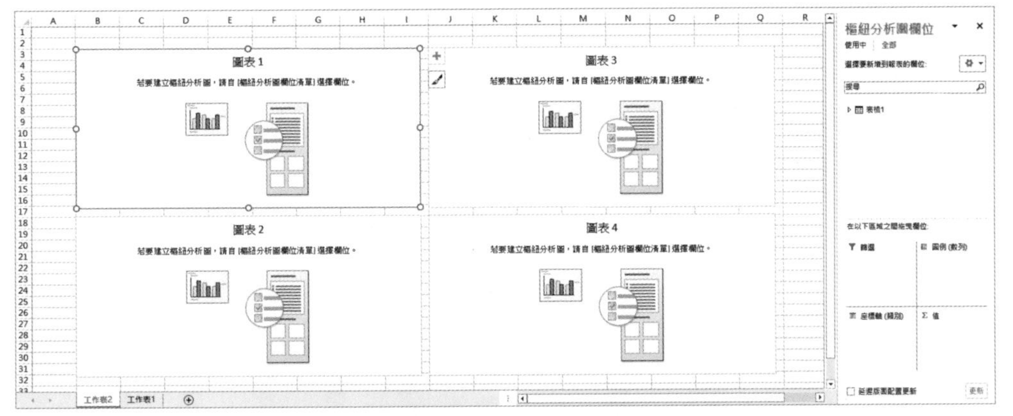

圖 8-25 顯示建立的多個空白樞紐分析圖

04 STEP 勾選欄位建立第一個樞紐分析圖。選取「圖表 1」，❶在右側的「樞紐分析圖欄位」任務窗格中勾選欄位並設定欄位的位置，❷即可得到樞紐分析圖效果，如圖 8-26 所示。

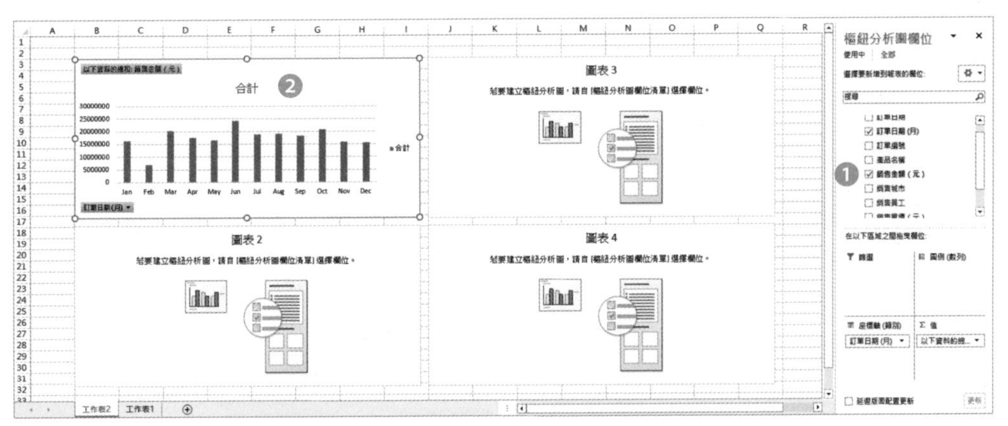

圖 8-26 勾選欄位建立第一個樞紐分析圖

05 STEP 應用相同的方法建立其他樞紐分析圖。應用相同的方法為其他圖表勾選不同的欄位，以便於得到不同的分析效果，如圖 8-27 所示。

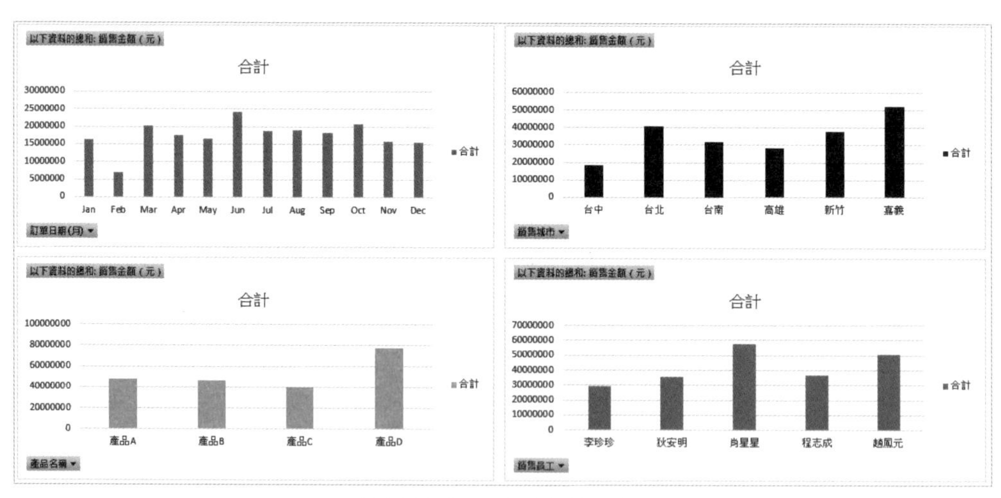

圖 8-27 應用相同的方法建立其他樞紐分析圖

06 STEP 美化樞紐分析圖後的效果。隨後，對這四個樞紐分析圖的圖表標題進行更改，並加入圖表的資料標籤，或者設定圖表的資料數列格式，以便於分析樞紐分析圖中的資料，如圖 8-28 所示。

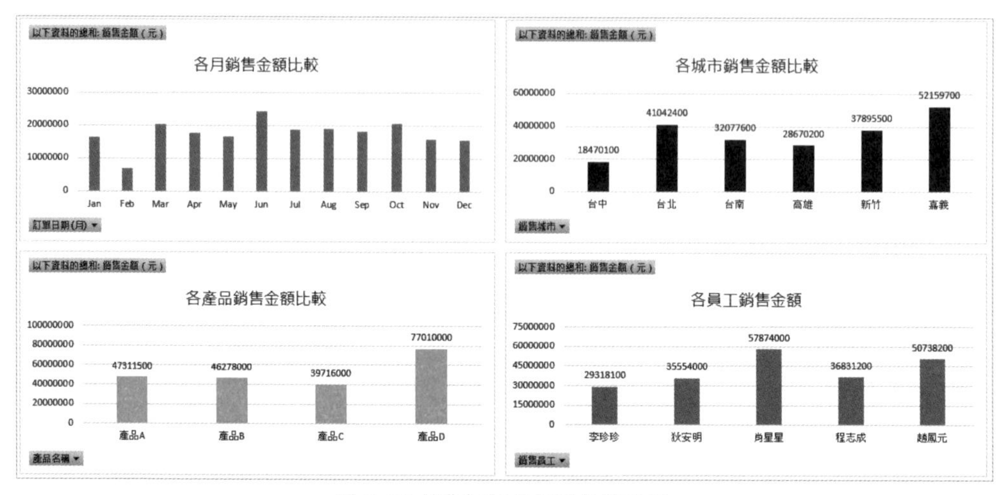

圖 8-28 美化樞紐分析圖後的效果

8.4 別錯過多表相關的 Power Pivot 樞紐分析表

小言：前輩，在 Excel 中，資料未必會出現在同一個工作表中，雖然可以將兩個工作表中的資料進行複製合併，但是，當資料較多時，我覺得使用這種方式並不能保證資料沒有遺漏。

老譚：嗯，的確是這樣，所以，此時可以利用 Power Pivot 中的「建立關聯性」功能將多張資料清單進行關聯，建立樞紐分析表以後就能夠實現多表資料引用了。

STEP 01 查看表格資料。圖 8-29 和 8-30 為同一活頁簿中的兩個工作表資料，其中，圖 8-29 為「產品銷售資料」工作表，8-30 為「產品資訊」工作表。

	A	B	C	D	E	F	G	H
1	訂單編號	訂單日期	產品名稱	銷售城市	銷售員工	銷售單價（元）	銷售數量（台）	銷售金額（元）
2	A-10256	2016/1/5	產品A	高雄	肖星星	$15,000.00	24	$360,000.00
3	A-10257	2016/1/6	產品B	高雄	程志成	$25,600.00	26	$665,600.00
4	A-10258	2016/1/6	產品C	台中	狄安明	$22,000.00	12	$264,000.00
5	A-10259	2016/1/7	產品D	台中	程志成	$30,000.00	28	$840,000.00
6	A-10260	2016/1/7	產品B	台南	狄安明	$25,600.00	35	$896,000.00
7	A-10261	2016/1/11	產品A	台南	肖星星	$15,000.00	15	$225,000.00
8	A-10262	2016/1/11	產品B	台北	李珍珍	$25,600.00	27	$691,200.00
9	A-10263	2016/1/12	產品A	台北	趙鳳元	$15,000.00	20	$300,000.00
10	A-10264	2016/1/12	產品C	新竹	肖星星	$22,000.00	19	$418,000.00
11	A-10265	2016/1/12	產品D	嘉義	趙鳳元	$30,000.00	26	$780,000.00
12	A-10266	2016/1/13	產品A	台北	程志成	$15,000.00	11	$165,000.00
13	A-10267	2016/1/13	產品B	新竹	肖星星	$25,600.00	18	$460,800.00

圖 8-29 查看「產品銷售資料」工作表

	A	B	C	D	E	F	G	H	I	J	K	L
1	訂單編號	產品名稱	銷售員工	銷售城市								
2	A-10256	產品A	肖星星	高雄								
3	A-10257	產品B	程志成	高雄								
4	A-10258	產品C	狄安明	台中								
5	A-10259	產品D	程志成	台中								
6	A-10260	產品B	狄安明	台南								
7	A-10261	產品A	肖星星	台南								
8	A-10262	產品B	李珍珍	台北								
9	A-10263	產品A	趙鳳元	台北								
10	A-10264	產品C	肖星星	新竹								
11	A-10265	產品D	趙鳳元	嘉義								
12	A-10266	產品A	程志成	台北								
13	A-10267	產品B	肖星星	新竹								

圖 8-30 查看「產品資訊」工作表

STEP 02 建立表格 1。❶切換至「產品銷售資料」工作表，❷選取該工作表中的任意資料儲存格，❸切換至「Power Pivot」頁籤，❹在「資料表」群組中按一下「加入至資料模型」按鈕，如圖 8-31 所示。彈出「建立資料表」對話方塊，❶預設表格資料來源區域，❷勾選「我的資料表（含標題）」，❸按一下「確定」按鈕，如圖 8-32 所示。

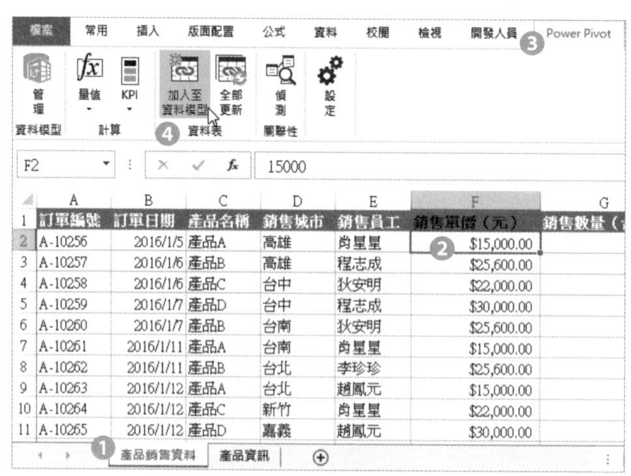

	A	B	C	D	E	F	G
1	訂單編號	訂單日期	產品名稱	銷售城市	銷售員工	銷售單價（元）	銷售數量（
2	A-10256	2016/1/5	產品A	高雄	肖星星	$15,000.00	
3	A-10257	2016/1/6	產品B	高雄	程志成	$25,600.00	
4	A-10258	2016/1/6	產品C	台中	狄安明	$22,000.00	
5	A-10259	2016/1/7	產品D	台中	程志成	$30,000.00	
6	A-10260	2016/1/7	產品B	台南	狄安明	$25,600.00	
7	A-10261	2016/1/11	產品A	台南	肖星星	$15,000.00	
8	A-10262	2016/1/11	產品B	台北	李珍珍	$25,600.00	
9	A-10263	2016/1/12	產品A	台北	趙鳳元	$15,000.00	
10	A-10264	2016/1/12	產品C	新竹	肖星星	$22,000.00	
11	A-10265	2016/1/12	產品D	嘉義	趙鳳元	$30,000.00	

圖 8-31 建立表

圖 8-32 設定表區域

STEP 03 顯示建立的「表格 1」。隨後經過幾秒鐘的連結配置後，自動彈出 Power Pivot 視窗，並出現已經配置好的資料表「表格 1」，如圖 8-33 所示。

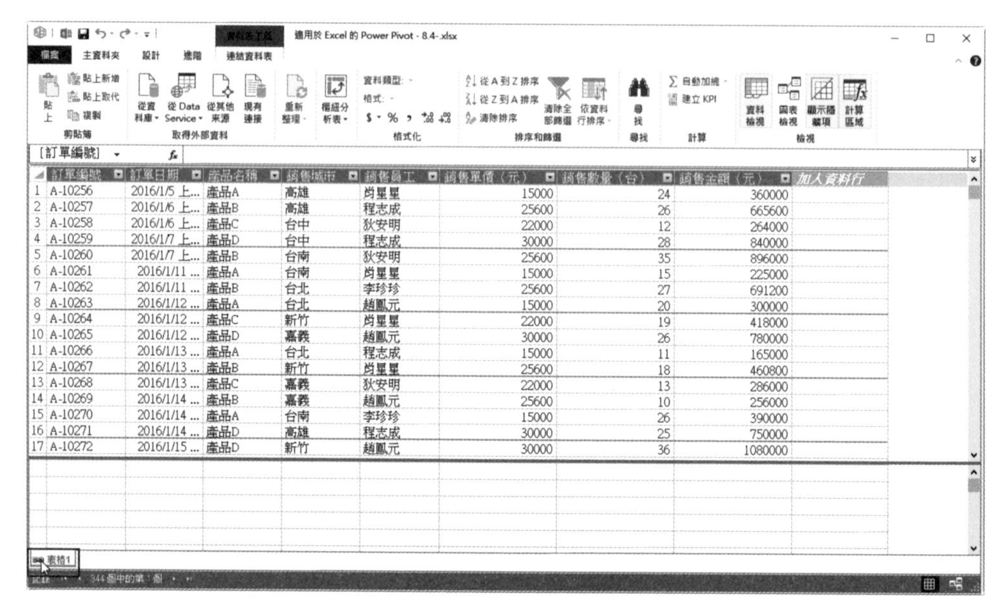

	訂單編號	訂單日期	產品名稱	銷售城市	銷售員工	銷售單價（元）	銷售數量（台）	銷售金額（元）	加入資料行
1	A-10256	2016/1/5 上...	產品A	高雄	肖星星	15000	24	360000	
2	A-10257	2016/1/6 上...	產品B	高雄	程志成	25600	26	665600	
3	A-10258	2016/1/6 上...	產品C	台中	狄安明	22000	12	264000	
4	A-10259	2016/1/7 上...	產品D	台中	程志成	30000	28	840000	
5	A-10260	2016/1/7 上...	產品B	台南	狄安明	25600	35	896000	
6	A-10261	2016/1/11 ...	產品A	台南	肖星星	15000	15	225000	
7	A-10262	2016/1/11 ...	產品B	台北	李珍珍	25600	27	691200	
8	A-10263	2016/1/12 ...	產品A	台北	趙鳳元	15000	20	300000	
9	A-10264	2016/1/12 ...	產品C	新竹	肖星星	22000	19	418000	
10	A-10265	2016/1/12 ...	產品D	嘉義	趙鳳元	30000	26	780000	
11	A-10266	2016/1/13 ...	產品A	台北	程志成	15000	11	165000	
12	A-10267	2016/1/13 ...	產品B	新竹	肖星星	25600	18	460800	
13	A-10268	2016/1/13 ...	產品C	嘉義	狄安明	22000	13	286000	
14	A-10269	2016/1/14 ...	產品B	嘉義	趙鳳元	25600	10	256000	
15	A-10270	2016/1/14 ...	產品A	台南	李珍珍	15000	26	390000	
16	A-10271	2016/1/14 ...	產品D	高雄	程志成	30000	25	750000	
17	A-10272	2016/1/15 ...	產品D	新竹	趙鳳元	30000	36	1080000	

圖 8-33 顯示建立的「表格 1」

STEP 04 建立表 2。❶切換至「產品資訊」工作表，❷選取該工作表中的任意資料儲存格，❸切換至「Power Pivot」頁籤，❹在「資料表」群組中按一下「加入至資料模型」按鈕，如圖 8-34 所示。彈出「建立資料表」對話方塊，❶預設表格資料來源區域，❷勾選「我的資料表（含標題）」，❸按一下「確定」按鈕，如圖 8-35 所示。

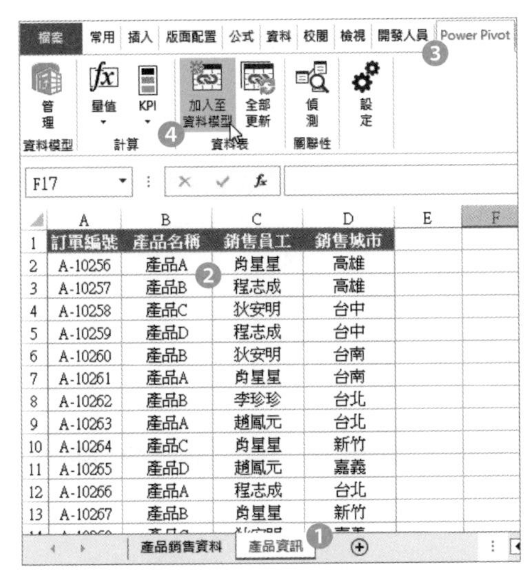

圖 8-34 建立表

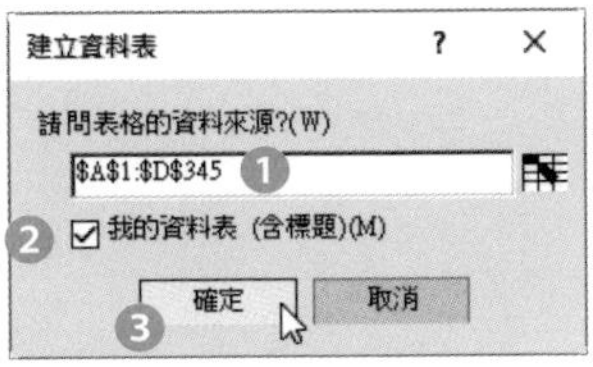

建立資料表

請問表格的資料來源?(W)

$A$1:$D$345

我的資料表 (含標題)(M)

確定 取消

圖 8-35 設定表區域

STEP 05 顯示建立的「表格 2」。可發現「表格 1」後增加了一個名為「表格 2」的資料表，如圖 8-36 所示。

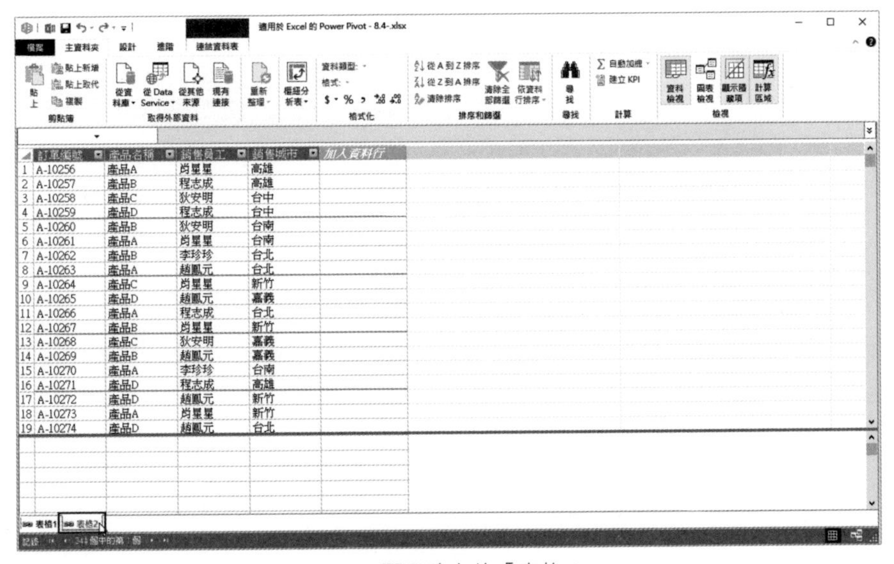

圖 8-36 顯示建立的「表格 2」

STEP 06 啟動「建立關聯性」對話方塊。❶切換至「表格 1」，❷按一下「設計」頁籤，❸在「關聯性」群組中點選「建立關聯性」按鈕，如圖 8-37 所示。

	訂單編號	訂單日期	產品名稱	銷售城市	銷售員工	銷售單價（元）	銷售數量（台）	銷售金額（元）	加入資料行
1	A-10256	2016/1/5 上...	產品A	高雄	岗星星	15000	24	360000	
2	A-10257	2016/1/6 上...	產品B	高雄	程志成	25600	26	665600	
3	A-10258	2016/1/6 上...	產品C	台中	狄安明	22000	12	264000	
4	A-10259	2016/1/7 上...	產品D	台中	程志成	30000	28	840000	
5	A-10260	2016/1/7 上...	產品B	台南	狄安明	25600	35	896000	
6	A-10261	2016/1/11 ...	產品A	台南	岗星星	15000	15	225000	
7	A-10262	2016/1/11 ...	產品B	台北	李珍珍	25600	27	691200	
8	A-10263	2016/1/12 ...	產品A	台北	趙鳳元	15000	20	300000	
9	A-10264	2016/1/12 ...	產品C	新竹	岗星星	22000	19	418000	
10	A-10265	2016/1/12 ...	產品D	嘉義	趙鳳元	30000	26	780000	
11	A-10266	2016/1/13 ...	產品A	台北	程志成	15000	11	165000	
12	A-10267	2016/1/13 ...	產品B	新竹	岗星星	25600	18	460800	
13	A-10268	2016/1/13 ...	產品C	嘉義	狄安明	22000	13	286000	
14	A-10269	2016/1/14 ...	產品B	嘉義	趙鳳元	25600	10	256000	
15	A-10270	2016/1/14 ...	產品A	台南	李珍珍	15000	26	390000	
16	A-10271	2016/1/14 ...	產品D	高雄	程志成	30000	25	750000	

圖 8-37 啟動「建立關聯性」對話方塊

STEP 07 建立關聯性。彈出「建立關聯性」對話方塊，❶「表格 1」選項群組下自動選擇了「表格 1」，❷在欄位清單中選擇「訂單編號」，❸在「表格 2」選項群組下選擇「表格 2」，❹在欄位清單中按一下「訂單編號」，❺按一下「確定」按鈕，如圖 8-38 所示。

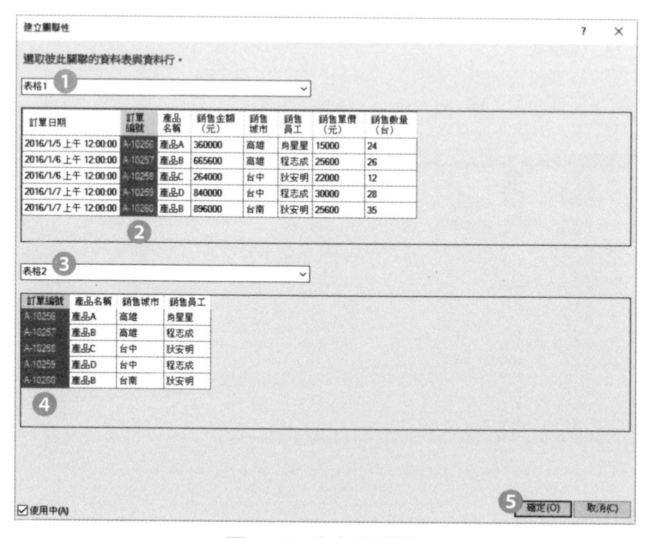

圖 8-38 建立關聯性

STEP 08 建立樞紐分析表。❶切換至「主資料夾」頁籤，❷按一下「樞紐分析表」下三角按鈕，❸在展開的清單中點選「樞紐分析表」選項，如圖 8-39 所示。

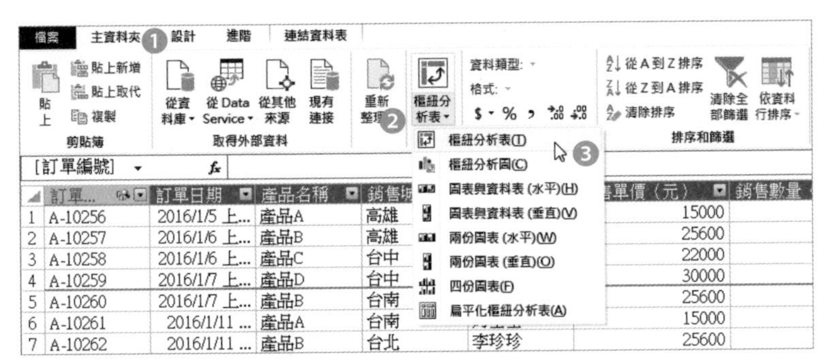

圖 8-39 建立樞紐分析表

STEP 09 設定樞紐分析表位置。彈出「建立樞紐分析表」對話方塊，❶保持「新工作表」選項不變，❷按一下「確定」按鈕，如圖 8-40 所示。

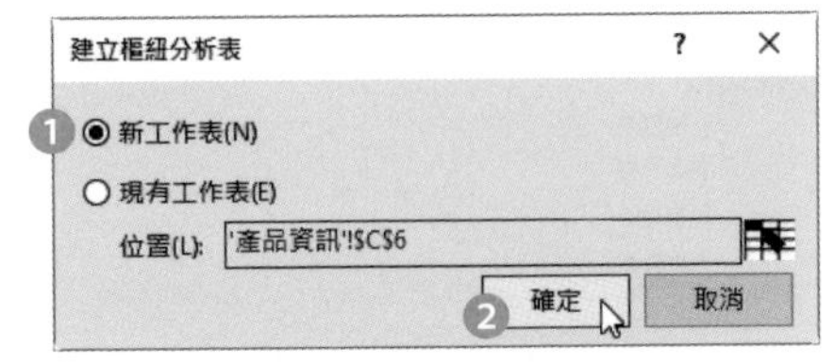

圖 8-40 設定樞紐分析表位置

STEP 10 顯示建立的空白樞紐分析表。❶隨後即可看到新增加工作表中的空白樞紐分析表，❷在右側的「樞紐分析表欄位」任務窗格中可看到兩個欄位清單，如圖 8-41 所示。

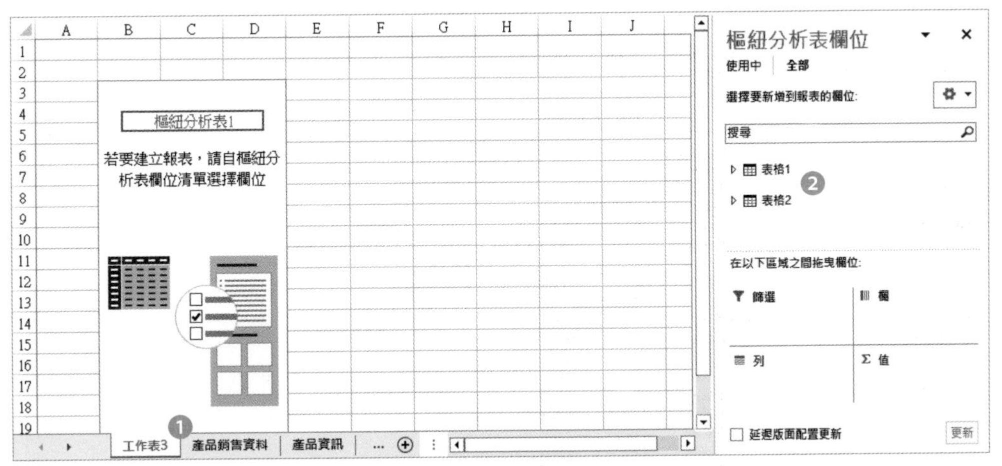

圖 8-41 顯示建立的空白樞紐分析表

STEP 11 勾選欄位並設定欄位位置。在欄位清單中的「表格 1」和「表格 2」中勾選欄位，如圖 8-42 所示，然後在欄位設定區域設定這些欄位的位置，如圖 8-43 所示。

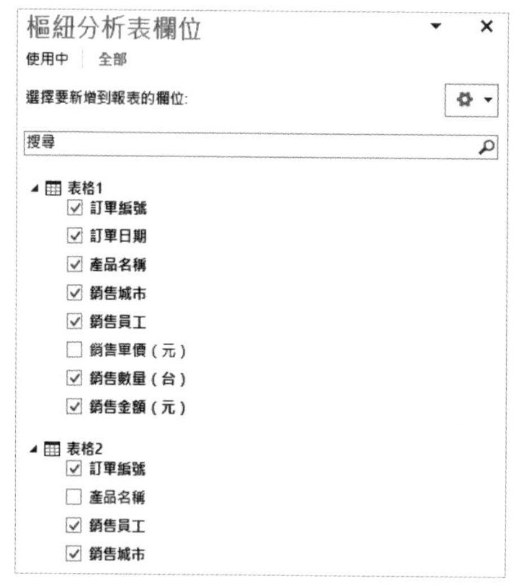

圖 8-42 勾選多個表中的欄位

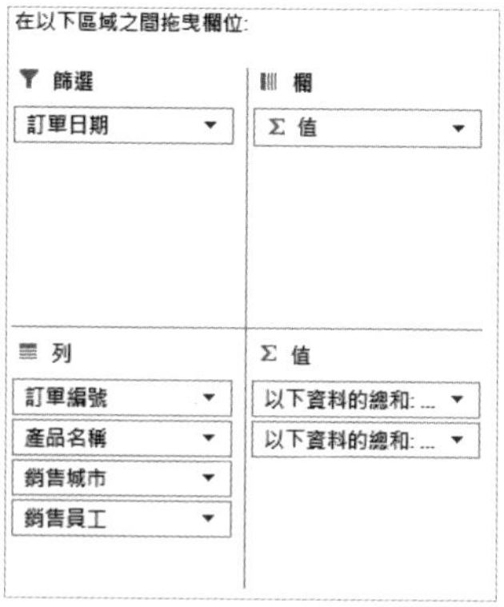

在以下區域之間拖曳欄位:

篩選：訂單日期

欄：Σ 值

列：訂單編號、產品名稱、銷售城市、銷售員工

Σ 值：以下資料的總和: ...、以下資料的總和: ...

圖 8-43 設定欄位位置

STEP 12 顯示多表建立的樞紐分析表。隨後即可看到勾選兩個表中欄位後的樞紐分析表效果，為了便於查看多表的關聯效果，在該樞紐分析表中刪除了小計，如圖 8-44 所示。

B	C	D	E	F	G
訂單日期	All				
訂單編號	產品名稱	銷售城市	銷售員工	以下資料的總和: 銷售數量（台）	以下資料的總和: 銷售金額（元）
A-10256	產品A	高雄	尚星星	24	360000
A-10257	產品B	高雄	程志成	26	665600
A-10258	產品C	台中	狄安明	12	264000
A-10259	產品D	台中	程志成	28	840000
A-10260	產品B	台南	狄安明	35	896000
A-10261	產品A	台南	尚星星	15	225000
A-10262	產品B	台北	李珍珍	27	691200
A-10263	產品A	台北	趙鳳元	20	300000
A-10264	產品C	新竹	尚星星	19	418000
A-10265	產品D	嘉義	趙鳳元	26	780000
A-10266	產品A	台北	程志成	11	165000
A-10267	產品B	新竹	尚星星	18	460800
A-10268	產品C	嘉義	狄安明	13	286000
A-10269	產品B	嘉義	趙鳳元	10	256000
A-10270	產品A	台南	李珍珍	26	390000
A-10271	產品D	高雄	程志成	25	750000
A-10272	產品D	新竹	趙鳳元	36	1080000
A-10273	產品A	新竹	尚星星	40	600000
A-10274	產品D	台北	趙鳳元	42	1260000
A-10275	產品A	台中	狄安明	15	225000
A-10276	產品D	高雄	李珍珍	40	1200000
A-10277	產品C	嘉義	尚星星	30	660000
A-10278	產品A	台南	程志成	20	300000
A-10279	產品D	台南	尚星星	25	750000
A-10280	產品D	高雄	狄安明	22	660000

產品銷售資料　工作表3　產品資訊

圖 8-44 顯示多表建立的樞紐分析表

8.5 載入 Power Pivot 時可能遇到的問題及解決方案

小言：前輩，為什麼我安裝了新的 Office 軟體後，在 Excel 中找不到 Power Pivot 工具呢？我使用了 8.1 中的方法，但還是找不到？

老譚：哦，那你就要試試以下方法了，有可能是被隱藏在「COM 增益集」中。

01 STEP 在自訂功能區中沒有 Power Pivot 頁籤。開啟「Excel 選項」對話方塊，❶切換至「自訂功能區」頁籤，❷可發現右側的「自訂功能區」選項群組下的清單方塊中未有「Power Pivot」頁籤，如圖 8-45 所示。

圖 8-45 未顯示「Power Pivot」頁籤

02 STEP 切換至「COM 增益集」。❶切換至「增益集」頁籤，❷按一下「管理」右側的下三角按鈕，❸在展開的清單中點選「COM 增益集」選項，如圖 8-46 所示。❹按一下「執行」按鈕，如圖 8-47 所示。

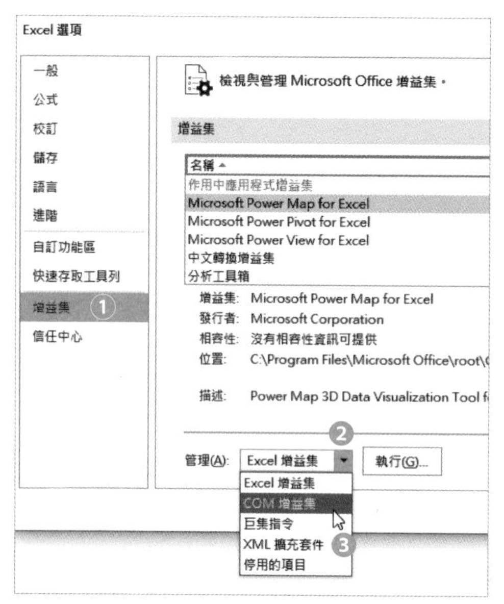

圖 8-46 選擇「COM 增益集」選項

增益集
信任中心
增益集: Microsoft Power Map for Excel
發行者: Microsoft Corporation
相容性: 沒有相容性資訊可提供
位置: C:\Program Files\Microsoft Office\root\Office16
描述: Power Map 3D Data Visualization Tool for Micr
管理(A): COM 增益集 執行(G)...

圖 8-47 切換至增益集下

03 STEP 勾選「Microsoft Power Pivot for Excel」核取方塊。彈出「COM 增益集」對話方塊，❶勾選「Microsoft Power Pivot for Excel」核取方塊，❷按一下「確定」按鈕，如圖 8-49 所示。即可將「Power Pivot」功能加入頁籤。

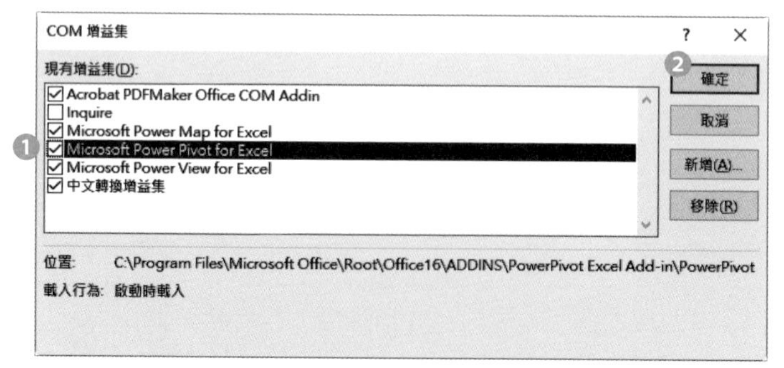

圖 8-48 勾選 Microsoft Power Pivot for Excel 核取方塊

極速報表製作術｜Excel 樞紐分析應用全攻略

作　　者：恒盛杰資訊
企劃編輯：莊吳行世
文字編輯：詹祐甯
設計裝幀：張寶莉
發 行 人：廖文良

發 行 所：碁峰資訊股份有限公司
地　　址：台北市南港區三重路 66 號 7 樓之 6
電　　話：(02)2788-2408
傳　　真：(02)8192-4433
網　　站：www.gotop.com.tw
書　　號：ACI029900
版　　次：2018 年 09 月初版
建議售價：NT$350

國家圖書館出版品預行編目資料

極速報表製作術：Excel 樞紐分析應用全攻略 / 恒盛杰資訊著.
-- 初版. -- 臺北市：碁峰資訊, 2018.09
面；　公分
ISBN 978-986-476-919-3(平裝)
1.EXCEL(電腦程式)
312.49E9　　107015615

讀者服務

- 感謝您購買碁峰圖書，如果您對本書的內容或表達上有不清楚的地方或其他建議，請至碁峰網站:「聯絡我們」\「圖書問題」留下您所購買之書籍及問題。(請註明購買書籍之書號及書名，以及問題頁數，以便能儘快為您處理)
http://www.gotop.com.tw
- 售後服務僅限書籍本身內容，若是軟、硬體問題，請您直接與軟體廠商聯絡。
- 若於購買書籍後發現有破損、缺頁、裝訂錯誤之問題，請直接將書寄回更換，並註明您的姓名、連絡電話及地址，將有專人與您連絡補寄商品。
- 歡迎至碁峰購物網
http://shopping.gotop.com.tw
選購所需產品。